튼튼한 **개념!** 흔들리지 않는 **실력!**

숨마쿰라우데 중학수학

개념기본서

3-상

숨마쿰라우데® 중학수학 개념기본서 3-상

이 책을 집필한 선생님

강순모 동신중학교   **김동은** 대신고등학교   **김명수** 저현고등학교
신지영 개운중학교   **박정숙** 양재고등학교   **설정수** 신목고등학교
한혜정 창덕여자중학교   **원슬기** 신일고등학교   **천태선** 자카르타 한국국제학교
이서진(이산) 메가스터디, 엠베스트 인강

1판 7쇄 발행일 : 2023년 3월 13일

펴낸이 : 이동준, 정재현
기획 및 편집 : 박영아, 남궁경숙, 김재열, 강성희, 박문서
디자인 : 굿윌디자인

펴낸곳 : (주)이룸이앤비
출판신고번호 : 제2009-000168호
주소 : 경기도 성남시 수정구 위례광장로 21-9 kcc 웰츠타워 2층 2018호
대표전화 : 02-424-2410
팩스 : 070-4275-5512
홈페이지 : www.erumenb.com
ISBN : 978-89-5990-490-7

이 책을 펴내면서

수학 공부를 아주 열심히 하는 학생이 상담을 요청한 적이 있었습니다.
그 학생은 의기소침한 얼굴로 말하더군요.

"선생님, 하루도 안 빼고 문제집을 푸는데 왜 점수는 그대로일까요?"

짐작이 가는 점이 있었지만 일단 옆에서 공부하는 모습을 지켜보기로 했습니다.
그리고 이 학생의 공부법에 문제가 있다는 것을 아는 데는 오랜 시간이 걸리지 않았습니다.
많은 학생들이 그렇듯이 이 학생 역시 개념과 원리 부분은 대충 훑어보고 지나가는 것이었습니다.
오히려 굳이 공식이 필요하지 않은 문제인데 공식에 집착하였고,
풀이가 잘못되었어도 답만 맞으면 다음 문제로 넘어갔습니다.
그래서 "너 이 문제 잘 알고 푼 거니? 한번 설명해 줄래?" 했더니 우물쭈물하였습니다.

여러분은 어떤가요?
지금까지 보아 온 많은 학생들이 다양한 문제를 풀면서도 이렇게 원리를 제대로 탐구하지 않아
수학의 무게에 항상 힘겨워하곤 했습니다.
시중에 나와 있는 문제집들도 개념은 간략하게 설명하고, 문제만 많이 실어 이런 잘못된 학습 방법을 계속하게 합니다.
개념을 잘 알면 굳이 많은 문제를 풀지 않아도 되는데 말입니다.
공식 위주로만 공부하면 습관적으로 문제를 풀게 되어 변형 문제에 대한 응용력이 현저하게 떨어지게 됩니다.

수학을 공부하는 가장 바람직한 방법은 많은 문제 풀이보다는 개념 공부에 힘쓰는 것입니다.
잘 이해한 개념 하나가 열 개의 문제를 풀 수 있게 합니다.

『숨마쿰라우데 개념기본서』로 개념을 통한 수학 공부를 시작해 보세요.

QA를 통한 이야기식 문답법으로 개념을 쉽게 이해할 수 있을 뿐 아니라,
직접 설명하면서 점검할 수 있도록 하여 자연스럽게 개념을 자기 것으로 만들 수 있도록 하였습니다.
꿈을 위해 나아가는 길에 『숨마쿰라우데 개념기본서』가 등불이 되어 줄 것입니다.

저자 일동

숨마쿰라우데® 중학수학 [개념기본서] 3-상

개념 BOOK

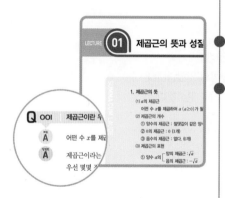

INTRO to Chapter I
실수와 그 계산
SUMMA CUM LAUDE · MIDDLE SCHOOL MATHEMATICS

1. 제곱근과 실수
- 01 제곱근의
- 02 무리수와
- • 유형 EXER
- • 중단원 EX

단원의 감을 잡자! INTRO to Chapter

학습을 시작함에 있어 가장 중요한 것은 내가 무엇을 공부하는지,
어떻게 공부해야 하는지를 아는 것입니다.
대단원 전체의 흐름, 배경, 학습 목표 등을 통해 학습을 즐겁게 시작할 수
있도록 하였습니다.

LECTURE **01** 제곱근의 뜻과 성질

1. 제곱근의 뜻
(1) a의 제곱근
어떤 수 x를 제곱하여 $a\,(a \geq 0)$가 될
(2) 제곱근의 개수
① 양수의 제곱근 : 절댓값이 같은 양
② 0의 제곱근 : 0 (1개)
③ 음수의 제곱근 : 없다. (0개)
(3) 제곱근의 표현
① 양수 a의 ┌ 양의 제곱근 : $\sqrt{a}$
└ 음의 제곱근 : $-\sqrt{a}$

Q 001 제곱근이란 두

$\overset{\text{짧은}}{\text{A}}$ 어떤 수 x를 제곱

$\overset{\text{친절한}}{\text{A}}$ 제곱근이라는
우선 몇몇 것

단원의 핵심개념을 모은 SUMMA NOTE

공부할 내용 중 핵심적인 개념을 모아 정리해 두었습니다.

이보다 더 상세할 수 없다! QA를 통한 스토리텔링 강의

Q 001 공부를 하면서 꼭 필요한 물음

$\overset{\text{짧은}}{\text{A}}$ Q에 대한 짧고 확실한 Answer

$\overset{\text{친절한}}{\text{A}}$ Q에 대한 친절하고 자세한 Answer

본문 설명에 있어서 중요한 개념, 주의할 점, 기억해야 할 점 등 모든 것을 묻고
답하는 형식으로 설명함에 따라 충분한 이해를 기반으로 공부할 수 있습니다.

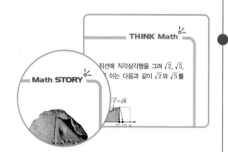

THINK Math

직선에 직각삼각형을 그려 $\sqrt{2}$, $\sqrt{5}$,
이는 다음과 같이 $\sqrt{2}$와 $\sqrt{5}$를

$\sqrt{1} = \sqrt{6}$

Math STORY

창의적 사고를 위한 THINK Math

사고를 한 단계 UP 할 수 있는 내용을 담아 수학을 생각하게 하였습니다.

*재미있는 쉼터 Math STORY
역사적인 일화, 수학자 이야기 등 본문과 관련된 흥미 있는 이야기를 담았습니다.

스스로 익히는 **개념 CHECK**

개념 확인
(1) 양수 a의 제곱근은 □ 2개다.
(2) 0의 제곱근은 □으로 1개이다.
(3) □의 제곱근은 없다.
(4) $a > 0$일 때, $\sqrt{a} = $□
$a < 0$일 때, $\sqrt{a} = $□

01 다음 수의 제곱근을 모두 구하여라.
(1) 0   (2) 6
(4) $\dfrac{3}{5}$ (5) -16

02 다음 표의 빈칸에 알맞은 수를 써넣어라.

a	a의 제곱근
(1) 121	
(2) 0.25	

개념을 이해했는지 확인하는 개념 CHECK

개념 확인 이 강에서 새로 배운 용어 또는 학습 원리를 간단하게 □ 안에 넣기
로 확인합니다.

개념 CHECK 앞에 배운 개념들을 완벽히 이해하고 있는지 확인합니다.
틀린 문제가 있다면 본문을 다시 한 번 읽어 주세요!

이 책의 구성과 특징

유형으로 문제를 정리하는 유형 EXERCISES

소단원별로 시험에 반드시 나오는 유형들을 모아 정리해 놓았습니다.
어려운 부분이 생기면 본문 QA로 Go Go~
문제 이해도를 ☺, ☺, ☹으로 표시해 보고 이해가 잘 되지 않는 문제는
반드시 다시 풀어 봅니다.

실력을 완성하는 중단원 EXERCISES

유형에서 벗어나 스스로 문제를 파악하여 해결하는 시간입니다.
시험에 출제되는 다양한 유형의 문제를 풀어 볼 수 있습니다.
• Step 1 (내신기본), Step 2 (내신발전) 2단계로 구성
• 난이도 표시 (●○○ : 하, ●●○ : 중, ●●● : 상)
• 창의융합 : 새 교육과정에서 강조하는 수학적 창의성 신장 문제를 풀어 봅니다.

QA로 완벽 정리하는 대단원 REVIEW

본문 속 Q를 따라 학습의 흐름을 정리하는 시간입니다.
묻고 답하면서 복습해 보세요. 내용이 더욱 오래 기억될 거예요.

단원을 마무리짓는 대단원 EXERCISES

한 단원 전체의 내용을 문제를 통해 확인하는 시간입니다.
개념을 잘 이해하고 있으니 서술형 문제도 술술~ 풀릴 거예요!

숨마쿰라우데® 중학수학 개념기본서 3-상

한 단계 높은 차원의 수학을 원한다면 Advanced Lecture

수학의 개념을 확장해 놓은 수학의 장입니다. 본문 개념의 확장 및
고학년의 수학으로의 연계 뿐만 아니라 교과서 밖의 해결 방법 등을
논함으로써 한 차원 높은 수학을 맛볼 수 있습니다.

수학으로 보는 세상 Math Essay

실생활에서 볼 수 있는 흥미 있는 수학 이야기, 수학자 이야기 등을 실어 놓았습니다.
술술 읽어 가며 가볍게 단원을 마무리하세요~

테스트 BOOK

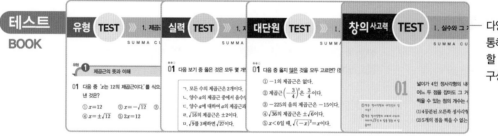

다양한 실전 문제를
통해 학교 시험을 준비
할 수 있도록 문제편을
구성하였습니다.

해설 BOOK

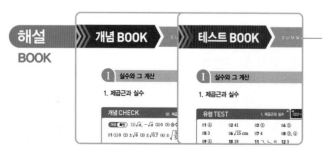

스스로 학습하는 데 어려움이 없도록 상세한 해설과 문제에
대한 다양한 풀이를 실어 놓았습니다.

이 책의 학습 시스템

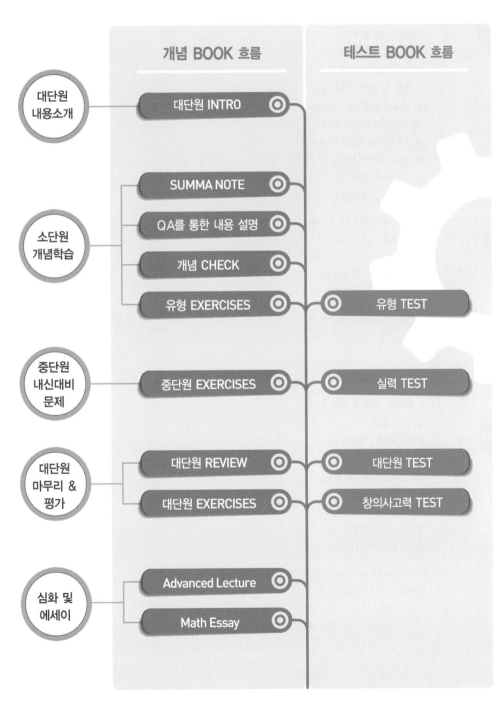

개념 BOOK 흐름	테스트 BOOK 흐름

대단원 내용소개
- 대단원 INTRO

소단원 개념학습
- SUMMA NOTE
- QA를 통한 내용 설명
- 개념 CHECK
- 유형 EXERCISES → 유형 TEST

중단원 내신대비 문제
- 중단원 EXERCISES → 실력 TEST

대단원 마무리 & 평가
- 대단원 REVIEW → 대단원 TEST
- 대단원 EXERCISES → 창의사고력 TEST

심화 및 에세이
- Advanced Lecture
- Math Essay

숨마쿰라우데® 중학수학 개념기본서 3-상

이 책의 차례

책 속의 책!
● 테스트 BOOK (문제은행)
● 해설 BOOK (정답 및 해설)

묻고 답하면서 공부하는
숨마쿰라우데 중학수학 개념기본서 **3-상**

QA

학습할 부분의 질문(Question)을 대단원별로 읽어 보세요.
학습 순서에 따라 제시되는 핵심 주제이므로 단원의 흐름을 한눈에 파악할 수 있습니다.
흐름에 따라 내용을 숙지하면 이해력과 기억력이 높아지므로 공부의 효율 또한 높아집니다.

❶ 예습 — 주제들을 읽어 보며 학습의 감을 잡자!
❷ 자율학습 — 궁금한 주제가 있다면 본문으로 들어가 바로바로 확인!
❸ 복습 — 주제를 읽으며 학습한 내용을 떠올려 보자. ○△×에 체크하여 모두 ○가 되는 그날까지 화이팅!
❹ 시험 대비 — 중요QA 를 중점적으로 공부하여 실전에 대비!

※ 아래의 Q를 읽고 스스로에게 물어 보세요! 정확하게 설명할 수 있으면 ○에, 보통이면 △에, 미흡하면 ×에 각각 체크해 보세요.

묻고 답하면서 공부하는
숨마쿰라우데® 중학수학 [개념기본서] **3-상**

학습할 부분의 질문(Question)을 대단원별로 읽어 보세요.
학습 순서에 따라 제시되는 핵심 주제이므로 단원의 흐름을 한눈에 파악할 수 있습니다.
흐름에 따라 내용을 숙지하면 이해력과 기억력이 높아지므로 공부의 효율 또한 높아집니다.

❶ 예습 ― 주제들을 읽어 보며 학습의 감을 잡자!
❷ 자율학습 ― 궁금한 주제가 있다면 본문으로 들어가 바로바로 확인!
❸ 복습 ― 주제를 읽으며 학습한 내용을 떠올려 보자. ○△×에 체크하여 모두 ○가 되는 그날까지 화이팅!
❹ 시험 대비 ― 중요QA 를 중점적으로 공부하여 실전에 대비!
※ 아래의 Q를 읽고 스스로에게 물어 보세요! 정확하게 설명할 수 있으면 ○에, 보통이면 △에, 미흡하면 ×에 각각 체크해 보세요.

핀란드의 헬싱키 대성당
'발트해의 아가씨' 라는 예쁜 별칭에 걸맞게 바다에서 바라본 풍경이
정말 아름다운 핀란드의 수도 헬싱키이다.
풍경 속 밝은 녹색 돔으로 이루어진 웅장한 건물이
헬싱키의 상징물인 대성당이다.

I

실수와 그 계산

숨마쿰라우데® 개념기본서

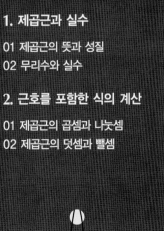

INTRO to Chapter I
실수와 그 계산

SUMMA CUM LAUDE - MIDDLE SCHOOL MATHEMATICS

피타고라스 학파와 무리수...

'만물의 근원은 수이다.' 라고 주장하며 수를 통해 자연과 우주를 설명하고자 애썼던 피타고라스 학파는 다소 철학적인 관점으로 수에 접근한 나머지 정수에 대한 지나친 집착을 보였다. 모든 현상을 정수의 비, 즉 유리수로 설명하려고 했던 피타고라스 학파는 우연한 호기심으로 혼란에 빠지게 된다. 그 호기심이라는 것이 정사각형의 대각선의 길이를 유리수로 표현해 보려고 한 것이다. 표현하기가 어려울 뿐이지 유리수로 표현되리라는 신념을 갖고 있었던 피타고라스 학파는 어이없게 유리수로 표현되지 않음을 깨닫게 된다.

피타고라스는 모든 수는 정수의 비로 표현할 수 있다고 생각했고, 그렇게 가르쳐왔다. 그는 정수의 비로 표현할 수 없는 수는 없다고 믿었는데 무리수 $\sqrt{2}$가 갑자기 나타나 혼란에 빠지게 된다.

피타고라스 학파의 일원인 히파수스는 유리수가 아닌 수가 존재한다는 것을 처음 증명하게 되었는데 그는 이를 세상에 알려야 한다고 주장하여 학파에서 미움을 사게 된다. 히파수스가 유리수가 아닌 수의 존재를 발설할 것을 두려워한 피타고라스 학파는 결국 그를 바다에 빠뜨렸다고 한다. 피타고라스 학파가 히파수스를 죽이면서까지 무리수의 존재를 감추고자 한 까닭은 정수에 대한 집착에 의한 것이었는데 이는 학문적인 면보다는 종교적, 철학적인 면이 강하게 작용하였기 때문으로 전해진다.

무리수와 실수...

한 변의 길이가 1인 정사각형의 대각선의 길이는 분명 기하적으로는 존재하는데 유리수로 표현할 수 없다. 양이 실제로 존재하는데 그것을 표현할 수(數)가 없다 보니 이를 표현할 수 있는 새로운 수가 필요했고 이에 맞춰 적당한 기호를 만들어 내게 되었다.

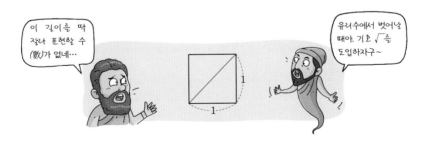

우리는 이 단원을 통해 새로운 수와 그 기호에 대해 자세히 배우게 될 것이다. 새로운 수는 무리수와 실수로, 실수는 우리가 실생활에서 접하는 수 체계의 최종 단계이다.

유리수에 익숙해져 있어서 새로운 수를 받아들이는 것이 낯설고 어려울 수 있지만 수의 확장은 우리의 사고를 확장시킬 수 있는 좋은 계기가 될 것이므로 긍정적인 마인드로 이 단원을 공부해 보자!

제곱근의 뜻과 성질

SUMMA **NOTE**

1. 제곱근의 뜻

(1) a의 제곱근

어떤 수 x를 제곱하여 a $(a \geq 0)$가 될 때, 즉 $x^2 = a$일 때 x를 a의 제곱근이라고 한다.

(2) 제곱근의 개수

① 양수의 제곱근 : 절댓값이 같은 양수와 음수 (2개)

② 0의 제곱근 : 0 (1개)

③ 음수의 제곱근 : 없다. (0개)

(3) 제곱근의 표현

① 양수 a의 $\begin{cases} \text{양의 제곱근 : } \sqrt{a} \\ \text{음의 제곱근 : } -\sqrt{a} \end{cases}$

② 기호 $\sqrt{}$ 를 근호라 하고, $\sqrt{a}$를 '제곱근 a' 또는 '루트 a'라고 읽는다.

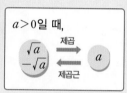

$a > 0$일 때,

2. 제곱근의 성질

(1) $a > 0$일 때,

① a의 제곱근을 제곱하면 a가 된다.

$(\sqrt{a})^2 = a, \ (-\sqrt{a})^2 = a$

② 근호 안의 수가 어떤 수의 제곱이면 근호를 없앨 수 있다.

$\sqrt{a^2} = a, \ \sqrt{(-a)^2} = a$

(2) $\sqrt{a^2} = \begin{cases} a \ (a \geq 0) \\ -a \ (a < 0) \end{cases}$

3. 제곱근의 대소 관계

$a > 0, \ b > 0$일 때,

(1) $a < b$이면 $\sqrt{a} < \sqrt{b}$

(2) $\sqrt{a} < \sqrt{b}$이면 $a < b$

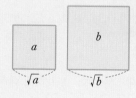

1. 제곱근의 뜻과 성질

Q 001 제곱근이란 무엇일까?

A 어떤 수 x를 제곱하여 a가 될 때, x를 a의 제곱근이라 해.

A 제곱근이라는 말에서 짐작되듯이 제곱근은 제곱과 연관이 깊다.
우선 몇몇 정수의 제곱을 살펴보자.

1을 제곱하면	1
2를 제곱하면	4
3을 제곱하면	9
4를 제곱하면	16

−1을 제곱하면	1
−2를 제곱하면	4
−3을 제곱하면	9
−4를 제곱하면	16

어떤 수를 '제곱한다'는 것은 어떤 수를 2번 곱한다는 것으로 음수를 제곱하면 양수를 제곱한 것과 같은 값이 나온다. 이번에는 다음 질문을 생각해 보자.

제곱하여 1이 되는 수는?
제곱하여 4가 되는 수는?
제곱하여 9가 되는 수는?
제곱하여 16이 되는 수는?

위에서 $4^2=16$, $(-4)^2=16$이므로 제곱하여 16이 되는 수는 4와 −4이다.
이와 같이 어떤 수 x를 제곱하여 $a(a≥0)$가 될 때, 즉 $x^2=a$일 때 x를 a의
제곱근이라고 한다.

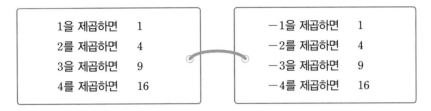

$$\boxed{a \text{의 제곱근}} \Rightarrow \boxed{x^2=a \text{를 만족시키는 } x}$$

이때 제곱근이란 '제곱'이라는 결과가 나오게 해주는 근원, 뿌리의 의미를
가지고 있다. 따라서 '제곱하여 16이 되는 수'는 '16의 제곱근'이라는 말과 같다.

예제 1 다음을 구하여라.

    (1) 1의 제곱근   (2) 4의 제곱근

    (3) 9의 제곱근   (4) $(-5)^2$의 제곱근

풀이 (1) 1, −1 (2) 2, −2 (3) 3, −3 (4) 5, −5

       (4) $(-5)^2=25$ ➡ 25의 제곱근은 5, −5이다.

Q 002 | **어떤 수든지 제곱근은 항상 2개일까?**

 A NO! 양수, 0, 음수에 따라 달라.

A 양수이면 그 수의 제곱근은 항상 2개이다. 하지만 음수이면 제곱하여 음수가 되는 수는 존재하지 않으므로 음수의 제곱근은 없다. 또 제곱하여 0이 되는 수는 0뿐이므로 0의 제곱근은 0 하나이다. 따라서 제곱근은 항상 2개 있는 것이 아니라

양수일 때만 2개이고, 0일 때는 1개, 음수일 때는 없다!

> **제곱근의 개수**
> ① 양수의 제곱근에는 양수와 음수 2개가 있고, 그 절댓값은 서로 같다.
> ② 0의 제곱근은 0 하나뿐이다.
> ③ 음수의 제곱근은 없다.

한편 양수의 제곱근 중에서

양수인 것을 양의 제곱근, 음수인 것을 음의 제곱근

이라고 한다. 예를 들어 16의 제곱근인 4와 −4 중에서
16의 양의 제곱근은 4이고, 16의 음의 제곱근은 −4이다.

 Q 003 | **제곱근을 나타내는 기호는?**

 A $\sqrt{}$

A 오른쪽 그림과 같은 넓이가 각각 3, 5인 두 정사각형 ㈎, ㈏의 한 변의 길이는 어떻게 표현할까?
제곱해서 3이나 5가 되는 수는 알 수 없으므로 다음과 같이 표현하는 방법 밖에 없어 보인다.

㈎의 한 변의 길이 : 3의 양의 제곱근
㈏의 한 변의 길이 : 5의 양의 제곱근

하지만 무수히 많은 수들의 제곱근을 매번 말로 표현하기에는 귀찮고 번거롭다.
다행히도 수학자들이 제곱근을 나타내는 기호를 만들었는데 $\sqrt{}$ 가 그것이다.
기호 $\sqrt{}$ 를 사용하여 3의 양의 제곱근, 5의 양의 제곱근 대신 $\sqrt{3}$, $\sqrt{5}$로 간단히 표현하면 된다.
이때 기호 $\sqrt{}$ 를 근호라 하고 $\sqrt{a}$를 '제곱근 a' 또는 '루트 a' 라고 읽는다.

한편 양수 a의 제곱근 중에서

양의 제곱근을 $\sqrt{a}$, 음의 제곱근을 $-\sqrt{a}$

와 같이 나타낸다. 이때 $\sqrt{a}$와 $-\sqrt{a}$를 한꺼번에 $\pm\sqrt{a}$로 나타내기도 한다.

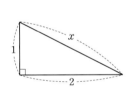

| 주의 | 음수의 제곱근은 생각하지 않으므로 $\sqrt{a}$에서 a는 0 또는 양수이어야 한다.
즉, $\sqrt{-2}$, $\sqrt{-7}$은 생각하지 않는다.

예제 2 다음 수의 제곱근을 근호를 사용하여 나타내어라.

(1) 7의 제곱근 (2) 10의 양의 제곱근 (3) 25의 음의 제곱근

풀이 (1) $\pm\sqrt{7}$ (2) $\sqrt{10}$ (3) $-\sqrt{25}$

기호 $\sqrt{}$의 사용으로 우리는 이제 다음 직각삼각형에서 x의 값을 구할 수 있게 되었다.

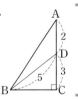

$x^2=1^2+2^2=5$이므로
$x=\sqrt{5}$ $(\because x>0)$

$x^2=4^2-3^2=7$이므로
$x=\sqrt{7}$ $(\because x>0)$

중2 때에는
자연수만
다루었지.

예제 3 오른쪽 그림과 같이 $\angle C=90°$인 $\triangle ABC$에서 $\overline{AB}$의 길이를 구하여라.

풀이 $\triangle DBC$에서 $\overline{BC}^2=5^2-3^2=16$ $\therefore \overline{BC}=4$ $(\because \overline{BC}>0)$
$\triangle ABC$에서 $\overline{AB}^2=4^2+5^2=41$ $\therefore \overline{AB}=\sqrt{41}$ $(\because \overline{AB}>0)$

Math STORY

근호의 역사

근호는 '제곱근의 기호'를 줄인 말이다. 처음에는 근호를 뿌리(root)를 뜻하는 라틴어 radix의 첫 글자 r를 써서 사용하였다. 이후 1525년에 독일의 수학자 루돌프(1499~1545)가 $\sqrt{}$로 쓰다가 약 100년 후 프랑스의 수학자 데카르트 (1596~1650)에 의해 현재 사용하고 있는 모양과 같은 꼴로 쓰기 시작하였다.

Q004 | $\sqrt{16}$을 근호를 사용하지 않고 나타내면?

A $\sqrt{16}=4$

A 16의 제곱근을 근호를 사용하여 나타내면 양의 제곱근은 $\sqrt{16}$, 음의 제곱근은 $-\sqrt{16}$이다.
그런데 제곱하여 16이 되는 수는 4와 -4이므로 다음이 성립한다.

$$\sqrt{16}=4, \qquad -\sqrt{16}=-4$$

따라서 $\sqrt{16}$을 근호를 사용하지 않고 나타내면 4가 된다.
이처럼 어떤 수의 제곱인 수의 제곱근은 근호를 사용하지 않고 나타낼 수 있다.

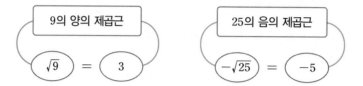

> 9의 양의 제곱근
> $\sqrt{9}$ $=$ 3

> 25의 음의 제곱근
> $-\sqrt{25}$ $=$ -5

예제 4 다음 수를 근호를 사용하지 않고 나타내어라.
(1) $\sqrt{36}$ (2) $\sqrt{0.04}$ (3) $-\sqrt{144}$

풀이 (1) $\sqrt{36}=$(36의 양의 제곱근)$=\mathbf{6}$
(2) $\sqrt{0.04}=$(0.04의 양의 제곱근)$=\mathbf{0.2}$
(3) $-\sqrt{144}=$(144의 음의 제곱근)$=\mathbf{-12}$

Q005 | 3의 제곱근과 제곱근 3은 어떻게 다를까?

A 3의 제곱근 ➡ $\pm\sqrt{3}$, 제곱근 3 ➡ $\sqrt{3}$

A 비슷해 보이지만 둘은 다른 뜻을 지니고 있으므로 잘 비교해 두자.
말을 풀어서 생각해 보면 비교가 될 것이다.

> 3의 제곱근 ➡ 제곱하여 3이 되는 수 ➡ $\pm\sqrt{3}$

> 제곱근 3 ➡ 3의 양의 제곱근 ➡ $\sqrt{3}$

> 7의 음의 제곱근 ➡ 제곱하여 7이 되는 음수 ➡ $-\sqrt{7}$

> 제곱근 7 ➡ 7의 양의 제곱근 ➡ $\sqrt{7}$

> a의 제곱근은 $\pm\sqrt{a}$이고,
> 제곱근 a는 $\sqrt{a}$야!

예제 5 다음을 구하여라.

    (1) 11의 제곱근   (2) 제곱근 11

    (3) 0.9의 음의 제곱근   (4) 제곱근 $\dfrac{3}{5}$

풀이 (1) $\pm\sqrt{11}$ (2) $\sqrt{11}$ (3) $-\sqrt{0.9}$ (4) $\sqrt{\dfrac{3}{5}}$

2. 제곱근의 성질

Q 006 $a>0$일 때, $(\sqrt{a})^2$, $\sqrt{a^2}$의 값은?

A $(\sqrt{a})^2=\sqrt{a^2}=a$

A $a>0$일 때, a의 제곱근은 $\sqrt{a}$, $-\sqrt{a}$이다. 따라서 $\sqrt{a}$, $-\sqrt{a}$를 제곱하면 a가 된다.

$$(\sqrt{a})^2=a, \quad (-\sqrt{a})^2=a \quad \text{← 3의 제곱근은 } \sqrt{3}, -\sqrt{3}\text{이므로 } (\sqrt{3})^2, (-\sqrt{3})^2=3$$

또한 $a>0$일 때, $\sqrt{a^2}$은 a^2의 양의 제곱근이므로 그 값은 a와 같다.

$$\sqrt{a^2}=a \qquad\qquad \text{← 3}^2\text{의 양의 제곱근은 3이므로 } \sqrt{3^2}=3$$

한편 제곱에 의해 $-$ 부호는 $+$ 부호로 바뀌므로

$$\sqrt{(-a)^2}=\sqrt{a^2}=a$$

위 식들을 잘 살펴보면 $\sqrt{}$ 와 제곱이 만나면 $\sqrt{}$ 가 사라짐을 알 수 있다.

$$\overset{\text{사라짐}}{\sqrt{a^2}}=a, \quad \overset{\text{사라짐}}{\sqrt{(-a)^2}}=a$$
$$\underset{+\text{로 바뀜}}{\uparrow}$$

가까이 오지마!
내가 사라진단
말이야!

미안.
제곱인 걸
깜박했어.

이상을 정리하면 다음과 같다.

제곱근의 성질

$a>0$일 때,

① $(\sqrt{a})^2=a$, $(-\sqrt{a})^2=a$ ② $\sqrt{a^2}=a$, $\sqrt{(-a)^2}=a$

예제 6 다음 수를 근호를 사용하지 않고 나타내어라.

    (1) $(\sqrt{10})^2$ (2) $(-\sqrt{13})^2$ (3) $-\sqrt{\left(\dfrac{3}{4}\right)^2}$ (4) $\sqrt{(-0.3)^2}$

풀이 (1) 10 (2) 13 (3) $-\dfrac{3}{4}$ (4) 0.3

근호를 없애는 것과 반대로 근호를 사용한 수로 나타내려면

근호 안에 그 수의 제곱인 수를 써주면 된다.

이때 음수의 경우, $-$ 부호는 근호 밖에 그대로 두어야 한다.

또한 $5^2 = (-5)^2$ 이므로 다음과 같이 나타낼 수 있다.

$a > 0$이면
$a = \sqrt{a^2}$

$$5 = \sqrt{5^2} = \sqrt{(-5)^2} = \sqrt{25}$$
$$-5 = -\sqrt{5^2} = -\sqrt{(-5)^2} = -\sqrt{25}$$

Q 007 $a < 0$일 때, $\sqrt{a^2}$의 값은?

A $\sqrt{a^2} = -a$

A Q 006 에서 $\sqrt{\ }$ 와 제곱이 만나면 $\sqrt{\ }$ 가 사라진다고 배웠으므로 당연스럽게

$\sqrt{a^2} = a$

로 생각할 수 있다. 하지만 '$a < 0$일 때' 라는 조건에 주의하자!

제곱은 음수를 양수로 변신시키므로

$(음수)^2$은 결국 $(양수)^2$이 되고 이것이 $\sqrt{\ }$ 와 만나 양수로 나온다.
다시 말해 처음의 음수가 양수로 바뀌게 된다. 이를 문자로 표현하면 다음과 같이 $-$ 부호가 붙은 형태가 된다.

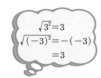

$\sqrt{3^2} = 3$
$\sqrt{(-3)^2} = -(-3)$
$= 3$

$\sqrt{(양수)^2} = (양수)$
$\sqrt{(음수)^2} = (양수)$

$$\sqrt{\underset{음수}{a^2}} = \underset{양수}{-a}$$

$\sqrt{a^2}$의 값을 a의 부호에 따라 정리하면 다음과 같다.

$a \geq 0$일 때, $\sqrt{a^2} = a$

$a < 0$일 때, $\sqrt{a^2} = -a$

이에 따라 근호 안의 식이 문자식의 제곱 꼴일 때, 근호가 없는 식으로 간단히 나타내려면

문자식의 값이 양수인지 음수인지를 먼저 알아보아야 한다.

예제 7 다음 물음에 답하여라.

(1) $a > 0$, $b < 0$일 때 $(\sqrt{a})^2 - \sqrt{(-b)^2}$을 간단히 하여라.

(2) $0 < a < 1$일 때 $\sqrt{(a-2)^2}$을 간단히 하여라.

풀이 (1) $(\underset{양수}{\sqrt{a}})^2 - \underset{양수}{\sqrt{(-b)^2}} = \underset{양수}{a} - \underset{양수}{(-b)} = \boldsymbol{a+b}$

(2) $a - 2 < 0$이므로 $\sqrt{\underset{음수}{(a-2)^2}} = \underset{양수}{-(a-2)} = \boldsymbol{-a+2}$

| 참고 | $|a| = \begin{cases} a & (a \geq 0) \\ -a & (a < 0) \end{cases}$ 이므로 모든 실수 a에 대하여 $\sqrt{a^2} = |a|$

Q008 | $\sqrt{(-3)^2}+(-\sqrt{10})^2-\sqrt{25}$ 를 계산하면?

A $3+10-5=8$

A 제곱근의 성질을 이용하여 근호가 없는 수로 각각 나타내면 주어진 계산은 너무나도 간단한 자연수의 계산이 된다. 즉,

$$\sqrt{(-3)^2}=3, \ (-\sqrt{10})^2=10, \ \sqrt{25}=\sqrt{5^2}=5$$

가 되므로 계산 결과는 다음과 같다.

$$\sqrt{(-3)^2}+(-\sqrt{10})^2-\sqrt{25}=3+10-5=8$$

예제 8 다음을 계산하여라.

(1) $\sqrt{11^2}+(-\sqrt{7})^2-\sqrt{36}$ (2) $\sqrt{(-6)^2}\times\left(-\sqrt{\dfrac{1}{9}}\right)^2$

(3) $\sqrt{\left(\dfrac{1}{7}\right)^2}\div\left(-\sqrt{\dfrac{2}{7}}\right)^2$

풀이 (1) $\sqrt{11^2}+(-\sqrt{7})^2-\sqrt{36}=11+7-6=\mathbf{12}$

(2) $\sqrt{(-6)^2}\times\left(-\sqrt{\dfrac{1}{9}}\right)^2=6\times\dfrac{1}{9}=\dfrac{\mathbf{2}}{\mathbf{3}}$

(3) $\sqrt{\left(\dfrac{1}{7}\right)^2}\div\left(-\sqrt{\dfrac{2}{7}}\right)^2=\dfrac{1}{7}\div\dfrac{2}{7}=\dfrac{\mathbf{1}}{\mathbf{2}}$

Q009 | $\sqrt{3\times x}$ 가 자연수가 되도록 하는 가장 작은 자연수 x의 값은?

A 3

A 중1 때, 1, 4, 9, 16, 25, …와 같이 (자연수)^2 꼴인 수를 제곱수라고 배웠다. 근호 안의 수가 제곱수이면 근호를 사용하지 않고 자연수로 나타낼 수 있다.

즉, 제곱근의 성질에 의해 다음과 같이 나타낸다.

$$\sqrt{(\text{제곱수})}=\sqrt{(\text{자연수})^2}=(\text{자연수})$$

근호를 사용하여 나타낸 수가 자연수가 되려면 다음 조건을 만족해야 한다!

$$\boxed{\sqrt{\bigstar}\text{이 자연수이다.}} \iff \boxed{\bigstar\text{이 제곱수이다.}}$$

$$\iff \boxed{\text{소인수의 지수가 짝수이다.}}$$

따라서 $\sqrt{3 \times x}$가 자연수이려면 $3 \times x$가 제곱수이어야 하므로, 자연수 x의 값은 반드시

$\qquad 3 \times (\text{자연수})^2$ 꼴

이어야 한다. 즉, x가 될 수 있는 수는

$\qquad 3 \times 1^2,\ 3 \times 2^2,\ 3 \times 3^2,\ \cdots$

이고, 이 중에서 가장 작은 자연수 x의 값은 3이다.

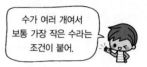

수가 여러 개여서 보통 가장 작은 수라는 조건이 붙어.

한편 $\sqrt{\dfrac{12}{x}}$가 자연수가 되도록 하는 자연수 x의 값은 얼마일까?

근호 안의 분수 $\dfrac{12}{x} = \dfrac{2^2 \times 3}{x}$이 제곱수가 되어야 하므로 자연수 x가 될 수 있는 수는

$\qquad 3$ 또는 3×2^2

이다.

예제 9 다음 식이 자연수가 되도록 하는 가장 작은 자연수 x의 값을 구하여라.

(1) $\sqrt{18 \times x}$ (2) $\sqrt{\dfrac{20}{x}}$ (3) $\sqrt{20 - x}$

풀이 (1) $18 \times x = 2 \times 3^2 \times x$가 제곱수이어야 하므로 $x = 2$ $\leftarrow \sqrt{2^2 \times 3^2} = \sqrt{6^2} = 6$

(2) $\dfrac{20}{x} = \dfrac{2^2 \times 5}{x}$가 제곱수이어야 하므로 $x = 5$ $\leftarrow \sqrt{\dfrac{2^2 \times 5}{5}} = \sqrt{2^2} = 2$

(3) $20 - x$의 값이 제곱수 1, 4, 9, 16이면 자연수가 된다. $\therefore x = 4$ $\leftarrow \sqrt{16} = 4$

---

3. 제곱근의 대소 관계

Q 010 제곱근의 대소 관계는 어떻게 알 수 있을까?

$a > b$이면 $\sqrt{a} > \sqrt{b}$

정사각형의 넓이와 그 한 변의 길이를 비교해 보면 제곱근의 대소 관계를 이해할 수 있다.
예를 들어 넓이가 각각 $3\ \mathrm{cm}^2$, $5\ \mathrm{cm}^2$인 두 정사각형의 한 변의 길이는
각각 $\sqrt{3}\ \mathrm{cm}$, $\sqrt{5}\ \mathrm{cm}$이다.
이때 정사각형의 넓이가 더 넓을수록 한 변의 길이도 더 길다. 즉,

$\qquad 3 < 5$이므로 $\sqrt{3} < \sqrt{5}$

임을 알 수 있다.
거꾸로 정사각형의 한 변의 길이가 더 길수록 넓이가 더 넓다. 즉,

$\qquad \sqrt{3} < \sqrt{5}$이므로 $3 < 5$

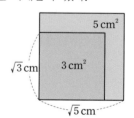

이다. 일반적으로 제곱근의 대소 관계는 다음과 같다.

제곱근의 대소 관계

$a>0$, $b>0$일 때
① $a<b$이면 $\sqrt{a}<\sqrt{b}$
② $\sqrt{a}<\sqrt{b}$이면 $a<b$

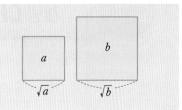

한편 두 수가 양수일 때 근호가 있는 수와 근호가 없는 수의 대소 비교는 보통 근호가 없는 수를 근호가 있는 수로 바꾸어 비교한다. 이때 두 수가 양수이면 근호 안의 수가 큰 것이 큰 수이지만 음수일 때에는 근호 안의 수가 작은 것이 큰 수임에 주의하자.

예제 10 다음 두 수의 대소를 비교하여라.

(1) $\sqrt{6}$ ◯ $\sqrt{7}$

(2) $\sqrt{\dfrac{1}{2}}$ ◯ $\sqrt{\dfrac{1}{3}}$

(3) $\sqrt{5}$ ◯ 2

(4) $-\sqrt{2}$ ◯ $-\sqrt{3}$

풀이 (1) $6<7$이므로 $\sqrt{6} < \sqrt{7}$

(2) $\dfrac{1}{2}>\dfrac{1}{3}$이므로 $\sqrt{\dfrac{1}{2}} > \sqrt{\dfrac{1}{3}}$

(3) $\sqrt{5}>\sqrt{4}$이므로 $\sqrt{5} > 2$

(4) $\sqrt{2}<\sqrt{3}$이므로 $-\sqrt{2} > -\sqrt{3}$

Math STORY

바빌로니아 점토판에 새겨진 2의 제곱근

지금으로부터 4000년 전의 것으로 추정되는 고대 바빌로니아 점토판에서 한 변의 길이가 1인 정사각형의 대각선의 길이를 구한 흔적을 찾아볼 수 있다고 한다. 점토판에는 당시의 문자로 1.41421이라는 수가 새겨져 있는데 이는 오늘날 $\sqrt{2}$를 어림한 값에 가깝다. 이 시대의 사람들은 대각선의 길이가 유리수로 표현될 수 없는 수, 즉 무리수임을 알지는 못하였으나 다양한 방법으로 그 길이를 유리수로 표현하려고 노력하였다.

개념 CHECK

개념 **확인**

(1) 양수 a의 제곱근은
    [ ], [ ]로 2개이다.
(2) 0의 제곱근은 [ ]으로 1개이다.
(3) [ ]의 제곱근은 없다.
(4) $a \geq 0$일 때, $\sqrt{a^2} =$ [ ]
    $a < 0$일 때, $\sqrt{a^2} =$ [ ]

01 다음 수의 제곱근을 모두 구하여라.

(1) 0

(2) 6

(3) 0.7

(4) $\dfrac{3}{5}$

(5) -16

(6) $\left(\dfrac{2}{3}\right)^2$

02 다음 표의 빈칸에 알맞은 수를 써넣어라.

a	a의 제곱근	제곱근 a
(1) 121		
(2) 0.25		

03 다음 수를 근호를 사용하지 않고 나타내어라.

(1) $-\left(\sqrt{4}\right)^2$

(2) $\sqrt{12.3^2}$

(3) $-\sqrt{(-5)^2}$

04 다음을 계산하여라.

(1) $\left(\sqrt{5}\right)^2 + \left(-\sqrt{3}\right)^2$

(2) $\sqrt{17^2} - \sqrt{(-13)^2}$

자기 **진단**

Q.001 ◐ 019쪽
제곱근이란 무엇일까?

Q.003 ◐ 020쪽
제곱근을 나타내는 기호는?

Q.006 ◐ 023쪽
$a > 0$일 때, $\left(\sqrt{a}\right)^2$, $\sqrt{a^2}$의 값은?

Q.010 ◐ 026쪽
제곱근의 대소 관계는 어떻게 알 수 있을까?

05 다음 ◯ 안에 $<$ 또는 $>$를 써넣어라.

(1) $\sqrt{12}$ ◯ $\sqrt{15}$

(2) $\sqrt{\dfrac{1}{3}}$ ◯ $\sqrt{\dfrac{1}{5}}$

(3) -6 ◯ $-\sqrt{30}$

1. 무리수와 실수
(1) 무리수 : 유리수가 아닌 수, 즉 순환하지 않는 무한소수로 나타내어지는 수

예) $\sqrt{2}$, $1+\sqrt{5}$, π, $-\sqrt{\dfrac{1}{2}}$, …

(2) 실수 : 유리수와 무리수를 통틀어 실수라고 한다.

2. 실수와 수직선
(1) 수직선은 실수에 대응하는 점으로 완전히 메워져 있다.

(2) 모든 실수는 각각 수직선 위의 한 점에 대응한다.

　➡ 거꾸로 수직선 위의 한 점에는 한 실수가 대응한다.

(3) 실수의 대소 관계

　① 음수<0<양수

　② 양수끼리는 절댓값이 큰 수가 크다.

　③ 음수끼리는 절댓값이 큰 수가 작다.

1. 무리수와 실수

Q O11 무리수와 실수는 어떤 수인가?

 A 순환하지 않는 무한소수 ➡ 무리수, 유리수와 무리수를 통틀어 ➡ 실수

 A 중2 과정에서 유리수가 분수 $\dfrac{a}{b}$ (a, b는 정수, $b\neq0$) 꼴로 나타낼 수 있는 수라는 것을 배웠고 소수를 다음과 같이 분류했다.

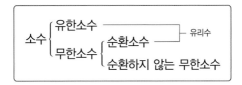

즉, 유한소수, 순환소수는 유리수이고, 순환하지 않는 무한소수와 같이 분수로 나타낼 수 없는 수는 유리수가 아님을 알았다.

우리는 앞 단원에서 유리수가 아닌 수를 하나 알게 되었다. 바로 근호를 사용한 수이다.
예를 들어 $\sqrt{2}$와 $\sqrt{5}$를 소수로 나타내어 보면

$$\sqrt{2}=1.414213562373095\cdots$$
$$\sqrt{5}=2.236067977499789\cdots$$

와 같이 순환하지 않는 무한소수로 나타내어진다. 이와 같이 순환하지 않는 무한소수로 나타내어지는 수를 **무리수**라고 한다. 무리수는 곧 유리수가 아닌 수이다.

유리수	무리수
분수 꼴로 나타낼 수 있는 수	분수 꼴로 나타낼 수 없는 수
유한소수, 순환소수	순환하지 않는 무한소수
근호를 없앨 수 있는 수	근호를 없앨 수 없는 수

무리수의 특성에 의해 (유리수)+(무리수) 꼴의 수도 무리수이다.
예를 들어 $1+\sqrt{3}$을 소수로 나타내면

$$1+\sqrt{3}=1+1.7320508075\cdots=2.7320508075\cdots$$

와 같이 순환하지 않는 무한소수가 된다. 즉, $1+\sqrt{3}$도 무리수이다.

π, $\sqrt{3}$, $1+\sqrt{3}$은 무리수!

한편 유리수와 무리수를 통틀어 **실수**라고 한다. 이제부터는 우리가 일상생활에서 사용하는 모든 수를 실수로 생각하면 되겠다.

실수의 분류

실수 $\begin{cases} \text{유리수} \begin{cases} \text{정수} \begin{cases} \text{양의 정수(자연수)} \\ 0 \\ \text{음의 정수} \end{cases} \\ \text{정수가 아닌 유리수} \end{cases} \\ \text{무리수} \end{cases}$

Math STORY

rational – irrational – real

유리수, 무리수, 실수는 영어로 각각 rational number, irrational number, real number이다. 유리수 rational number가 두 정수의 비로 나타낼 수 있는 수이므로 무리수 irrational number는 유리수가 아닌 수, 즉

두 정수의 비로 나타낼 수 없는 수

를 의미한다. 또한 real이 '실제의'라는 뜻을 가지고 있어서 실수 real number는 그 크기를 갖는 실체가 존재하는 수임을 뜻한다. 실수는 유리수와 무리수로 이루어진다.

Q 012 | $\sqrt{9}$는 유리수일까? 무리수일까?

A 유리수

A 근호가 있다고 $\sqrt{9}$를 무리수로 판단하면 오산이다.

근호가 있어도 근호 안의 수가 제곱인 수이면 근호를 없앨 수 있으므로 무리수가 아니다.

즉, 유리수이다. 다시 말해 $\sqrt{9}=3$이므로 $\sqrt{9}$는 유리수이다.

> **예제 11**   옳은 것에는 ○표, 옳지 않은 것에는 ×표를 하여라.
>
> (1) π는 무리수이다. (   )
>
> (2) $\sqrt{4}$는 무리수이다. (   )
>
> (3) 무한소수는 모두 무리수이다. (   )
>
> (4) $3+\sqrt{2}$는 무리수이다. (   )
>
> **풀이**   (1) ○   (2) ×   (3) ×   (4) ○
>
> (2) $\sqrt{4}=2$이므로 $\sqrt{4}$는 유리수이다.   (3) 무한소수 중 순환소수는 유리수이다.

Q 013 | 제곱근의 값을 어림하여 정리해 놓은 표가 있다?

A 1.00부터 99.9까지의 수의 양의 제곱근을 정리한 표가 있어.

A 초등학교에서는 원주율 π를 보통 3.14로 놓고 계산하였다. 무리수는 순환하지 않는 무한소수이기 때문에 실생활의 문제를 해결할 때에는 어림한 값을 이용한다. 제곱근의 어림한 값은 계산기를 이용하여 쉽게 구할 수 있는데, 예전에는 제곱근의 어림한 값을 표로 만들어 놓고 사용하였다고 한다. 이 표를 제곱근표라고 한다.

제곱근표에는 1.00부터 99.9까지의 수에 대하여 양의 제곱근의 값을 반올림하여 소수점 아래 셋째 자리까지 나타낸 값이 주어져 있다. 이 책의 끝에 이 제곱근표가 실려 있다.

다음 제곱근표의 일부를 보고, $\sqrt{1.34}$를 어림한 값을 구해 보자.

수	0	1	2	3	4	5
1.0	1.000	1.005	1.010	1.015	1.020	1.025
1.1	1.049	1.054	1.058	1.063	1.068	1.072
1.2	1.095	1.100	1.105	1.109	1.114	1.118
1.3	1.140	1.145	1.149	1.153	1.158	1.162
1.4	1.183	1.187	1.192	1.196	1.200	1.204

위의 제곱근표에서 $\sqrt{1.34}$를 어림한 값을 찾으면

왼쪽의 수 1.3의 가로줄과 위쪽의 수 4의 세로줄이 만나는 곳의 수 1.158이다.

예제 12 제곱근표를 이용하여 다음 제곱근을 어림한 값을 구하여라.

(1) $\sqrt{1.12}$　　　　　(2) $\sqrt{1.45}$　　　　　(3) $\sqrt{1.23}$

풀이 (1) 1.1과 2가 만나는 곳 ➡ 1.058

(2) 1.4와 5가 만나는 곳 ➡ 1.204

(3) 1.2와 3이 만나는 곳 ➡ 1.109

2. 실수와 수직선

Q 014 무리수를 수직선 위에 어떻게 나타낼 수 있을까?

 피타고라스 정리를 이용하면 돼.

 중1 때, 정수와 유리수 단원에서 -2.5, $\dfrac{3}{4}$, 1.5와 같은 유리수를 수직선 위의 한 점에 대응시킬 수 있음을 배웠다. $\sqrt{2}$, $-\sqrt{5}$, $1+\sqrt{2}$와 같은 무리수도 수직선 위의 한 점에 대응시킬 수 있다. 다만 유리수를 수직선에 대응시키는 것처럼 간단하지는 않다.

다음 그림과 같은 두 정사각형에서 $\overline{\mathrm{AB}}=\sqrt{1^2+1^2}=\sqrt{2}$이고, $\overline{\mathrm{EF}}=\sqrt{2^2+1^2}=\sqrt{5}$이다.
그림과 같이 점 $\mathrm{A}(0)$, $\mathrm{E}(0)$을 각각 중심으로 하고 $\overline{\mathrm{AB}}$, $\overline{\mathrm{EF}}$를 반지름의 길이로 하는 원을 그리면 $\sqrt{2}$와 $-\sqrt{2}$, $\sqrt{5}$와 $-\sqrt{5}$를 나타낼 수 있다.

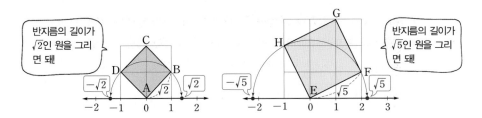

정사각형의 꼭짓점의 위치를 $\mathrm{A}(1)$, $\mathrm{E}(2)$로 옮겨 원을 그리면 $1+\sqrt{2}$와 $1-\sqrt{2}$, $2+\sqrt{5}$와 $2-\sqrt{5}$도 나타낼 수 있다.

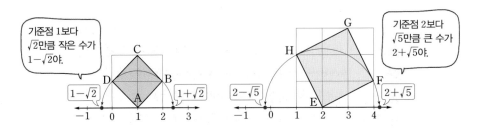

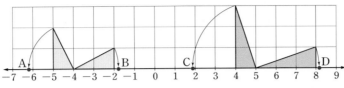

예제 13 다음 수직선 위의 네 점 A, B, C, D의 좌표를 각각 구하여라. (단, 모눈 한 칸의 가로와 세로의 길이는 각각 1이다.)

풀이 $A(-4-\sqrt{5})$, $B(-4+\sqrt{5})$, $C(5-\sqrt{10})$, $D(5+\sqrt{10})$

THINK Math

수직선에 $\sqrt{n}\,(n$은 자연수$)$ 나타내기

$\sqrt{2}=\sqrt{1^2+1^2}$, $\sqrt{5}=\sqrt{1^2+2^2}$, $\sqrt{10}=\sqrt{1^2+3^2}$임을 이용하여 수직선에 직각삼각형을 그려 $\sqrt{2}$, $\sqrt{5}$, $\sqrt{10}$을 나타내보았다. 그렇다면 $\sqrt{3}$이나 $\sqrt{6}$은 어떻게 나타낼까? 이는 다음과 같이 $\sqrt{2}$와 $\sqrt{5}$를 한 변으로 하는 직각삼각형을 이용하면 된다.

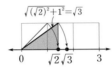
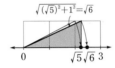

$\sqrt{2}$부터 시작하여 이러한 방법으로 직각삼각형을 그려 나가면 $\sqrt{n}$을 모두 나타낼 수 있게 된다.

Q 015 실수의 대소 관계도 수직선을 이용하면 된다?

빠른 A 수직선 위에서 오른쪽에 있는 수가 왼쪽에 있는 수보다 크다.

친절한 A 일반적으로 수직선은 유리수와 무리수, 즉 실수에 대응하는 점으로 완전히 메울 수 있다.

모든 실수에 수직선 위의 점이 하나씩 대응하고, 수직선 위의 모든 점에 실수가 하나씩 대응한다.

이때 수직선 위에서 원점의 오른쪽에는 양의 실수가 대응하고, 왼쪽에는 음의 실수가 대응한다.

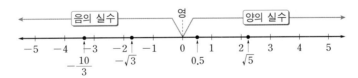

| 참고 |
- 중 2 때는 유리수가 수 전체였으므로 양의 유리수와 음의 유리수를 각각 양수, 음수로 생각하였지만 이제는 실수가 수 전체이므로 양의 실수를 양수, 음의 실수를 음수라고 간단히 한다.
- 서로 다른 두 유리수 사이에는 무수히 많은 무리수가 있다.
  예 1과 2 사이에 $\sqrt{2}$, $\sqrt{3}$, $\sqrt{2}-0.1$, $\sqrt{2}+0.01$, …
- 서로 다른 두 무리수 사이에는 무수히 많은 유리수가 있다.
  예 $\sqrt{2}$와 $\sqrt{3}$ 사이에 1.42, 1.44, 1.7, 1.7111, …

모든 실수가 수직선 위에 크기에 맞게 대응하므로 실수의 대소 관계도 유리수와 마찬가지로 다음 성질을 이용한다.

수직선 위에서 오른쪽에 있는 수가 왼쪽에 있는 수보다 크다.

예를 들어 네 수 -0.2, $\dfrac{3}{2}$, $\sqrt{5}$, $-\sqrt{3}$을 수직선에 나타내면 다음과 같다.

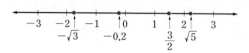

따라서 눈으로 확인되듯이 $-\sqrt{3} < -0.2 < \dfrac{3}{2} < \sqrt{5}$이다.

한편 실수에서도 유리수에서와 같이 부등식의 성질이 성립하므로 이를 이용하여 대소를 비교할 수 있다.

$$\sqrt{2} < \sqrt{5}\text{이므로 } \sqrt{2}+1 < \sqrt{5}+1,\ \sqrt{2}-\sqrt{3} < \sqrt{5}-\sqrt{3}$$
$$2\sqrt{2} < 2\sqrt{5},\ -3\sqrt{2} > -3\sqrt{5}$$

| 예제 14 | 다음 두 실수의 대소를 비교하여라.

(1) $3+\sqrt{7}$ ◯ $\sqrt{7}+\sqrt{8}$ (2) $-\sqrt{3}+2$ ◯ 1

| 풀이 | (1) $3 > \sqrt{8}$이므로 $3+\sqrt{7}$ **>** $\sqrt{7}+\sqrt{8}$

(2) $-\sqrt{3} < -1$이므로 $-\sqrt{3}+2$ **<** $-1+2$ $\therefore -\sqrt{3}+2$ **<** 1

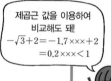

제곱근 값을 이용하여 비교해도 돼!
$-\sqrt{3}+2 = -1.7\times\times\times+2$
$= 0.2\times\times\times < 1$

| 참고 | 일반적으로 유리수의 대소 관계와 같이 두 실수 a, b의 대소 관계도 $a-b$의 값의 부호를 통해 알 수 있다. **Q025**에서 학습하도록 하자.

Q 016 $\sqrt{5}$의 정수 부분과 소수 부분은?

A $2 < \sqrt{5} < 3$ ➡ 정수 부분 : 2, 소수 부분 : $\sqrt{5}-2$

A 소수 2.34에서 정수 부분은 2, 소수 부분은 0.34가 된다.

무리수 $\sqrt{5}$도 순환하지 않는 무한소수이므로 정수 부분과 소수 부분으로 나눌 수 있다.

이때 $2 < \sqrt{5} < 3$이므로 정수 부분은 그 값을 2로 정확하게 알 수 있지만 소수 부분은 소수점 아래 순환하지 않는 숫자가 무한히 계속되어 그 정확한 값을 알기 어렵다. 이런 이유로 다음과 같이 무리수에서 정수 부분을 뺀 식으로 소수 부분을 표현한다.

(무리수) = (정수 부분) + (소수 부분)
➡ (소수 부분) = (무리수) − (정수 부분)

즉, $\sqrt{5}$의 정수 부분이 2이므로 소수 부분은 $\sqrt{5}$에서 정수 부분을 뺀 $\sqrt{5}-2$가 된다.

$$\sqrt{5}=2+(\text{소수 부분}) \ \Rightarrow \ (\text{소수 부분})=\sqrt{5}-2$$

예제 15 $\sqrt{10}$의 정수 부분과 소수 부분을 구하여라.

풀이 $\sqrt{9}<\sqrt{10}<\sqrt{16} \ \Rightarrow \ 3<\sqrt{10}<4$이므로

$\sqrt{10}$의 정수 부분은 **3**이고, $\sqrt{10}$의 소수 부분은 $\sqrt{10}-3$이다.

Q 017 $\sqrt{x}$의 정수 부분이 3일 때, x가 될 수 있는 자연수의 개수는?

빠른 A $3\leq\sqrt{x}<4 \ \Rightarrow \ 9\leq x<16$

친절한 A 정수 부분을 생각할 때에는 수직선을 이용하면 쉽다.

다음과 같이 수직선의 각 눈금에 해당하는 정수를 근호를 사용하여 나타내면 $\sqrt{3}$, $\sqrt{5}$, $\sqrt{10}$, $\sqrt{20}$, $\sqrt{30}$, $\cdots$과 같은 무리수의 위치를 쉽게 찾을 수 있으므로 정수 부분도 쉽게 구할 수 있다.

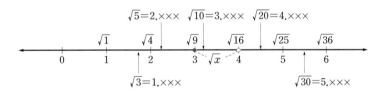

또한 $\sqrt{x}$의 정수 부분이 3일 때, x가 될 수 있는 자연수도 다음과 같이 구할 수 있다.

① $\sqrt{x}$는 3 이상 4 미만인 수이다. $\qquad\qquad \Rightarrow 3\leq\sqrt{x}<4$

② x가 될 수 있는 수는 9 이상 16 미만인 수이다. $\Rightarrow \sqrt{9}\leq\sqrt{x}<\sqrt{16}$

③ x가 될 수 있는 자연수는 7개이다. $\qquad\quad \Rightarrow x=\underset{\text{7개}}{9, 10, 11, \cdots, 15}$

예제 16 다음 물음에 답하여라.

(1) $\sqrt{x}$의 정수 부분이 7일 때, x가 될 수 있는 자연수의 개수를 구하여라.

(2) $\sqrt{x}$ 이하의 자연수의 개수를 $f(x)$라고 할 때, $f(85)$의 값을 구하여라.

풀이 (1) $7\leq\sqrt{x}<8$이므로 $49\leq x<64$

따라서 자연수 x의 개수는 49, 50, $\cdots$, 63의 **15**이다.

(2) $\sqrt{85}=9.\times\times\times$ 이므로 $\sqrt{85}$ 이하의 자연수는 1, 2, $\cdots$, 9의 9개이다.

$\therefore f(85)=\mathbf{9}$

$\sqrt{1}$, $\sqrt{4}$, $\sqrt{9}$, $\sqrt{16}$, $\sqrt{25}$, $\sqrt{36}$, $\cdots$을 떠올리면 정수 부분을 쉽게 찾을 수 있어!

개념 확인

(1) 유리수와 [   ]를 통틀어 실수라고 한다.
(2) 실수는 양의 실수, 0, [   ] 로 나누어진다.
(3) 수직선 위에서 오른쪽에 있는 수가 왼쪽에 있는 수보다 [   ].

01 다음 수 중에서 무리수를 모두 찾아라.

$$\sqrt{49}, \quad \sqrt{\dfrac{3}{16}}, \quad \sqrt{2}+3, \quad 0.3\dot{6}, \quad \sqrt{5}, \quad -\sqrt{\dfrac{3}{108}}$$

02 다음 중 옳은 것은 ○표, 옳지 않은 것은 ×표를 하여라.

(1) 근호를 사용하여 나타낸 수는 무리수이다. (   )
(2) 순환하지 않는 무한소수는 유리수이다. (   )
(3) 유리수인 동시에 무리수인 수는 없다. (   )
(4) 수직선은 실수에 대응하는 점으로 완전히 메워져 있다. (   )

03 오른쪽 제곱근표를 이용하여 다음 수의 어림한 값을 구하여라.

(1) $\sqrt{55}$ (2) $\sqrt{55.3}$
(3) $\sqrt{56.2}$ (4) $\sqrt{57.1}$

수	0	1	2	3
55	7.416	7.423	7.430	7.436
56	7.483	7.490	7.497	7.503
57	7.550	7.556	7.563	7.570

04 오른쪽 그림에서 모눈 한 칸은 한 변의 길이가 1인 정사각형이고 $\overline{AB}=\overline{AP}$, $\overline{AC}=\overline{AQ}$일 때, 다음을 구하여라.

(1) $\overline{AB}$의 길이
(2) 점 P에 대응하는 수
(3) $\overline{AC}$의 길이
(4) 점 Q에 대응하는 수

자기 진단

Q 011 ◐ 029쪽
무리수와 실수는 어떤 수인가?

Q 014 ◐ 032쪽
무리수를 수직선 위에 어떻게 나타낼 수 있을까?

Q 015 ◐ 033쪽
실수의 대소 관계도 수직선을 이용하면 된다?

05 다음 ○ 안에 < 또는 >를 써넣어라.

(1) $\sqrt{5}-2$ 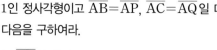 ○ $\sqrt{5}-4$ (2) $\sqrt{2}-\sqrt{3}$ ○ $\sqrt{6}-\sqrt{3}$

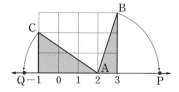

문제 이해도를 ☺, ☺, ☹으로 표시해 보세요.

해설 BOOK 002쪽 | 테스트 BOOK 002쪽

유형 1 제곱근의 뜻과 이해

다음 중 옳은 것은?

① 4는 8의 양의 제곱근이다.
② 0의 제곱근은 없다.
③ 25의 제곱근은 ±5이다.
④ −36의 제곱근은 6이다.
⑤ 제곱근 1은 ±1이다.

Summa Point
• a의 제곱근 ➡ 제곱해서 a가 되는 수
• 제곱근 a ➡ a의 양의 제곱근

019쪽 **Q** 001 ◯

1-1 ☺☺☹

다음 중 그 값이 나머지 넷과 <u>다른</u> 하나는?

① 2의 양의 제곱근
② 제곱하여 2가 되는 수
③ $x^2=2$를 만족하는 양수 x의 값
④ 제곱근 2
⑤ 넓이가 2인 정사각형의 한 변의 길이

1-2 ☺☺☹

$\sqrt{9^2}$의 제곱근은?

① ±9 ② 9 ③ ±3
④ 3 ⑤ ±$\sqrt{3}$

1-3 ☺☺☹

25의 양의 제곱근을 A, $(-3)^2$의 음의 제곱근을 B라고 할 때, $A+B$의 값을 구하여라.

1-4 ☺☺☹

오른쪽 직사각형의 대각선의 길이를 구하여라.

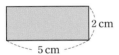

2 cm
5 cm

1-5 ☺☺☹

밑변의 길이가 7 cm, 높이가 8 cm인 삼각형과 넓이가 같은 정사각형의 한 변의 길이를 구하여라.

1-6 ☺☺☹

다음 중 근호를 사용하지 않고 나타낼 수 있는 것을 모두 고르면? (정답 2개)

① $\sqrt{169}$ ② $\sqrt{0.9}$ ③ $\sqrt{2.5}$
④ $\sqrt{\dfrac{1}{6}}$ ⑤ $\sqrt{\dfrac{25}{9}}$

다음 중 옳지 <u>않은</u> 것은?

① $\sqrt{2^2}=2$ ② $\sqrt{(-6)^2}=6$

③ $(-\sqrt{7})^2=-7$ ④ $(\sqrt{13})^2=13$

⑤ $\sqrt{36}=6$

Summa Point

$a>0$일 때

① $(\sqrt{a})^2=(-\sqrt{a})^2=a$

② $\sqrt{a^2}=\sqrt{(-a)^2}=a$

023쪽 **Q** 006 ↻

$a>0$일 때, $\sqrt{(-a)^2}+\sqrt{4a^2}-\sqrt{(-2a)^2}$을 간단히 하여라.

Summa Point

근호 안의 문자나 식이 제곱되어 있는 경우는 제곱근의 성질을 이용하여 근호를 없앤다.

024쪽 **Q** 007 ↻

2-1 ☺☺☹

다음 중 그 값이 나머지 넷과 <u>다른</u> 하나는?

① $\sqrt{3^2}$ ② $\sqrt{(-3)^2}$ ③ $(-\sqrt{3})^2$

④ $(\sqrt{3})^2$ ⑤ $-(-\sqrt{3})^2$

2-2 ☺☺☹

다음을 계산하여라.

$$\sqrt{0.04}\times\sqrt{(-5)^2}-(-\sqrt{7})^2$$

2-3 ☺☺☹

$a>0$일 때, 다음 중 옳지 <u>않은</u> 것은?

① $(-\sqrt{a})^2=a$ ② $(-\sqrt{2a})^2=2a$

③ $-\sqrt{(-a)^2}=a$ ④ $\sqrt{4a^2}=2a$

⑤ $-\sqrt{a^2}=-a$

3-1 ☺☺☹

$\sqrt{a^2}=a$, $\sqrt{b^2}=-b$일 때, $\sqrt{(-a)^2}+\sqrt{9b^2}$을 간단히 하여라.

3-2 ☺☺☹

$-2<a<4$일 때, $\sqrt{(a+2)^2}-\sqrt{(a-4)^2}$을 간단히 하여라.

3-3 ☺☺☹

$ab<0$, $ac>0$일 때, $\sqrt{b^2c^2}-\sqrt{(1-bc)^2}$을 간단히 하여라.

유형 **4** 근호 안의 제곱수

$\sqrt{\dfrac{240}{x}}$ 이 자연수가 되도록 하는 가장 작은 자연수 x 의 값을 구하여라.

Summa Point

$\sqrt{\dfrac{A}{x}}$ 가 자연수가 되려면 A를 소인수분해했을 때, 소인수의 지수가 모두 짝수가 되도록 x의 값을 정한다.

025쪽 **Q** 009 ↻

유형 **5** 제곱근의 대소 관계

다음 중 두 수의 대소 관계가 옳은 것은?

① $\sqrt{17} < \sqrt{15}$ ② $4 < \sqrt{12}$

③ $-\sqrt{5} < -\sqrt{6}$ ④ $0.1 > \sqrt{0.1}$

⑤ $\dfrac{1}{2} < \sqrt{\dfrac{1}{2}}$

Summa Point

$a > 0$, $b > 0$일 때
① $a < b$이면 $\sqrt{a} < \sqrt{b}$
② $\sqrt{a} < \sqrt{b}$이면 $a < b$, $-\sqrt{a} > -\sqrt{b}$

026쪽 **Q** 010 ↻

4-1 ☺☺☹

$\sqrt{20-n}$이 정수가 되도록 하는 자연수 n의 개수를 구하여라.

4-2 ☺☺☹

두 자연수 a, b에 대하여 $\sqrt{24a} = b$일 때, $a+b$의 최솟값을 구하여라.

4-3 ☺☺☹

$\sqrt{2x+1}$이 자연수가 되도록 하는 20 이하인 자연수 x를 모두 구하여라.

5-1 ☺☺☹

다음 수 중에서 가장 작은 수를 a, 가장 큰 수를 b라고 할 때, $a^2 b^2$의 값을 구하여라.

$$-3, \quad -\sqrt{10}, \quad \dfrac{1}{2}, \quad \sqrt{\dfrac{1}{8}}, \quad \sqrt{0.2}$$

5-2 ☺☺☹

$2 < \sqrt{n} < 6$을 만족하는 자연수 n의 개수를 구하여라.

5-3 ☺☺☹

$3 \leq \sqrt{x-2} < 4$를 만족하는 자연수 x의 개수를 구하여라.

유형 6 무리수와 실수

다음 중 옳지 <u>않은</u> 것을 모두 고르면? (정답 2개)

① 순환소수는 모두 유리수이다.

② 무한소수는 모두 무리수이다.

③ 순환하지 않는 무한소수는 모두 무리수이다.

④ 실수 중 유리수가 아닌 수는 무리수이다.

⑤ 모든 실수는 순환소수로 나타낼 수 있다.

Summa Point

소수 $\begin{cases} \text{유한소수} \\ \text{무한소수} \begin{cases} \text{순환소수} \longrightarrow \text{유리수} \\ \text{순환하지 않는 무한소수} - \text{무리수} \end{cases} \end{cases}$

029쪽 Q 011

6-1 ☺😐☹

다음 중 무리수는 모두 몇 개인지 구하여라.

$$1.\dot{2}, \ 3.14, \ \sqrt{6}, \ -\sqrt{0.16}, \ \sqrt{3}+2, \ \sqrt{0.4}$$

6-2 ☺😐☹

다음 중 순환하지 않는 무한소수로 나타내어지는 것은?

① $\sqrt{0.04}$　　② $\sqrt{1.69}$　　③ $\sqrt{\dfrac{1}{9}}$

④ $\sqrt{0.\dot{4}}$　　⑤ $\sqrt{14.4}$

6-3 ☺😐☹

$\sqrt{8}$에 대한 다음 설명 중 옳지 <u>않은</u> 것은?

① 제곱근 8이다.

② 순환소수로 나타내어진다.

③ 2보다 크고 3보다 작다.

④ 무리수이다.

⑤ 넓이가 8인 정사각형의 한 변의 길이이다.

유형 7 무리수와 수직선

다음 그림에서 모눈 한 칸은 한 변의 길이가 1인 정사각형이다. 두 점 A, B에 대응하는 수를 각각 구하여라.

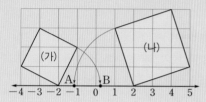

Summa Point

점 A에 대응하는 수는 2−(정사각형 (나)의 한 변의 길이)

032쪽 Q 014

7-1 ☺😐☹

다음 그림에서 모눈 한 칸은 한 변의 길이가 1인 정사각형이다. 컴퍼스를 사용하여 $\overline{OA}=\overline{OP}$, $\overline{OB}=\overline{OQ}$, $\overline{OC}=\overline{OR}$가 되도록 수직선 위에 점 P, Q, R를 정할 때, 점 P, Q, R에 대응하는 세 수를 차례로 구하여라.

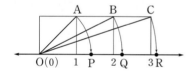

7-2 ☺😐☹

아래 그림과 같이 수직선 위에 한 변의 길이가 1인 세 정사각형이 있다. 다음 중 각 점에 대응하는 수가 옳지 <u>않은</u> 것은?

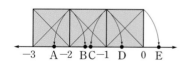

① $A(-1-\sqrt{2})$　　　② $B(-3+\sqrt{2})$

③ $C(-\sqrt{2})$　　　④ $D(-2+\sqrt{2})$

⑤ $E(\sqrt{2})$

해설 BOOK **004**쪽 | 테스트 BOOK **007**쪽

Step 1 | 내·신·기·본

●○○
01 다음 중 옳은 것은?

① 16의 제곱근은 4이다.
② 2의 음의 제곱근은 $\sqrt{-2}$이다.
③ 제곱근 3은 $\sqrt{3}$이다.
④ $\sqrt{(-5)^2}=-5$
⑤ $(-6)^2$의 제곱근은 $\pm\sqrt{6}$이다.

●●○
02 $\sqrt{36}$의 양의 제곱근을 a, $\sqrt{(-15)^2}$의 음의 제곱근을 b라고 할 때, $\sqrt{b^2-a^2}$의 값을 구하여라.

●○○
창의융합
03 다음 그림과 같이 한 변의 길이가 각각 $\sqrt{2}$, $\sqrt{5}$인 정사각형 A, B를 이용하여 만든 정사각형 C의 한 변의 길이를 구하여라.

A B   C

●●○
04 $\sqrt{45a}$와 $\sqrt{\dfrac{48}{b}}$이 모두 자연수가 되도록 하는 가장 작은 자연수 a, b에 대하여 $a+b$의 값을 구하여라.

●●○
05 $\sqrt{a^2}=a$, $-\sqrt{(-b)^2}=b$일 때, $\sqrt{(b-a)^2}-\sqrt{4a^2}+\sqrt{b^2}$을 간단히 하여라.

●●○
06 $-1<x<2$일 때, 다음 식을 간단히 하여라.

$$\sqrt{(x+1)^2}-\sqrt{(x-2)^2}$$

●●○
07 다음 중 두 수의 대소 관계가 옳지 <u>않은</u> 것은?

① $\sqrt{7}<\sqrt{50}$ ② $\dfrac{1}{8}<\sqrt{\dfrac{1}{8}}$
③ $\sqrt{0.1}>0.1$ ④ $-\sqrt{8}<-3$
⑤ $\sqrt{\dfrac{5}{8}}<\sqrt{\dfrac{9}{5}}$

08 $\sqrt{12}<n<\sqrt{42}$를 만족하는 모든 자연수 n의 값의 합을 구하여라.

09 다음 중 순환하지 않는 무한소수로 나타내어지는 것을 모두 고르면? (정답 2개)

① $1.\dot{4}$
② 0.04의 제곱근
③ 제곱근 3.6
④ $\sqrt{3}+2$
⑤ $\sqrt{1+\sqrt{0.81}}$

10 다음 수직선 위에 그려진 □ABCD는 정사각형이고, □ABEF는 직사각형이다. $\overline{AC}=\overline{PC}$, $\overline{BD}=\overline{BE}$, $\overline{BF}=\overline{BQ}$일 때, 점 P, Q의 좌표를 각각 구하여라.

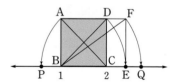

11 다음 중 옳지 <u>않은</u> 것은?

① 두 자연수 사이에는 무수히 많은 유리수가 있다.
② 두 자연수 사이에는 무수히 많은 무리수가 있다.
③ 두 무리수 사이에는 무수히 많은 유리수가 있다.
④ 모든 실수는 수직선 위의 한 점에 대응한다.
⑤ 수직선은 무리수에 대응하는 점으로 완전히 메울 수 있다.

12 다음 그림과 같은 수직선 위의 세 정사각형을 이용하여 두 수의 대소 관계를 나타낸 것 중 옳지 <u>않은</u> 것은?

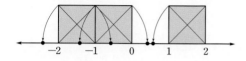

① $-\sqrt{2}>-2$
② $\sqrt{2}-1<1$
③ $-2+\sqrt{2}<-\sqrt{2}$
④ $2-\sqrt{2}>-1+\sqrt{2}$
⑤ $-1-\sqrt{2}<-2$

13 다음 세 수 a, b, c의 대소 관계를 부등호를 사용하여 나타내어라.

$$a=\sqrt{12}-5,\ b=2-\sqrt{20},\ c=-2$$

14 다음 중 $\sqrt{3}$과 $\sqrt{5}$ 사이에 있는 무리수가 <u>아닌</u> 것은? (단, $\sqrt{3}=1.732$, $\sqrt{5}=2.236$)

① $\sqrt{3}+0.1$
② $\sqrt{5}-0.2$
③ $\sqrt{3}+0.5$
④ $\dfrac{\sqrt{3}+\sqrt{5}}{2}$
⑤ $\dfrac{\sqrt{5}-\sqrt{3}}{2}$

15 $\sqrt{10}-5$보다 크고 $3+\sqrt{5}$보다 작은 정수의 개수를 구하여라.

16 $\sqrt{(2a-1)^2}=5$를 만족하는 a의 값을 모두 구하여라.

17 $ac>0$, $bc<0$일 때, 다음 식을 간단히 하여라.

$$\sqrt{(ab-1)^2}-\sqrt{(ab+bc)^2}-\sqrt{(1-bc)^2}$$

18 $\sqrt{48n}$과 $\sqrt{25+n}$이 모두 자연수가 되게 하는 100보다 작은 자연수 n의 값을 구하여라.

19 $\sqrt{1\times2\times3\times\cdots\times9\times n}$이 자연수가 되도록 하는 가장 작은 자연수 n의 값을 구하여라.

20 $f(n)=\sqrt{0.\dot{n}}$ 이라고 할 때, $f(1)$, $f(2)$, $f(3)$, $\cdots$, $f(8)$ 중에서 무리수의 개수를 구하여라.

21 $\sqrt{10}$의 소수 부분을 a, $6-\sqrt{10}$의 소수 부분을 b라고 할 때, a, b의 값을 각각 구하여라.

SUMMA CUM LAUDE

SUMMA **NOTE**

1. 제곱근의 곱셈과 나눗셈

(1) 제곱근의 곱셈 : $a>0$, $b>0$이고, m, n이 유리수일 때,

① $\sqrt{a}\sqrt{b}=\sqrt{ab}$ ② $m\sqrt{a}\times n=mn\sqrt{a}$

③ $m\sqrt{a}\times n\sqrt{b}=mn\sqrt{ab}$

(2) 제곱근의 나눗셈 : $a>0$, $b>0$, $c>0$, $d>0$이고, m, n이 유리수일 때,

① $\dfrac{\sqrt{b}}{\sqrt{a}}=\sqrt{\dfrac{b}{a}}$

② $m\sqrt{a}\div n\sqrt{b}=m\sqrt{a}\times\dfrac{1}{n\sqrt{b}}=\dfrac{m}{n}\sqrt{\dfrac{a}{b}}$

③ $\dfrac{\sqrt{b}}{\sqrt{a}}\div\dfrac{\sqrt{d}}{\sqrt{c}}=\dfrac{\sqrt{b}}{\sqrt{a}}\times\dfrac{\sqrt{c}}{\sqrt{d}}=\sqrt{\dfrac{b}{a}\times\dfrac{c}{d}}=\sqrt{\dfrac{bc}{ad}}$

(3) 근호가 있는 식의 변형 : $a>0$, $b>0$일 때,

① $\sqrt{a^2b}=a\sqrt{b}$ ② $\sqrt{\dfrac{b}{a^2}}=\dfrac{\sqrt{b}}{a}$

2. 분모의 유리화

(1) 분모의 유리화 : 분수의 분모가 근호를 포함한 무리수일 때, 분모와 분자에 0이 아닌 같은 수를 곱하여 분모를 유리수로 고치는 것

(2) 분모의 유리화를 하는 방법 : $a>0$이고, a, b, c는 유리수일 때,

① $\dfrac{1}{\sqrt{a}}=\dfrac{\sqrt{a}}{\sqrt{a}\times\sqrt{a}}=\dfrac{\sqrt{a}}{a}$ ② $\dfrac{b}{\sqrt{a}}=\dfrac{b\times\sqrt{a}}{\sqrt{a}\times\sqrt{a}}=\dfrac{b\sqrt{a}}{a}$

③ $\dfrac{\sqrt{b}}{\sqrt{a}}=\dfrac{\sqrt{b}\times\sqrt{a}}{\sqrt{a}\times\sqrt{a}}=\dfrac{\sqrt{ab}}{a}$ (단, $b>0$)   ④ $\dfrac{c}{b\sqrt{a}}=\dfrac{c\times\sqrt{a}}{b\sqrt{a}\times\sqrt{a}}=\dfrac{c\sqrt{a}}{ab}$ (단, $b\neq0$)

우리가 알고 있는 수의 범위가 유리수에서 실수로 확장했으므로 이제 실수의 사칙연산에 대해 배워 보자. 먼저 근호가 포함된 수들의 곱셈과 나눗셈에 대해 배워 보자. 근호를 사용한 수가 추가될 뿐 유리수의 계산에서와 마찬가지로 교환법칙이나 결합법칙이 그대로 적용된다.

$$a\times c=c\times a$$

교환법칙

$$a\times(b\times c)=(a\times b)\times c$$

결합법칙

1. 제곱근의 곱셈과 나눗셈

Q 018 $\sqrt{a}\sqrt{b}$는 어떻게 계산할까?

A 근호 안의 수끼리 곱해 ➡ $\sqrt{a}\sqrt{b}=\sqrt{ab}$

A $(\sqrt{a})^2=a$임을 이용하여 $\sqrt{2}\times\sqrt{3}$의 제곱을 계산해 보자.

$$
\begin{aligned}
(\sqrt{2}\times\sqrt{3})^2 &= (\sqrt{2}\times\sqrt{3})\times(\sqrt{2}\times\sqrt{3}) \\
&= \sqrt{2}\times\sqrt{2}\times\sqrt{3}\times\sqrt{3} \quad \leftarrow \text{교환법칙} \\
&= (\sqrt{2})^2\times(\sqrt{3})^2 \quad \leftarrow \text{결합법칙} \\
&= 2\times3
\end{aligned}
$$

이때 $\sqrt{2}\times\sqrt{3}$은 양수이고 제곱하면 2×3이 되므로 $\sqrt{2}\times\sqrt{3}$은 2×3의 양의 제곱근임을 알 수 있다. 그런데 2×3의 양의 제곱근은 $\sqrt{2\times3}$이므로 결국

$$\sqrt{2}\times\sqrt{3}=\sqrt{2\times3}$$

임을 알 수 있다. 즉, 제곱근끼리의 곱셈은

근호 안의 수끼리 곱셈을 하면 된다.

일반적으로 $a>0$, $b>0$일 때, 다음이 성립한다.

근호끼리의 곱셈은 곱셈 기호 $\times$를 생략할 수 있어!

한편 근호 밖에 수가 곱해져 있는 곱셈은

근호 밖의 수는 근호 밖의 수끼리 곱하고, 근호 안의 수는 근호 안의 수끼리 곱한다.

$2x\times3y=6xy$와 비슷하지?

이상을 정리하면 다음과 같다.

제곱근의 곱셈
$a>0$, $b>0$이고 m, n이 유리수일 때,
① $\sqrt{a}\sqrt{b}=\sqrt{ab}$ ② $m\sqrt{a}\times n=mn\sqrt{a}$ ③ $m\sqrt{a}\times n\sqrt{b}=mn\sqrt{ab}$

예제 17 다음을 계산하여라.

(1) $\sqrt{5}\sqrt{7}$ (2) $-\sqrt{\dfrac{7}{2}}\sqrt{\dfrac{6}{7}}$ (3) $\sqrt{2}\times\sqrt{3}\times\sqrt{5}$

(4) $2\sqrt{3}\times 3\sqrt{5}$ (5) $\dfrac{3}{4}\sqrt{7}\times 8\sqrt{2}\times\sqrt{\dfrac{3}{14}}$

풀이 (1) $\sqrt{5\times 7}=\sqrt{\mathbf{35}}$ (2) $-\sqrt{\dfrac{7}{2}\times\dfrac{6}{7}}=-\sqrt{\mathbf{3}}$ (3) $\sqrt{2\times 3\times 5}=\sqrt{\mathbf{30}}$

(4) $2\sqrt{3}\times 3\sqrt{5}=2\times 3\times\sqrt{3\times 5}=\mathbf{6}\sqrt{\mathbf{15}}$

(5) $\dfrac{3}{4}\sqrt{7}\times 8\sqrt{2}\times\sqrt{\dfrac{3}{14}}=\dfrac{3}{4}\times 8\times\sqrt{7\times 2\times\dfrac{3}{14}}=\mathbf{6}\sqrt{\mathbf{3}}$

> 3개 이상의 제곱근을 곱하더라도 방법은 똑같아!

Q 019 $\dfrac{\sqrt{b}}{\sqrt{a}}$ 는 어떻게 계산할까?

A 근호 안의 수끼리 나눠. ➡ $\dfrac{\sqrt{b}}{\sqrt{a}}=\sqrt{\dfrac{b}{a}}$

A $(\sqrt{a})^2=a$임을 이용하여 $\dfrac{\sqrt{2}}{\sqrt{3}}$ 의 제곱을 계산해 보자.

$$\left(\dfrac{\sqrt{2}}{\sqrt{3}}\right)^2=\dfrac{\sqrt{2}}{\sqrt{3}}\times\dfrac{\sqrt{2}}{\sqrt{3}}=\dfrac{\sqrt{2}\times\sqrt{2}}{\sqrt{3}\times\sqrt{3}}=\dfrac{(\sqrt{2})^2}{(\sqrt{3})^2}=\dfrac{2}{3}$$

이때 $\dfrac{\sqrt{2}}{\sqrt{3}}$ 는 양수이고 제곱하면 $\dfrac{2}{3}$ 가 되므로 $\dfrac{\sqrt{2}}{\sqrt{3}}$ 는 $\dfrac{2}{3}$ 의 양의 제곱근임을 알 수 있다.

그런데 $\dfrac{2}{3}$ 의 양의 제곱근은 $\sqrt{\dfrac{2}{3}}$ 이므로 결국

$$\dfrac{\sqrt{2}}{\sqrt{3}}=\sqrt{\dfrac{2}{3}}$$

임을 확인할 수 있다. 즉, 제곱근끼리의 나눗셈은 곱셈에서와 마찬가지로

근호 안의 수끼리 나눗셈을 하면 된다.

일반적으로 $a>0$, $b>0$일 때, 다음이 성립한다.

$$\dfrac{\sqrt{b}}{\sqrt{a}}=\sqrt{\dfrac{b}{a}} \qquad \dfrac{\sqrt{2}}{\sqrt{3}}=\sqrt{\dfrac{2}{3}}$$

$\sqrt{b}\div\sqrt{a}=\sqrt{b\div a}$

한편 근호를 사용한 식의 나눗셈은 유리수에서와 마찬가지로

나눗셈을 역수의 곱셈으로 고쳐서 근호 밖의 수끼리, 근호 안의 수끼리 계산한다.

근호 밖의 수끼리

$$4\sqrt{6}\div 2\sqrt{3}=4\sqrt{6}\times\dfrac{1}{2\sqrt{3}}=\dfrac{4}{2}\sqrt{\dfrac{6}{3}}=2\sqrt{2}$$

근호 안의 수끼리

> 바로 나누기가 되는 경우는 바로 계산!
> $4\sqrt{6}\div 2\sqrt{3}=(4\div 2)\sqrt{6\div 3}$
> $=2\sqrt{2}$

이상을 정리하면 다음과 같다.

> **제곱근의 나눗셈**
>
> $a>0$, $b>0$, $c>0$, $d>0$이고, m, n이 유리수일 때,
>
> ① $\dfrac{\sqrt{b}}{\sqrt{a}}=\sqrt{\dfrac{b}{a}}$ ② $m\sqrt{a}\div n\sqrt{b}=\dfrac{m}{n}\sqrt{\dfrac{a}{b}}$ ③ $\dfrac{\sqrt{b}}{\sqrt{a}}\div\dfrac{\sqrt{d}}{\sqrt{c}}=\sqrt{\dfrac{b}{a}\times\dfrac{c}{d}}=\sqrt{\dfrac{bc}{ad}}$

예제 18 다음을 계산하여라.

(1) $\dfrac{\sqrt{35}}{\sqrt{5}}$ (2) $\sqrt{28}\div\sqrt{2}$ (3) $3\sqrt{5}\div2\sqrt{2}$

(3) $\dfrac{\sqrt{8}}{\sqrt{3}}\div\dfrac{\sqrt{4}}{\sqrt{15}}$ (5) $\dfrac{2\sqrt{3}}{\sqrt{5}}\div\dfrac{4\sqrt{6}}{\sqrt{7}}$

풀이 (1) $\sqrt{\dfrac{35}{5}}=\boldsymbol{\sqrt{7}}$ (2) $\sqrt{28\div2}=\boldsymbol{\sqrt{14}}$ (3) $3\sqrt{5}\times\dfrac{1}{2\sqrt{2}}=\boldsymbol{\dfrac{3}{2}\sqrt{\dfrac{5}{2}}}$

(4) $\dfrac{\sqrt{8}}{\sqrt{3}}\times\dfrac{\sqrt{15}}{\sqrt{4}}=\sqrt{\dfrac{8}{3}\times\dfrac{15}{4}}=\boldsymbol{\sqrt{10}}$

(5) $\dfrac{2\sqrt{3}}{\sqrt{5}}\times\dfrac{\sqrt{7}}{4\sqrt{6}}=2\times\dfrac{1}{4}\times\sqrt{\dfrac{3}{5}\times\dfrac{7}{6}}=\boldsymbol{\dfrac{1}{2}\sqrt{\dfrac{7}{10}}}$

Q 020 $\sqrt{a^2b}$를 간단히 나타내면?

A 근호 안의 제곱인 수를 꺼내. ➡ $\sqrt{a^2b}=a\sqrt{b}$

A 제곱근의 곱셈의 성질에 의해

$$\sqrt{2\times2\times3}=\sqrt{2}\times\sqrt{2}\times\sqrt{3}=2\times\sqrt{3}$$

이 성립하므로 자연스럽게 $\sqrt{12}=2\sqrt{3}$임을 알 수 있다.

이와 같이 근호 안의 수에 제곱인 인수가 있으면 근호 밖으로 꺼낼 수 있다. 즉,

$$\sqrt{12}=\sqrt{2^2\times3}=\sqrt{2^2}\sqrt{3}=2\sqrt{3}$$

이다. 앞으로 우리는 $\sqrt{12}$ 대신 $2\sqrt{3}$으로 표현하도록 연습하자.

일반적으로 $a>0$, $b>0$일 때, 다음이 성립한다.

근호 밖으로
$$\sqrt{a^2b}=a\sqrt{b}$$ $$\sqrt{2^2\times3}=2\sqrt{3}$$

> 보통 $a\sqrt{b}$ 꼴로 나타낼 때 b는 가장 작은 자연수로 만들면 돼!

마찬가지로 근호 안의 수가 분수 꼴이고 분모에 제곱인 수가 있으면 다음과 같이 나타낼 수 있다.

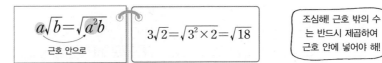
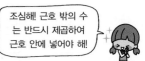

$$\sqrt{\frac{b}{a^2}} = \frac{\sqrt{b}}{a} \qquad\qquad \sqrt{\frac{2}{3^2}} = \frac{\sqrt{2}}{\sqrt{3^2}} = \frac{\sqrt{2}}{3}$$

예제 19 다음 수를 $a\sqrt{b}$ 꼴로 나타내어라.

(1) $\sqrt{50}$ (2) $-\sqrt{48}$ (3) $\sqrt{\dfrac{45}{16}}$ (4) $-\sqrt{0.27}$

풀이 (1) $\sqrt{50} = \sqrt{5^2 \times 2} = \mathbf{5\sqrt{2}}$ (2) $-\sqrt{48} = -\sqrt{4^2 \times 3} = \mathbf{-4\sqrt{3}}$

(3) $\sqrt{\dfrac{45}{16}} = \sqrt{\dfrac{3^2 \times 5}{4^2}} = \dfrac{\sqrt{3^2 \times 5}}{\sqrt{4^2}} = \mathbf{\dfrac{3\sqrt{5}}{4}}$ (4) $-\sqrt{\dfrac{27}{100}} = -\sqrt{\dfrac{3^2 \times 3}{10^2}} = \mathbf{-\dfrac{3\sqrt{3}}{10}}$

한편 근호 밖의 양수는 제곱하여 다음과 같이 근호 안에 넣을 수 있다.

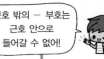

$$a\sqrt{b} = \sqrt{a^2 b} \qquad\qquad 3\sqrt{2} = \sqrt{3^2 \times 2} = \sqrt{18}$$
근호 안으로

조심해! 근호 밖의 수는 반드시 제곱하여 근호 안에 넣어야 해!

예제 20 다음 수를 $\sqrt{a}$ 또는 $-\sqrt{a}$ 꼴로 나타내어라.

근호 밖의 − 부호는 근호 안으로 들어갈 수 없어!

(1) $2\sqrt{5}$ (2) $-4\sqrt{2}$ (3) $\dfrac{\sqrt{2}}{3}$ (4) $\dfrac{2\sqrt{5}}{7}$

풀이 (1) $2\sqrt{5} = \sqrt{2^2 \times 5} = \sqrt{\mathbf{20}}$ (2) $-4\sqrt{2} = -\sqrt{4^2 \times 2} = -\sqrt{\mathbf{32}}$

(3) $\dfrac{\sqrt{2}}{3} = \dfrac{\sqrt{2}}{\sqrt{3^2}} = \sqrt{\dfrac{\mathbf{2}}{\mathbf{9}}}$ (4) $\dfrac{2\sqrt{5}}{7} = \dfrac{\sqrt{2^2 \times 5}}{\sqrt{7^2}} = \dfrac{\sqrt{20}}{\sqrt{49}} = \sqrt{\dfrac{\mathbf{20}}{\mathbf{49}}}$

2. 분모의 유리화

Q 021 분모의 유리화란?

A 무리수인 분모를 유리수로 고치는 것!

A $\dfrac{1}{\sqrt{3}}$ 과 같이 분모가 근호를 포함한 무리수일 때, 분모, 분자에 0이 아닌 같은 수를 곱하여 분모를

유리수로 고칠 수 있다. 즉, $\dfrac{1}{\sqrt{3}}$ 의 분모, 분자에 각각 $\sqrt{3}$ 을 곱하면

$$\frac{1}{\sqrt{3}} = \frac{1 \times \sqrt{3}}{\sqrt{3} \times \sqrt{3}} = \frac{\sqrt{3}}{3}$$

과 같이 분모가 유리수로 고쳐진다.

이와 같이 $a > 0$일 때, $(\sqrt{a})^2 = a$임을 이용하여

무리수인 분모를 유리수로 고치는 것

을 **분모의 유리화**라고 한다.

$$\frac{1}{\sqrt{3}} = 1 \div \sqrt{3} = 1 \div 1.732\cdots$$

$$\frac{\sqrt{3}}{3} = \sqrt{3} \div 3 = 1.732\cdots \div 3$$

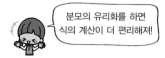
분모의 유리화를 하면 식의 계산이 더 편리해져!

분모의 유리화 과정을 정리해 보면 다음과 같다.

┌─ 분모의 유리화 ($a > 0$이고, a, b, c는 유리수) ─────────

① $\dfrac{b}{\sqrt{a}} = \dfrac{b \times \sqrt{a}}{\sqrt{a} \times \sqrt{a}} = \dfrac{b\sqrt{a}}{a}$

   ⌐ 같다.

$\dfrac{3}{\sqrt{2}} = \dfrac{3 \times \sqrt{2}}{\sqrt{2} \times \sqrt{2}} = \dfrac{3\sqrt{2}}{2}$

$\sqrt{2}$를 분모, 분자에 각각 곱한다.

> 분자, 분모에 같은 무리수를 곱해야 해.

② $\dfrac{\sqrt{b}}{\sqrt{a}} = \dfrac{\sqrt{b} \times \sqrt{a}}{\sqrt{a} \times \sqrt{a}} = \dfrac{\sqrt{ab}}{a}$ (단, $b > 0$)

   ⌐ 같다.

$\dfrac{\sqrt{7}}{\sqrt{6}} = \dfrac{\sqrt{7} \times \sqrt{6}}{\sqrt{6} \times \sqrt{6}} = \dfrac{\sqrt{42}}{6}$

$\sqrt{6}$을 분모, 분자에 각각 곱한다.

③ $\dfrac{c}{b\sqrt{a}} = \dfrac{c \times \sqrt{a}}{b\sqrt{a} \times \sqrt{a}} = \dfrac{c\sqrt{a}}{ab}$ (단, $b \neq 0$)

   ⌐ 같다.

$\dfrac{1}{2\sqrt{5}} = \dfrac{1 \times \sqrt{5}}{2\sqrt{5} \times \sqrt{5}} = \dfrac{\sqrt{5}}{10}$

$\sqrt{5}$를 분모, 분자에 각각 곱한다.

위의 과정을 잘 살펴보고 다음과 같이 실수하지 않도록 조심하자!

분모의 유리화가 필요 없는 경우라구.

분자에도 $\sqrt{2}$를 곱해야 공평하겠지?

$\dfrac{\sqrt{3}}{5\sqrt{2}} = \dfrac{\sqrt{3}}{5\sqrt{2}} \dfrac{\sqrt{3}}{\sqrt{2}} = \dfrac{3}{10}$

분자에는 분모에 곱한 $\sqrt{2}$를 곱해야 해!

예제 21 다음 수의 분모를 유리화하여라.

(1) $\dfrac{1}{\sqrt{5}}$

(2) $\dfrac{2}{\sqrt{3}}$

(3) $\dfrac{\sqrt{5}}{\sqrt{7}}$

(4) $\dfrac{3\sqrt{5}}{2\sqrt{2}}$

풀이

(1) $\dfrac{1}{\sqrt{5}} = \dfrac{\sqrt{5}}{\sqrt{5} \times \sqrt{5}} = \dfrac{\sqrt{5}}{5}$

(2) $\dfrac{2}{\sqrt{3}} = \dfrac{2 \times \sqrt{3}}{\sqrt{3} \times \sqrt{3}} = \dfrac{2\sqrt{3}}{3}$

(3) $\dfrac{\sqrt{5}}{\sqrt{7}} = \dfrac{\sqrt{5} \times \sqrt{7}}{\sqrt{7} \times \sqrt{7}} = \dfrac{\sqrt{35}}{7}$

(4) $\dfrac{3\sqrt{5}}{2\sqrt{2}} = \dfrac{3\sqrt{5} \times \sqrt{2}}{2\sqrt{2} \times \sqrt{2}} = \dfrac{3\sqrt{10}}{4}$

A 나눗셈을 곱셈으로 바꿔.

A 제곱근이 포함되어 있어도 계산 순서나 방법은 유리수에서의 계산과 같다. 즉,

곱셈과 나눗셈이 섞여 있는 계산은 <u>나눗셈을 곱셈으로 바꾸고,</u>

근호 밖의 수끼리, 근호 안의 수끼리 계산한다.

(1) $\sqrt{18} \div \sqrt{14} \times \sqrt{21} = \sqrt{18} \times \underline{\dfrac{1}{\sqrt{14}}} \times \sqrt{21} = \sqrt{\dfrac{18 \times 21}{14}} = \sqrt{27} = 3\sqrt{3}$

_{역수를 곱한다.}   _{근호 안의 수끼리}   _{$a\sqrt{b}$ 꼴로!}

(2) $4\sqrt{7} \times \sqrt{14} \div 2\sqrt{8} = 4\sqrt{7} \times \sqrt{14} \times \underline{\dfrac{1}{2\sqrt{8}}} = 2\sqrt{\dfrac{7 \times 14}{8}} = 2 \times \dfrac{7}{2} = 7$

_{역수를 곱한다.}   _{근호 밖의 수끼리, 근호 안의 수끼리}

(3) $\sqrt{5} \div \sqrt{\dfrac{5}{3}} \times \dfrac{2}{\sqrt{6}} = \sqrt{5} \div \dfrac{\sqrt{5}}{\sqrt{3}} \times \dfrac{2}{\sqrt{6}} = \sqrt{5} \times \underline{\dfrac{\sqrt{3}}{\sqrt{5}}} \times \dfrac{2}{\sqrt{6}} = \dfrac{2}{\sqrt{2}} = \dfrac{2\sqrt{2}}{\sqrt{2}\sqrt{2}} = \sqrt{2}$

_{역수를 곱한다.}   _{여기까지!}

$\sqrt{a^2 b}$ 꼴의 답이 나오면 $a\sqrt{b}$ 꼴로 고치는 것과 마찬가지로 분모에 제곱근이 있는 답은 분모의 유리화까지 하도록 하자.

예제 22 **다음을 계산하여라.**

(1) $\sqrt{84} \times \sqrt{15} \div \sqrt{21}$ (2) $\dfrac{5}{2\sqrt{2}} \div \sqrt{35} \times \dfrac{\sqrt{7}}{10}$

풀이 (1) $\sqrt{84} \times \sqrt{15} \times \dfrac{1}{\sqrt{21}} = \sqrt{\dfrac{84 \times 15}{21}} = \sqrt{60} = \mathbf{2\sqrt{15}}$

(2) $\dfrac{5}{2\sqrt{2}} \times \dfrac{1}{\sqrt{35}} \times \dfrac{\sqrt{7}}{10} = \dfrac{1}{4\sqrt{10}} = \dfrac{\mathbf{\sqrt{10}}}{\mathbf{40}}$

개념 CHECK

해설 BOOK 006쪽

개념 확인

(1) $a > 0$, $b > 0$일 때

① $\sqrt{a}\sqrt{b} = \sqrt{}$

② $\dfrac{\sqrt{b}}{\sqrt{a}} = \sqrt{}$

③ $\sqrt{a^2 b} = \boxed{}\sqrt{b}$

(2) 무리수인 분모를 유리수로 고치는 것을 분모의 $\boxed{}$라고 한다.

---

01 다음을 계산하여라.

(1) $\sqrt{7} \times \sqrt{11}$ (2) $2\sqrt{2} \times 6$ (3) $4\sqrt{2} \times 3\sqrt{7}$

02 다음을 계산하여라.

(1) $\sqrt{72} \div \sqrt{12}$ (2) $21\sqrt{6} \div 7\sqrt{2}$ (3) $\sqrt{\dfrac{4}{15}} \div \sqrt{\dfrac{6}{5}}$

03 다음을 $a\sqrt{b}$ 꼴로 나타내어라. (단, b는 가장 작은 자연수)

(1) $\sqrt{54}$ (2) $\sqrt{120}$ (3) $3\sqrt{32}$

04 다음을 $\dfrac{\sqrt{b}}{a}$ 꼴로 나타내어라. (단, b는 가장 작은 자연수)

(1) $\sqrt{\dfrac{3}{4}}$ (2) $\sqrt{\dfrac{7}{81}}$ (3) $\sqrt{0.12}$

05 다음 수의 분모를 유리화하여라.

(1) $\dfrac{6}{\sqrt{3}}$ (2) $\dfrac{12}{\sqrt{8}}$ (3) $\dfrac{3\sqrt{5}}{2\sqrt{3}}$

06 다음을 계산하여라.

(1) $\sqrt{2} \times \sqrt{75} \div \sqrt{3}$ (2) $2\sqrt{30} \div \sqrt{6} \times \sqrt{5}$

자기 진단

Q 018 ○ 045쪽
$\sqrt{a}\sqrt{b}$는 어떻게 계산할까?

Q 019 ○ 046쪽
$\dfrac{\sqrt{b}}{\sqrt{a}}$ 는 어떻게 계산할까?

Q 020 ○ 047쪽
$\sqrt{a^2 b}$를 간단히 나타내면?

Q 021 ○ 048쪽
분모의 유리화란?

SUMMA CUM LAUDE

SUMMA **NOTE**

1. 제곱근의 덧셈과 뺄셈

근호 안의 수가 같은 것끼리 모아서 계산한다.

l, m, n이 유리수이고 $\sqrt{a}$가 무리수일 때,

① $m\sqrt{a}+n\sqrt{a}=(m+n)\sqrt{a}$ ② $m\sqrt{a}-n\sqrt{a}=(m-n)\sqrt{a}$

③ $m\sqrt{a}+n\sqrt{a}-l\sqrt{a}=(m+n-l)\sqrt{a}$

2. 근호를 포함한 복잡한 식의 계산

(1) 괄호가 있으면 분배법칙을 이용하여 괄호를 푼 후 계산한다.

(2) 근호 안에 제곱인 인수가 있으면 근호 밖으로 꺼낸다.

(3) 분모에 무리수가 있으면 분모를 유리화한다.

(4) 덧셈, 뺄셈, 곱셈, 나눗셈이 섞여 있으면 곱셈과 나눗셈을 먼저 한다.

1. 제곱근의 덧셈과 뺄셈

Q 023 제곱근의 덧셈과 뺄셈은 다항식의 계산과 비슷하다?

A YES! 근호 안의 수가 같은 것끼리 계산해.

A 다항식의 덧셈과 뺄셈에서 동류항끼리 모아서 계산하듯이 제곱근의 덧셈과 뺄셈도 제곱근을 문자처럼 생각하여 근호 안의 수가 같은 것끼리 모아서 계산한다.

예를 들어 $5\sqrt{2}+2\sqrt{2}$에서 $\sqrt{2}$를 문자 a로 생각하여 $5a+2a$와 같이 계산하는 것이다.

제곱근의 뺄셈도 마찬가지이다.

$$5\sqrt{2}+2\sqrt{2}=(5+2)\sqrt{2}=7\sqrt{2}$$
$$5a+2a=(5+2)a=7a$$

$$5\sqrt{2}-2\sqrt{2}=(5-2)\sqrt{2}=3\sqrt{2}$$
$$5a-2a=(5-2)a=3a$$

제곱근의 덧셈과 뺄셈

l, m, n이 유리수이고 $\sqrt{a}$가 무리수일 때,

① $m\sqrt{a}+n\sqrt{a}=(m+n)\sqrt{a}$ ② $m\sqrt{a}-n\sqrt{a}=(m-n)\sqrt{a}$

③ $m\sqrt{a}+n\sqrt{a}-l\sqrt{a}=(m+n-l)\sqrt{a}$

예제 23 다음을 계산하여라.

(1) $3\sqrt{5}+7\sqrt{5}$ (2) $6\sqrt{3}-4\sqrt{3}$ (3) $2\sqrt{5}+\sqrt{3}-\sqrt{5}+3\sqrt{3}$

풀이 (1) $3\sqrt{5}+7\sqrt{5}=(3+7)\sqrt{5}=\mathbf{10\sqrt{5}}$

(2) $6\sqrt{3}-4\sqrt{3}=(6-4)\sqrt{3}=\mathbf{2\sqrt{3}}$

(3) $2\sqrt{5}+\sqrt{3}-\sqrt{5}+3\sqrt{3}=2\sqrt{5}-\sqrt{5}+\sqrt{3}+3\sqrt{3}=\mathbf{\sqrt{5}+4\sqrt{3}}$ ← $\sqrt{5}$를 x, $\sqrt{3}$을 y로 보면
$$2x+y-x+3y=2x-x+y+3y$$
$$=x+4y$$

| 주의 | 근호 안의 수끼리 덧셈, 뺄셈을 할 수 없다. ➡ $\sqrt{a}+\sqrt{b}\neq\sqrt{a+b}$, $\sqrt{a}-\sqrt{b}\neq\sqrt{a-b}$

Q 024 근호 안의 수가 같아야만 덧셈, 뺄셈을 할 수 있다?

A 근호 안의 수가 같게 만들 수 있다면 서로 달라도 가능해!

A 근호 안을 가장 작은 자연수로 만들었을 때, 그 근호 안의 수가 서로 다르면 덧셈, 뺄셈을 할 수가 없다. 이는 다항식에서 동류항이 아니면 덧셈, 뺄셈을 할 수 없는 것과 같다.

즉, 다항식 $2x+3y$를 더 이상 간단히 할 수 없듯이 $2\sqrt{3}+3\sqrt{5}$도 더 이상 간단히 할 수 없다.

그러나 $3\sqrt{2}+5\sqrt{8}$이 더 이상 간단히 할 수 없다고 생각하면 안 된다!

$$\sqrt{8}=2\sqrt{2}$$

이므로 근호 안의 수가 서로 같게 된다.

즉, 다음과 같이 간단히 계산된다.

$$3\sqrt{2}+5\sqrt{8}=3\sqrt{2}+10\sqrt{2}=(3+10)\sqrt{2}=13\sqrt{2}$$

$\sqrt{a^2 b}$를 $a\sqrt{b}$로 고쳐서 계산해!

따라서 제곱근의 덧셈, 뺄셈을 할 때에는

근호 안의 수를 가장 간단한 자연수로 먼저 나타낸 다음, 계산하도록 하자.

이때 근호 안의 수가 같더라도 분모에 근호가 있다면 분모의 유리화를 거쳐야 계산할 수 있다.

$$\sqrt{3}+\frac{2}{\sqrt{3}}=\sqrt{3}+\frac{2\sqrt{3}}{3}=\left(1+\frac{2}{3}\right)\sqrt{3}=\frac{5\sqrt{3}}{3}$$

예제 24 다음을 계산하여라.

(1) $\sqrt{18}+\sqrt{50}$ (2) $\sqrt{48}-\dfrac{6}{\sqrt{3}}$

풀이 (1) $\sqrt{18}+\sqrt{50}=3\sqrt{2}+5\sqrt{2}=(3+5)\sqrt{2}=\mathbf{8\sqrt{2}}$

(2) $\sqrt{48}-\dfrac{6}{\sqrt{3}}=4\sqrt{3}-2\sqrt{3}=(4-2)\sqrt{3}=\mathbf{2\sqrt{3}}$

바른
A $a-b>0$이면 $a>b$, $a-b<0$이면 $a<b$

친절한
A 뺄셈을 이용하여 두 실수의 대소 관계를 알 수 있다.

실수의 대소 관계

a, b가 실수일 때,

① $a-b>0$이면 $a>b$ ② $a-b=0$이면 $a=b$ ③ $a-b<0$이면 $a<b$

예를 들어 $\sqrt{12}+\sqrt{5}$와 $3\sqrt{5}-\sqrt{3}$의 대소 관계를 알아보면

$$(\sqrt{12}+\sqrt{5})-(3\sqrt{5}-\sqrt{3})=2\sqrt{3}+\sqrt{5}-3\sqrt{5}+\sqrt{3}$$
$$=2\sqrt{3}+\sqrt{3}+\sqrt{5}-3\sqrt{5}$$
$$=3\sqrt{3}-2\sqrt{5}$$
$$=\sqrt{27}-\sqrt{20}>0$$
$$\therefore \sqrt{12}+\sqrt{5}>3\sqrt{5}-\sqrt{3}$$

예제 25 $A=2\sqrt{3}+1$, $B=6-\sqrt{3}$, $C=3\sqrt{2}+1$의 대소를 비교하여라.

풀이 $A-B=(2\sqrt{3}+1)-(6-\sqrt{3})=3\sqrt{3}-5=\sqrt{27}-\sqrt{25}>0 \;\Rightarrow\; A>B$

$A-C=(2\sqrt{3}+1)-(3\sqrt{2}+1)=2\sqrt{3}-3\sqrt{2}=\sqrt{12}-\sqrt{18}<0 \;\Rightarrow\; A<C$

$\therefore \boldsymbol{B<A<C}$

THINK Math

무리수와 무리수의 합은 무리수?

자연수와 자연수의 합은 항상 자연수이고, 정수와 정수의 합은 항상 정수이다.

또한 유리수와 유리수의 합은 항상 유리수이다.

그렇다면 무리수와 무리수의 합도 항상 무리수일까?

NO! $\sqrt{2}+(-\sqrt{2})=0$에서 확인되듯이 항상 무리수가 되는 것은 아니다.

(무리수)+(무리수) 뿐만 아니라 (무리수)-(무리수), (무리수)×(무리수), (무리수)÷(무리수)도 모두 항상 무리수가 되지 않음을 쉽게 확인할 수 있다.

2. 근호를 포함한 복잡한 식의 계산

Q 026 사칙 계산이 섞여 있는 근호를 포함한 식의 계산은 어떻게 할까? ☆

A 괄호 ➡ 곱셈, 나눗셈 ➡ 덧셈, 뺄셈

A 근호를 포함한 식의 계산에서 덧셈, 뺄셈, 곱셈, 나눗셈이 섞여 있어도 유리수에서 배운 방법과 달라지는 것은 없다. 다음 각각의 경우에 대해 그 방법을 잘 익혀 두도록 하자.

(1) **괄호가 있으면** ➡ 분배법칙을 이용하여 괄호를 푼 후 계산한다.

$$\sqrt{3}(\sqrt{2}+2\sqrt{3}) = \sqrt{3}\times\sqrt{2}+\sqrt{3}\times2\sqrt{3} = \sqrt{6}+6$$

(2) **근호 안에 제곱인 인수가 있으면** ➡ 근호 밖으로 꺼내어 근호 안의 수가 가장 작은 자연수가 되게 한다.

$$\begin{aligned}
2\sqrt{2}(\sqrt{6}-\sqrt{24})+2\sqrt{3} &= 2\sqrt{2}(\sqrt{6}-2\sqrt{6})+2\sqrt{3} \\
&= 2\sqrt{2}\times(-\sqrt{6})+2\sqrt{3} \\
&= -2\sqrt{12}+2\sqrt{3} = -4\sqrt{3}+2\sqrt{3} = -2\sqrt{3}
\end{aligned}$$

(3) **분모에 무리수가 있으면** ➡ 분모를 유리화한다.

$$\begin{aligned}
2\sqrt{2}(\sqrt{2}+\sqrt{3})-\frac{\sqrt{3}}{\sqrt{2}} &= 2\sqrt{2}\times\sqrt{2}+2\sqrt{2}\times\sqrt{3}-\frac{\sqrt{3}\times\sqrt{2}}{\sqrt{2}\times\sqrt{2}} \\
&= 4+2\sqrt{6}-\frac{\sqrt{6}}{2} = 4+\frac{3\sqrt{6}}{2}
\end{aligned}$$

(4) **덧셈, 뺄셈, 곱셈, 나눗셈이 섞여 있으면** ➡ 곱셈과 나눗셈을 먼저 하고, 덧셈, 뺄셈은 나중에 한다.

$$4\sqrt{5}-\sqrt{6}\times\sqrt{10}\div\sqrt{3}=4\sqrt{5}-\sqrt{60}\div\sqrt{3}=4\sqrt{5}-\sqrt{20} \quad \text{← 곱셈, 나눗셈을 먼저 하고, 뺄셈을 나중에 한다.}$$
$$=4\sqrt{5}-2\sqrt{5}=2\sqrt{5}$$

예제 26 다음을 계산하여라.

(1) $\sqrt{18}-\sqrt{3}(\sqrt{24}-4\sqrt{6})$

(2) $\dfrac{1}{\sqrt{2}}(\sqrt{2}-\sqrt{3})+(\sqrt{27}+3\sqrt{2})\div\sqrt{3}$

풀이

(1) $\sqrt{18}-\sqrt{3}(\sqrt{24}-4\sqrt{6})$
$=3\sqrt{2}-\sqrt{3}(2\sqrt{6}-4\sqrt{6})$
$=3\sqrt{2}-\sqrt{3}\times(-2\sqrt{6})$
$=3\sqrt{2}+2\sqrt{18}=3\sqrt{2}+6\sqrt{2}=\mathbf{9\sqrt{2}}$

(2) $\dfrac{1}{\sqrt{2}}(\sqrt{2}-\sqrt{3})+(\sqrt{27}+3\sqrt{2})\div\sqrt{3}$
$=1-\dfrac{\sqrt{3}}{\sqrt{2}}+\sqrt{9}+\dfrac{3\sqrt{2}}{\sqrt{3}}$
$=1-\dfrac{\sqrt{6}}{2}+3+\sqrt{6}=\mathbf{4+\dfrac{\sqrt{6}}{2}}$

Q 027 | 제곱근표에 없는 수에 대한 제곱근의 어림한 값은 어떻게 알 수 있을까?

제곱근표에 있는 수가 되도록 만들어.

Q₀₁₃에서 배운 제곱근표에는 1.00부터 99.9까지의 수에 대한 양의 제곱근의 어림한 값이 주어져 있다. 그렇다면 제곱근표에 없는 1.00보다 작거나 100보다 큰 수에 대한 제곱근의 어림한 값은 어떻게 구할까? 이는 제곱근의 성질 $\sqrt{a^2b}=a\sqrt{b}$ 를 이용하여 다음과 같이 구하면 된다.

❶ 100보다 큰 수의 제곱근의 어림한 값 구하기

근호 안의 수를 $100a$, $10000a$, … 꼴로 나타낸 후
$$\sqrt{100a}=10\sqrt{a},\ \sqrt{10000a}=100\sqrt{a},\ \cdots$$
로 만든다.

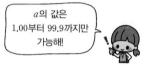

a의 값은
1.00부터 99.9까지만
가능해!

❷ 0보다 크고 1보다 작은 수의 제곱근의 어림한 값 구하기

근호 안의 수를 $\dfrac{a}{100}$, $\dfrac{a}{10000}$, … 꼴로 나타낸 후
$$\sqrt{\dfrac{a}{100}}=\dfrac{\sqrt{a}}{10},\ \sqrt{\dfrac{a}{10000}}=\dfrac{\sqrt{a}}{100},\ \cdots$$
로 만든다.

위의 방법을 한 마디로 정리하면 a의 값이 1.00부터 99.9까지의 값을 갖도록

소수점의 위치만 두 자리씩 오른쪽 또는 왼쪽으로 계속 옮겨 주면 된다.

예를 들어 $\sqrt{1.24}=1.114$, $\sqrt{12.4}=3.521$일 때, 다음과 같이 제곱근의 값을 구하면 된다.

(1) $\sqrt{124}=\sqrt{1.24\times100}=10\sqrt{1.24}=10\times1.114=11.14$

(2) $\sqrt{1240}=\sqrt{12.4\times100}=10\sqrt{12.4}=10\times3.521=35.21$

(3) $\sqrt{0.0124}=\sqrt{1.24\times\dfrac{1}{100}}=\dfrac{1}{10}\sqrt{1.24}=\dfrac{1}{10}\times1.114=0.1114$

(4) $\sqrt{0.124}=\sqrt{12.4\times\dfrac{1}{100}}=\dfrac{1}{10}\sqrt{12.4}=\dfrac{1}{10}\times3.521=0.3521$

제곱근표에서 찾아야 하는 값이 다름에 주의하자!
$\sqrt{124}$는 $\sqrt{1.24}$의 어림한 값을 찾아야 하지만 $\sqrt{1240}$은 $\sqrt{12.4}$의 어림한 값을 찾아야 해.

예제 27 $\sqrt{2.9}=1.703$, $\sqrt{29}=5.385$일 때, 다음 값을 구하여라.

(1) $\sqrt{29000}$ (2) $\sqrt{290000}$ (3) $\sqrt{0.00029}$ (4) $\sqrt{0.0029}$

풀이 (1) $\sqrt{29000}=\sqrt{2.9\times10000}=100\sqrt{2.9}=100\times1.703=\textbf{170.3}$

(2) $\sqrt{290000}=\sqrt{29\times10000}=100\sqrt{29}=100\times5.385=\textbf{538.5}$

(3) $\sqrt{0.00029}=\sqrt{2.9\times\dfrac{1}{10000}}=\dfrac{1}{100}\sqrt{2.9}=\dfrac{1}{100}\times1.703=\textbf{0.01703}$

(4) $\sqrt{0.0029}=\sqrt{29\times\dfrac{1}{10000}}=\dfrac{1}{100}\sqrt{29}=\dfrac{1}{100}\times5.385=\textbf{0.05385}$

개념 확인

(1) $m\sqrt{a}+n\sqrt{a}=(\boxed{})\sqrt{a}$

(2) $m\sqrt{a}-n\sqrt{a}=(\boxed{})\sqrt{a}$

(3) $3\sqrt{2}+5\sqrt{8}$을 계산하려면 $5\sqrt{8}$을 $\boxed{}\sqrt{2}$로 나타낸 다음 계산해야 한다.

➡ $3\sqrt{2}+5\sqrt{8}=\boxed{}\sqrt{2}$

01 다음을 계산하여라.

(1) $2\sqrt{3}+3\sqrt{3}$

(2) $3\sqrt{8}-2\sqrt{2}$

(3) $\sqrt{6}-3\sqrt{3}+\sqrt{24}+\sqrt{12}$

(4) $3\sqrt{7}-5\sqrt{6}-\sqrt{28}+\sqrt{54}$

02 다음을 계산하여라.

(1) $\sqrt{3}(\sqrt{6}-\sqrt{2})$

(2) $(4\sqrt{2}-\sqrt{6})\div\sqrt{2}$

(3) $\sqrt{27}+9\div\sqrt{3}-4\sqrt{3}$

(4) $\sqrt{84}\div\sqrt{14}+2\sqrt{2}\times\sqrt{3}$

03 $x=\dfrac{3}{\sqrt{2}}$, $y=\dfrac{5}{2\sqrt{3}}$ 일 때, $4xy-12\sqrt{2y}$의 값을 구하여라.

자기 진단

Q023 ○ 052쪽
제곱근의 덧셈과 뺄셈은 다항식의 계산과 비슷하다?

Q026 ○ 055쪽
사칙 계산이 섞여 있는 근호를 포함한 식의 계산은 어떻게 할까?

04 오른쪽 제곱근표를 이용하여 다음 수의 어림한 값을 구하여라.

(1) $\sqrt{2210}$

(2) $\sqrt{0.21}$

(3) $\sqrt{0.00213}$

(4) $\sqrt{222000}$

수	0	1	2	3
21	4.583	4.593	4.604	4.615
22	4.690	4.701	4.712	4.722

문제 이해도를 ☺, ☺, ☹으로 표시해 보세요.

해설 BOOK **007**쪽 | 테스트 BOOK **010**쪽

유형 1 제곱근의 곱셈과 나눗셈

다음 중 옳지 <u>않은</u> 것은?

① $\sqrt{2} \times \sqrt{3} \times \sqrt{6} = 6$ ② $\dfrac{\sqrt{12}}{\sqrt{3}} = 2$

③ $\dfrac{\sqrt{27}}{\sqrt{9}} = 3$ ④ $\sqrt{\dfrac{2}{3}} \times \sqrt{\dfrac{9}{6}} = 1$

⑤ $\dfrac{\sqrt{10}}{\sqrt{7}} \div \sqrt{\dfrac{5}{14}} = 2$

Summa Point

$a > 0$, $b > 0$일 때, $\sqrt{a}\sqrt{b} = \sqrt{ab}$, $\dfrac{\sqrt{b}}{\sqrt{a}} = \sqrt{\dfrac{b}{a}}$

045쪽 **Q 018** ↻

유형 2 근호가 있는 식의 변형

다음 중 옳지 <u>않은</u> 것은?

① $\sqrt{20} = 2\sqrt{5}$ ② $\sqrt{48} = 4\sqrt{3}$

③ $\sqrt{90} = 10\sqrt{3}$ ④ $\sqrt{\dfrac{3}{16}} = \dfrac{\sqrt{3}}{4}$

⑤ $\sqrt{0.45} = \dfrac{3\sqrt{5}}{10}$

Summa Point

$a > 0$, $b > 0$일 때, $\sqrt{a^2 b} = a\sqrt{b}$, $\dfrac{\sqrt{b}}{\sqrt{a^2}} = \dfrac{\sqrt{b}}{a}$

047쪽 **Q 020** ↻

1-1 ☺☺☹

다음을 만족하는 유리수 a, b에 대하여 ab의 값을 구하여라.

$$\sqrt{a} = \sqrt{\dfrac{14}{3}} \times \sqrt{\dfrac{6}{7}}, \quad \sqrt{b} = \sqrt{\dfrac{2}{5}} \div \sqrt{\dfrac{4}{5}}$$

1-2 ☺☺☹

$\sqrt{3} \times \sqrt{4} \times \sqrt{18} \times \sqrt{x} = 36$일 때, 자연수 x의 값을 구하여라.

1-3 ☺☺☹

다음 중 옳지 <u>않은</u> 것은?

① $2\sqrt{5} \times 3\sqrt{3} = 6\sqrt{15}$ ② $2\sqrt{3} \times (-4) = -8\sqrt{3}$

③ $\sqrt{\dfrac{5}{2}} \times \sqrt{\dfrac{3}{5}} = \sqrt{\dfrac{3}{2}}$ ④ $4\sqrt{18} \div 2\sqrt{6} = 2\sqrt{6}$

⑤ $\dfrac{\sqrt{15}}{\sqrt{10}} \div \dfrac{\sqrt{3}}{\sqrt{5}} = \sqrt{\dfrac{5}{2}}$

2-1 ☺☺☹

유리수 a, b에 대하여 $\sqrt{72} = a\sqrt{2}$, $3\sqrt{2} = \sqrt{b}$일 때, $\sqrt{ab}$의 값을 구하여라.

2-2 ☺☺☹

다음 수를 큰 수부터 차례로 나열하여라.

$$\dfrac{\sqrt{3}}{2}, \quad \sqrt{0.12}, \quad \sqrt{\dfrac{3}{49}}$$

2-3 ☺☺☹

$a = \sqrt{3}$, $b = \sqrt{5}$일 때, $\sqrt{135}$를 a, b를 이용하여 나타내면?

① $a^2 b$ ② ab^2 ③ $a^2 b^2$

④ $a^3 b$ ⑤ $a^3 b^2$

다음 중 분모를 유리화한 것으로 옳은 것은?

① $\dfrac{\sqrt{2}}{\sqrt{3}} = \dfrac{\sqrt{2}}{3}$

② $\dfrac{2}{\sqrt{6}} = \dfrac{\sqrt{3}}{3}$

③ $\dfrac{1}{2\sqrt{3}} = \dfrac{\sqrt{6}}{6}$

④ $\dfrac{3\sqrt{2}}{\sqrt{3}} = \sqrt{2}$

⑤ $\dfrac{5}{\sqrt{18}} = \dfrac{5\sqrt{2}}{6}$

Summa Point
$a > 0$, $b > 0$일 때
① $\dfrac{b}{\sqrt{a}} = \dfrac{b \times \sqrt{a}}{\sqrt{a} \times \sqrt{a}} = \dfrac{b\sqrt{a}}{a}$ ② $\dfrac{\sqrt{b}}{\sqrt{a}} = \dfrac{\sqrt{b} \times \sqrt{a}}{\sqrt{a} \times \sqrt{a}} = \dfrac{\sqrt{ab}}{a}$

048쪽 **Q** 021 ◯

$\dfrac{3\sqrt{3}}{\sqrt{2}} \div \dfrac{\sqrt{6}}{\sqrt{5}} \times \dfrac{\sqrt{8}}{\sqrt{15}}$ 을 계산하여라.

Summa Point
① 근호 안의 제곱인 인수는 근호 밖으로 꺼낸다.
② 나눗셈을 역수의 곱셈으로 바꾸고 근호 밖의 수끼리, 근호 안의 수끼리 계산한다.
③ 제곱근의 성질과 분모의 유리화를 이용한다.

050쪽 **Q** 022 ◯

3-1 ☺😐☹
$\dfrac{1}{\sqrt{27}} = a\sqrt{3}$, $\dfrac{5}{\sqrt{45}} = b\sqrt{5}$일 때, $3a + b$의 값을 구하여라.

(단, a, b는 유리수)

3-2 ☺😐☹
다음 수들을 큰 수부터 차례로 나열할 때, 두 번째에 오는 수를 구하여라.

$$\sqrt{\dfrac{2}{3}}, \quad \dfrac{2}{3}, \quad \dfrac{\sqrt{2}}{3}, \quad \dfrac{2}{\sqrt{3}}, \quad \dfrac{\sqrt{8}}{3}$$

3-3 ☺😐☹
$\dfrac{3\sqrt{a}}{2\sqrt{3}}$ 의 분모를 유리화하면 $\dfrac{\sqrt{21}}{2}$ 이 된다. 이때 자연수 a의 값을 구하여라.

4-1 ☺😐☹
$\sqrt{32} \times \sqrt{45} \div \sqrt{12}$ 를 계산하여라.

4-2 ☺😐☹
$2\sqrt{\dfrac{3}{14}} \times 3\sqrt{\dfrac{5}{6}} \div 6\sqrt{\dfrac{40}{7}}$ 을 계산하여라.

4-3 ☺😐☹
양의 유리수 a, b에 대하여 다음을 간단히 하여라.

$$\sqrt{\dfrac{15a}{4b}} \times \dfrac{\sqrt{a}}{\sqrt{3b}} \div \dfrac{\sqrt{10a}}{\sqrt{2b}} \times \dfrac{\sqrt{9b}}{\sqrt{2a}}$$

다음 그림의 삼각형과 직사각형의 넓이가 서로 같을 때, x의 값을 구하여라.

Summa Point

(삼각형의 넓이)=(직사각형의 넓이)를 이용하여 제곱근의 곱셈과 나눗셈을 한다.

050쪽 **Q 022**

5-1 ☺☺☹

다음 그림과 같이 직사각형 ABCD의 두 변 AB, BC를 각각 한 변으로 하는 정사각형을 그렸더니 그 넓이가 각각 18, 45가 되었다. 이때 직사각형 ABCD의 넓이를 구하여라.

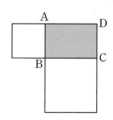

5-2 ☺☺☹

밑면의 가로, 세로의 길이가 각각 $\sqrt{3}$ cm, $\sqrt{6}$ cm인 직육면체의 부피가 $9\sqrt{10}$ cm³일 때, 이 직육면체의 높이를 구하여라.

$2\sqrt{45}-\sqrt{48}-\sqrt{125}+3\sqrt{75}=a\sqrt{3}+b\sqrt{5}$일 때, 유리수 a, b에 대하여 $a-b$의 값을 구하여라.

Summa Point

다항식의 덧셈, 뺄셈에서 동류항끼리 계산하듯이 근호 안의 수가 같은 것끼리 모아서 계산한다.

052쪽 **Q 023**

6-1 ☺☺☹

$A=2\sqrt{3}+6\sqrt{3}-3\sqrt{3}$, $B=3\sqrt{5}-7\sqrt{5}+6\sqrt{5}$일 때, $A-B$의 값을 구하여라.

6-2 ☺☺☹

$a=\sqrt{2}, b=\sqrt{3}$일 때, $\dfrac{b}{a}-\dfrac{a}{b}$의 값을 구하여라.

6-3 ☺☺☹

$\sqrt{2}-\dfrac{1}{\sqrt{2}}+\dfrac{1}{\sqrt{8}}-\dfrac{1}{\sqrt{18}}$ 을 간단히 하여라.

6-4 ☺☺☹

$A=\sqrt{3}+\dfrac{1}{\sqrt{2}}$, $B=\sqrt{2}+\dfrac{2}{\sqrt{3}}$ 일 때, A, B의 대소를 비교하여라.

$\sqrt{3}(\sqrt{6}-\sqrt{2})+\sqrt{2}(\sqrt{12}-3)$ 을 계산하여라.

Summa Point
① 분배법칙을 이용하여 괄호를 푼다.
② 근호 안에 제곱인 인수가 있으면 근호 밖으로 꺼내고, 분모가 무리수이면 분모를 유리화한다.
③ 곱셈, 나눗셈을 먼저 계산한다.

055쪽 **Q 026** ○

7-1 ☺☺☺
$x=\sqrt{3}+\sqrt{6}$, $y=\sqrt{3}-\sqrt{6}$일 때, $\sqrt{6}x+\sqrt{3}y$의 값을 구하여라.

7-2 ☺☺☺
$\dfrac{\sqrt{108}-4}{\sqrt{8}}-\sqrt{2}(\sqrt{3}-1)$을 계산하였더니 $\dfrac{\sqrt{a}}{2}$가 되었다. 유리수 a의 값을 구하여라.

7-3 ☺☺☺
$\sqrt{12}\left(\dfrac{1}{\sqrt{2}}-\dfrac{1}{\sqrt{3}}\right)-\dfrac{3\sqrt{2}-\sqrt{3}}{\sqrt{3}}$을 계산하여라.

7-4 ☺☺☺
$4(\sqrt{5}-2a)+\sqrt{20}(a-4\sqrt{5})$가 유리수가 되도록 하는 유리수 a의 값을 구하여라.

다음은 제곱근표의 일부이다. 이것을 이용하여 그 어림한 값을 구할 수 <u>없는</u> 것은?

수	0	1	2
3.1	1.761	1.764	1.766
3.2	1.789	1.792	1.794
3.3	1.817	1.819	1.822
3.4	1.844	1.847	1.849

① $\sqrt{311}$ ② $\sqrt{3.12}$ ③ $\sqrt{0.0341}$
④ $\sqrt{0.33}$ ⑤ $\sqrt{33100}$

Summa Point
제곱근표에 없는 수의 어림한 값은 제곱근의 성질을 이용하여 제곱근표에 있는 수가 나오도록 식을 변형한다.

056쪽 **Q 027** ○

8-1 ☺☺☺
$\sqrt{6.26}=2.502$, $\sqrt{62.6}=7.912$일 때, $\sqrt{626}+\sqrt{6260}$의 어림한 값을 구하여라.

8-2 ☺☺☺
다음 중 $\sqrt{7}=2.646$을 이용하여 어림한 값을 구할 수 <u>없는</u> 것은?

① $\sqrt{0.07}$ ② $\sqrt{0.7}$ ③ $\dfrac{1}{\sqrt{7}}$
④ $\sqrt{700}$ ⑤ $\sqrt{70000}$

8-3 ☺☺☺
$\sqrt{3}=1.732$, $\sqrt{30}=5.477$일 때, 다음 중 옳지 <u>않은</u> 것은?
① $\sqrt{300}=17.32$ ② $\sqrt{3000}=54.77$
③ $\sqrt{0.3}=0.5477$ ④ $\sqrt{0.03}=0.01732$
⑤ $\sqrt{0.003}=0.05477$

해설 BOOK **009**쪽 | 테스트 BOOK **015**쪽

Step 1 | 내·신·기·본

01 $a=\sqrt{2}$, $b=\sqrt{3}$일 때, $\sqrt{300}$을 a, b를 이용하여 나타내면?

① $5ab$ ② $5ab^2$ ③ $5a^2$

④ $5a^2b$ ⑤ $5a^2b^2$

02 $2\sqrt{25+a}=4\sqrt{6}$, $\sqrt{20-b}=2\sqrt{3}$을 만족시키는 두 유리수 a, b에 대하여 $a+b$의 값을 구하여라.

03 $a>0$, $b>0$이고 $ab=18$일 때, $a\sqrt{\dfrac{3b}{a}}+b\sqrt{\dfrac{a}{3b}}$의 값을 구하여라.

04 다음을 계산하여라.

$$5\sqrt{6}\times\sqrt{\dfrac{3}{8}}\div\dfrac{4\sqrt{15}}{\sqrt{2}}$$

05 다음 그림과 같은 직각삼각형 ABC의 꼭짓점 A에서 $\overline{BC}$에 내린 수선의 발을 H라고 할 때, $\overline{AH}$의 길이를 구하여라.

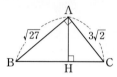

06 다음 중 계산 결과가 옳은 것은?

① $3\sqrt{2}+2\sqrt{3}=5\sqrt{3}$

② $\sqrt{12}-\sqrt{9}=\sqrt{3}$

③ $\sqrt{5}(\sqrt{2}-3)=\sqrt{10}-\sqrt{15}$

④ $(\sqrt{12}+\sqrt{2})\div\sqrt{2}=\sqrt{6}+1$

⑤ $-\dfrac{\sqrt{5}}{2\sqrt{3}}=-\dfrac{\sqrt{15}}{2}$

07 다음 □ 안에 들어갈 알맞은 수를 구하여라.

$$\sqrt{450}-4\sqrt{18}+\square\sqrt{2}=7\sqrt{2}$$

08 아래는 세 실수 $a=3\sqrt{5}-2$, $b=\sqrt{20}-3$, $c=-6+\sqrt{5}$의 대소를 비교하는 과정이다. 다음 중 옳지 <u>않은</u> 것은?

> 먼저 $a-b$를 구하면
> $a-b=(3\sqrt{5}-2)-(\sqrt{20}-3)=$ ⬚①
> $\therefore a$ ⬚② b
> 또한 $b-c$를 구하면
> $b-c=(\sqrt{20}-3)-(-6+\sqrt{5})=$ ⬚③
> $\therefore b$ ⬚④ c
> 따라서 a, b, c의 대소 관계는 ⬚⑤ 이다.

① $1+\sqrt{5}$　　② $>$　　③ $\sqrt{5}-3$
④ $>$　　⑤ $c<b<a$

09 $\dfrac{\sqrt{2}}{\sqrt{3}}+\dfrac{3}{\sqrt{12}}-\dfrac{\sqrt{3}}{\sqrt{8}}-\dfrac{6}{\sqrt{27}}$ 을 계산하여라.

10 $\sqrt{(2\sqrt{2}-3)^2}-\sqrt{(3\sqrt{2}-4)^2}$을 계산하여라.

11 $x=\sqrt{5}+\sqrt{3}$, $y=\sqrt{5}-\sqrt{3}$일 때, $(x+y)(x-y)$의 값을 구하여라.

12 $2\sqrt{75}+\sqrt{128}-\dfrac{\sqrt{32}}{2}+\dfrac{6}{\sqrt{12}}=a\sqrt{2}+b\sqrt{3}$일 때, $a+b$의 값을 구하여라. (단, a, b는 유리수)

13 $\dfrac{\sqrt{3}-\sqrt{8}}{2\sqrt{3}}=x+y\sqrt{6}$일 때, 유리수 x, y에 대하여 $x+y$의 값을 구하여라.

14 $\dfrac{\sqrt{3}+\sqrt{6}}{\sqrt{2}}-\dfrac{2\sqrt{2}-3}{\sqrt{3}}=a\sqrt{3}+b\sqrt{6}$일 때, 유리수 a, b 에 대하여 ab의 값을 구하여라.

15 $\sqrt{16}$의 양의 제곱근이 a일 때, $\sqrt{a}-\dfrac{1}{\sqrt{a}}$ 의 값을 구하여라.

16 $x=\sqrt{108}-\sqrt{147}$일 때, x^3-2x의 값을 구하여라.

17 다음을 계산하여라.

$$\dfrac{\sqrt{3}}{\sqrt{2}}\div\left(\dfrac{2}{\sqrt{6}}-\sqrt{\dfrac{1}{24}}\right)+\sqrt{18}(\sqrt{3}-\sqrt{2})$$

18 오른쪽 그림과 같이 부피가 $(4\sqrt{45}-\sqrt{10})$ cm³인 직육면체 의 밑면의 가로의 길이와 세로의 길이가 각각 $\sqrt{5}$ cm, $2\sqrt{3}$ cm일 때, 이 직육면체의 높이는?

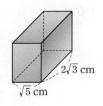

① $\left(2\sqrt{6}-\dfrac{\sqrt{3}}{3}\right)$ cm   ② $(\sqrt{3}+\sqrt{6})$ cm

③ $(2\sqrt{3}+\sqrt{6})$ cm   ④ $\left(2\sqrt{3}-\dfrac{\sqrt{6}}{3}\right)$ cm

⑤ $\left(2\sqrt{3}-\dfrac{\sqrt{6}}{6}\right)$ cm

19 $2\sqrt{7}-3$의 정수 부분을 a, $3\sqrt{2}+5$의 소수 부분을 b 라고 할 때, $(2a+b)^2$의 값을 구하여라.

20 $\sqrt{4.19}=2.047$, $\sqrt{41.9}=6.473$일 때, 다음 중 옳지 않은 것은?

① $\sqrt{4190}=64.73$ ② $\sqrt{419}=20.47$

③ $\sqrt{0.419}=2.047$ ④ $\sqrt{0.0419}=0.2047$

⑤ $\sqrt{0.00419}=0.06473$

창의융합

21 다음 그림과 같이 직사각형 모양의 알림판이 세 부분으로 나누어져 있다. A와 B 부분은 모두 정사각형 모양이고 그 넓이가 각각 500 cm^2, 45 cm^2일 때, C 부분의 넓이를 구하여라.

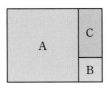

22 다음 그림과 같이 넓이가 각각 2 cm^2, 8 cm^2, 18 cm^2인 정사각형 3개를 이어 붙여 만든 도형의 둘레의 길이를 구하여라.

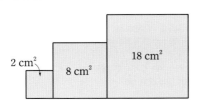

23 $f(x) = \dfrac{1}{\sqrt{x+2}} - \dfrac{1}{\sqrt{x}}$ 일 때,
$f(2) + f(4) + f(6) + \cdots + f(14) + f(16)$의 값을 구하여라.

24 다음 그림에서 모눈 한 칸은 한 변의 길이가 1인 정사각형이다. $\overline{AP} = \overline{CP}$, $\overline{BP} = \overline{DP}$가 되도록 수직선 위에 두 점 C, D를 정하자. 두 점 C, D에 대응하는 두 수를 각각 p, q라 할 때 $\sqrt{6p} + \sqrt{3q}$의 값을 구하여라.

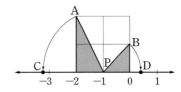

25 두 일차함수 $\dfrac{x}{\sqrt{3}} + \dfrac{y}{\sqrt{5}} = 1$, $\dfrac{x}{\sqrt{12}} + \dfrac{y}{\sqrt{5}} = 1$의 그래프와 x축으로 둘러싸인 부분의 넓이를 구하여라.

26 다음 ☐ 안에 알맞은 수를 구하여라.

$$\cfrac{2}{\sqrt{2} + \cfrac{1}{\sqrt{2} + \cfrac{1}{\sqrt{2}}}} = \boxed{}\sqrt{2}$$

27 $a > 0$, $b > 0$이고 $a - b = 10$, $ab = 2$일 때,
$\sqrt{\dfrac{b}{a}} - \sqrt{\dfrac{a}{b}}$의 값을 구하여라.

1. 제곱근과 실수

1. 제곱근의 뜻과 성질

OOI 제곱근이란 무엇일까?

a의 제곱근
∥
$x^2=a$를 만족시키는 x

OO2 어떤 수든지 제곱근은 항상 2개일까?

양수의 제곱근 : 2개
0의 제곱근 : 1개
음수의 제곱근 : 0개

OO3 제곱근을 나타내는 기호는?

$$\sqrt{a}$$ ← 근호

제곱근 a, 루트 a라고 말해.

OO4 $\sqrt{16}$을 근호를 사용하지 않고 나타내면?

$\sqrt{16}=(16$의 양의 제곱근$)$
$=4$

OO5 3의 제곱근과 제곱근 3은 어떻게 다를까?

3의 제곱근
➡ $\sqrt{3}, -\sqrt{3}$

제곱근 3
➡ $\sqrt{3}$

OO6 $a>0$일 때, $(\sqrt{a})^2, \sqrt{a^2}$의 값은?

$a>0$일 때,
$(\sqrt{a})^2=a$
$\sqrt{a^2}=a$

OO7 $a<0$일 때, $\sqrt{a^2}$의 값은?

$$\sqrt{a^2}=\begin{cases} a\,(a\geq 0) \\ -a\,(a<0) \end{cases}$$

OO8 $\sqrt{(-3)^2}+(-\sqrt{10})^2-\sqrt{25}$를 계산하면?

제곱근의 성질을 사용하여 근호를 없애자!

$\sqrt{(-3)^2}+(-\sqrt{10})^2-\sqrt{25}$
$=3+10-5=8$

2. 무리수와 실수

OO9 $\sqrt{3\times x}$가 자연수가 되도록 하는 가장 작은 자연수 x의 값은?

근호 안의 수가 제곱수가 되려면 $x=3\times($자연수$)^2$ 꼴이어야 해.

OIO 제곱근의 대소 관계는 어떻게 알 수 있을까?

$a>0, b>0$일 때
$a<b$이면 $\sqrt{a}<\sqrt{b}$
$\sqrt{a}<\sqrt{b}$이면 $a<b$

OII 무리수와 실수는 어떤 수인가?

무리수 : 순환하지 않는 무한소수로 나타내어지는 수
유리수와 무리수를 통틀어 실수라고 해.

OI2 $\sqrt{9}$는 유리수일까? 무리수일까?

근호를 없앨 수 있는 수는 유리수야.

$\sqrt{9}=3$

OI3 제곱근의 값을 어림하여 정리해 놓은 표가 있다?

1.00부터 99.9까지의 수에 대하여 양의 제곱근의 어림한 값을 적은 표를 제곱근표라고 해.

OI4 무리수를 수직선 위에 어떻게 나타낼 수 있을까?

OI5 실수의 대소 관계도 수직선을 이용하면 된다?

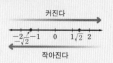

커진다

작아진다

OI6 $\sqrt{5}$의 정수 부분과 소수 부분은?

$\sqrt{5}=2.\times\times\times$이므로
정수 부분은 2,
소수 부분은 $\sqrt{5}-2$

OI7 $\sqrt{x}$의 정수 부분이 3일 때, x가 될 수 있는 자연수의 개수는?

정수 부분이 3인 $\sqrt{x}$
➡ $3\leq\sqrt{x}<4$
➡ $\sqrt{9}\leq x<\sqrt{16}$
➡ x는 9, 10, ⋯, 15로 7개

2. 근호를 포함한 식의 계산

1. 제곱근의 곱셈과 나눗셈

O18 $\sqrt{a}\sqrt{b}$는 어떻게 계산할까?

$$\sqrt{a}\sqrt{b}=\sqrt{ab}$$

근호 안의 수끼리 곱셈!

O19 $\dfrac{\sqrt{b}}{\sqrt{a}}$는 어떻게 계산할까?

$$\frac{\sqrt{b}}{\sqrt{a}}=\sqrt{\frac{b}{a}}$$

근호 안의 수끼리 나눗셈!

O2O $\sqrt{a^2b}$를 간단히 나타내면?

$$\sqrt{a^2b}=a\sqrt{b}$$

$$\frac{\sqrt{b}}{\sqrt{a^2}}=\frac{\sqrt{b}}{a}$$

O2I 분모의 유리화란?

무리수인 분모를 유리수로 고치는 것

$$\frac{2}{\sqrt{3}}=\frac{2\times\sqrt{3}}{\sqrt{3}\times\sqrt{3}}=\frac{2\sqrt{3}}{3}$$

$$\frac{\sqrt{2}}{\sqrt{3}}=\frac{\sqrt{2}\times\sqrt{3}}{\sqrt{3}\times\sqrt{3}}=\frac{\sqrt{6}}{3}$$

O22 곱셈과 나눗셈이 섞여 있는 제곱 근의 계산은 어떻게 할까?

나눗셈을 곱셈으로 바꿔서 계산해!

$$\sqrt{14}\times\sqrt{6}\div\sqrt{21}=\sqrt{\frac{14\times6}{21}}=2$$

2. 제곱근의 덧셈과 뺄셈

O23 제곱근의 덧셈과 뺄셈은 다항식의 계산과 비슷하다?

$5\sqrt{2}+2\sqrt{2}$는 $5a+2a$처럼 생각하여 계산해.

$$5\sqrt{2}+2\sqrt{2}=7\sqrt{2}$$

O24 근호 안의 수가 같아야만 덧셈, 뺄셈을 할 수 있다?

먼저 근호 안의 수를 간단히 한 후 덧셈, 뺄셈을 해.

$$\sqrt{2}+\sqrt{8}=\sqrt{2}+2\sqrt{2}$$
$$=3\sqrt{2}$$

O25 뺄셈을 이용하여 두 실수 의 대소 관계를 알 수 있다?

a, b가 실수일 때,
① $a-b>0$이면 $a>b$
② $a-b=0$이면 $a=b$
③ $a-b<0$이면 $a<b$

O26 사칙 계산이 섞여 있는 근호를 포함한 식의 계산을 어떻게 할까?

① 괄호 → 분배법칙
② $\sqrt{a^2b}\to a\sqrt{b}$
③ 분모에 무리수 → 분모의 유리화
④ (곱셈, 나눗셈) → (덧셈, 뺄셈)

O27 제곱근표에 없는 수에 대한 제곱근 의 어림한 값은 어떻게 알 수 있을까?

제곱근표를 이용할 수 있도록 근호 안 의 수를 제곱근표에 있는 수로 바꿔.

$$\sqrt{124}=\sqrt{1.24\times100}=10\sqrt{1.24}$$

$$\sqrt{0.124}=\sqrt{12.4\times\frac{1}{100}}=\frac{1}{10}\sqrt{12.4}$$

01 다음 설명 중 옳은 것은?

① $-\sqrt{5}$는 제곱하면 -5가 되는 수이다.

② $\sqrt{4}$와 2는 같은 수이다.

③ $\sqrt{200}$은 $\sqrt{2}$의 100배이다.

④ $\sqrt{0.1}$은 0.1보다 작다.

⑤ $\sqrt{1.21}$의 제곱근은 ± 1.1이다.

02 $1.\dot{7}$의 양의 제곱근을 a, $(-9)^2$의 음의 제곱근을 b라고 할 때, ab의 값을 구하여라.

03 다음을 계산하여라.

$$\sqrt{2^2}+(-\sqrt{3})^2-\sqrt{(-5)^2}\times\sqrt{0.16}$$

04 $a>0$, $b<0$일 때, 다음 식을 간단히 하여라.

$$\sqrt{a^2}-\sqrt{4b^2}-\sqrt{(-a)^2}+\sqrt{(-3b)^2}$$

05 $-\dfrac{1}{2}<a<0$일 때, $\sqrt{(2a+1)^2}-\sqrt{(2a-1)^2}$을 간단히 하여라.

06 $\sqrt{36-n}$이 자연수가 되도록 하는 모든 자연수 n의 값의 합을 구하여라.

07 $0<a<1$일 때, 다음 중 그 값이 가장 작은 것은?

① a　　　② $\sqrt{a}$　　　③ $\sqrt{\dfrac{1}{a}}$

④ $\dfrac{1}{a}$　　　⑤ a^2

08 자연수 x에 대하여 $\sqrt{x}$ 이하의 자연수 중 가장 큰 수를 $f(x)$라고 할 때, $f(85)-f(47)$의 값을 구하여라.

09 두 부등식 $3 \le \sqrt{2x} < 5$, $\sqrt{15} < x < \sqrt{60}$을 모두 만족하는 자연수 x의 값의 합을 구하여라.

10 다음 중 무리수는 모두 몇 개인지 구하여라.

$$0.\dot{3}1\dot{4}, \quad \pi+1, \quad \sqrt{2}-1, \quad \sqrt{0.\dot{1}}, \quad \sqrt{\frac{4}{25}}, \quad \frac{\sqrt{2}}{3}$$

11 다음 중 옳지 <u>않은</u> 것은?

① 무리수는 실수이다.
② 순환소수 중에는 유리수가 아닌 것도 있다.
③ 두 유리수 사이에는 반드시 무리수가 있다.
④ 무리수와 유리수의 합은 무리수이다.
⑤ 수직선의 모든 점은 각각 하나의 실수에 대응한다.

12 다음 그림과 같이 수직선 위에 한 변의 길이가 1인 정사각형 ABCD를 그렸다. $\overline{AC} = \overline{AQ}$, $\overline{BD} = \overline{BP}$가 되도록 두 점 P, Q를 잡을 때, 다음 중 옳지 <u>않은</u> 것을 모두 고르면? (정답 2개)

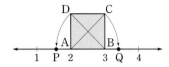

① 점 P의 좌표는 $3-\sqrt{2}$이다.
② $\overline{AQ} = \sqrt{2}$
③ 점 P와 Q에 대응하는 수의 합은 5이다.
④ 점 Q의 좌표는 $3+\sqrt{2}$이다.
⑤ $\overline{PA} = 2-\sqrt{2}$

13 다음 중 계산 결과가 나머지 넷과 <u>다른</u> 하나는?

① $\sqrt{6} \times \sqrt{8}$
② $\sqrt{3} + \sqrt{27}$
③ $\sqrt{3}(4-\sqrt{3})+3$
④ $\dfrac{6}{\sqrt{3}} + 2(\sqrt{3}-1)$
⑤ $\sqrt{3}(\sqrt{3}+1) - \dfrac{1}{\sqrt{2}}(\sqrt{18}-\sqrt{54})$

14 $a=\sqrt{3}$, $b=\sqrt{5}$일 때, 다음 중 옳지 <u>않은</u> 것은?

① $\sqrt{45} = a^2b$
② $\sqrt{1500} = 2ab^3$
③ $\sqrt{\dfrac{27}{5}} = \dfrac{a^3}{b}$
④ $\sqrt{\dfrac{9}{125}} = \dfrac{a^2}{b^3}$
⑤ $\sqrt{\dfrac{1}{60}} = \dfrac{1}{a^2b}$

15 $\dfrac{4\sqrt{3}}{\sqrt{50}}$ 이 $\sqrt{6}$의 x배일 때, 유리수 x에 대하여 $10x$의 값을 구하여라.

16 $\sqrt{108}+\sqrt{x}-\sqrt{75}=2\sqrt{3}$일 때, 유리수 x의 값을 구하여라.

17 $\sqrt{\left(5\sqrt{2}-4\sqrt{3}\right)^2}+6\sqrt{\left(\dfrac{3}{\sqrt{2}}-\dfrac{4}{\sqrt{3}}\right)^2}$을 간단히 하여라.

18 다음 중 가장 큰 수를 a, 가장 작은 수를 b라고 할 때, $a+b$의 값을 구하여라.

$$4\sqrt{2}-3,\ \sqrt{12}+1,\ 7-\sqrt{18},\ 3-\sqrt{3}$$

19 다음 그림에서 모눈 한 칸은 한 변의 길이가 1인 정사각형이다. $\overline{PQ}=\overline{PA}$, $\overline{RS}=\overline{RB}$가 되도록 수직선 위에 두 점 A, B를 정하자. 두 점 A, B에 대응하는 수를 각각 a, b라고 할 때, $\sqrt{5}a+\sqrt{2}b$의 값을 구하여라.

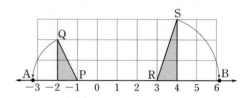

20 다음 그림은 가로, 세로의 길이가 각각 $1+\sqrt{5}$, 2인 직사각형에 차례로 정사각형을 그리고 정사각형의 한 꼭짓점을 중심으로 하는 사분원을 이어 그린 것이다. 네 사분원 A, B, C, D의 반지름의 길이를 각각 a, b, c, d라 할 때, $2ab+c-d$의 값을 구하여라.

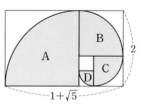

21 다음 그림과 같은 사각뿔의 높이는 $\sqrt{27}$이고, 밑면인 직사각형의 가로, 세로의 길이는 각각 $\sqrt{12}$, $\sqrt{18}$이다.

이 사각뿔에서 높이가 처음의 $\frac{1}{3}$인 사각뿔을 잘라낼 때, 잘라내고 남은 입체도형의 부피를 구하여라.

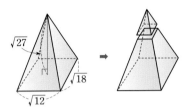

22 $2\sqrt{3}-1$의 정수 부분을 a, 소수 부분을 b라고 할 때, $\dfrac{b+1}{\sqrt{a}}$의 값을 구하여라.

23 다음 중 주어진 제곱근표를 이용하여 그 어림한 값을 구할 수 <u>없는</u> 것은?

수	0	1	2	3
2.0	1.414	1.418	1.421	1.425
2.1	1.449	1.453	1.456	1.459
2.2	1.483	1.487	1.490	1.493

① $\sqrt{0.0221}$ ② $\sqrt{0.21}$ ③ $\sqrt{202}$
④ $\sqrt{880}$ ⑤ $\sqrt{22300}$

24 다음 그림은 수직선 위에 한 변의 길이가 1인 두 정사각형을 그린 것이다. $\overline{BA}=\overline{BP}$, $\overline{CD}=\overline{CQ}$가 되도록 수직선 위에 두 점 P, Q를 정하자. 두 점 P, Q에 대응하는 수를 a, b라고 할 때, $\dfrac{a+1}{b-3}$의 값이 대응하는 구간을 말하여라.

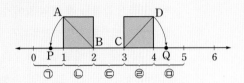

답 _____

25 다음 그림과 같이 $\overline{AB}$ 위에 한 점 C를 잡고 $\overline{AC}$, $\overline{BC}$를 각각 한 변으로 하는 정사각형을 그렸다. 두 정사각형의 넓이의 비가 $2:3$이고, $\overline{AC}=2\sqrt{3}+2$일 때, $\overline{BC}$의 길이를 구하여라.

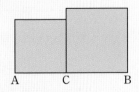

답 _____

Advanced Lecture

$\sqrt{2}$가 무리수임을 어떻게 증명할까?

피타고라스 학파는 한 변의 길이가 1인 정사각형의 대각선의 길이가 유리수가 아니라는 것을 어떤 방법으로 증명하였을까?

모든 수는 정수의 비로 나타낼 수 있다고 믿었던 피타고라스 학파는 $\sqrt{2}$가 정수의 비로 표현되리라 생각하였지만 그 증명 과정에서 오히려 어이없게 유리수로 표현될 수 없음을 증명하게 되었다. 다음은 "$\sqrt{2}$가 무리수이다."를 증명한 과정을 식으로 간단히 나타낸 것이다.

> $\sqrt{2}$가 유리수라고 가정해 보자.
> 그러면 다음을 만족하는 서로소인 두 정수 a, $b(a \neq 0)$가 존재하게 된다.
> $$\sqrt{2} = \frac{b}{a} \qquad \cdots\cdots \text{㉠}$$
> 이때 ㉠의 양변을 제곱하면
> $$2 = \frac{b^2}{a^2} \implies 2a^2 = b^2 \qquad \cdots\cdots \text{㉡}$$
> ㉡에서 $2a^2$이 짝수이므로 우변인 b^2도 짝수이고, 이로부터 b도 짝수임을 알 수 있다.
> b가 짝수이므로 $b = 2k$로 두고 ㉡에 대입하면
> $$2a^2 = (2k)^2 \implies a^2 = 2k^2$$
> 즉, a^2이 짝수이므로 a도 짝수임을 알 수 있다.
> 그런데 a, b가 모두 짝수이면 a, b가 서로소라는 가정에 모순이다.
> 결국 $\sqrt{2}$가 유리수라는 가정은 잘못된 것이다.
> 따라서 $\sqrt{2}$는 무리수이다.

일반적으로 어떤 수가 무리수임을 증명할 때에는 보통

유리수라고 가정해 놓고서 모순을 이끌어내는 방법

을 사용한다. 이처럼 결론을 부정하여 모순을 이끌어내는 증명 방법을 귀류법이라고 한다.

유제 01 위의 방법을 이용하여 $\sqrt{3}$이 무리수임을 증명해 보아라.

'아는 만큼 보이고, 보는 만큼 느낀다.'는 말은 수학에서도 일맥상통합니다.
교과서 밖으로 나와 더 넓은 수학을 접하여 나만의 사고력을 한 단계 높여 보세요!

해설 BOOK 014쪽

TOPIC 2 수의 확장 – 복소수

실수의 개념이 명확하게 제시된 시기는 19세기 경에 이르러서였다. 이 당시 수학자 데데킨
트(1831~1916)와 코시(1789~1857) 등이 유리수로부터 실수를 구성해 내었고 이로 인해
실수가 가지는 성질 중 다음과 같이 매우 중요한 성질을 알 수 있게 되었다.

> **유리수와 무리수의 조밀성**
> 두 유리수 사이에 무수히 많은 유리수가 존재한다.
> 두 무리수 사이에 무수히 많은 무리수가 존재한다.

> **실수의 완비성**
> 모든 실수는 수직선 위의 점과 일대일로 대응시킬 수 있고
> 대응되는 점들은 수직선 전체를 빈틈없이 꽉 채운다.

우리가 수에 대하여 배워온 과정을 생각해 보면 자연수에서 정수, 유리수 그리고 실수로 확
장되었다. 새로운 수가 등장한 시기는 방정식의 해를 구하는 과정과 관계가 깊다. 다음 표
에서 알 수 있듯이 방정식의 해를 구하는 과정에서 필요에 의해 새로운 수가 도입되었고,
이에 따라 수의 확장도 이루어졌다고 볼 수 있다.

방정식의 해	새로운 수
$x+2=5 \iff x=3$	자연수
$x+2=2 \iff x=0$	0
$x+2=1 \iff x=-1$	음수 ←정수로 확장
$2x=3 \iff x=\dfrac{3}{2}$	분수 ←유리수로 확장
$x^2=2 \iff x=\pm\sqrt{2}$	무리수 ←실수로 확장

실수에서 한발 더 나아가 수학자들은 '제곱하여 음수'가 되는 수를 생각하게 된다.
예를 들어 방정식 $x^2+1=0$의 해를 생각하게 되었는데 실수의 범위에서는 해결할 수 없는
이 문제를 해결하기 위해 수학자들은 $\sqrt{-1}$이라는 것을 하나의 수로 인정하고 'i'라는 기호
로 나타내어 수를 확장하게 되었다.
그러면서 실(實 열매 실)수의 반대의 의미로 허(虛 빌 허)수라고 이름을 붙였다.
실수 a와 허수 bi를 결합하여 만든 $a+bi$ 꼴의 **복소수**(Complex number)는 거대한 수
의 세계로 이는 방정식의 해의 관점에서 확장된 수의 최종 단계이다.

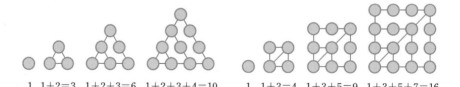

수학으로 보는 세상

THINK MORE ABOUT YOUR FUTURE

01 피타고라스 학파와 무리수

비밀을 유지하기 위해 히파수스를 바다에 빠뜨리기까지한 피타고라스 학파는 어떤 학파일까? **INTRO** 내용만으로 보면 마치 수에 대해 모르면서 아는 체 하는 학파처럼 보일지 모르지만 피타고라스 학파가 수학에 끼친 영향은 실로 대단하였다.

고대 그리스 시대 이전에도 수학이 발달해 왔었지만 이때에는 어떤 결과가 나타나면 그 결과만을 사용할 뿐 그 이유를 생각하지는 않았다. 그래서 대각선의 길이가 어느 정도일거라는 정도로만 실감하고 있을 뿐, 대각선의 길이가 유리수로 표현되느냐 안 되느냐는 실용적으로 아무 쓸모가 없다고 생각해 누구 하나 관심을 갖지 않았다.

논리적인 학문으로 수학을 바라보기 시작한 것은 고대 그리스 시대였다. 특히 피타고라스 학파는 '수는 만물의 근원' 이라 생각하였고, 수를 통해 자연과 우주를 설명하려고 하였다. 피타고라스 학파는 평소 정수에 대해 집착에 가까운 애정을 보였고 다양한 현상을 수로 표현하려고 노력하였다. 피타고라스는 정수를 도형과 함께 연구하면서 다음과 같은 삼각수와 사각수도 발견하게 되었고, 이를 통해 다양한 규칙도 찾아내었다.

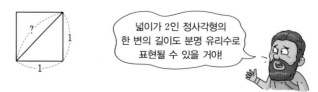

1   1+2=3   1+2+3=6   1+2+3+4=10   1   1+3=4   1+3+5=9   1+3+5+7=16

피타고라스는 또한 화음 사이에도 정수의 비가 적용됨을 발견하였는데 이는 만물의 근원이 수라는 그들의 주장에 결정적인 역할을 하였고, 더욱더 정수의 비를 중요시하게 만들었다.

오늘날과 같이 수가 확장되지 않았던 당시 그리스에서 도형을 통해 수학을 연구한 것은 유리수에 한계를 느낄 수밖에 없었기 때문으로 볼 수 있다.

도형을 통해 수를 연구한 피타고라스는 이미 넓이가 2인 정사각형의 한 변의 길이가 어느 정도인지는 제대로 파악하고 있었다. 한 변의 길이가 1인 정사각형의 대각선의 길이가 그것이다. 다만 그 길이 $\sqrt{2}$를 표현할 수(數)를 생각해내지 못했을 뿐이었다.

넓이가 2인 정사각형의 한 변의 길이도 분명 유리수로 표현될 수 있을 거야!

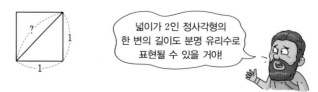

피타고라스 학파는 한 변의 길이가 1인 대각선의 길이가 유리수로 표현할 수 있다면 자신들의 수에 관한 신념을 더욱 뒷받침해주리라 굳게 믿었지만 어이없게도 자신들이 내세운 신념에 어긋나는 결과를 얻게 되었다. 이는 당황스럽다할 정도가 아닌 생사의 갈림길에 놓인 것처럼 근본을 흔드는 대사건이었다. 유리수만을 굳게 믿었던 자신들의 신념이 깨지는 것이 너무도 두려웠던 것일까? 그들은 끝까지 $\sqrt{2}$를 두 정수의 비로 나타내려고 애썼고, $\sqrt{2}$와 같은 것은 수가 아니라고 억지를 부리기도 하였다. 이러한 행동에 불복한 히파수스는

나는 분수로는 나타낼 수 없는 수(무리수)가 존재한다는 놀라운 사실을 증명하였다.
너희는 이것을 비밀로 하라고 요구하는 것인가?
너희는 지금 나의 지식과 진리를 억압하는 것이다.

라고 단호하게 말하였고, 분노한 피타고라스 학파는 그를 바다에 빠뜨리게 되었다.
새로운 수에 대한 거부감은 끊임없이 수학의 발전을 더디게 만들었다. 무리수가 학문적으로 정립된 시기는 피타고라스 시대에서 2000년이 훨씬 지난 19세기에 이르러서였다. 만약 피타고라스 학파나 당시 시대가 무리수를 인정하고 좀 더 수학적으로 접근해 나갔다면 수학사의 판도는 완전히 달라졌으리라.

02 황금비는 무리수

인간이 가장 아름답다고 느끼는 수학적 비율을 황금비라고 한다. 많은 예술 작품이나 고대의 건축물이 이 비율에 의하여 만들어졌다고 하는데 이러한 황금비는 피타고라스 학파와도 관계가 있다. 그들이 자신들만의 상징으로 삼았던 정오각형과 그 대각신으로 이루어진 별 모양에서 황금비를 찾을 수 있는데, 정오각형의 한 변의 길이와 그 대각선의 길이의 비가 바로 황금비이다.

그런데 황금비의 정확한 값은 무리수인 $\dfrac{1+\sqrt{5}}{2}$ 이다. 무리수의 존재를 인정하지 않았던 피타고라스 학파의 상징물에서 무리수를 엿볼 수 있다니 아이러니한 일이다.

체코 프라하의 찰스 다리
프라하의 연인으로 유명해진 체코 프라하의 찰스 다리의
한산한 아침 풍경이다.
다리 위로 차가 다니지 못하게 되어 있어서
자유롭게 다리 위에서 정경을 볼 수 있다.

II

다항식의 곱셈과 인수분해

숨마큠라우데® 개념기본서

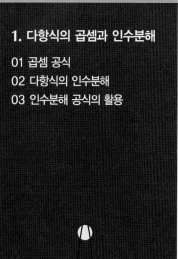

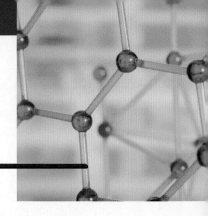

INTRO to Chapter II
다항식의 곱셈과 인수분해

SUMMA CUM LAUDE - MIDDLE SCHOOL MATHEMATICS

수의 분해 - 소인수분해...

물의 분자식은 H_2O이고 이산화탄소의 분자식은 CO_2이다. 이와 같은 분자식을 알게 되면 그 물질의 특성이나 화학 반응성 등을 쉽게 알 수 있다.

분자식처럼 수를 분해하는 것 역시 수를 이해하는 데 큰 도움이 된다. 우리는 수를 분해하는 방법으로 소인수분해를 배웠다.

가령 $1200 = 2^4 \times 3 \times 5^2$으로 소인수분해하면 우리는 1200을 직접 나누어 보지 않고도

$$48 = 2^4 \times 3 은 1200의 약수이고, 72 = 2^3 \times 3^2 은 1200의 약수가 아니다$$

라는 것을 알 수 있다. 또한 공배수를 구하거나 약분을 할 때에도 소인수분해를 활용할 수 있다.

또 다른 예로 1부터 100까지 곱하는 경우, 소인수분해를 통해서 곱에 대한 특성을 찾을 수 있다. $100 \times 99 \times 98 \times \cdots \times 3 \times 2 \times 1$을 소인수분해하면 소인수 5가 모두 24개 나타난다. 우리는 이 점만 보고 1부터 100까지 곱하면 끝에 0이 24개 붙는다는 것을 바로 알게 된다.

$$100 \times 99 \times 98 \times \cdots \times 3 \times 2 \times 1$$
$$= 2^{\bigcirc} \times 3^{\bigcirc} \times 5^{24} \times \cdots = \triangle \cdots \triangle \underbrace{000000 \cdots 00000}_{\text{0이 24개}}$$

이처럼 소인수분해는 수의 성질을 더욱 잘 알 수 있도록 도와준다.

다항식의 분해 – 인수분해...

소인수분해를 통해 그 수의 성질을 알 수 있는 것처럼

인수분해를 통해 다항식의 성질을 알 수 있다.

예를 들어 이차식 $x^2 + 3x + 2$는 $(x+1)(x+2)$와 같이 인수분해되는데 우리는 이를 통해서 다음과 같이 $x^2 + 3x + 2$라는 식이 지닌 여러 가지 특성을 찾을 수 있다. 이는 인수분해를 하지 않았다면 쉽게 찾을 수 없는 성질들이니 이 정도만으로도 인수분해의 위력을 충분히 느낄 수 있을 것이다.

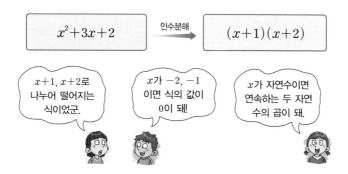

다항식의 곱셈과 인수분해는 어떻게 공부할까?...

이 단원에서는 다항식의 곱셈을 배우고, 이를 이용하여 다항식을 인수분해하는 방법을 알아본다. 다항식의 곱을 전개하는 것은 쉽지만 전개한 것을 곱의 형태로 바꾸는 것은 결코 쉽지 않다. 하지만 그다지 염려하지 않아도 된다. 왜냐하면 중학교에서 다루는 식들이 기껏해야

공통인수가 잘 드러나 있거나 인수분해 공식을 적용할 수 있는 경우로

한정되어 있기 때문이다. 따라서 이들만 잘 알아두면 대부분의 문제를 해결할 수 있을 것이다.

다항식의 전개를 거꾸로 생각하는 것이 인수분해이므로 먼저 곱셈 공식을 잘 이해해야 한다. 다양한 식들을 인수분해함에 따라 치환을 하는 경우, 항이 2개인 경우, 항이 4개인 경우 등으로 유형을 나누어 방법을 익히면 좀 더 효과적으로 인수분해를 공부할 수 있을 것이다.

SUMMA CUM LAUDE

SUMMA **NOTE**

1. 다항식과 다항식의 곱셈

(1) 분배법칙을 이용하여 전개한다.

(2) 동류항이 있으면 동류항끼리 모아서 간단히 정리한다.

$$(a+b)(c+d) = \underset{①}{\underline{ac}} + \underset{②}{\underline{ad}} + \underset{③}{\underline{bc}} + \underset{④}{\underline{bd}}$$

2. 곱셈 공식

(1) $(a+b)^2 = a^2 + 2ab + b^2$

(2) $(a-b)^2 = a^2 - 2ab + b^2$

(3) $(a+b)(a-b) = a^2 - b^2$

(4) $(x+a)(x+b) = x^2 + (a+b)x + ab$

(5) $(ax+b)(cx+d) = acx^2 + (ad+bc)x + bd$

1. 다항식과 다항식의 곱셈

Q 028 (다항식) × (다항식)은 어떻게 계산할까?

A 분배법칙을 이용하여 전개하면 돼.

A 두 다항식의 곱셈은 분배법칙을 이용하여 다음과 같이 전개할 수 있다.

$$(a+b)(c+d) = \underset{㉠}{\underline{a \times (c+d)}} + \underset{㉡}{\underline{b \times (c+d)}} = ac+ad+bc+bd$$

이는 결국 다음과 같이 각 항을 서로서로 하나씩 곱한 것과 같다.

$$(a+b)(c+d) = \underset{①}{\underline{ac}} + \underset{②}{\underline{ad}} + \underset{③}{\underline{bc}} + \underset{④}{\underline{bd}}$$

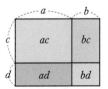

$(a+b)(c+d) = ac+ad+bc+bd$
큰 직사각형의 넓이   작은 직사각형의 넓이의 합

두 다항식의 곱을 전개한 후 동류항이 있으면 동류항끼리 모아서 간단히 정리한다.

모든 항을 한 번씩 곱하는 것은 항이 3개 이상이어도 그대로 적용된다. 이때 빠뜨리는 항이 없도록 앞에서부터 차례로 분배법칙을 이용하여 전개한다.

$$(a+b)(x+y+z)=ax+ay+az+bx+by+bz$$

예제 1 다음 식을 전개하여라.

(1) $(2a+3)(a-4)$ (2) $(2x+3y)(-3x-5y)$

(3) $(a-1)(a+b-4)$ (4) $(x+y)(x-y+2)$

풀이   (1) $(2a+3)(a-4)=2a^2-8a+3a-12=\boldsymbol{2a^2-5a-12}$

(2) $(2x+3y)(-3x-5y)=-6x^2-10xy-9xy-15y^2=\boldsymbol{-6x^2-19xy-15y^2}$

(3) $(a-1)(a+b-4)=a^2+ab-4a-a-b+4=\boldsymbol{a^2+ab-5a-b+4}$

(4) $(x+y)(x-y+2)=x^2-xy+2x+xy-y^2+2y=\boldsymbol{x^2+2x-y^2+2y}$

2. 곱셈 공식

특별한 형태의 다항식의 곱셈은 항상 일정한 형태의 전개식으로 나타난다. 따라서 일일이 분배법칙을 이용하여 전개하지 않고 바로 쓸 수 있도록 공식화한 것이 바로 곱셈 공식이다. 곱셈 공식은 다음 소단원에서 배울 인수분해의 바탕이 되니 꼭 기억해 두도록 하자.

Q 029 $(a+b)^2$과 $(a-b)^2$은 어떻게 전개할까?

 A $(a+b)^2=a^2+2ab+b^2$, $(a-b)^2=a^2-2ab+b^2$

 A   분배법칙을 이용하여 $(a+b)^2$과 $(a-b)^2$을 각각 전개해 보자.

$$(a+b)^2=(a+b)(a+b)$$
$$=a^2+ab+ba+b^2$$
$$=a^2+2ab+b^2$$

$(a+b)^2$
=(큰 정사각형의 넓이)
= + + +
$=a^2+2ab+b^2$

$$(a-b)^2=(a-b)(a-b)$$
$$=a^2-ab-ba+b^2$$
$$=a^2-2ab+b^2$$

$(a-b)^2$
=(색칠한 정사각형의 넓이)
= - - +
$=a^2-ab-ab+b^2$
$=a^2-2ab+b^2$

전개식을 보면 처음 제곱식의 각 항이 그대로 사용됨을 확인할 수 있다.

따라서 전개식을 다음과 같이 공식화하여 얻을 수 있다.

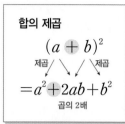

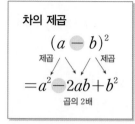

$2ab$의 부호를 잘봐!

예제 2 다음 식을 전개하여라.

(1) $(2x+1)^2$ (2) $(x-3y)^2$ (3) $\left(-\dfrac{1}{3}x+6\right)^2$

풀이 (1) $(2x+1)^2=(2x)^2+2\times 2x\times 1+1^2=4x^2+4x+1$

(2) $(x-3y)^2=x^2-2\times x\times 3y+(3y)^2=x^2-6xy+9y^2$

(3) $\left(-\dfrac{1}{3}x+6\right)^2=\left(-\dfrac{1}{3}x\right)^2+2\times\left(-\dfrac{1}{3}x\right)\times 6+6^2=\dfrac{1}{9}x^2-4x+36$

│참고│ 괄호 안의 식이 다르지만 전개식이 같은 경우를 잘 알아두자.

$\boxed{(a+b)^2}=\boxed{(b+a)^2}=\boxed{(-a-b)^2}=\boxed{\{-(a+b)\}^2}$

$\boxed{(a-b)^2}=\boxed{(b-a)^2}=\boxed{(-a+b)^2}=\boxed{\{-(a-b)\}^2}$

Q 030 $(a+b)(a-b)$는 어떻게 전개할까?

A $(a+b)(a-b)=a^2-b^2$

A 분배법칙을 이용하여 $(a+b)(a-b)$를 전개해 보자.

$(a+b)(a-b)$
$=a^2-ab+ba-b^2$
$=a^2-b^2$

$(a+b)(a-b)$
=(색칠한 부분의 넓이)
$=a^2-b^2$

전개 과정을 살펴보면 도중에 항이 없어져서 두 항만 남는다.

따라서 전개식을 다음과 같이 공식화하여 얻을 수 있다.

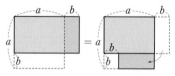

합과 차의 곱
$(a+b)(a-b)=a^2-b^2$
(제곱)-(제곱)

예제 3 다음 식을 전개하여라.

(1) $(x-4)(x+4)$　　　　　　(2) $(2x-1)(2x+1)$

(3) $(-a+b)(-a-b)$　　　　(4) $(-a+b)(a+b)$

풀이 (1) $(x-4)(x+4)=x^2-4^2=\boldsymbol{x^2-16}$

(2) $(2x-1)(2x+1)=(2x)^2-1^2=\boldsymbol{4x^2-1}$

(3) $(-a+b)(-a-b)=(-a)^2-b^2=\boldsymbol{a^2-b^2}$

(4) $(-a+b)(a+b)=(b-a)(b+a)=\boldsymbol{b^2-a^2}$

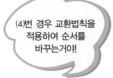
(4)번 경우 교환법칙을 적용하여 순서를 바꾸는거야!

Q 031 $(x+a)(x+b)$는 어떻게 전개할까?

$(x+a)(x+b)=x^2+(a+b)x+ab$

분배법칙을 이용하여 x의 계수가 1인 두 일차식의 곱 $(x+a)(x+b)$를 전개해 보자.

$$(x+a)(x+b)$$
$$=x^2+bx+ax+ab$$
$$=x^2+(a+b)x+ab$$

$(x+a)(x+b)$
=(큰 직사각형의 넓이)
=□+□+□+□
$=x^2+(a+b)x+ab$

전개식을 살펴보면 처음 다항식의 상수의 합과 곱이 각각 x의 계수와 상수항으로 사용됨을 알 수 있다. 따라서 전개식을 다음과 같이 공식화하여 얻을 수 있다.

계수가 1인 일차식의 곱

합

$$(x+a)(x+b)=x^2+(a+b)x+ab$$

곱

예제 4 다음 식을 전개하여라.

(1) $(x+3)(x+4)$　　　　　　(2) $(a-2)(a+5)$

(3) $(x-2y)(x-3y)$　　　　(4) $(a+3b)(a-b)$

풀이 (1) $(x+3)(x+4)=x^2+(3+4)x+3\times4=\boldsymbol{x^2+7x+12}$

(2) $(a-2)(a+5)=a^2+(-2+5)a+(-2)\times5=\boldsymbol{a^2+3a-10}$

(3) $(x-2y)(x-3y)=x^2+(-2y-3y)x+(-2y)\times(-3y)=\boldsymbol{x^2-5xy+6y^2}$

(4) $(a+3b)(a-b)=a^2+(3a-a)b+3b\times(-b)=\boldsymbol{a^2+2ab-3b^2}$

Q 032 $(ax+b)(cx+d)$는 어떻게 전개할까?

A (빠른)
$$(ax+b)(cx+d)=acx^2+(ad+bc)x+bd$$

A (친절한)

분배법칙을 이용하여 x의 계수가 1이 아닌 두 일차식의 곱 $(ax+b)(cx+d)$를 전개해 보자.

$$(ax+b)(cx+d)$$
$$=acx^2+\underline{adx+bcx}+bd$$
$$=acx^2+\underline{(ad+bc)}x+bd$$

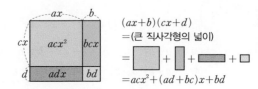

전개식을 살펴보면 x의 계수는 처음 식에서 계수와 상수의 곱을 더한 것과 같다.

따라서 전개식을 다음과 같이 공식화하여 얻을 수 있다.

계수가 1이 아닌 일차식의 곱

x의 계수

$$(ax+b)(cx+d)=\underset{x\text{의 계수의 곱}}{acx^2}+(ad+bc)x+\underset{\text{상수항의 곱}}{bd}$$

> **예제 5** 다음 식을 전개하여라.
>
> (1) $(2x+1)(3x+5)$ (2) $(6x+1)(3x-2)$
>
> (3) $(x-2)(4x+3)$ (4) $(4x-y)(2x-3y)$
>
> **풀이**
> (1) $(2x+1)(3x+5)=(2\times3)x^2+(2\times5+1\times3)x+1\times5=\mathbf{6x^2+13x+5}$
>
> (2) $(6x+1)(3x-2)=(6\times3)x^2+\{6\times(-2)+1\times3\}x+1\times(-2)=\mathbf{18x^2-9x-2}$
>
> (3) $(x-2)(4x+3)=(1\times4)x^2+\{(-2)\times4+1\times3\}x+(-2)\times3=\mathbf{4x^2-5x-6}$
>
> (4) $(4x-y)(2x-3y)=(4\times2)x^2+\{(-1)\times2+4\times(-3)\}xy+(-y)\times(-3y)$
> $$=\mathbf{8x^2-14xy+3y^2}$$

Q 029 ~ **Q** 032에서 배운 곱셈 공식을 정리하면 다음과 같다.

곱셈 공식

(1) $(a+b)^2=a^2+2ab+b^2$ (2) $(a-b)^2=a^2-2ab+b^2$

(3) $(a+b)(a-b)=a^2-b^2$ (4) $(x+a)(x+b)=x^2+(a+b)x+ab$

(5) $(ax+b)(cx+d)=acx^2+(ad+bc)x+bd$

Q 033 $(a-b+2)(a-b+1)$은 어떻게 전개할까?

A $a-b=A$로 치환한 후 전개하면 돼!

A 항이 3개인 두 다항식의 곱에 대한 공식은 없으므로 분배법칙을 이용하여 다음과 같이 하나씩 전개해야 한다.

$$(a-b+2)(a-b+1)=a^2-ab+a-ab+b^2-b+2a-2b+2$$
$$=a^2-2ab+b^2+3a-3b+2$$

그런데 식을 다시 살펴보면 곱으로 연결된 두 다항식에 $a-b$가 공통으로 들어 있음을 알 수 있다. 이 공통부분을 치환하면 곱셈 공식을 이용하여 좀 더 간단히 전개할 수가 있다.

바꾸어 놓는 것

$$(a-b+2)(a-b+1)$$
$$=(A+2)(A+1) \qquad a-b를 A로 치환$$
$$=A^2+3A+2 \qquad 곱셈 공식을 이용하여 전개$$
$$=(a-b)^2+3(a-b)+2 \qquad A에 a-b를 대입하기$$
$$=a^2-2ab+b^2+3a-3b+2 \qquad 곱셈 공식을 이용하여 전개$$

이처럼 곱셈 공식을 잘 익혀두면 식을 보는 안목도 높아진다.

다른 예로 $(x-3)(x-1)(x+1)(x+3)$을 전개하려고 할 때, 분배법칙을 이용하면 꽤나 복잡한 과정이 생기지만 다음과 같이 곱셈 공식을 이용할 수 있는 식끼리 묶으면 간단히 전개된다.

$$(x-3)(x-1)(x+1)(x+3)=\underline{(x+3)(x-3)}\,\underline{(x+1)(x-1)}$$
$$=(x^2-9)(x^2-1)$$
$$=x^4-10x^2+9$$

예제 6 다음 식을 전개하여라.

(1) $(x+y+3)(x+y-5)$

(2) $(2x-y+1)(4x-2y-3)$

풀이 (1) $x+y=A$로 치환하면
$$(x+y+3)(x+y-5)$$
$$=(A+3)(A-5)$$
$$=A^2-2A-15 \leftarrow A=x+y를 대입$$
$$=(x+y)^2-2(x+y)-15$$
$$=\boldsymbol{x^2+2xy+y^2-2x-2y-15}$$

(2) $2x-y=A$로 치환하면
$$(2x-y+1)(4x-2y-3)$$
$$=(A+1)(2A-3)$$
$$=2A^2-A-3 \leftarrow A=2x-y를 대입$$
$$=2(2x-y)^2-(2x-y)-3$$
$$=2(4x^2-4xy+y^2)-2x+y-3$$
$$=\boldsymbol{8x^2-8xy+2y^2-2x+y-3}$$

Q 034 곱셈 공식으로 복잡한 수의 곱을 계산한다?

곱셈 공식을 이용할 수 있도록 변형해 보면 계산이 더 편리해져.

곱셈 공식이 식의 전개에만 쓰이는 것은 아니다. 이를 잘 활용하면 복잡한 수의 계산을 간단히 할 수도 있다.

(1) 근호를 포함한 식의 계산

제곱근을 문자로 생각하고 곱셈 공식을 이용하여 전개한다.

$$(\underset{a \ + \ b}{\sqrt{5}+\sqrt{2}})(\underset{a \ - \ b}{\sqrt{5}-\sqrt{2}})$$
$$=\underset{a^2 \ - \ b^2}{(\sqrt{5})^2-(\sqrt{2})^2}$$
$$=5-2=3$$

$$(\underset{x+a}{\sqrt{10}-4})(\underset{x+b}{\sqrt{10}+2})$$
$$=\underset{x^2 \ + \ (a+b)x \ + \ ab}{(\sqrt{10})^2+(-4+2)\sqrt{10}+(-4\times2)}$$
$$=10-2\sqrt{10}-8$$
$$=2-2\sqrt{10}$$

(2) 수의 제곱의 계산

곱셈 공식 $(a+b)^2=a^2+2ab+b^2$ 또는 $(a-b)^2=a^2-2ab+b^2$을 이용하면 편리하다.

$$1003^2=\underset{(a+b)^2}{(1000+3)^2}$$
$$=\underset{a^2 \ \ +2ab \ \ +b^2}{1000000+6000+9}$$
$$=1006009$$

$$99^2=\underset{(a-b)^2}{(100-1)^2}$$
$$=\underset{a^2 \ \ -2ab \ \ +b^2}{10000-200+1}$$
$$=9801$$

(3) 두 수의 곱의 계산

곱셈 공식 $(a+b)(a-b)=a^2-b^2$ 또는 $(x+a)(x+b)=x^2+(a+b)x+ab$를 이용하면 편리하다.

$$48\times52=\underset{(a-b)(a+b)}{(50-2)(50+2)}$$
$$=\underset{a^2 \ \ -b^2}{2500-4}=2496$$

$$101\times103=\underset{(x+a)(x+b)}{(100+1)(100+3)}$$
$$=\underset{x^2 \ \ +(a+b)x+ab}{10000+400+3}=10403$$

예제 7 곱셈 공식을 이용하여 다음을 계산하여라.

(1) 998^2 (2) 997×1003

풀이

(1) $998^2=(1000-2)^2$
$\quad\quad\quad=1000^2-2\times1000\times2+(-2)^2$
$\quad\quad\quad=1000000-4000+4$
$\quad\quad\quad=\mathbf{996004}$

(2) $997\times1003=(1000-3)(1000+3)$
$\quad\quad\quad\quad\quad\quad=1000^2-3^2$
$\quad\quad\quad\quad\quad\quad=1000000-9$
$\quad\quad\quad\quad\quad\quad=\mathbf{999991}$

Q 035 $(a+b)(a-b)$의 전개식을 이용하여 분모를 유리화한다?

A (바른) $(a+b)(a-b)=a^2-b^2$을 이용해.

A (친절한) $\dfrac{1}{\sqrt{3}+1}$과 같이 분모에 $a+b$나 $a-b$ 꼴의 무리수가 있는 경우도 분모를 유리화할 수 있을까?

이 경우는 a나 b만을 곱해서는 분모를 유리화할 수 없다. 이때에는 곱셈 공식

$$(a+b)(a-b)=a^2-b^2$$

을 이용하면 a와 b가 모두 제곱이 되므로 분모를 유리화할 수 있다.

(1) $\dfrac{1}{\sqrt{5}-\sqrt{3}}=\dfrac{\sqrt{5}+\sqrt{3}}{(\sqrt{5}-\sqrt{3})(\sqrt{5}+\sqrt{3})}=\dfrac{\sqrt{5}+\sqrt{3}}{5-3}=\dfrac{\sqrt{5}+\sqrt{3}}{2}$

부호 반대

(2) $\dfrac{1}{\sqrt{3}+1}=\dfrac{\sqrt{3}-1}{(\sqrt{3}+1)(\sqrt{3}-1)}=\dfrac{\sqrt{3}-1}{3-1}=\dfrac{\sqrt{3}-1}{2}$

부호 반대

분모가 $\sqrt{a}+\sqrt{b}$ 또는 $\sqrt{a}+b$ 꼴인 분수를 유리화하는 방법을 간단히 정리하면 다음과 같다.

(1) 분모에 $\sqrt{a}+\sqrt{b}$가 있으면? ➡ 분모, 분자에 $\sqrt{a}-\sqrt{b}$를 곱한다.
(2) 분모에 $\sqrt{a}+b$가 있으면? ➡ 분모, 분자에 $\sqrt{a}-b$를 곱한다.

예제 8 다음 수의 분모를 유리화하여라.

(1) $\dfrac{1}{\sqrt{2}-1}$ (2) $\dfrac{3}{\sqrt{5}+\sqrt{2}}$

(3) $\dfrac{\sqrt{2}}{2\sqrt{2}+3}$ (4) $\dfrac{\sqrt{7}+\sqrt{3}}{\sqrt{7}-\sqrt{3}}$

풀이

(1) $\dfrac{1}{\sqrt{2}-1}=\dfrac{\sqrt{2}+1}{(\sqrt{2}-1)(\sqrt{2}+1)}=\dfrac{\sqrt{2}+1}{2-1}=\boldsymbol{\sqrt{2}+1}$

(2) $\dfrac{3}{\sqrt{5}+\sqrt{2}}=\dfrac{3(\sqrt{5}-\sqrt{2})}{(\sqrt{5}+\sqrt{2})(\sqrt{5}-\sqrt{2})}=\dfrac{3(\sqrt{5}-\sqrt{2})}{3}=\boldsymbol{\sqrt{5}-\sqrt{2}}$

(3) $\dfrac{\sqrt{2}}{2\sqrt{2}+3}=\dfrac{\sqrt{2}(2\sqrt{2}-3)}{(2\sqrt{2}+3)(2\sqrt{2}-3)}=\dfrac{4-3\sqrt{2}}{8-9}=\boldsymbol{3\sqrt{2}-4}$

(4) $\dfrac{\sqrt{7}+\sqrt{3}}{\sqrt{7}-\sqrt{3}}=\dfrac{(\sqrt{7}+\sqrt{3})^2}{(\sqrt{7}-\sqrt{3})(\sqrt{7}+\sqrt{3})}=\dfrac{7+2\sqrt{21}+3}{7-3}=\dfrac{10+2\sqrt{21}}{4}=\boldsymbol{\dfrac{5+\sqrt{21}}{2}}$

Q 036 $a+b$, ab의 값을 이용하여 a^2+b^2의 값을 구할 수 있다?

A (바른)

$a^2+b^2=(a+b)^2-2ab$임을 이용해!

A (친절한)

곱셈 공식 $(a+b)^2=a^2+2ab+b^2$, $(a-b)^2=a^2-2ab+b^2$을 살펴보면 다음과 같이 두 문자의 <u>합</u> 또는 <u>차</u>, <u>제곱의 합</u>, <u>곱</u>으로 이루어짐을 알 수 있다.

① $(a+b)^2=a^2+b^2+2ab$ ➡ $$a^2+b^2=\overset{\text{합}}{(a+b)^2}-\overset{\text{곱}}{2ab}$$

② $(a-b)^2=a^2+b^2-2ab$ ➡ $$a^2+b^2=\underset{\text{차}}{(a-b)^2}+\underset{\text{곱}}{2ab}$$

따라서 a, b의 값은 모르지만 $a+b$, ab의 값을 안다면 ①을 이용하여 a^2+b^2의 값을 구할 수 있다. 또한 $a-b$, ab의 값을 알면 ②를 이용하면 되겠다.

한편 두 변형된 곱셈 공식으로부터 다음과 같은 식도 얻을 수 있다.

$a^2+b^2=(a+b)^2-2ab$
$a^2+b^2=(a-b)^2+2ab$
좌변이 같으므로 우변도 같다.

➡ $$(a+b)^2=(a-b)^2+4ab$$
$$(a-b)^2=(a+b)^2-4ab$$

이 식을 이용하면 두 문자의 <u>합</u>, <u>차</u>, <u>곱</u> 중 어느 두 값을 알 때 나머지 한 값도 구할 수 있다.

예제 9 다음 식의 값을 구하여라.

(1) $a+b=4$, $ab=3$일 때, a^2+b^2

(2) $a-b=5$, $ab=4$일 때, a^2+b^2

(3) $a-b=3$, $ab=2$일 때, $(a+b)^2$

(4) $a+b=4$, $ab=3$일 때, $(a-b)^2$

풀이
(1) $a^2+b^2=(a+b)^2-2ab=4^2-2\times3=\mathbf{10}$
(2) $a^2+b^2=(a-b)^2+2ab=5^2+2\times4=\mathbf{33}$
(3) $(a+b)^2=(a-b)^2+4ab=3^2+4\times2=\mathbf{17}$
(4) $(a-b)^2=(a+b)^2-4ab=4^2-4\times3=\mathbf{4}$

한편 a, $\dfrac{1}{a}$과 같이 서로 역수 관계인 두 문자의 곱은 항상 $a\times\dfrac{1}{a}=1$이므로 곱셈 공식이 두 문자의 합 또는 차, 제곱의 합으로만 이루어진다. 따라서 둘 중 어느 하나의 값을 알면 나머지 하나의 값을 구할 수 있다.

$$a^2+\frac{1}{a^2}=\left(a+\frac{1}{a}\right)^2-2=\left(a-\frac{1}{a}\right)^2+2$$

$$\left(a+\frac{1}{a}\right)^2=\left(a-\frac{1}{a}\right)^2+4, \quad \left(a-\frac{1}{a}\right)^2=\left(a+\frac{1}{a}\right)^2-4$$

예제 10　다음 식의 값을 구하여라.

(1) $a+\dfrac{1}{a}=4$일 때, $a^2+\dfrac{1}{a^2}$　　　　(2) $a+\dfrac{1}{a}=3$일 때, $\left(a-\dfrac{1}{a}\right)^2$

풀이　(1) $a^2+\dfrac{1}{a^2}=\left(a+\dfrac{1}{a}\right)^2-2=4^2-2=\mathbf{14}$　(2) $\left(a-\dfrac{1}{a}\right)^2=\left(a+\dfrac{1}{a}\right)^2-4=3^2-4=\mathbf{5}$

Q 037　$x=$(무리수)일 때, 식의 값을 어떻게 구할까?

A　주어진 식을 대입하기 쉬운 식으로 변형해서 대입해.

A　식의 값을 구할 때에는 대입하기 전에 변형가능한 식을 떠올려 보는 연습을 하자.

(1) $\underline{x=2+\sqrt{3},\ y=2-\sqrt{3}}$일 때, x^2+y^2+5xy의 값 구하기

[방법 1] x, y의 값을 직접 대입하기

$$x^2+y^2+5xy=(2+\sqrt{3})^2+(2-\sqrt{3})^2+5(2+\sqrt{3})(2-\sqrt{3})$$
$$=(4+4\sqrt{3}+3)+(4-4\sqrt{3}+3)+5(4-3)=19$$

[방법 2] $x+y$, xy의 값을 구해 대입하기

$$x+y=(2+\sqrt{3})+(2-\sqrt{3})=4,\ xy=(2+\sqrt{3})(2-\sqrt{3})=1$$
$$\therefore\ x^2+y^2+5xy=(x+y)^2-2xy+5xy=(x+y)^2+3xy$$
$$=4^2+3\times1=19$$

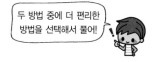
두 방법 중에 더 편리한 방법을 선택해서 풀어!

(2) $x=\dfrac{1}{\sqrt{2}+1}$일 때, x^2+2x+5의 값 구하기

[방법 1] x의 값을 직접 대입하기

$$x=\dfrac{1}{\sqrt{2}+1}=\dfrac{\sqrt{2}-1}{(\sqrt{2}+1)(\sqrt{2}-1)}=\sqrt{2}-1\ \leftarrow\text{먼저 분모 유리화하기}$$
$$\therefore\ x^2+2x+5=(\sqrt{2}-1)^2+2(\sqrt{2}-1)+5$$
$$=(2-2\sqrt{2}+1)+2\sqrt{2}-2+5=6$$

[방법 2] 주어진 조건을 변형하여 대입하기

$$x=\dfrac{1}{\sqrt{2}+1}=\sqrt{2}-1\text{에서 } x+1=\sqrt{2}\ \leftarrow\text{우변에 }\sqrt{2}\text{만 남기고 이항하기}$$

양변을 제곱하면 $(x+1)^2=(\sqrt{2})^2$, $x^2+2x+1=2$, $x^2+2x=1$
$$\therefore\ x^2+2x+5=1+5=6$$

예제 11　$x=\dfrac{1}{\sqrt{2}-1},\ y=\dfrac{1}{\sqrt{2}+1}$일 때, x^2+y^2-xy의 값을 구하여라.

풀이　$x=\dfrac{1}{\sqrt{2}-1}=\sqrt{2}+1,\ y=\dfrac{1}{\sqrt{2}+1}=\sqrt{2}-1$이므로 $x+y=2\sqrt{2},\ xy=1$

$\therefore\ x^2+y^2-xy=(x+y)^2-3xy=(2\sqrt{2})^2-3\times1=8-3=\mathbf{5}$

개념 **확인**

(1) $(a\pm b)^2=a^2\pm\boxed{}ab+b^2$

(2) $(a+b)(a-b)=a^2-\boxed{}$

(3) $(x+a)(x+b)$
$=x^2+(\boxed{})x+ab$

(4) $(ax+b)(cx+d)$
$=acx^2+(\boxed{})x+bd$

01 다음 식을 전개하여라.

(1) $(2x+3)^2$

(2) $(3x-4y)^2$

(3) $(x+5y)(x-5y)$

(4) $(3x-2y)(3x+2y)$

02 다음 식을 전개하여라.

(1) $(a+6)(a-3)$

(2) $(b-4)(b-6)$

(3) $(5x+2)(3x+4)$

(4) $(6x-4)(2x+1)$

03 $(a+b+1)(a+b+2)$를 전개하여라.

자기 **진단**

Q. 029 ◐ 081쪽
$(a+b)^2$과 $(a-b)^2$은 어떻게 전개할까?

Q. 030 ◐ 082쪽
$(a+b)(a-b)$는 어떻게 전개할까?

Q. 031 ◐ 083쪽
$(x+a)(x+b)$는 어떻게 전개할까?

Q. 032 ◐ 084쪽
$(ax+b)(cx+d)$는 어떻게 전개할까?

04 곱셈 공식을 이용하여 다음을 계산하여라.

(1) $(2\sqrt{3}-1)(2\sqrt{3}+2)$

(2) $\dfrac{\sqrt{5}+1}{\sqrt{5}-1}\times(3-\sqrt{5})$

(3) 204^2

(4) 204×196

05 $x+y=5$, $xy=-5$일 때, 다음 식의 값을 구하여라.

(1) x^2+y^2

(2) $(x-y)^2$

유형 1 (다항식)×(다항식)의 계산

다음 식을 전개하여라.

(1) $(x+3)(y-2)$

(2) $(x-2y+3)(2x-3y)$

Summa Point
분배법칙을 이용하여 전개하고 동류항끼리 모아서 간단히 한다.

080쪽 Q 028 ↻

1-1 ☺☺☹

$(-x+y)(5x-3y)$를 전개하면?

① $-5x^2+2xy-3y^2$ ② $-5x^2+2xy+3y^2$

③ $-5x^2+5xy-3y^2$ ④ $-5x^2+8xy-3y^2$

⑤ $-5x^2+8xy+3y^2$

1-2 ☺☺☹

$(x-2y)(x+y-3)$의 전개식에서 xy의 계수와 y의 계수의 합을 구하여라.

1-3 ☺☺☹

$(4x-3)(2x^2-3x+4)$의 전개식에서 x^2의 계수를 p, x의 계수를 q라고 하자. 이때 $p+q$의 값은?

① -10 ② 7   ③ 18

④ 25   ⑤ 43

유형 2 $(a+b)^2$, $(a-b)^2$의 전개

$(-2x+3)^2-(-3x-2)^2$을 전개하여라.

Summa Point
$(a+b)^2=a^2+2ab+b^2$, $(a-b)^2=a^2-2ab+b^2$

081쪽 Q 029 ↻

2-1 ☺☺☹

다음 식을 전개하여라.

(1) $(x+4y)^2$

(2) $(3p-2q)^2$

2-2 ☺☺☹

$\left(x+\dfrac{1}{3}\right)^2=x^2+ax+b$일 때, 상수 a, b에 대하여 $9a^2+18b$의 값은?

① 1   ② 3   ③ 5

④ 6   ⑤ 9

2-3 ☺☺☹

$(4x+A)^2$을 전개한 식이 Bx^2+Cx+9일 때, 양수 A, B, C에 대하여 $A+B+C$의 값은?

① 41   ② 42   ③ 43

④ 44   ⑤ 45

유형 ❸ $(a+b)(a-b)$의 전개

$(-x+1)(-x-1)$을 전개하면?

① $-x^2-1$　　　　② $-x^2+1$

③ x^2-1　　　　④ x^2-2x-1

⑤ x^2-2x+1

Summa Point

$(a+b)(a-b)=a^2-b^2$

082쪽 **Q** 030 ↻

유형 ❹ $(x+a)(x+b)$의 전개

$\left(x-\dfrac{1}{3}\right)\left(x+\dfrac{1}{4}\right)=x^2+ax+b$일 때, 상수 a, b에 대하여 $a+b$의 값은?

① $-\dfrac{1}{12}$　　② $-\dfrac{1}{6}$　　③ 0

④ $\dfrac{1}{12}$　　⑤ $\dfrac{1}{6}$

Summa Point

$(x+a)(x+b)=x^2+(a+b)x+ab$

083쪽 **Q** 031 ↻

3-1 ☺☺☹

$\left(x+\dfrac{1}{2}y\right)\left(x-\dfrac{1}{2}y\right)$를 전개하여라.

3-2 ☺☺☹

$(-x-y)(x-y)-(2x+y)^2$을 전개하여라.

3-3 ☺☺☹

$(a-1)(a+1)(a^2+1)(a^4+1)=a^{\square}-1$일 때, □ 안에 알맞은 수는?

① 4　　　　② 5　　　　③ 6

④ 7　　　　⑤ 8

4-1 ☺☺☹

$(x+a)(x-4)$의 전개식에서 x의 계수가 -2일 때, 상수항은? (단, a는 상수)

① 2　　　　② 0　　　　③ -4

④ -6　　　　⑤ -8

4-2 ☺☺☹

$(x-a)(x-3)=x^2-bx+6$일 때, 상수 a, b에 대하여 ab의 값을 구하여라.

4-3 ☺☺☹

다음 식을 전개하여라.

$$(x+1)(x-2)-2(x+3)(x-4)$$

유형 **5** $(ax+b)(cx+d)$의 전개

다음 식을 전개하여라.

(1) $(2x+3)(x-1)$

(2) $(3x+1)(-2x+5)$

Summa Point

$(ax+b)(cx+d)=acx^2+(ad+bc)x+bd$

084쪽 **Q 032**

유형 **6** 곱셈 공식을 이용한 무리수의 계산

$(4-2\sqrt{3})(3+a\sqrt{3})$을 계산한 결과가 유리수일 때, 유리수 a의 값을 구하여라.

Summa Point

• 분배법칙을 이용하여 괄호를 푼다.

• 분모가 무리수이면 분모를 유리화한다.

086쪽 **Q 034**

5-1 ☺☹☹

$(x-3)(2x-4)=ax^2+bx+12$일 때, 상수 a, b에 대하여 ab의 값은?

① -20 ② -12 ③ -8

④ 6 ⑤ 10

6-1 ☺☹☹

$(\sqrt{3}+\sqrt{2})^2+(\sqrt{6}+1)(\sqrt{6}-3)$을 계산하여라.

5-2 ☺☹☹

$(2x+5)(3x+B)=6x^2+Ax-20$일 때, 상수 A, B에 대하여 $A-B$의 값은?

① 3 ② 7 ③ 9

④ 11 ⑤ 14

6-2 ☺☹☹

$(5+3\sqrt{2})(4-\sqrt{2})$를 계산하면 $a+b\sqrt{2}$이다. 이때 유리수 a, b에 대하여 $a-b$의 값을 구하여라.

6-3 ☺☹☹

$\dfrac{1}{\sqrt{2}+1}-\dfrac{\sqrt{2}}{\sqrt{2}-1}$를 간단히 하여라.

5-3 ☺☹☹

오른쪽 그림의 직사각형에서 색칠한 부분의 넓이를 다항식으로 나타내면?

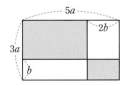

① $15a^2-11ab+4b^2$

② $15a^2+11ab+4b^2$

③ $15a^2-11ab+2b^2$

④ $15a^2-11ab$

⑤ $15a^2+11ab$

6-4 ☺☹☹

$x=\dfrac{1}{2-\sqrt{3}}$일 때, x^2-4x+2의 값을 구하여라.

유형 **7** 곱셈 공식을 이용한 수의 계산

다음 중 주어진 수의 계산을 간편하게 하기 위하여 이용되는 곱셈 공식을 바르게 나타낸 것은? (단, a, b, c, d는 자연수)

① 101^2 ➡ $(a-b)^2 = a^2 - 2ab + b^2$

② 298^2 ➡ $(a+b)^2 = a^2 + 2ab + b^2$

③ 54×46 ➡ $(a+b)(a-b) = a^2 - b^2$

④ 997^2 ➡ $(x+a)(x+b) = x^2 + (a+b)x + ab$

⑤ 98×102 ➡ $(ax+b)(cx+d)$
$\quad\quad\quad\quad\quad = acx^2 + (ad+bc)x + bd$

Summa Point
- 수의 제곱의 계산은 곱셈 공식 $(a \pm b)^2 = a^2 \pm 2ab + b^2$을 이용
- 두 수의 곱의 계산은 곱셈 공식 $(a+b)(a-b) = a^2 - b^2$, $(x+a)(x+b) = x^2 + (a+b)x + ab$를 이용

086쪽 **Q** 034 ○

7-1 ☺☺☹

다음은 곱셈 공식을 이용하여 $\dfrac{198^2 - 4}{200}$ 를 계산하는 과정이다. ㈎, ㈏에 알맞은 자연수를 써넣어라.

$$\frac{198^2 - 4}{200} = \frac{(200 - \boxed{㈎})^2 - 4}{200} = \boxed{㈏}$$

7-2 ☺☺☹

곱셈 공식을 이용하여 다음을 계산하여라.

(1) 8.1×7.9

(2) 103×105

(3) $\sqrt{89 \times 91 + 1}$

유형 **8** 곱셈 공식의 변형

$x^2 - 3x - 1 = 0$일 때, $x^2 + \dfrac{1}{x^2}$의 값을 구하여라.

Summa Point
- $a^2 + b^2 = (a+b)^2 - 2ab = (a-b)^2 + 2ab$
- $(a+b)^2 = (a-b)^2 + 4ab$

088쪽 **Q** 036 ○

8-1 ☺☺☹

$x - y = 2\sqrt{3}$, $xy = -2$일 때, 다음 식의 값을 구하여라.

(1) $x^2 + y^2$ (2) $(x+y)^2$ (3) $\dfrac{y}{x} + \dfrac{x}{y}$

8-2 ☺☺☹

$x + y = 6$, $xy = -3$일 때, $(x-y)^2$의 값은?

① 40   ② 42   ③ 46

④ 48   ⑤ 52

8-3 ☺☺☹

다음 식의 값을 구하여라.

(1) $a + \dfrac{1}{a} = 3$일 때, $a^2 + \dfrac{1}{a^2}$

(2) $x + \dfrac{1}{x} = -4$일 때, $\left(x - \dfrac{1}{x}\right)^2$

SUMMA **NOTE**

1. 인수분해

(1) 인수분해 : 하나의 다항식을 2개 이상의 다항식의 곱으로 나타내는 것

(2) 인수 : 하나의 다항식을 인수분해했을 때, 곱해지는 각각의 단항식이나 다항식

$$x^2+7x+12 \xrightarrow[\text{전개}]{\text{인수분해}} \underbrace{(x+3)(x+4)}_{\text{인수}}$$

(3) 공통인수 : 다항식의 각 항에 공통으로 들어 있는 인수

(4) 공통인수를 이용한 인수분해 : 각 항의 공통인수를 찾은 후 분배법칙을 이용하여 공통인수를 묶어 낸다.

$$ma+mb=m(a+b)$$

2. 인수분해 공식

(1) $a^2+2ab+b^2=(a+b)^2$, $a^2-2ab+b^2=(a-b)^2$

(2) $a^2-b^2=(a+b)(a-b)$

(3) $x^2+(a+b)x+ab=(x+a)(x+b)$

(4) $acx^2+(ad+bc)x+bd=(ax+b)(cx+d)$

1. 인수분해

주어진 자연수를 소수인 인수들의 곱으로 나타내는 것을 소인수분해라고 한다. 자연수를 소인수분해하면 자연수의 성질을 좀 더 잘 이해할 수 있게 된다.

$$117 \xrightarrow[\text{소인수분해}]{} 3^2 \times 13$$

117은 3의 배수도 되고 13의 배수도 되는구나!

자연수를 소인수분해하는 것처럼 다항식도 여러 식의 곱으로 나타낼 수 있다. 이에 대해 살펴보도록 하자.

A 하나의 다항식을 두 개 이상의 다항식의 곱으로 나타내는 것

A 곱셈 공식을 이용하여 $(x-1)(x-2)$를 전개하면

$$(x-1)(x-2)=x^2-3x+2$$

이다. 이때 좌변과 우변을 바꾸면

$$x^2-3x+2=(x-1)(x-2)$$

이므로 x^2-3x+2를 $x-1$과 $x-2$의 곱으로 나타낼 수 있다. 이와 같이

하나의 다항식을 두 개 이상의 다항식의 곱으로 나타내는 것

을 **인수분해**한다고 한다. 즉, 인수분해는 전개를 거꾸로 하는 과정이다. 인수분해 전의 다항식은 각 항의 합의 꼴이지만 인수분해 후의 다항식은 여러 다항식의 곱의 꼴이 된다.

인수분해

$$\underbrace{x^2-3x+2}_{\text{합의 꼴}} = \underbrace{(x-1)(x-2)}_{\text{곱의 꼴}}$$

전개

예 (1) x^2+xy $\xrightarrow[\text{전개}]{\text{인수분해}}$ $x(x+y)$

(2) x^2-4x+4 $\xrightarrow[\text{전개}]{\text{인수분해}}$ $(x-2)^2$

(3) x^2-4y^2 $\xrightarrow[\text{전개}]{\text{인수분해}}$ $(x+2y)(x-2y)$

또한 하나의 다항식을 인수분해했을 때, 곱해진 각각의 다항식을 처음 다항식의 **인수**라고 한다.

즉, $x^2-3x+2=(x-1)(x-2)$의 인수는

$1, x-1, x-2, x^2-3x+2$이다.

1과 자기 자신도 그 다항식의 인수야.

예 (1) $x^2-x=x(x-1)$의 인수 ➡ $1, x, x-1, x^2-x$
(2) $x^2-y^2=(x+y)(x-y)$의 인수 ➡ $1, x+y, x-y, x^2-y^2$

| 참고 | 인수를 한자로 쓰면 因數이다. 이 중 因은 '바탕, 원인'이라는 뜻을 가지고 있다. 따라서 인수란 '바탕이 되는 수'라는 뜻이다. 인수는 약수와 같은 뜻으로 사용되지만 보통 약수는 자연수에서, 인수는 다항식에서 주로 쓴다.

다항식을 인수분해하면 차수가 낮은 여러 개의 식들의 곱으로 나타내어지므로 합의 형태일 때보다 그 특징을 쉽게 찾을 수 있다.

$$x^2+3x \xrightarrow{\text{인수분해}} x(x+3)$$

x^2+3x는 x나 $x+3$으로 나누어 떨어지는구나.

Q 039 공통인수를 이용하여 어떻게 인수분해할까?

A 모든 항에 공통으로 들어 있는 문자나 식으로 묶어 주면 돼.

A 다항식의 각 항에 공통으로 들어 있는 인수를 **공통인수**라고 한다. 다항식의 각 항에 공통인수가 있을 때는 분배법칙을 이용하여 공통인수를 괄호 밖으로 묶어 내어 인수분해한다.

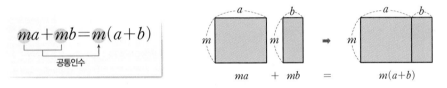

$$ma+mb=m(a+b)$$

공통인수

$$ma \quad + \quad mb \quad = \quad m(a+b)$$

인수분해할 때에는 공통인수가 남지 않도록 모두 묶어 내야 한다.

$$2x^2+4x=x(2x+4)$$
공통인수 2가 남아 있어. (×)

$$2x^2+4x=2x(x+2)$$
공통인수 OK! (○)

공통인수로 묶어 내어 인수분해할 때에는 다음과 같은 순서로 하자.

> ❶ 모든 항에 공통으로 들어 있는 문자나 식을 찾는다.
> ❷ 수는 최대공약수로, 문자는 차수가 낮은 것으로 묶는다.
> ❸ 공통인수로 묶어 낸 후, 괄호 안에는 각 항에서 남아 있는 것을 써 준다.

예제 12 다음 식을 인수분해하여라.

(1) $6a^2-3ab+3ac$ (2) $ax+ay-a$

(3) $-12a^2b+16ab^2-4ab$ (4) $a(b+c)-a$

풀이 (1) $6a^2-3ab+3ac=\boldsymbol{3a\,(2a-b+c)}$

(2) $ax+ay-a=\boldsymbol{a\,(x+y-1)}$ ← $-a=a\times(-1)$이므로 a를 묶어 내면 -1이 남는다.

(3) $-12a^2b+16ab^2-4ab=\boldsymbol{-4ab\,(3a-4b+1)}$

(4) $a(b+c)-a=\boldsymbol{a\,(b+c-1)}$

$-$로 묶어 낼 때에는 부호에 주의해!

Q 040 괄호로 묶인 부분이 공통인수일 때는 어떻게 인수분해할까?

A 괄호로 묶인 부분으로 묶어 주면 돼.

A 인수분해의 기본은 공통인수로 묶는 것이다. 공통인수가 하나의 수나 문자이어도 상관없고, 괄호로 묶인 부분이어도 상관없다. 다음과 같이 묶어 주면 된다.

$$a(x+y)-b(x+y)=(x+y)(a-b)$$
$$a(x+1)-(x+1)=(x+1)(a-1)$$

| 참고 | 위와 같이 공통인수가 문자가 아닌 다항식일 때에는 공통인수로 묶는 과정에서 실수를 할 수 있다. 그래서 보통 하나의 문자로 치환한 다음 인수분해를 한다. 인수분해한 다음에는 반드시 원래의 식을 대입해야 한다는 점에 주의하자!

$$a(x+y)-b(x+y)=aA-bA=A(a-b)=(x+y)(a-b)$$
$$a(x+1)-(x+1)=aB-B=B(a-1)=(x+1)(a-1)$$

예제 13 다음 식을 인수분해하여라.

(1) $a(x-y)-b(x-y)$ (2) $5x(x+2)-3y(x+2)$

풀이 (1) $(x-y)(a-b)$ (2) $(x+2)(5x-3y)$

Q 041 $ax+a+bx+b$는 어떻게 인수분해할까?

A 두 항씩 묶어서 공통인수를 찾아.

A **Q 040**에서 인수분해한 식들은 한눈에 공통인수가 보이므로 쉽게 인수분해할 수 있었다.
반면에 $ax+a+bx+b$는 공통인수가 바로 보이지 않아서 더 이상 인수분해를 할 수 없을 것만 같다. 하지만 $ax+a+bx+b$를 다음과 같이 두 항씩 묶어 인수분해하면 **Q 040**에서 보았던 식의 형태가 된다.

> $ax+a$를 인수분해하면 ➡ $a(x+1)$
> $bx+b$를 인수분해하면 ➡ $b(x+1)$
> $\therefore\ ax+a+bx+b=a(x+1)+b(x+1)$

따라서 공통인수 $(x+1)$로 묶으면 다음과 같이 인수분해할 수 있다.

$$ax+a+bx+b=(x+1)(a+b)$$

위와 같이 네 항으로 이루어진 다항식 중 공통인수가 보이지 않을 때에는 두 항씩 묶는 방법을 떠올리도록 하자.

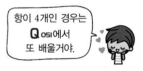

항이 4개인 경우는 **Q 051**에서 또 배울거야.

예제 14 다음 식을 인수분해하여라.

(1) x^3+x^2+x+1 (2) $ax+1-a-x$

풀이 (1) $x^3+x^2+x+1=x^2(\boldsymbol{x+1})+(\boldsymbol{x+1})=(\boldsymbol{x+1})(\boldsymbol{x^2+1})$

(2) $ax+1-a-x=\underline{ax-a}+\underline{1-x}=a(\boldsymbol{x-1})-(\boldsymbol{x-1})=(\boldsymbol{x-1})(\boldsymbol{a-1})$

우리가 **Q**038~**Q**040에서 다룬 것은 공통인수가 전체든지 부분이든지 보이는 경우이다. 하지만 다음과 같이 공통인수가 보이지 않으면서도 인수분해되는 식들도 많다.

$$\boxed{x^2-2x+1} \quad \boxed{x^2-y^2} \quad \boxed{x^2-3xy+2y^2}$$

이에 대해서는 다음 소단원에서 배우게 될 것이다. 여기서 기억해야 할 것은 딱 한 가지!

공통인수로 묶는 것이 바로 인수분해의 기본이다!

2. 인수분해 공식

인수분해는 다항식의 전개를 거꾸로 하는 과정이므로 우리는 앞에서 배운 곱셈 공식으로부터 바로 인수분해 공식을 생각할 수 있다.

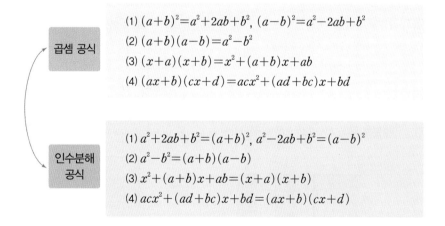

곱셈 공식

(1) $(a+b)^2=a^2+2ab+b^2$, $(a-b)^2=a^2-2ab+b^2$

(2) $(a+b)(a-b)=a^2-b^2$

(3) $(x+a)(x+b)=x^2+(a+b)x+ab$

(4) $(ax+b)(cx+d)=acx^2+(ad+bc)x+bd$

인수분해 공식

(1) $a^2+2ab+b^2=(a+b)^2$, $a^2-2ab+b^2=(a-b)^2$

(2) $a^2-b^2=(a+b)(a-b)$

(3) $x^2+(a+b)x+ab=(x+a)(x+b)$

(4) $acx^2+(ad+bc)x+bd=(ax+b)(cx+d)$

인수분해를 잘하기 위해서는 전개된 식을 보고 어떤 식을 전개한 것인지 금방 알아차릴 수 있는 관찰력이 필요하다. 자, 그럼 이제부터 인수분해 공식 (1)~(4)에 대해 **Q**042~**Q**047에서 본격적으로 배워 보자.

Q 042 $a^2+2ab+b^2$, $a^2-2ab+b^2$은 어떻게 인수분해할까?

A $a^2+2ab+b^2=(a+b)^2$, $a^2-2ab+b^2=(a-b)^2$

A 곱셈 공식

$$(a+b)^2=a^2+2ab+b^2,\ (a-b)^2=a^2-2ab+b^2$$

에서 좌변과 우변을 서로 바꾸면 다음과 같은 인수분해 공식을 얻는다.

> **인수분해 공식(1)**
>
> $$a^2+2ab+b^2=(a+b)^2,\qquad a^2-2ab+b^2=(a-b)^2$$
>
> 같은 부호   같은 부호

초등학교 때 곱셈구구를 외우듯이 다음과 같이 간단한 원리로 바로바로 인수분해할 수 있도록 하자.

$$x^2+10x+25$$
$$=\underset{a^2}{x^2}+\underset{+2ab}{2\times x\times 5}+\underset{+b^2}{5^2}$$
$$=\underset{(a+b)^2}{(x+5)^2}$$

$$4x^2-4x+1$$
$$=\underset{a^2}{(2x)^2}-\underset{-2ab}{2\times 2x\times 1}+\underset{+b^2}{1^2}$$
$$=\underset{(a-b)^2}{(2x-1)^2}$$

예제 15 다음 식을 인수분해하여라.

(1) $x^2-16xy+64y^2$　　　　　　　(2) $3x^2-18x+27$

풀이 (1) $x^2-16xy+64y^2$
$$=x^2-2\times x\times 8y+(8y)^2$$
$$=(x-8y)^2$$

(2) $3x^2-18x+27$
$$=3(x^2-6x+9)\ \leftarrow\ \text{공통인수로 먼저 묶어 낸다.}$$
$$=3(x^2-2\times x\times 3+3^2)$$
$$=3(x-3)^2$$

| 참고 | 인수분해 공식 $a^2+2ab+b^2$을 직사각형의 넓이를 이용하여 이해해 보자.

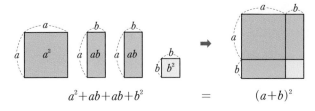

$$a^2+ab+ab+b^2\qquad =\qquad (a+b)^2$$

| 참고 | $\left(x+\dfrac{1}{x}\right)^2=x^2+2+\dfrac{1}{x^2}$ 이므로 $x^2+\dfrac{1}{x^2}+2$를 인수분해한 식이 $\left(x+\dfrac{1}{x}\right)^2$임도 기억해 두자.

Q 043 완전제곱식으로 인수분해될 식인지 어떻게 확인할 수 있을까?

 x^2+ax+b에서 $b=\left(\dfrac{a}{2}\right)^2$이면 돼.

A $(x+3)^2$, $(a+b)^2$과 같이 다항식의 제곱으로 된 식이나 $3(x-1)^2$과 같이 다항식의 제곱에 상수를 곱한 식을 **완전제곱식**이라고 한다. 이차식이 완전제곱식이 될 조건은 다음과 같다.

(1) x^2의 계수가 1인 다항식 : <u>x의 계수의 절반의 제곱이 상수항과 같으면</u> 완전제곱식이 된다.

$$x^2+ax+b=\left(x+\frac{a}{2}\right)^2$$
절반의 제곱

$$\left(\frac{a}{2}\right)^2=b$$
$$x^2+2x+1=(x+1)^2$$
절반 / 절반의 제곱

$$x^2-6x+9=(x-3)^2$$
절반 / 절반의 제곱

(2) x^2의 계수가 1이 아닌 다항식 : x의 계수의 절반의 제곱이 x^2의 계수와 상수항의 곱과 같으면 완전제곱식이 된다.

$$a^2x^2+2acx+c^2=(ax+c)^2$$
절반의 제곱 / 곱 a^2c^2

$$9x^2+24x+16=(3x+4)^2$$
절반의 제곱 : $\left(\frac{24}{2}\right)^2=144$ / $9\times16=144$

$$4x^2-12xy+9y^2=(2x-3y)^2$$
절반의 제곱 : $\left(\frac{12}{2}\right)^2=36$ / $4\times9=36$

| 참고 | x^2+ax+b 가 완전제곱식이면 $a=\pm2\sqrt{b}$가 성립하고 ax^2+bx+c가 완전제곱식이면 $b=\pm2\sqrt{ac}$가 성립한다.

Q 044 $x^2+\square x+25$가 완전제곱식이 되도록 하는 $\square$의 값은?

 A $\square=\pm2\sqrt{25}$

 A 다항식 $x^2+\square x+25$가 완전제곱식이 되는 $\square$의 값으로 $\square=10$만 생각하기 쉽다.

하지만 $(a+b)^2$, $(a-b)^2$과 같이 완전제곱식의 전개식에서

 가운데 항은 ⊕, ⊖ 부호를 모두 가질 수 있으므로

양수라는 조건이 없으면
$\square=\pm10$

$\square=10$뿐만 아니라 $\square=-10$도 생각해야 한다.

한 가지 더 주의할 점은 문자도 빠뜨리지 않는 것이다.

$x^2+\square x+25y^2$이 완전제곱식이 되려면 $\square$안에는 ±10이 아니라 $\pm10y$가 들어가야 한다.

그래야 완전제곱식 $(x\pm5y)^2$이 되기 때문이다. 이처럼 문자가 있는지 없는지를 잘 확인하여 실수하지 않도록 하자.

예제 16 완전제곱식이 되도록 □ 안에 알맞은 수나 식을 구하여라.

(1) $9x^2 - \boxed{}x + 4$

(2) $\frac{1}{4}x^2 + 3xy + \boxed{}$

풀이 (1) $9x^2 - \square x + 4 = (3x)^2 - \square x + 2^2$이므로 $\square = \pm 2 \times 3 \times 2 = \boldsymbol{\pm 12}$

(2) $\frac{1}{4}x^2 + 3xy + \square = \left(\frac{1}{2}x\right)^2 + 2 \times \frac{1}{2}x \times 3y + \square$이므로 $\square = (3y)^2 = \boldsymbol{9y^2}$

Q 045 $a^2 - b^2$은 어떻게 인수분해할까?

A(바른) $a^2 - b^2 = (a+b)(a-b)$

A(친절한) 곱셈 공식

$$(a+b)(a-b) = a^2 - b^2$$

에서 좌변과 우변을 서로 바꾸면 다음과 같은 인수분해 공식을 얻는다.

> **인수분해 공식(2)**
>
> $$\underset{\text{제곱의 차}}{a^2 - b^2} = \underset{\text{합}}{(a+b)}\underset{\text{차}}{(a-b)}$$

보통 제곱의 차 공식이라고 부르는데 항이 2개뿐이고, 제곱 꼴인 경우에만 해당되므로 비교적 쉽게 찾아 적용할 수 있다. 제곱의 차 공식을 적용하여 인수분해하려면 주어진 식을 $a^2 - b^2$ 꼴이 되도록 다음과 같이 적당히 변형시키는 센스도 필요하다.

❶ $1 = 1^2$으로 보자.	❷ 순서를 바꾸어 보자.
$a^2 - 1 = a^2 - 1^2$ $\qquad = (a+1)(a-1)$	$-a^2 + b^2 = b^2 - a^2$ $\qquad = (b+a)(b-a)$

예제 17 다음 식을 인수분해하여라.

(1) $x^2 - 16$ (2) $36x^2 - 25y^2$ (3) $-4x^2 + 25$

풀이 (1) $x^2 - 16 = x^2 - 4^2 = \boldsymbol{(x+4)(x-4)}$

(2) $36x^2 - 25y^2 = (6x)^2 - (5y)^2 = \boldsymbol{(6x+5y)(6x-5y)}$

(3) $-4x^2 + 25 = 25 - 4x^2 = 5^2 - (2x)^2 = \boldsymbol{(5+2x)(5-2x)}$

| 참고 | 인수분해 공식 $a^2 - b^2 = (a+b)(a-b)$를 직사각형의 넓이를 이용하여 이해해 보자.

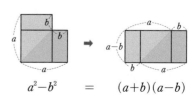

$$a^2 - b^2 \qquad = \qquad (a+b)(a-b)$$

A $x^2+(a+b)x+ab=(x+a)(x+b)$

A 곱셈 공식

$$(x+a)(x+b)=x^2+(a+b)x+ab$$

에서 좌변과 우변을 서로 바꾸면 다음과 같은 인수분해 공식을 얻는다.

> **인수분해 공식(3)**
>
> $$x^2+\underbrace{(a+b)}_{\text{두 수의 합}}x+\underbrace{ab}_{\text{두 수의 곱}}=(x+a)(x+b)$$

위의 공식에서 좌변과 우변을 비교해 보면 다음을 알 수 있다.

곱이 상수항, 합이 x의 계수인 두 수 a, b를 찾으면 인수분해 끝!

조건에 맞는 두 수 a, b를 찾을 때에는 다음과 같이 ab의 약수를 이용하여 곱을 먼저 찾은 후 그 중에서 합을 찾자. 일반적으로 곱부터 찾는 것이 합부터 찾는 것보다 쉽기 때문이다.

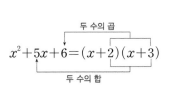

곱이 6인 두 수	합
1, 6	7
−1, −6	−7
2, 3	**5**
−2, −3	−5

곱이 상수항, 합이 x의 계수가 되도록 하는 두 수를 찾는 연습을 충분히 하자. 특히 합과 곱을 비교할 때에 부호에 유의하도록 하자.

예제 18 다음 식을 인수분해하여라.

    (1) x^2+3x+2 (2) x^2-2x-8

풀이 (1) 합이 3, 곱이 2인 두 정수는 1, 2이므로 $x^2+3x+2=(x+1)(x+2)$

       (2) 합이 −2, 곱이 −8인 두 정수는 2, −4이므로 $x^2-2x-8=(x+2)(x-4)$

| **참고** | 인수분해 공식 $x^2+3x+2=(x+2)(x+1)$을 직사각형의 넓이를 이용하여 이해해 보자.

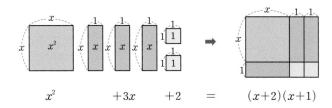

A (빠른) $acx^2+(ad+bc)x+bd=(ax+b)(cx+d)$

A (친절한)   곱셈 공식

$$(ax+b)(cx+d)=acx^2+(ad+bc)x+bd$$

에서 좌변과 우변을 서로 바꾸면 다음과 같은 인수분해 공식을 얻는다.

> **인수분해 공식(4)**
>
> $$acx^2+(ad+bc)x+bd=(ax+b)(cx+d)$$

x^2의 계수가 1이 아닌 이차식의 인수분해는 x^2의 계수도 함께 생각하여 다음과 같은 형태로 두 수를 찾으면 된다. 이때 ac의 약수와 bd의 약수를 이용하여

대각선 방향으로 곱한 두 수의 합이 x의 계수가 되는지 확인하면 된다.

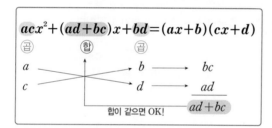

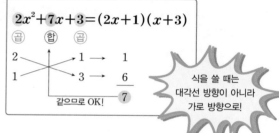

$3x^2-x-4$의 경우 4개의 정수를 놓는 위치에 따라, 부호에 따라 다음과 같이 합이 여러 가지로 나온다. 따라서 여러 식의 인수분해 연습을 통해 합이 되는 경우를 빨리 찾는 요령을 키우도록 하자.

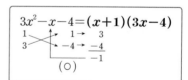

예제 19   다음 식을 인수분해하여라.

(1) $2x^2+x-15$

(2) $6x^2+11x-10$

풀이   (1) $2x^2+x-15=(2x-5)(x+3)$

(2) $6x^2+11x-10=(3x-2)(2x+5)$

| $2x^2+Ax-6$이 $x-2$로 나누어 떨어질 때, A의 값은?

빠른 A

$2x^2+Ax-6=(x-2)\times(\boxed{})$로 놓고 생각해!

친절한 A

어떤 수 x가 2로 나누어 떨어진다고 하면 우리는 $x\div2=\square$로부터 $x=2\times\square$를 떠올린다.

위 문제도 마찬가지로 생각하면 된다.

즉, $2x^2+Ax-6$이 $x-2$로 나누어 떨어진다고 했으므로

$$2x^2+Ax-6=(x-2)\times(\boxed{})$$

로 생각할 수 있다. 이는 곧 인수분해를 하면 $x-2$가 인수 중 하나임을 뜻한다.

따라서 **Q047**에서 배운 방법으로 곱에 맞게 수를 배열해 보면 $\boxed{}$ 안의 식을 구할 수 있다.

$$2x^2+Ax-6=(x-2)\times(\boxed{2x+3})$$
$$\begin{array}{ll} 1 & -2 \\ 2 & +3 \end{array}$$

$\boxed{}$ 안의 식이 $2x+3$임을 알게 되었으니 대각선 방향의 곱의 합으로 A의 값은 -1이 됨을 알 수 있다. 물론 우변을 전개하여 비교해도 된다.

예제 20 $3x^2+Ax-5$가 $x-1$을 인수로 가질 때, 상수 A의 값을 구하여라.

풀이 $3x^2+Ax-5=(x-1)\times(\boxed{3x+5})$
$$\begin{array}{ll} 1 & -1 \\ 3 & 5 \end{array}$$
$$\therefore A=2$$

THINK Math

인수와 방정식의 해

다항식에서 인수는 방정식에서 아주 중요한 요소가 된다.

위의 문제를 다음과 같이 여러 각도로 접근하여 풀 수 있다.

$2x^2+Ax-6$이 $x-2$로 나누어 떨어진다.

➡ $2x^2+Ax-6=(x-2)\times(\boxed{})$

➡ $x=2$를 양변에 대입하면 0이 된다.

➡ $x=2$를 $2x^2+Ax-6$에 대입하면 0이 된다.

➡ $x=2$는 방정식 $2x^2+Ax-6=0$의 해이다.

따라서 $2\times2^2+A\times2-6=0$에서 $A=-1$이 된다.

개념 확인

(1) $a^2+6ab+9b^2=(a+\boxed{})^2$

(2) $a^2-4ab+4b^2=(a-\boxed{})^2$

(3) a^2-4b^2
  $=(a+\boxed{})(a-\boxed{})$

(4) $x^2+5x+6=(x+2)(x+\boxed{})$

(5) $2x^2+7x+3$
  $=(2x+1)(x+\boxed{})$

01 다음 중 $a(x+2)(x-2)$의 인수인 것을 보기에서 모두 골라라.

보기   ㄱ. $x-2$ ㄴ. ax ㄷ. $x+2$ ㄹ. $a(x-2)$

02 다음 식을 인수분해하여라.

(1) x^2+x

(2) $2ab^2+4b$

(3) $3x^2y^2-6x^2y$

(4) $x^2y^2+2x^3-x^2y$

03 다음 식을 인수분해하여라.

(1) $x^2+8x+16$

(2) $y^2-14y+49$

(3) $a^2-\dfrac{4}{3}a+\dfrac{4}{9}$

(4) $9x^2+30xy+25y^2$

04 다음 식이 완전제곱식이 되도록 □ 안에 알맞은 수를 써넣어라.

(1) $x^2+\boxed{}x+\dfrac{1}{4}$

(2) $x^2-12x+\boxed{}$

(3) $4x^2+12x+\boxed{}$

(4) $25x^2+\boxed{}xy+4y^2$

자기 진단

Q.039 ○ 097쪽
공통인수를 이용하여 어떻게 인수
분해할까?

Q.044 ○ 101쪽
$x^2+\boxed{}x+25$가 완전제곱식이 되
도록 하는 □의 값은?

Q.047 ○ 104쪽
$acx^2+(ad+bc)x+bd$는 어떻
게 인수분해할까?

05 다음 식을 인수분해하여라.

(1) $4x^2-1$

(2) $\dfrac{1}{36}a^2-b^2$

(3) $-49+9x^2$

(4) $48a^2-75$

06 다음 식을 인수분해하여라.

(1) x^2+5x+4

(2) $x^2+2x-24$

(3) $2a^2+5a+2$

(4) $3x^2-7xy-6y^2$

03 인수분해 공식의 활용

Ⅱ-1. 다항식의 곱셈과 인수분해

SUMMA NOTE

1. 복잡한 식의 인수분해

(1) 치환을 이용한 인수분해

① 적당한 항끼리 묶어서 공통부분을 한 문자로 치환하여 인수분해한다.

② ( )( )( )( )+k 꼴의 경우 두 개씩 짝을 지어 전개한 후, 공통부분을 치환하여 인수분해한다.

(2) 항이 4개 이상인 식의 인수분해

① 항이 4개인 식은 (둘)+(둘)로 묶거나 (셋)+(하나)로 묶어 본다.

② 항이 5개 이상인 식은 적당한 항끼리 짝지어 공통인수를 찾아 치환한 후 인수분해하거나 하나의 문자에 대해 내림차순으로 정리하여 인수분해한다.

2. 인수분해 공식을 이용한 수의 계산

(1) 복잡한 수의 계산 : 인수분해 공식을 이용하여 빠르게 할 수 있다.

(2) 식의 값 구하기 : 주어진 식을 인수분해한 후 문자의 값을 대입하면 편리하게 구할 수 있다.

---

1. 복잡한 식의 인수분해

우리가 배우는 인수분해 문제는 아무리 복잡해 보여도 다음과 같은 과정만 거치면 모두 해결된다. 그러므로 앞으로 배울 방법에 익숙해지도록 연습을 많이 하도록 하자.

Q 049 치환을 이용하여 어떻게 인수분해할까?

 괄호가 있는 부분을 한 문자로 보면 식이 간단해져.

$(x+y)^2+10(x+y)+24$를 인수분해해 보자. 무척 복잡해 보이지만 주어진 식에서 $x+y$가 공통으로 들어 있음을 알 수 있다. 이 공통인 식을 치환하면 긴 식이 간단해지므로 해결 방법을 쉽게 찾을 수 있다.

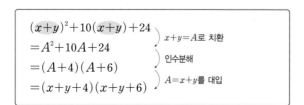

$(x+y)^2+10(x+y)+24$ ⟩ $x+y=A$로 치환
$=A^2+10A+24$ ⟩ 인수분해
$=(A+4)(A+6)$ ⟩ $A=x+y$를 대입
$=(x+y+4)(x+y+6)$

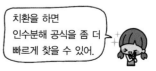

치환을 하면 인수분해 공식을 좀 더 빠르게 찾을 수 있어.

1. 다항식의 곱셈과 인수분해　**107**

치환을 이용하여 인수분해할 때에는 반드시 마지막에 원래의 식을 대입해 주어야 한다.

위의 예에서 인수분해한 식을 $(A+4)(A+6)$으로 답하면 땡~!

반드시 원래의 식인 $x+y$를 A에 대입하여 $(x+y+4)(x+y+6)$으로 답해야 딩동댕~!!

예제 21 **다음 식을 인수분해하여라.**

(1) $(x-y+1)(x-y-6)+10$ (2) $(2x+3)^2-(x+4)^2$

풀이 (1) $(x-y+1)(x-y-6)+10$ $\left.\begin{array}{l} \end{array}\right\}$ $x-y=A$ 로 치환
$=(A+1)(A-6)+10$
$=A^2-5A-6+10=A^2-5A+4$
$=(A-4)(A-1)$
$=(x-y-4)(x-y-1)$

(2) $(2x+3)^2-(x+4)^2$ $\left.\begin{array}{l} \end{array}\right\}$ $2x+3=A,$ $x+4=B$로 치환
$=A^2-B^2$
$=(A+B)(A-B)$
$=\{(2x+3)+(x+4)\}\{(2x+3)-(x+4)\}$
$=(3x+7)(x-1)$

Q 050 ( )( )( )( )+k 꼴은 어떻게 인수분해할까?

A 공통부분이 생기도록 두 개씩 묶어서 전개해.

A ( )( )( )( )+k 꼴은 마치 인수분해가 끝난 것처럼 보일 수 있지만 인수분해가 된 것이 아니다. 마지막에 k가 더해져 있기 때문이다. 따라서 전개 후 다시 인수분해해야 한다.

이런 경우는 곱해진 4개의 일차식을

공통부분이 생기도록 두 개씩 묶어서 전개하고,

공통부분은 치환을 이용하여 인수분해하면 끝~

다음 인수분해 과정을 눈여겨 보자.

$(x-1)(x-3)(x+2)(x+4)+24$
$=\{(x-1)(x+2)\}\{(x-3)(x+4)\}+24$
$=(x^2+x-2)(x^2+x-12)+24$ $\left.\begin{array}{l} \end{array}\right\}$ $x^2+x=A$로 치환
$=(A-2)(A-12)+24$
$=A^2-14A+48$
$=(A-6)(A-8)$ $\left.\begin{array}{l} \end{array}\right\}$ $A=x^2+x$를 대입
$=(x^2+x-6)(x^2+x-8)$
$=\underline{(x-2)(x+3)(x^2+x-8)}$
더 이상 할 수 없을 때까지 인수분해한다.

x의 계수가 같도록
두 개씩 묶어!

예제 22 $(x+1)(x+2)(x-3)(x-4)+4$를 인수분해하여라.

풀이
$(x+1)(x+2)(x-3)(x-4)+4$
$=\{(x+1)(x-3)\}\{(x+2)(x-4)\}+4$
$=(x^2-2x-3)(x^2-2x-8)+4$ ⎫ $x^2-2x=A$로 치환
$=(A-3)(A-8)+4$
$=A^2-11A+28$
$=(A-4)(A-7)$
$=(x^2-2x-4)(x^2-2x-7)$ ⎫ $A=x^2-2x$를 대입

THINK Math

(연속한 네 자연수의 곱)+1은 어떤 수가 될까?

다음과 같이 연속한 네 자연수를 곱하고 1을 더하면 신기하게도 모두 제곱수가 된다.

$1\times2\times3\times4+1=25=5^2$, $2\times3\times4\times5+1=121=11^2$, $3\times4\times5\times6+1=361=19^2$

어떤 자연수여도 연속한 네 수의 곱과 1의 합이 제곱수가 될까?

답은 Yes! 문자를 사용한 식으로 나타내 보면 쉽게 확인할 수 있다.

연속된 네 자연수를 a, $a+1$, $a+2$, $a+3$이라고 하면 네 자연수의 곱에 1을 더한 값은

$a(a+1)(a+2)(a+3)+1=\{a(a+3)\}\{(a+1)(a+2)\}+1$
$=(a^2+3a)(a^2+3a+2)+1$ ← $a^2+3a=A$로 치환
$=A(A+2)+1$
$=A^2+2A+1=(A+1)^2=(a^2+3a+1)^2$

즉, 가장 작은 수가 a일 때 계산 결과는 제곱수 $(a^2+3a+1)^2$이 됨을 알 수 있다.

Q 051 항이 4개인 식은 어떻게 인수분해할까?

A (항 2개, 항 2개) 또는 (항 3개, 항 1개)로 묶어 봐.

A 항이 4개이면서 공통인수가 없는 다항식은 다음과 같이 두 가지 경우로 나누어 인수분해할 수 있다.

(1) (항 2개)+(항 2개)로 묶기 : 공통인수를 만든 다음 인수분해한다.

$4xy-2x-2y+1$ ⎫ 공통인수
$=2x(2y-1)-(2y-1)$ ⎬ 만들기
$=(2x-1)(2y-1)$ ⎭ 인수분해

x^2y-x^2-y+1 ⎫ 공통인수
$=x^2(y-1)-(y-1)$ ⎬ 만들기
$=(x^2-1)(y-1)$ ⎬ 인수분해
$=(x+1)(x-1)(y-1)$ ⎭ 더 이상 할 수 없을 때까지 인수분해하기

(2) (항 3개)+(항 1개)로 묶기 : $(\quad)^2 - (\quad)^2$ 꼴로 만든 후 인수분해한다.

완전제곱식

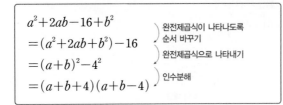

$a^2 + 2ab - 16 + b^2$
$= (a^2 + 2ab + b^2) - 16$ ⟩ 완전제곱식이 나타나도록 순서 바꾸기
$= (a+b)^2 - 4^2$ ⟩ 완전제곱식으로 나타내기
$= (a+b+4)(a+b-4)$ ⟩ 인수분해

－부호를 가진 항을 따로 놓고서 $(\quad)^2 - (\quad)^2$을 떠올려 보자.

예제 23 다음 식을 인수분해하여라.

(1) $a^3 + 2a^2 - 4a - 8$ 　　　 (2) $x^2 - y^2 + 2x + 1$

풀이 (1) $a^3 + 2a^2 - 4a - 8$
　　　$= a^2(a+2) - 4(a+2)$
　　　$= (a+2)(a^2 - 4)$
　　　$= (a+2)(a+2)(a-2)$
　　　$= (a+2)^2(a-2)$

(2) $x^2 - y^2 + 2x + 1$
　　　$= x^2 + 2x + 1 - y^2$
　　　$= (x+1)^2 - y^2$
　　　$= (x+1+y)(x+1-y)$
　　　$= (x+y+1)(x-y+1)$

Q 052 항이 5개 이상인 식은 어떻게 인수분해할까?

A (바른) 공통인수가 생기도록 2개 또는 3개로 묶어 봐.

A (친절한) 항이 5개 이상이면서 전체 항에 들어 있는 공통인수가 없는 다항식은 다음과 같이 2개 또는 3개를 묶어 공통인수를 찾은 다음 치환을 이용하여 인수분해한다.

$x^2 - 2xy + y^2 - 7x + 7y + 12$
$= (x-y)^2 - 7(x-y) + 12$ ⟩ $x-y=A$로 치환
$= A^2 - 7A + 12$
$= (A-3)(A-4)$
$= (x-y-3)(x-y-4)$ ⟩ $A=x-y$를 대입

예제 24 $x^2 + 2xy - x + y^2 - y - 2$를 인수분해하여라.

풀이 $x^2 + 2xy - x + y^2 - y - 2$
　　　$= (x^2 + 2xy + y^2) - x - y - 2$ ⟩ 적당한 항끼리 묶기
　　　$= (x+y)^2 - (x+y) - 2$
　　　$= A^2 - A - 2$ ⟩ $x+y=A$로 치환
　　　$= (A-2)(A+1)$
　　　$= (x+y-2)(x+y+1)$ ⟩ $A=x+y$를 대입

내림차순으로 정리하여 인수분해하기

내림차순으로 정리한다는 것은

한 문자에 대하여 차수가 높은 항부터 낮아지는 차례로 정리하는 것이다.

복잡한 다항식을 인수분해할 경우, 일단 **차수가 낮은 문자에 대하여** 내림차순으로 정리해 보면
공통인수를 쉽게 찾을 수 있다. 중·고등과정에서 배우는 대부분의 다항식은 내림차순으로 정리해
보면 인수분해를 할 수 있기 때문에 이 방법에 익숙해지면 도움이 많이 될 것이다.
$x^2-2xy+y^2-7x+7y+12$를 예로 살펴보자.

x에 대하여 내림차순	y에 대하여 내림차순
$x^2-2xy+y^2-7x+7y+12$ $=x^2-(2y+7)x+\underline{y^2+7y+12}$ x에 대하여 내림차순으로 정리 $=x^2-(2y+7)x+(y+3)(y+4)$ 상수항 먼저 인수분해 $x \quad\longrightarrow\quad -(y+3)$ $x \quad\longrightarrow\quad -(y+4)$ $=(x-y-3)(x-y-4)$	$x^2-2xy+y^2-7x+7y+12$ $=y^2-(2x-7)y+\underline{x^2-7x+12}$ y에 대하여 내림차순으로 정리 $=y^2-(2x-7)y+(x-3)(x-4)$ 상수항 먼저 인수분해 $y \quad\longrightarrow\quad -(x-3)$ $y \quad\longrightarrow\quad -(x-4)$ $=(y-x+3)(y-x+4)$ $=(x-y-3)(x-y-4)$

차수가 다른 문자가 섞여 있는 다항식은 차수가 낮은 문자에 대하여 내림차순으로 정리해야 계산
이 편리하다.

2. 인수분해 공식을 이용한 수의 계산

Q 053 인수분해를 이용하면 수의 계산을 빠르게 할 수 있다?

 YES!

 다항식의 곱셈 공식을 이용하여 복잡한 수의 계산을 간단히 한 기억이 날 것이다. 인수분해 공식
도 복잡한 수의 계산을 간단히 계산할 수 있도록 도와주기도 한다.
다음 예를 살펴보고 어떤 인수분해 공식이 사용되었는지도 확인해 보자.

방법	사용되는 인수분해 공식	계산하기
(1) 공통인수로 묶기	$ma+mb=m(a+b)$	$18\times101+18\times99$ $=18\times(101+99)$ $=18\times200=3600$
(2) 제곱의 차 이용하기	$a^2-b^2=(a+b)(a-b)$	65^2-35^2 $=(65+35)(65-35)$ $=100\times30=3000$
(3) 완전제곱식 이용하기	$a^2+2ab+b^2=(a+b)^2$	$45^2+2\times45\times35+35^2$ $=(45+35)^2=80^2=6400$

인수분해 공식을 이용하여 다음을 계산하여라.

(1) $121^2 - 21^2$ (2) $103^2 - 6 \times 103 + 9$

풀이

(1) $121^2 - 21^2$
$= (121 + 21)(121 - 21)$
$= 142 \times 100$
$= \mathbf{14200}$

(2) $103^2 - 2 \times 103 \times 3 + 3^2$
$= (103 - 3)^2$
$= 100^2$
$= \mathbf{10000}$

Q 054 | 인수분해를 이용하면 식의 값을 편리하게 구할 수 있다?

 주어진 식을 인수분해 한 다음 대입하면 계산이 간편해져.

 인수분해를 이용하면 다음과 같이 식의 값을 묻는 문제도 쉽게 해결할 수 있다.

> $x = 99$일 때, $x^2 + 2x + 1$의 값을 구하여라.

"$x = 99$일 때, $x + 4$를 구하여라."라고 하면 당연히 x에 99를 대입하여 계산한다.
그렇다면 위의 문제도 대입하여 계산할까? 물론 $x = 99$를 대입하여 $99^2 + 2 \times 99 + 1$을 계산해도
되지만 시간이 오래 걸리고 복잡한 곱셈 계산도 해야 한다. 이 경우 다음과 같이 주어진 식을 인
수분해하면 암산으로 끝~

$$x^2 + 2x + 1 = (\underbrace{x+1}_{x=99를 \text{ 대입}})^2 = (99+1)^2 = 100^2 = 10000$$

예제 26 $x = 3 - \sqrt{3}$, $y = 3 + \sqrt{3}$일 때, 다음 식의 값을 구하여라.

(1) $x^2 - 6x + 9$ (2) $x^2 - y^2$

풀이

(1) $x^2 - 6x + 9$
$= (x - 3)^2$
$= (3 - \sqrt{3} - 3)^2$
$= (-\sqrt{3})^2 = \mathbf{3}$

(2) $x^2 - y^2$
$= (x + y)(x - y)$
$= (3 - \sqrt{3} + 3 + \sqrt{3})(3 - \sqrt{3} - 3 - \sqrt{3})$
$= 6 \times (-2\sqrt{3}) = \mathbf{-12\sqrt{3}}$

> 먼저 인수분해 공식을 이용하여 식을 간단히 해 봐.

개념 CHECK

개념 확인

(1) $x+1=A$로 치환하면
$(x+1)^2+4(x+1)+4$
$=A^2+4A+4$
$=(\boxed{})^2$
$=(x+\boxed{})^2$

(2) $\sqrt{52^2-48^2}$을 계산하는데 이용 되는 인수분해 공식은
$\boxed{}$
이다.

01 치환을 이용하여 다음 식을 인수분해하여라.

(1) $(x+2)^2-6(x+2)+9$

(2) $(x+2y)^2+2(x+2y)-15$

(3) $(x-3)^2-9$

(4) $(x-3)^2-(y+3)^2$

(5) $(x+y)(x+y+2)+1$

(6) $(x+1)(x+2)(x+3)(x+4)+1$

02 다음 식을 인수분해하여라.

(1) $x^2-2x+2y-y^2$

(2) $x^2-2x+1-4y^2$

(3) $x^2+xy+x-2y-6$

(4) $9x^2-6xy+y^2-3x+y$

03 인수분해 공식을 이용하여 다음을 계산하여라.

(1) 102^2-98^2

(2) 303×297

(3) $63^2+14\times63+7^2$

(4) $43^2-6\times43+3^2$

자기 진단

Q.049 ◎107쪽
치환을 이용하여 어떻게 인수분해 할까?

Q.053 ◎111쪽
인수분해를 이용하면 수의 계산을 빠르게 할 수 있다?

04 다음 식의 값을 구하여라.

(1) $x=490$일 때, $x^2+20x+100$

(2) $x=1111$, $y=111$일 때, $x^2-2xy+y^2$

유형 EXERCISES

문제 이해도를 ☺, 😐, ☹으로 표시해 보세요.

해설 BOOK 018쪽 | 테스트 BOOK 026쪽

유형 ① 공통인수를 이용한 인수분해

다음 중 다항식 $-4xy^3+6y^2$의 인수가 <u>아닌</u> 것은?

① 1　　② $-2y^2$　　③ $2xy-3$

④ $2xy^2-3$　　⑤ $y^2(2xy-3)$

Summa Point
- 각 항의 공통인수를 찾은 후 분배법칙을 이용하여 공통인수로 묶어 인수분해한다.
- 공통인수를 찾을 때, 수는 최대공약수로, 문자는 차수가 낮은 것을 찾는다.

097쪽 Q 039 ↻

1-1 ☺😐☹
다음 중 인수분해한 것이 옳지 <u>않은</u> 것은?

① $ac-3c=c(a-3)$

② $8x^2-4x=4x(2x-1)$

③ $a^2b-2ab+ab^2=ab(a-2+b)$

④ $3a(x+y)-b(x+y)=(3a-b)(x+y)$

⑤ $3x^2y-2xy+6xy^2=3xy(x-2+2y)$

1-2 ☺😐☹
다음 식에 대한 설명 중 옳지 <u>않은</u> 것은?

$$2a^2b-ab^2 \underset{ⓛ}{\overset{ⓙ}{\rightleftarrows}} ab(2a-b)$$

① ㉠의 과정을 인수분해한다고 한다.

② ㉡의 과정을 전개한다고 한다.

③ ab는 $2a^2b$, $-ab^2$의 공통인수이다.

④ ㉡의 과정에서 분배법칙이 이용된다.

⑤ a, b, $a(2-b)$는 모두 $2a^2b-ab^2$의 인수이다.

유형 ② 인수분해 공식(1)

다음 중 인수분해한 것이 옳지 <u>않은</u> 것은?

① $x^2+16x+64=(x+8)^2$

② $-a^2+6a-9=-(a-3)^2$

③ $9y^2-30y+25=(3y-5)^2$

④ $4x^2+12xy+9y^2=(2x+3y)^2$

⑤ $\dfrac{9}{4}x^2-12x+16=\left(\dfrac{3}{2}x-2\right)^2$

Summa Point
$a^2+2ab+b^2=(a+b)^2$, $a^2-2ab+b^2=(a-b)^2$

100쪽 Q 042 ↻

2-1 ☺😐☹
$x^2+Ax+9=(x+B)^2$일 때, 양수 A, B에 대하여 $A-B$의 값을 구하여라.

2-2 ☺😐☹
$x^2-12x+4a+8$이 완전제곱식이 될 때, 상수 a의 값을 구하여라.

2-3 ☺😐☹
$-3<x<1$일 때, $\sqrt{x^2-2x+1}+\sqrt{x^2+6x+9}$를 간단히 하여라.

$25x^2-16=(Ax+B)(Ax-B)$일 때, 자연수 A, B에 대하여 $A-B$의 값을 구하여라.

Summa **Point**
$a^2-b^2=(a+b)(a-b)$

102쪽 **Q** 045 ↻

$x^2-Bx+12=(x-3)(x-A)$일 때, 상수 A, B의 값을 각각 구하여라.

Summa **Point**
$x^2+(a+b)x+ab=(x+a)(x+b)$

103쪽 **Q** 046 ↻

3-1 ☺☺☹

다음 중 인수분해한 것이 옳지 <u>않은</u> 것은?

① $x^2-1=(x+1)(x-1)$

② $4x^2-9=(2x+3)(2x-3)$

③ $\dfrac{1}{25}x^2-\dfrac{1}{16}y^2=\left(\dfrac{1}{5}x+\dfrac{1}{4}\right)\left(\dfrac{1}{5}x-\dfrac{1}{4}\right)$

④ $x^2-\dfrac{1}{4}=\left(x+\dfrac{1}{2}\right)\left(x-\dfrac{1}{2}\right)$

⑤ $a^2b-9b=b(a+3)(a-3)$

4-1 ☺☺☹

다음 중 $x^2+5xy-6y^2$의 인수를 모두 고르면? (정답 2개)

① $x-y$ ② $x-2y$ ③ $x-3y$

④ $x+3y$ ⑤ $x+6y$

4-2 ☺☺☹

x의 계수가 1인 두 일차식의 곱이 $x^2+10x-24$일 때, 이 두 일차식의 합을 구하여라.

3-2 ☺☺☹

$a^2(x-2)+b^2(2-x)$를 인수분해하여라.

4-3 ☺☺☹

다항식 $x^2+Ax+16$이 x의 계수가 1인 두 일차식의 곱으로 인수분해될 때, 다음 중 정수 A의 값으로 알맞지 <u>않은</u> 것은?

① -17 ② -10 ③ -8

④ 4 ⑤ 8

3-3 ☺☺☹

다음 중 x^4-16의 인수가 <u>아닌</u> 것은?

① $x+2$ ② $x-2$ ③ x^2+2

④ x^2+4 ⑤ x^2-4

유형 **5** 인수분해 공식(4)

다항식 ax^2-bx+7을 인수분해하면 $(x-1)(3x-c)$일 때, 상수 a, b, c에 대하여 $a+b+c$의 값을 구하여라.

Summa Point

$acx^2+(ad+bc)x+bd=(ax+b)(cx+d)$

104쪽 **Q047**

5-1 ☺☺☹
$4x^2-8xy-5y^2$을 인수분해하여라.

5-2 ☺☺☹
$6x^2+7x+2=(ax+b)(cx+d)$일 때, 정수 a, b, c, d에 대하여 $a+b+c+d$의 값을 구하여라. (단, $a>0$)

5-3 ☺☺☹
$12x^2+ax-8$이 $2(2x+1)$을 인수로 가질 때, 상수 a의 값을 구하여라.

유형 **6** 인수분해의 도형에의 활용

다음 그림의 직사각형을 모두 사용하여 하나의 큰 직사각형을 만들 때, 그 직사각형의 둘레의 길이를 구하여라.

 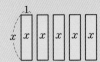

Summa Point
알맞은 인수분해 공식과 도형의 넓이의 공식을 이용하여 길이를 구한다.

104쪽 **Q047**

6-1 ☺☺☹
넓이가 $4x^2+36x+81$인 정사각형의 한 변의 길이를 구하여라. (단, $x>0$)

6-2 ☺☺☹
오른쪽 그림과 같은 사다리꼴의 넓이가 $3x^2+7x-6$일 때, 이 사다리꼴의 높이를 구하여라.

6-3 ☺☺☹
다음 그림에서 두 도형 A, B의 넓이가 서로 같다고 할 때, 도형 B의 세로의 길이를 구하여라.

$(a+b)(a+b-3)+2$를 인수분해하여라.

Summa Point

공통부분 $a+b$를 A로 치환하여 인수분해한 후 A에 $a+b$를 대입한다.

107쪽 **Q** 049

7-1 ☺☺☹
$6(a+2)^2-13(a+2)+5$를 인수분해하여라.

7-2 ☺☺☹
$(2x-1)^2-4=(2x+a)(2x+b)$일 때, 상수 a, b에 대하여 $a+b$의 값을 구하여라.

7-3 ☺☺☹
$3(x+5)^2-7(x+5)(x-3)-6(x-3)^2$을 인수분해하여라.

7-4 ☺☺☹
$(x-2)(x-1)(x+2)(x+3)-32$를 인수분해하여라.

$a^2-ab+ac-2b^2+bc$를 인수분해하여라.

Summa Point

- 항이 4개인 경우는 2개, 2개 또는 3개, 1개로 나누어 공통인수가 생기는지 확인한다.
- 항이 여러개인 경우 차수가 가장 낮은 문자에 대하여 내림차순으로 정리해 본다.

109쪽 **Q** 051

8-1 ☺☺☹
다음 식을 인수분해하여라.
(1) $x^2+4xy+2x+8y$
(2) x^3-2x^2-x+2

8-2 ☺☺☹
다항식 $x^2+4y^2-4xy-16$을 인수분해하면 $(x+ay+b)(x+cy+d)$가 될 때, 상수 a, b, c, d에 대하여 $a+b+c+d$의 값을 구하여라.

8-3 ☺☺☹
$x^2-2xy+4x+y^2-4y-12$를 인수분해하여라.

유형 9 인수분해 공식을 이용한 수의 계산

인수분해 공식을 이용하여 다음을 계산하여라.

$$22.5^2 \times 1.75 - 2.5^2 \times 1.75$$

Summa Point

복잡한 수의 계산을 할 때, 주어진 식을 인수분해한 후 계산하면 편리하다.

111쪽 **Q** 053

유형 10 인수분해 공식을 이용한 식의 값 구하기

$a+b=3$, $ab=2$일 때, 다음 식의 값을 구하여라.

$$a^2(a-b)+b^2(b-a)$$

Summa Point

주어진 식을 인수분해한 후, 문자의 값을 변형하여 대입한다.

112쪽 **Q** 054

9-1 ☺☺☹

인수분해 공식을 이용하여 $\dfrac{2020^2 + 2 \times 2020 + 1}{2021}$ 을 계산하여라.

9-2 ☺☺☹

인수분해 공식을 이용하여 다음을 계산하여라.

$$1^2 - 2^2 + 3^2 - 4^2 + 5^2 - 6^2 + 7^2 - 8^2$$

9-3 ☺☺☹

$3^{16} - 1$의 약수 중 10 이하인 수의 개수를 구하여라.

10-1 ☺☺☹

$x = \dfrac{2}{\sqrt{3}+1}$ 일 때, $(x-1)^2 + 4(x-1) + 3$의 값을 구하여라.

10-2 ☺☺☹

$x = \dfrac{2+\sqrt{3}}{2}$, $y = \dfrac{2-\sqrt{3}}{2}$ 일 때, $x^2 - y^2$의 값을 구하여라.

10-3 ☺☺☹

$x+y=3$, $x-y=5$일 때, $x^2 - y^2 + 4x - 4y$의 값을 구하여라.

해설 BOOK **021**쪽 | 테스트 BOOK **031**쪽

Step 1 | 내·신·기·본

01 $(-x+2y)(1+3x-y)$를 전개한 식에서 x^2의 계수를 a, xy의 계수를 b라고 할 때, $a+b$의 값은?

① 1   ② 2   ③ 3
④ 4   ⑤ 5

02 $(3x+A)^2=Bx^2-3x+C$일 때, 상수 A, B, C에 대하여 $A+B+C$의 값은?

① $\dfrac{11}{4}$ ② $\dfrac{23}{4}$ ③ $\dfrac{27}{4}$
④ $\dfrac{35}{4}$ ⑤ $\dfrac{39}{4}$

03 $(x-1)(x+1)(x^2+1)$을 전개하면?

① x^4-1 ② x^4+x^2+1
③ x^4-x^2+1 ④ x^4+1
⑤ $x^4-x^3+x^2-x+1$

04 다음 식을 간단히 하면 Ax^2+Bx+C가 될 때, 상수 A, B, C에 대하여 $A-2B-C$의 값을 구하여라.

$$2(x-1)(3x+2)-3(2-x)^2$$

05 곱셈 공식을 이용하여 $\dfrac{2021\times2019+1}{2020}$을 계산하여라.

06 $\dfrac{\sqrt{3}}{7+4\sqrt{3}}-\dfrac{\sqrt{3}}{7-4\sqrt{3}}$을 간단히 하여라.

07 $(a-1)^2+(a-b+1)(a+b-1)$을 전개하여라.

08 $a+b=2$, $a^2+b^2=5$일 때, $\dfrac{a}{b}+\dfrac{b}{a}$의 값은?

① -10 ② -5 ③ $\dfrac{1}{2}$
④ 7   ⑤ 11

09 다음 중 x^2y-y의 인수가 <u>아닌</u> 것은?

① x 　　② y 　　③ x^2-1

④ $x+1$ 　　⑤ $x-1$

10 다음 중 완전제곱식으로 인수분해할 수 <u>없는</u> 것은?

① $a^2+8a+16$ 　　② $\dfrac{1}{4}x^2+x+1$

③ $1+2y+y^2$ 　　④ $9a^2+30ab+16b^2$

⑤ $3x^2-12xy+12y^2$

11 다음 두 다항식이 모두 완전제곱식이 될 때, □ 안에 알맞은 양수의 합을 구하여라.

$$x^2-14xy+\Box y^2,\ 36x^2+\Box x+\dfrac{1}{9}$$

12 $0<x<5$일 때, $\sqrt{x^2}+\sqrt{x^2-10x+25}$를 간단히 하여라.

13 $x^2-ax+20$이 $x-5$로 나누어 떨어질 때, 상수 a의 값은?

① -9 　　② -7 　　③ -1

④ 1 　　⑤ 9

14 다음 중 두 다항식 x^2-4x+3과 $2x^2-3x-9$의 공통 인수는?

① $x-3$ 　　② $x-1$ 　　③ $x+1$

④ $x+3$ 　　⑤ $2x+3$

15 다음 중 인수분해한 것이 옳지 <u>않은</u> 것은?

① $x^2-4xy+4y^2=(x-2y)^2$

② $x^2-\dfrac{2}{3}x+\dfrac{1}{9}=\left(x-\dfrac{1}{3}\right)^2$

③ $25x^2-9y^2=(5x+3y)(5x-3y)$

④ $x^2-3x-4=(x+1)(x-4)$

⑤ $2x^2+5x-3=(x-3)(2x+1)$

16 $(2x+1)^2+(2x+1)(x-3)$을 인수분해하면 $(2x+a)(3x+b)$일 때, 상수 a, b에 대하여 $a-b$의 값을 구하여라.

17 세 정수 a, b, k에 대하여 다항식 x^2+kx-8을 인수분해하면 $(x+a)(x+b)$일 때, k가 될 수 있는 수 중에서 가장 큰 값을 구하여라.

18 다음 그림의 직사각형과 정사각형의 둘레의 길이가 서로 같다. 직사각형의 넓이가 $x^2+14x+a$일 때, 정사각형의 넓이를 구하여라. (단, a는 상수)

19 다항식 $x^2-9ax+b$에 다항식 $ax+7b$를 더한 후 인수분해하면 완전제곱식이 될 때, 이를 만족시키는 순서쌍 (a, b) 중에서 $a+b$의 최댓값을 구하여라.
(단, a, b는 50 이하의 자연수)

20 $x^2-y^2+6x-6y$가 x의 계수가 1인 두 일차식의 곱으로 인수분해될 때, 두 일차식의 합은?

① $2x$ ② $2x+6$ ③ $2x-6$

④ $2x+2y$ ⑤ $2x-2y+6$

21 $x=\dfrac{1}{\sqrt{5}+2}$, $y=\dfrac{1}{\sqrt{5}-2}$ 일 때 x^2-y^2+2y-1의 값을 구하여라.

22 인수분해 공식을 이용하여 다음을 계산할 때, 자연수 A, B에 대하여 $B-A$의 값을 구하여라.

$$101^2-99^2=100A$$
$$37^2-6\times37+9=B^2$$

창의융합

23 오른쪽 그림과 같이 원 모양의 호수 둘레에 너비가 $2a$ m인 길이 있다. 이 길의 한가운데를 이은 원의 둘레의 길이가 60π m이고 길의 넓이가 480π m²일 때, 상수 a의 값을 구하여라.

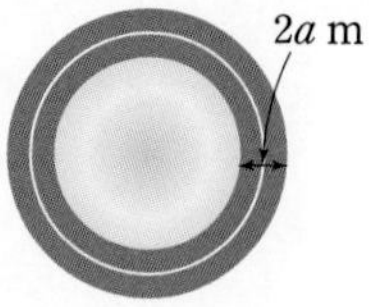

$2a$ m

24 x^2의 계수가 1인 어떤 이차식을 지호는 x의 계수를 잘못 보아 $(x-4)(x+3)$으로 인수분해하였고, 태희는 상수항을 잘못 보아 $(x-3)(x+7)$로 인수분해하였다. 다음 물음에 답하여라.

(1) 처음의 이차식을 구하여라.

(2) (1)의 이차식을 바르게 인수분해하여라.

25 다음을 인수분해하여라.

$$(x-2)(x-1)(x+1)(x+2)+2$$

26 x^4-13x^2+36이 x의 계수가 1인 네 일차식의 곱으로 인수분해될 때, 네 일차식의 합은?

① $4x+2$ ② $4x+4$ ③ $4x$
④ $4x-3$ ⑤ $4x+6$

27 $f(x)=1-\dfrac{1}{x^2}$ 일 때, $f(2)\times f(3)\times f(4)\times\cdots\times f(10)$의 값을 구하여라.

28 $4-\sqrt{3}$의 소수 부분을 x, $\sqrt{3}-1$의 소수 부분을 y라고 할 때, $x^3-y^3+x^2y-xy^2$의 값을 구하여라.

1. 다항식의 곱셈과 인수분해

01. 곱셈 공식

028 (다항식)×(다항식)은 어떻게 계산할까?

$$(a+b)(c+d)=ac+ad+bc+bd$$

029 $(a+b)^2$과 $(a-b)^2$은 어떻게 전개할까?

$$(a+b)^2=a^2+2ab+b^2$$
$$(a-b)^2=a^2-2ab+b^2$$

030 $(a+b)(a-b)$는 어떻게 전개할까?

$$(a+b)(a-b)=a^2-b^2$$

031 $(x+a)(x+b)$는 어떻게 전개할까?

$$(x+a)(x+b)$$
$$=x^2+(a+b)x+ab$$

032 $(ax+b)(cx+d)$는 어떻게 전개할까?

$$(ax+b)(cx+d)$$
$$=acx^2+(ad+bc)x+bd$$

033 $(a-b+2)(a-b+1)$은 어떻게 전개할까?

$$(a-b+2)(a-b+1)$$
$$=(A+2)(A+1) \quad)\ a-b\text{를 } A\text{로 치환}$$
$$=A^2+3A+2 \quad)\ \text{곱셈 공식을 이용하여 전개}$$
$$=(a-b)^2+3(a-b)+2 \quad)\ A\text{에 } a-b\text{를 대입하기}$$
$$=a^2-2ab+b^2+3a-3b+2 \quad)\ \text{곱셈 공식을 이용하여 전개}$$

035 $(a+b)(a-b)$의 전개식을 이용하여 분모를 유리화한다?

$(a+b)(a-b)=a^2-b^2$을 이용해.

02. 인수분해

038 인수분해란?

하나의 다항식을 두 개 이상의 다항식의 곱으로 나타내는 것

039 공통인수를 이용하여 어떻게 인수분해할까?

분배법칙을 이용하여 공통인수로 묶기!
$$ma+mb=m(a+b)$$

042 $a^2+2ab+b^2$, $a^2-2ab+b^2$은 어떻게 인수분해할까?

$$a^2+2ab+b^2=(a+b)^2$$
$$a^2-2ab+b^2=(a-b)^2$$

044 $x^2+\square x+25$가 완전제곱식이 되도록 하는 $\square$의 값은?

가운데 항은 $+$, $-$ 부호를 모두 가질 수 있어.
$$x^2+\square x+25 \Rightarrow \square=\pm10$$

045 a^2-b^2은 어떻게 인수분해할까?

$$a^2-b^2=(a+b)(a-b)$$

046 $x^2+(a+b)x+ab$는 어떻게 인수분해할까?

$$x^2+(a+b)x+ab$$
$$=(x+a)(x+b)$$

047 $acx^2+(ad+bc)x+bd$는 어떻게 인수분해할까?

$$acx^2+(ad+bc)x+bd$$
$$a \qquad\qquad b \to bc$$
$$c \qquad\qquad d \to ad$$
$$=(ax+b)(cx+d)$$

03. 인수분해 공식의 활용

049 치환을 이용하여 어떻게 인수분해할까?

$$(x+2)^2+3(x+2)-4$$
$$=A^2+3A-4 \quad)\ x+2=A\text{로 치환}$$
$$=(A+4)(A-1)$$
$$=(x+2+4)(x+2-1) \quad)\ A=x+2\text{를 대입}$$
$$=(x+6)(x+1)$$

050 $(\ )(\ )(\ )(\ )+k$ 꼴은 어떻게 인수분해할까?

$(\ )(\ )(\ )(\ )+k$ 꼴은 인수분해가 된 것이 아니야!
다시 전개하여 인수분해해야 해.

053 인수분해를 이용하면 수의 계산을 빠르게 할 수 있다?

$$65^2-35^2=(65+35)(65-35)$$
$$=100\times30=3000$$

01 다음 중 옳지 <u>않은</u> 것은?

① $(x+y)^2 = x^2 + 2xy + y^2$

② $(2x-1)^2 = 4x^2 - 4x + 1$

③ $(x-4)(x+2) = x^2 - 6x - 6$

④ $(2x+2)(3x+4) = 6x^2 + 14x + 8$

⑤ $(3x-1)(3x+1) = 9x^2 - 1$

02 오른쪽 그림과 같이 한 변의 길이가 $2a$ cm인 정사각형의 가로의 길이를 3 cm 줄이고, 세로의 길이를 3 cm 늘여서 만든 직사각형의 넓이는?

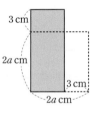

① $(4a^2 - 9)$cm²

② $(4a^2 + 9)$cm²

③ $(4a^2 + 12a + 9)$cm²

④ $(4a^2 - 12a + 9)$cm²

⑤ $(4a^2 + 8a + 9)$cm²

03 $(3x - ay)(bx + y) = 6x^2 + cxy - 2y^2$이 성립할 때, 상수 a, b, c에 대하여 $a + b + c$의 값은?

① -1 ② 0 ③ 1

④ 2 ⑤ 3

04 양의 정수를 제곱한 수 즉, 1, 4, 9, 16, …을 완전제곱수라고 한다. a가 완전제곱수일 때, a 다음으로 큰 완전제곱수를 b, b 다음으로 큰 완전제곱수를 c라고 할 때, $a + b + c$의 값을 b를 이용하여 나타내면?

① $3b - 2$ ② $3b - 1$ ③ $3b$

④ $3b + 1$ ⑤ $3b + 2$

05 $x = \sqrt{3} + 2$일 때 $2(3x+2)(x-2) - (2x-5)(2x+5)$의 값을 구하여라.

06 $x^2 + \dfrac{1}{x^2} = 23$일 때, $x + \dfrac{1}{x}$의 값은? (단, $x > 0$)

① 1 ② 2 ③ 3

④ 4 ⑤ 5

07 $x = \dfrac{1}{3 + 2\sqrt{2}}$, $y = \dfrac{1}{3 - 2\sqrt{2}}$ 일 때, $x^2 + y^2 - 3xy$의 값을 구하여라.

08 다음 중 인수분해한 것이 옳은 것은?

① $a^2+4a+4=(a+4)^2$

② $4x^2-9y^2=(2x-3y)^2$

③ $x^2+2x-8=(x+4)(x-2)$

④ $4x^2+xy-3y^2=(4x+3y)(x-y)$

⑤ $18x^2y+12xy+2y=2(3x+1)^2$

09 $(x+4)(x+6)+k$가 완전제곱식이 되기 위한 상수 k의 값을 구하여라.

10 $(3x-5)^2+(x+4)(x-6)+23$을 인수분해하여라.

11 $-6<x<6$일 때, $\sqrt{x^2-12x+36}-\sqrt{x^2+12x+36}$을 간단히 하면?

① -12 　② 0 　③ 12

④ $-2x$ 　⑤ $2x$

12 다음 그림의 직사각형을 모두 사용하여 하나의 직사각형을 만들 때, 그 직사각형의 한 변의 길이가 될 수 있는 것은? (정답 2개)

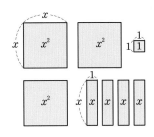

① $x-1$ 　② $x-3$ 　③ $x+1$

④ $3x-1$ 　⑤ $3x+1$

13 한 변의 길이가 x인 정사각형을 가로로 a만큼 늘이고, 세로로 b만큼 줄여서 새로운 직사각형을 만들었더니 그 넓이가 $x^2+4x-12$가 되었다. 이때 새로운 직사각형의 가로의 길이는? (단, a, b는 자연수)

① $x+6$ 　② $x+4$ 　③ $x+3$

④ $x-2$ 　⑤ $x-3$

14 다음 세 이차식이 공통인수를 가질 때, 상수 a의 값을 구하여라.

$$6x^2-5x-6,\ 3x^2-19x-14,\ 3x^2-10x+a$$

15 $x^2+6x+k=(x+a)(x+b)$일 때, 다음 중 가능한 상수 k의 값은? (단, a, b는 자연수)

① 3   ② 4   ③ 6
④ 9   ⑤ 10

16 x^2+ax+b가 상수항이 정수인 두 일차식의 곱으로 인수분해된다고 할 때, 상수 a, b의 값으로 옳지 <u>않은</u> 것은?

① $a=2$, $b=1$ ② $a=3$, $b=2$
③ $a=8$, $b=-12$ ④ $a=-3$, $b=-10$
⑤ $a=-3$, $b=-18$

17 n^2-2n-8이 소수가 되게 하는 자연수 n의 값과 그때의 소수를 차례로 구하여라.

18 다음 중 x^4-y^4의 인수가 <u>아닌</u> 것은?

① $x-y$ ② $x+y$
③ x^2-y^2 ④ x^2+xy+y^2
⑤ x^2+y^2

19 $8(x-2)^2+6(x-2)-9$가 x의 계수가 자연수이고 상수항이 정수인 두 일차식의 곱으로 인수분해될 때, 두 일차식의 합은?

① $6x-12$ ② $6x-6$ ③ $6x-2$
④ $6x+6$ ⑤ $6x+12$

20 $3xy-x-3y+1=5$를 만족시키는 1보다 큰 자연수 x, y에 대하여 xy의 값을 구하여라.

21 $x^2+2xy+5x+y^2+5y+6$을 인수분해하여라.

22 자연수 $2^{16}-1$이 10과 20 사이의 두 자연수로 나누어떨어진다. 이 두 자연수의 합은?

① 26   ② 29   ③ 32
④ 35   ⑤ 38

23 $x=1.21$, $y=2.79$일 때, $2x^2+2y^2+4xy$의 값은?

① 32 　　② 24 　　③ 16

④ 12 　　⑤ 8

24 $\sqrt{5}$의 소수 부분을 a라고 할 때, a^2+5a+6의 값은?

① $-5+\sqrt{5}$ 　　② $-\sqrt{5}$ 　　③ $\sqrt{5}$

④ $1+\sqrt{5}$ 　　⑤ $5+\sqrt{5}$

25 수진이는 종이를 이용하여 다음과 같이 한 변의 길이가 각각 a cm, b cm인 정사각형 모양의 생일 카드를 만들었다. 이 두 카드의 둘레의 길이의 합이 120 cm이고 넓이의 차가 180 cm²일 때, 두 카드의 둘레의 길이의 차를 구하여라.

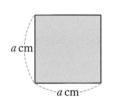

26 세 모서리의 길이가 각각 $2x+3$, $3x-1$, $3x+1$인 직육면체의 겉넓이를 구하여라.

답 _____

27 $0<x<1$일 때, $\sqrt{x^2+\dfrac{1}{x^2}+2}-\sqrt{x^2+\dfrac{1}{x^2}-2}$를 간단히 하여라.

답 _____

28 다항식 $6x^2+ax-3$이 $2x+3$을 인수로 가질 때, x^2+6x-a를 인수분해하면 $(x+b)(x-c)$가 된다. 이때 $a+b+c$의 값을 구하여라. (단, $b>0$, $c>0$)

답 _____

TOPIC
1 파스칼의 삼각형과 곱셈 공식

$(a+b)^3$의 전개 역시 한 모서리의 길이가 $a+b$인 정육면체의 부피를 구하는 과정을 통해 어떠한 전개식이 나오는지 생각해 보고, 앞에서 배운 곱셈 공식과 분배법칙을 이용하여 전개해 보자.

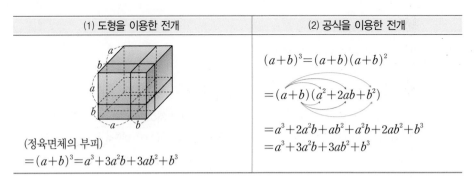

(1) 도형을 이용한 전개	(2) 공식을 이용한 전개
(정육면체의 부피) $= (a+b)^3 = a^3+3a^2b+3ab^2+b^3$	$(a+b)^3 = (a+b)(a+b)^2$ $= (a+b)(a^2+2ab+b^2)$ $= a^3+2a^2b+ab^2+a^2b+2ab^2+b^3$ $= a^3+3a^2b+3ab^2+b^3$

(2)에서와 같이 곱셈 공식과 분배법칙을 이용하면 $(a+b)^4$, $(a+b)^5$도 전개할 수 있는데 그 전개식을 차례대로 나열하면 다음과 같다.

$$(a+b)^1 = 1a + 1b$$
$$(a+b)^2 = 1a^2 + 2ab + 1b^2$$
$$(a+b)^3 = 1a^3 + 3a^2b + 3ab^2 + 1b^3$$
$$(a+b)^4 = 1a^4 + 4a^3b + 6a^2b^2 + 4ab^3 + 1b^4$$
$$(a+b)^5 = 1a^5 + 5a^4b + 10a^3b^2 + 10a^2b^3 + 5ab^4 + 1b^5$$

이때 위의 식들을 찬찬히 훑어보면 아주 흥미로운 규칙을 찾을 수 있다.
우선 $(a+b)^n$의 전개식에서 계수를 제외한 문자 부분만 살펴보면 a의 지수는 n부터 하나씩 작아지고, b의 지수는 0부터 하나씩 커지는 규칙이 있음을 알 수 있다.

$$(a+b)^n = \bigcirc a^n b^0 + \bigcirc a^{n-1}b^1 + \bigcirc a^{n-2}b^2 + \cdots + \bigcirc a^0 b^n \ (\text{단}, a^0 = b^0 = 1) \qquad \cdots\cdots \ \bigcirc$$

또 각 항의 계수만 뽑아 위에서부터 차례로 배열하면 다음과 같이 삼각형 모양이 만들어지는데 이 삼각형 모양 속에서 계수 사이의 특별한 관계를 찾을 수 있다.

'아는 만큼 보이고, 보는 만큼 느낀다.'는 말은 수학에서도 일맥상통합니다.
교과서 밖으로 나와 더 넓은 수학을 접하여 나만의 사고력을 한 단계 높여 보세요!

해설 BOOK **025쪽**

❶ 어느 층이나 양 끝의 숫자는 1이다.
❷ 위층의 이웃하는 두 숫자의 합이 아래층의 가운데 값
　과 같다.
❸ 각 전개식의 계수는 중앙 항에 대하여 좌우대칭을 이
　루고 있으며 최대 계수는 중앙 항의 계수이다.

이와 같은 삼각형을 **파스칼의 삼각형**이라고 한다. 프랑스의 수학자 파스칼(1623~1662)
이 책에서 보았던 삼각형 모양으로부터 흥미로운 규칙들을 발견하고서 그 내용들을 체계화
하고 다른 수학적인 성질에도 접목하였기에 파스칼의 삼각형이라고 불리게 되었다.
전개식 ㉠과 파스칼의 삼각형을 이용하면 $(a+b)^6$을 쉽게 전개할 수 있다.
즉, 파스칼의 삼각형을 이용하여 계수를 구하고 다음과 같이 나열하면 끝!

$$(a+b)^6=a^6+6a^5b^1+15a^4b^2+20a^3b^3+15a^2b^4+6ab^5+b^6$$

한편 파스칼의 삼각형에서 주어진 숫자를 계수로 한 x에 대한 다항식을 생각한다면 각 층
의 식은 다음과 같이 $(x+1)^n$ 꼴로 인수분해된다. 또한 일부 항의 부호를 바꾸면 $(x-1)^n$ 꼴
로 인수분해된다.

$x+1$	$=x+1$
x^2+2x+1	$=(x+1)^2$
x^3+3x^2+3x+1	$=(x+1)^3$
$x^4+4x^3+6x^2+4x+1$	$=(x+1)^4$
$x^5+5x^4+10x^3+10x^2+5x+1$	$=(x+1)^5$

$x-1$	$=x-1$
x^2-2x+1	$=(x-1)^2$
x^3-3x^2+3x-1	$=(x-1)^3$
$x^4-4x^3+6x^2-4x+1$	$=(x-1)^4$
$x^5-5x^4+10x^3-10x^2+5x-1$	$=(x-1)^5$

유제 *01* 　파스칼의 삼각형을 이용하여 다음을 전개하여라.

　　　　(1) $(a+b)^7$ 　　　　　　　　　　　　(2) $(a+b)^9$

유제 *02* 　파스칼의 삼각형을 이용하여 다음을 인수분해하여라.

　　　　(1) $a^6+6a^5b+15a^4b^2+20a^3b^3+15a^2b^4+6ab^5+b^6$
　　　　(2) $x^6-6x^5+15x^4-20x^3+15x^2-6x+1$

01 인수분해를 이용한 수의 분해

곱셈 공식을 활용하여 계산한 수는 인수분해 공식을 적용하여 다시 두 수의 곱으로 바꿀 수 있다. 간단한 예로 곱셈 공식을 사용하여 $(100+1)^2=100^2+2\times100+1=10201$ 로 계산했다면 인수분해 공식을 이용하여 10201을 101×101과 같이 두 수의 곱으로 나타낼 수 있다.

주어진 수만 보고 인수분해 공식을 떠올리는 것이 그다지 수월하지는 않을 것이다. 이때, 일정한 수를 문자로 치환해 보면 공식을 보다 쉽게 떠올릴 수가 있다.

위의 곱 10201을 두 수의 곱으로 나타내는 과정은 다음과 같다.

$10201=10000+200+1$에서 100을 x라고 하면
$$x^2+2x+1=(x+1)^2$$
따라서 $10201=101\times101$로 나타낼 수 있다.

이번에는 좀 더 큰 수 100010001과 1000001을 두 수의 곱으로 분해해 보자.

눈치챘겠지만 인수분해 공식을 사용하기 위해서는 $100010001=10^8+10^4+1$처럼 나타내는 것이 먼저 필요하다.

$100010001=10^8+10^4+1$에서 10을 x라고 하면
$$10^8+10^4+1=x^8+x^4+1$$
그런데 $x^8+x^4+1=x^8+2x^4+1-x^4=(x^4+1)^2-(x^2)^2=(x^4+x^2+1)(x^4-x^2+1)$
과 같이 인수분해되므로 이를 이용하여 정리하면 100010001을 다음과 같이 두 수의 곱 으로 나타낼 수 있다.
$$100010001=(10^4+10^2+1)(10^4-10^2+1)=10101\times9901$$

$1000001=10^6+1$에서 10을 x라고 하면
$$10^6+1=x^6+1$$
그런데 $x^6+1=(x^2)^3+1=(x^2+1)(x^4-x^2+1)$과 같이 인수분해되므로 이를 이용 하여 정리하면 1000001을 다음과 같이 두 수의 곱으로 나타낼 수 있다.
$$1000001=10^6+1=(10^2+1)(10^4-10^2+1)=101\times9901$$

또 다른 예로 99970009를 두 수의 곱으로 분해해 보자.

99970009 $=100^4-3\times100^2+9$ 에서 100을 x 라고 하면
$$100^4-3\times100^2+9=x^4-3x^2+9$$
그런데 $x^4-3x^2+9=x^4+6x^2+9-9x^2=(x^2+3)^2-(3x)^2$
$$=(x^2+3x+3)(x^2-3x+3)$$
과 같이 인수분해되므로 이를 이용하여 정리하면 99970009를 다음과 같이 두 수의 곱
으로 나타낼 수 있다.
$$99970009=(100^2+3\times100+3)(100^2-3\times100+3)=10303\times9703$$

이처럼 다항식의 인수분해를 통해 큰 수를 두 수의 곱으로 분해할 수 있고 이를 통해
큰 수의 소인수분해를 완성할 수도 있다. 물론 인수분해 공식을 적용할 수 있는 수의
형태가 다소 한정적이기는 하지만 말이다. 이번에는 수의 분해와 함께 재미있는 모양
을 만들어 보자.

아래 [그림 1]에서 각 층의 수를 인수분해를 이용하여 두 수의 곱으로 분해해 보면 다
음과 같은 규칙이 보인다.

$$121=10^2+2\times10+1=(10+1)^2=11\times11$$
$$12321=10^4+2\times10^3+3\times10^2+2\times10+1$$
$$=(10^2+10+1)^2=111\times111$$
$$1234321=(10^3+10^2+10+1)^2=1111\times1111$$

따라서 [그림 1]의 피라미드의 각 층의 수를 두 수의 곱으로 분해해 보면 [그림 2]와
같이 숫자 1로만 만들어진 재미있는 피라미드가 생기게 된다.

1	1×1
1 2 1	11×11
1 2 3 2 1	111×111
1 2 3 4 3 2 1	1111×1111
1 2 3 4 5 4 3 2 1	11111×11111
1 2 3 4 5 6 5 4 3 2 1	111111×111111
1 2 3 4 5 6 7 6 5 4 3 2 1	1111111×1111111
1 2 3 4 5 6 7 8 7 6 5 4 3 2 1	11111111×11111111
[그림 1]	[그림 2]

독일의 드레스덴
동화에나 나올법한 예쁜 도시 드레스덴은
독일에서 아름답기로 손꼽히는 예술의 도시이다.
아름다운 풍경과 다채로운 문화 공연에 환상적인 야경까지
세계적인 명소로서의 면모를 충분히 갖춘 도시이다.

III
이차방정식

숨마쿰라우데® 개념기본서

INTRO to Chapter Ⅲ
이차방정식

SUMMA CUM LAUDE - MIDDLE SCHOOL MATHEMATICS

이차방정식의 역사...

이차방정식의 역사는 고대 바빌로니아 시대로 거슬러 올라간다. 바빌로니아 점토판 유물 중에는 다음과 같은 기록이 있다. 이것은 바빌로니아 시대에도 이차방정식 문제를 풀 수 있었다는 것을 뜻한다.

어떤 정사각형의 넓이와 한 변의 길이를 합하면 $\frac{3}{4}$이다.
이때 한 변의 길이를 구하면 $\frac{1}{2}$이다.

$$x^2 + x = \frac{3}{4}$$

그러나 이차방정식을 본격적으로 다룬 사람은 알렉산드리아 시대의 그리스 수학자 헤론 (?10~?75)으로 전해진다. 그는 다음과 같은 이차방정식 문제를 다루었다고 한다.

> 어떤 정사각형의 넓이와 둘레의 길이의 합이 896일 때, 이 정사각형의 한 변의 길이는 얼마인가?

$$x^2 + 4x = 896$$

그리스의 대수학자 디오판토스(?200~?284) 역시 이차방정식의 해법에 관심을 갖고 있었다. 그는 정수론이라는 책에 특수한 이차방정식의 해법을 다루어 놓았다. 그는 여러 가지 방법으로 이차방정식을 풀어 놓았으나 일관된 방법을 제시하지는 못하였다.

이차방정식의 풀이에 대해 보다 일관된 방법을 제시한 사람은 인도의 수학자인 브라마굽타(598~670)였다. 그는 저서에서 이차방정식의 꼴로 만들어 근을 구하는 과정을 문장으로 설명하였고 이차방정식의 근의 공식도 소개하였다. 그러나 그 당시 음수 개념이 나타나지 않아 이차방정식의 해를 구할 때, 양수만을 택하였다.

12세기에 들어와서야 이차방정식에 대한 완전한 해법이 소개되었다. 당시 인도의 수학자 바스카라(1114~1185)는 근의 무리수 부분을 양, 음 두 가지의 제곱근으로 설명하였고 오늘날 사용되는 이차방정식의 근의 공식을 문장으로 설명하였다.

이차방정식은 어떻게 공부할까?...

이차방정식을 잘 풀기 위해서는 일차적으로 II단원에서 배운 인수분해 방법을 잘 알아야 한다. 인수분해만 할 수 있다면 다음과 같은 성질에 의해 이차방정식의 근을 바로 구할 수 있게 된다.

$$AB = 0$$이면 $$A = 0$$ 또는 $$B = 0$$

이차방정식과 관련하여 놀라운 것은 모든 이차방정식의 근을 구할 수 있는 마법의 근의 공식이 있다는 것이다. 근의 공식은 오랜 세월 여러 수학자들의 시행착오를 통하여 나온 지혜의 결정체이다. 따라서

근의 공식을 이끌어내는 과정을 이해하는 것

은 이 단원을 공부하는 핵심이라 할 수 있다. 단순히 공식만 외우면 끝이라고 생각할 수도 있겠지만 수학은 공식을 외우는 학문이 아니라 그 원리를 이해하는 학문임을 다시 한 번 상기하자.

근의 공식이 유도되는 과정 속에서 이차방정식의 근에 대한 이해도도 자연히 높아질 것이다. 자, 그러면 이차방정식에 대해 본격적으로 살펴보도록 하자~!

SUMMA CUM LAUDE

1. 이차방정식의 뜻

(1) 등식의 모든 항을 좌변으로 이항하여 정리하였을 때,

$$(x에 대한 이차식)=0$$

꼴로 나타내어지는 방정식을 x에 대한 이차방정식이라고 한다.

(2) 일반적으로 x에 대한 이차방정식은 다음과 같이 나타낼 수 있다.

$$ax^2+bx+c=0 \ (a, b, c는 \ 상수, \ a \neq 0)$$

2. 이차방정식의 해(근)

(1) 이차방정식의 해(근) : 이차방정식 $ax^2+bx+c=0$을 참이 되게 하는 x의 값

(2) 이차방정식을 푼다 : 이차방정식의 해를 모두 구하는 것

중1 과정에서 우리는 일차방정식을 배웠다. x에 대한 일차방정식은 등식의 모든 항을 좌변으로 이항하여 정리하였을 때, '$(x에 대한 일차식)=0$' 꼴로 나타내어지는 방정식이었다. 여기서는 이를 확장하여 x에 대한 이차방정식에 대해 배워 보도록 하자.

1. 이차방정식의 뜻

Q 055 이차방정식이란?

 $ax^2+bx+c=0 \ (a, b, c는 \ 상수, \ a \neq 0)$ 꼴로 나타내어지는 방정식

 직사각형 모양의 화단을 만드는데 둘레의 길이는 24 m이고 넓이는 35 m²가 되도록 만들려고 한다. 화단의 가로와 세로의 길이는 어떻게 정해야 할까?

일단, 화단의 세로의 길이를 x m라고 하면 가로와 세로의 길이의 합은 12 m이어야 하므로 가로의 길이는

$$(12-x) \ m$$

이다. 이때 화단의 넓이가 35 m²이므로

$$x(12-x)=35$$

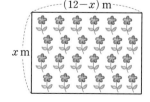

위 방정식의 모든 항을 좌변으로 이항하여 정리하면
$$-x^2+12x-35=0 \implies x^2-12x+35=0$$
과 같이 좌변이 이차식인 방정식이 된다.

이와 같이 등식의 모든 항을 좌변으로 이항하여 정리하였을 때, 좌변이 x에 대한 이차식이 되는 방정식, 즉

$$(x에 \ 대한 \ 이차식)=0$$

꼴로 나타내어지는 방정식을 x에 대한 **이차방정식**이라고 한다.

일반적으로 x에 대한 이차방정식은 다음과 같이 나타낼 수 있다.

$$\boxed{ax^2+bx+c=0 \ (단, \ a, \ b, \ c는 \ 상수, \ a \neq 0)}$$

```
          이차방정식
      x² − 12x + 35 = 0
              이차식
```

Q 056 이차방정식이 되기 위한 조건은?

A (x에 대한 이차식)=0 꼴로 표현되는지 확인해.

A $ax^2+bx+c=0$이 이차방정식이 되려면 b, c는 0이어도 되지만 x^2의 계수 a는 항상 $\boldsymbol{a \neq 0}$이어야 한다. 예를 들어 $x^2-4x=(x-1)^2$은 x^2항을 포함하고 있어서 x에 대한 이차방정식처럼 보이지만 우변의 모든 항을 좌변으로 이항하여 정리하면

$$x^2-4x-(x^2-2x+1)=0 \implies -2x-1=0$$

이므로 이차방정식이 아니다.

이차방정식이 되기 위한 조건은?

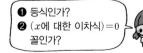
❶ 등식인가?
❷ (x에 대한 이차식)=0 꼴인가?

예제 1 다음 식이 이차방정식이면 ○표, 아니면 ×표를 하여라.

(1) x^2-x-4 ( )　　　　　　(2) $(x-2)^2=x^2$ ( )

(3) $(x+2)^2=4$ ( )　　　　　　(4) $x^3+x^2=x^3+2x+4$ ( )

풀이 (1) × (2) × (3) ○ (4) ○

(1) 등식이 아니다. 　　　(2) 정리하면 $-4x+4=0$으로 x에 대한 일차방정식

(3) 정리하면 $x^2+4x=0$ 　　　(4) 정리하면 $x^2-2x-4=0$

예제 2 다음 방정식이 x에 대한 이차방정식이 되기 위한 조건을 구하여라.

(1) $ax^2+bx+c=3x^2+2x+1$ 　　　　(2) $2ax^2-x=4x^2-8x+3$

풀이 (1) $\boldsymbol{a \neq 3}$ 　(2) $2a \neq 4$ 　∴ $\boldsymbol{a \neq 2}$

이차항의 계수만 확인하면 돼!

2. 이차방정식의 해

A 이차방정식을 참이 되게 하는 미지수 x의 값이야.

A 중학교 1학년 때 방정식을 배우면서 그 해에 대해 다음과 같이 배웠다.

방정식을 참이 되게 하는 미지수의 값이 그 방정식의 해이다.

따라서 자연스럽게 이차방정식 $ax^2+bx+c=0$을 참이 되게 하는 미지수 x의 값이 이차방정식의 **해** 또는 근이 됨을 이해할 수 있다.

또한 이차방정식의 해 또는 근을 모두 구하는 것을 **이차방정식을 푼다**고 한다.

예를 들어 x의 값이 -1, 0, 1일 때, 이차방정식 $x^2-3x+2=0$의 해를 구해 보자.
주어진 수를 각각 좌변에 대입하면 다음과 같다.

x의 값	좌변의 값	우변의 값
-1	$(-1)^2-3\times(-1)+2=6$ $\ne$	0
0	$0^2-3\times0+2=2$ $\ne$	0
1	$1^2-3\times1+2=0$ $=$	0

위의 표에서 등식 $x^2-3x+2=0$을 만족시키는 x의 값은 $x=1$이다.
즉, 등식을 만족시키는 x의 값이 이차방정식의 해이므로 이차방정식 $x^2-3x+2=0$의 해는 $x=1$이다.

 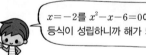

$x=-2$가 $x^2-x-6=0$의 해일까?

$x=-2$를 $x^2-x-6=0$에 대입하면 등식이 성립하니까 해가 돼!

예제 3 다음 [ ] 안의 수가 이차방정식의 해이면 ○표, 아니면 ×표를 하여라.

(1) $(x-4)^2=3$ $[4]$ ( )   (2) $x^2-3x=0$ $[1]$ ( )

(3) $x^2-3x-10=0$ $[-2]$ ( )   (4) $x^2-2=6x+5$ $[-1]$ ( )

풀이 (1) ×   (2) ×   (3) ○   (4) ○

(1) $x=4$를 대입하면 $(4-4)^2=0\ne3$ (2) $x=1$을 대입하면 $1^2-3\times1=-2\ne0$

(3) $x=-2$를 대입하면 $(-2)^2-3\times(-2)-10=0$

(4) $x=-1$을 대입하면 $(-1)^2-2=6\times(-1)+5$

예제 4 $x=2$가 이차방정식 $x^2+ax+2=0$의 해일 때, 상수 a의 값을 구하여라.

풀이 $x=2$를 $x^2+ax+2=0$에 대입하면 $2^2+2a+2=0$ $\therefore a=-3$

01 다음 보기에서 x에 대한 이차방정식인 것을 모두 골라라.

보기
ㄱ. $x^2 = x - x^2$
ㄴ. $(2x+5)(3x-4)=0$
ㄷ. $x^2 - 3 = x^3 + 5$
ㄹ. $(x-2)^2 = 3$
ㅁ. $2(x+1)^2 = 2x^2$
ㅂ. $x^2 + 1 = -2x$

02 $ax^2 + 3x + 1 = 2x^2$이 x에 대한 이차방정식이 되기 위한 조건은? (단, a는 상수)

① $a \neq 0$ ② $a \neq 1$ ③ $a \neq 2$

④ $a \neq 3$ ⑤ $a \neq 4$

03 다음 [ ] 안의 수가 주어진 이차방정식의 해인 것은?

① $x^2 + 3x + 2 = 0$ [3]   ② $(x+1)(x-2)=0$ [1]

③ $x^2 - 5x - 6 = 0$ [-1]   ④ $4x^2 + 5x + 1 = 0$ [-4]

⑤ $x(x-2) = 1$ [0]

04 x의 값이 0, 1, 2, 3일 때, 다음 이차방정식의 해를 구하여라.

(1) $x^2 - 1 = 0$ (2) $x(x-5)=0$

05 $x=-3$이 이차방정식 $x^2 + ax - 12 = 0$의 해일 때, 상수 a의 값을 구하여라.

SUMMA CUM LAUDE

1. 인수분해를 이용한 이차방정식의 풀이

(1) $AB=0$의 성질 : 두 수 또는 두 식 A, B에 대하여

$\quad AB=0$이면 $A=0$ 또는 $B=0$

(2) 인수분해를 이용한 이차방정식의 풀이

❶ 주어진 이차방정식을 정리한다. ➡ $x^2+2x-3=0$

❷ 좌변을 인수분해한다. ➡ $(x+3)(x-1)=0$

❸ $AB=0$의 성질을 이용한다. ➡ $x+3=0$ 또는 $x-1=0$

❹ 해를 구한다. ➡ $x=-3$ 또는 $x=1$

2. 이차방정식의 중근

(1) 중근 : 이차방정식의 두 근이 중복되어 서로 같을 때, 이 근을 중근이라고 한다.

(2) 이차방정식이 (완전제곱식)$=0$ 꼴로 인수분해되면 중근을 갖는다.

(3) 이차방정식 $\underset{\text{완전제곱식}}{x^2+ax+b}=0$이 중근을 가질 조건 : $b=\left(\dfrac{a}{2}\right)^2$

3. 제곱근을 이용한 이차방정식의 풀이

(1) 이차방정식 $x^2=k\ (k\geq 0)$의 해 ➡ $x=\pm\sqrt{k}$

(2) 이차방정식 $(x+p)^2=k\ (k\geq 0)$의 해 ➡ $x=-p\pm\sqrt{k}$

4. 완전제곱식을 이용한 이차방정식의 풀이

이차방정식 $ax^2+bx+c=0$의 좌변이 인수분해되지 않을 때는 $(x+p)^2=k$ 꼴로 고친 후 제곱근을 이용하여 다음과 같이 이차방정식을 푼다.

$$4x^2-8x-3=0\text{에서}$$

❶ 양변을 x^2의 계수로 나눈다. ➡ $x^2-2x-\dfrac{3}{4}=0$

❷ 좌변의 상수항을 우변으로 이항한다. ➡ $x^2-2x=\dfrac{3}{4}$

❸ x의 계수의 절반을 제곱한 값을 양변에 더한다. ➡ $x^2-2x+1=\dfrac{3}{4}+1$

❹ 좌변을 완전제곱식으로 만든다. ➡ $(x-1)^2=\dfrac{7}{4}$

❺ 제곱근의 성질을 이용한다. ➡ $x-1=\pm\sqrt{\dfrac{7}{4}}=\pm\dfrac{\sqrt{7}}{2}$

❻ 해를 구한다. ➡ $x=1\pm\dfrac{\sqrt{7}}{2}$

1. 인수분해를 이용한 이차방정식의 풀이

Q 058 | $AB=0$이면 A, B는 어떤 값이 되어야 할까?

A (바른)
$A=0$ 또는 $B=0$이어야 해.

A (친절한)
두 수 또는 두 식 A, B에 대하여 $AB=0$이면 다음 세 가지 중 한 가지가 반드시 성립한다.

> (1) $A=0$, $B=0$ (2) $A=0$, $B\ne0$ (3) $A\ne0$, $B=0$

위의 세 가지를 통틀어 '$A=0$ 또는 $B=0$'이라고 한다. 즉, 다음과 같이 말할 수 있다.

> $AB=0$이면 $A=0$ <u>또는</u> $B=0$이다.
>   ↑─이거나

거꾸로도 성립한다.
$A=0$ 또는 $B=0$이면
$AB=0$이다.

이 성질을 이용하면 다음과 같이 $AB=0$ 꼴의 이차방정식의 해를 구할 수 있다.

$AB=0$	$A=0$ 또는 $B=0$	이차방정식의 해
$(x+2)(x-3)=0$	$x+2=0$ 또는 $x-3=0$	$x=-2$ 또는 $x=3$
$x(x+5)=0$	$x=0$ 또는 $x+5=0$	$x=0$ 또는 $x=-5$
$(2x+1)(x-2)=0$	$2x+1=0$ 또는 $x-2=0$	$x=-\dfrac{1}{2}$ 또는 $x=2$

│참고│ 앞에서 이차방정식의 해를 구할 때 주어진 x의 값에 한하여 해를 구하였지만 여기서는 특별한 말이 없으므로 이차방정식의 해를 실수 전체에서 생각한다.

THINK Math

'$x=-2$ 또는 $x=3$'의 의미

두 수 또는 두 식 A, B에 대하여 $AB=0$이면 다음 중 어느 하나가 성립함은 분명하다.
    (ⅰ) $A=0$, $B=0$ (ⅱ) $A=0$, $B\ne0$ (ⅲ) $A\ne0$, $B=0$
그런데 이차방정식 $(x+2)(x-3)=0$의 경우는 다음 세 가지 중 (2)와 (3)만을 나타낸다.
    (1) $x=-2$, $x=3$ (2) $x=-2$, $x\ne3$ (3) $x\ne-2$, $x=3$
왜냐하면 x의 값이 -2이면서 동시에 3이 될 수 없기 때문이다.
위 (ⅰ), (ⅱ), (ⅲ)을 모두 포함하려면 $AB=0$에서 A, B가 서로 다른 미지수에 대한 식이어야 한다.

A

$(x-\alpha)(x-\beta)=0$ 꼴로 인수분해 ➡ $x=\alpha$ 또는 $x=\beta$

A

이차방정식 $ax^2+bx+c=0$의 좌변을 두 일차식의 곱으로 인수분해할 수 있다면 **Q 058**에서 배운 '$AB=0$이면 $A=0$ 또는 $B=0$'의 성질을 이용하여 이차방정식을 풀 수 있다.

인수분해를 이용한 이차방정식의 풀이
❶ 주어진 이차방정식을 $ax^2+bx+c=0$ 꼴로 정리한다.
❷ 좌변을 인수분해한다.
❸ $AB=0$의 성질을 이용한다.
❹ 해를 구한다.

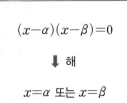

이차방정식 $2x^2+5x+2=0$을 인수분해를 이용하여 풀어 보자.

❶ 좌변을 인수분해하면	$(x+2)(2x+1)=0$
❷ $AB=0$의 성질에 의해	$x+2=0$ 또는 $2x+1=0$
❸ 해를 구하면	$x=-2$ 또는 $x=-\dfrac{1}{2}$

이차방정식 $(x+3)(x-1)=5$를 보고 $x+3=0$ 또는 $x-1=0$을 떠올린다면 땡~!
마치 인수분해된 것처럼 보이지만 우변에 5가 있으므로 완전하게 인수분해된 것이 아니다.
다음과 같이 전개한 후 정리하여 인수분해해야 한다.

❶ $ax^2+bx+c=0$ 꼴로 정리하면	$x^2+2x-3=5$ ➡ $x^2+2x-8=0$
❷ 좌변을 인수분해하면	$(x+4)(x-2)=0$
❸ $AB=0$의 성질에 의해	$x+4=0$ 또는 $x-2=0$
❹ 해를 구하면	$x=-4$ 또는 $x=2$

예제 5 다음 이차방정식을 풀어라.
(1) $x^2-4x-12=0$ (2) $2x^2+9x+10=0$
(3) $x(x+8)=9$ (4) $(x+4)(x+3)=2(x+3)$

풀이 (1) $(x+2)(x-6)=0$ ➡ $x=-2$ 또는 $x=6$

(2) $(2x+5)(x+2)=0$ ➡ $x=-\dfrac{5}{2}$ 또는 $x=-2$

(3) $x^2+8x-9=0$ ➡ $(x+9)(x-1)=0$ ➡ $x=-9$ 또는 $x=1$

(4) $x^2+5x+6=0$ ➡ $(x+3)(x+2)=0$ ➡ $x=-3$ 또는 $x=-2$

2. 이차방정식의 중근

Q 060 | 이차방정식의 중근이란?

A 중복되어 서로 같은 두 근!

A 이차방정식 $x^2-6x+9=0$의 좌변을 인수분해하면

$$(x-3)^2=0 \implies (x-3)(x-3)=0$$

따라서 이 이차방정식의 해는 $x=3$ 또는 $x=3$이다. 그런데 두 근이 서로 일치하므로 한 개의 근만 쓰면 된다.

이와 같이 이차방정식의 두 근이 중복될 때, 이 근을 주어진 이차방정식의 **중근**이라고 한다.

중근일 때에는 다음과 같이 하나의 해 옆에 (중근)이라는 표시를 하여 일반해와 구분지어 준다.

$$\text{이차방정식 } x^2-6x+9=0\text{의 해} \implies x=3 \text{ (중근)}$$

예제 6 다음 이차방정식을 풀어라.

(1) $x^2+10x+25=0$ (2) $4x^2-4x+1=0$ (3) $9x^2=6x-1$

풀이 (1) $(x+5)^2=0$이므로 $x=-5$ **(중근)**

(2) $(2x-1)^2=0$이므로 $x=\dfrac{1}{2}$ **(중근)**

(3) $9x^2-6x+1=0 \implies (3x-1)^2=0 \qquad \therefore x=\dfrac{1}{3}$ **(중근)**

Q 061 | 이차방정식은 어떤 경우에 중근을 가질까?

A (완전제곱식)$=0$ 꼴

A 이차방정식을 정리하여 인수분해하였을 때, (완전제곱식)$=0$ 꼴이 되는 이차방정식은 중근을 갖는다. 즉, 이차방정식 $x^2+ax+b=0$이 중근을 가지려면 좌변이 완전제곱식으로 인수분해되어야 하므로 x의 계수의 절반을 제곱한 값이 상수항과 같아야 한다.

$$\boxed{\text{중근}} \Longleftrightarrow \boxed{\text{(완전제곱식)}=0} \Longleftrightarrow \boxed{x^2+ax+b=0\text{이면 } b=\left(\dfrac{a}{2}\right)^2}$$

$$x^2-14x+49=0$$
$\left(\dfrac{-14}{2}\right)^2=49$ 절반의 제곱이다.
즉, 중근을 갖는다.

$$x^2-6x+10=0$$
$\left(\dfrac{-6}{2}\right)^2=9$ 절반의 제곱이 아니다.
즉, 중근을 갖지 않는다.

예제 7 다음 이차방정식이 중근을 갖도록 하는 상수 k의 값을 구하여라.

(1) $x^2-8x+k=0$ (2) $x^2+kx+25=0$ (3) $3x^2-12x+k=0$

풀이 (1) $k=\left(\dfrac{-8}{2}\right)^2=\textbf{16}$

(2) $k=\pm2\sqrt{25}=\pm\textbf{10}$

(3) $\left(\dfrac{-12}{2}\right)^2=3k \Rightarrow 3k=36 \Rightarrow k=\textbf{12}$

3. 제곱근을 이용한 이차방정식의 풀이

Q 062   제곱근을 이용하여 이차방정식을 어떻게 풀까?

$(x+p)^2=k(k\geq0)$ 꼴 $\Rightarrow$ $x=-p\pm\sqrt{k}$

I단원에서 우리는 '$x^2=k(k\geq0)$일 때, x는 k의 제곱근'이라는 것을 배웠다.

따라서 이차방정식 $x^2=k(k\geq0)$를 만족시키는 x의 값은 당연히 k의 제곱근이므로

$$\boxed{\begin{array}{c} \text{이차방정식 } x^2=k(k\geq0)\text{의 해는} \\ x=\sqrt{k} \text{ 또는 } x=-\sqrt{k} \\ \text{즉, } \boldsymbol{x=\pm\sqrt{k}} \end{array}}$$

이러한 성질을 이용하여 이차방정식 $x^2=5$를 풀 수 있다.

$$\boxed{x^2=5} \xrightarrow{\text{제곱근}} \boxed{x=\pm\sqrt{5}}$$

일반적으로 $ax^2+c=0\ (a\neq0,\ ac\leq0)$과 같이 일차항이 없는 이차방정식은

$x^2=k\ (k\geq0)$ 꼴로 고친 후에 k의 제곱근을 구하여 풀 수 있다.

$$\boxed{4x^2-3=0} \xrightarrow{\text{정리}} \boxed{x^2=\dfrac{3}{4}} \xrightarrow{\text{제곱근}} \boxed{x=\pm\dfrac{\sqrt{3}}{2}}$$

또한 제곱근을 이용하여 이차방정식 $(x-1)^2=3$도 풀 수 있다.

$$\boxed{(x-1)^2=3} \xrightarrow{\text{제곱근}} \boxed{x-1=\pm\sqrt{3}} \xrightarrow{\text{정리}} \boxed{x=1\pm\sqrt{3}}$$

이상을 정리하면 다음과 같다.

제곱근을 이용한 이차방정식의 풀이

(1) 이차방정식 $x^2=k\,(k\geq0)$의 해 $\Rightarrow x=\pm\sqrt{k}$

(2) 이차방정식 $(x+p)^2=k\,(k\geq0)$의 해 $\Rightarrow x=-p\pm\sqrt{k}$

예제 8 다음 이차방정식을 제곱근을 이용하여 풀어라.

(1) $4x^2=64$ (2) $2x^2-4=0$ (3) $(x-2)^2=7$

풀이 (1) $x^2=16$이므로 $x=\pm4$

(2) $x^2=2$이므로 $x=\pm\sqrt{2}$

(3) $x-2=\pm\sqrt{7}$이므로 $x=2\pm\sqrt{7}$

먼저 x^2의 계수를 1로 만들어야 해.

4. 완전제곱식을 이용한 이차방정식의 풀이

Q 063 완전제곱식을 이용하여 이차방정식을 어떻게 풀까?

A $(x+p)^2=k\,(k\geq0)$ 꼴로 고친 후 해를 구해.

A 이차방정식 $ax^2+bx+c=0$의 좌변이 두 일차식의 곱으로 인수분해가 되지 않을 때에는 좌변을 완전제곱식이 되도록 고친 다음, **Q 062**에서 다룬 제곱근을 이용하는 방법으로 풀 수 있다.
다음은 이차방정식 $4x^2-8x-3=0$을 완전제곱식을 이용하여 푸는 과정이다.

$4x^2-8x-3=0$의 풀이	
❶ 양변을 x^2의 계수로 나눈다.	$x^2-2x-\dfrac{3}{4}=0$
❷ 좌변의 상수항을 우변으로 이항한다.	$x^2-2x=\dfrac{3}{4}$
❸ x의 계수의 절반을 제곱한 값을 양변에 더한다.	$x^2-2x+1=\dfrac{3}{4}+1$
❹ 좌변을 완전제곱식으로 만든다.	$(x-1)^2=\dfrac{7}{4}$
❺ 제곱근의 성질을 이용한다.	$x-1=\pm\sqrt{\dfrac{7}{4}}=\pm\dfrac{\sqrt{7}}{2}$
❻ 해를 구한다.	$x=1\pm\dfrac{\sqrt{7}}{2}$

$ax^2+bx+c=0$

↓ 이차항의 계수를 1로!

$x^2+\dfrac{b}{a}x+\dfrac{c}{a}=0$

↓ 좌변을 완전제곱식으로!

$(x+p)^2=k$

↓ 제곱근을 이용하여 x의 값 구하기

$x=-p\pm\sqrt{k}$

예제 9 | 다음은 완전제곱식을 이용하여 이차방정식 $2x^2+16x+8=0$을 푸는 과정이다. $A \sim E$에 알맞은 수를 각각 구하여라.

양변을 2로 나누면	$x^2+8x+4=0$
상수항을 우변으로 이항하면	$x^2+8x=-4$
양변에 A를 더하면	$x^2+8x+A=-4+A$
좌변을 완전제곱식으로 고치면	$(x+B)^2=C$
제곱근을 이용하여 풀면	$x+B=\pm2\sqrt{D}$
해를 구하면	$x=E$

풀이) $A=16$, $B=4$, $C=12$, $D=3$, $E=-4\pm2\sqrt{3}$

이제부터 이차방정식은 다음과 같이 크게 두 가지 경우로 나누어 풀면 된다.

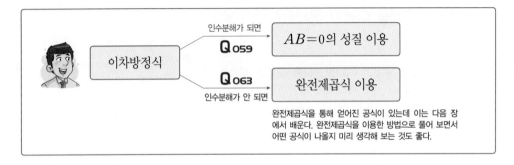

인수분해가 되면   **Q** 059 $AB=0$의 성질 이용

이차방정식

인수분해가 안 되면   **Q** 063   완전제곱식 이용

완전제곱식을 통해 얻어진 공식이 있는데 이는 다음 장에서 배운다. 완전제곱식을 이용한 방법으로 풀어 보면서 어떤 공식이 나올지 미리 생각해 보는 것도 좋다.

Q 064 | 이차방정식이 근을 가질 조건은 무엇일까?

$(x+p)^2=k$ 꼴에서 $k \geq 0$이면 근을 가져.

Q 063에서 배운대로 하면 모든 이차방정식 $ax^2+bx+c=0$은 $(x+p)^2=k$ 꼴로 나타낼 수 있다. 이때 k의 값이 음수인 경우에는 주어진 이차방정식의 해가 존재하지 않는다.

왜? 제곱해서 음수가 되는 수는 없으니까!

다음은 이차방정식 $x^2+4x+6=0$을 완전제곱식을 이용하여 푸는 과정의 일부이다.

먼저 좌변의 상수항을 우변으로 이항하면	$x^2+4x=-6$
양변에 4를 더하면	$x^2+4x+4=-6+4$
좌변을 완전제곱식으로 고치면	$(x+2)^2=-2$

그런데 실수 중에서 -2의 제곱근은 없다. 따라서 이차방정식 $x^2+4x+6=0$의 해는 없다.

이차방정식 $ax^2+bx+c=0$을 $(x+p)^2=k$ 꼴로 고쳤을 때 k의 값에 따라 다음과 같이 해가 나타난다.

① $k<0$인 경우	근이 없다. (0개)
② $k=0$인 경우	중근을 갖는다. (1개)
③ $k>0$인 경우	서로 다른 두 근을 갖는다. (2개)

$(x+p)^2=k$에서 $k\geq0$이면 근을 갖는다.

따라서 이차방정식 $(x+p)^2=k$가 근을 가질 조건은 $k\geq0$이다.

예제 10 다음 물음에 답하여라.

(1) 이차방정식 $(x-2)^2=k+3$이 중근을 가질 때, 상수 k의 값을 구하여라.

(2) 이차방정식 $\left(x+\dfrac{1}{2}\right)^2=k-2$가 근을 갖기 위한 상수 k의 값의 범위를 구하여라.

풀이 (1) $k+3=0$이어야 하므로 $k=-3$

(2) $k-2\geq0$이어야 하므로 $k\geq2$

Math STORY

정사각형의 넓이를 이용한 이차방정식의 풀이

인도에서는 상업의 발달로 원금과 이자 계산에 대한 관심이 높아지면서 현재의 방법과 비슷한 이차방정식의 풀이법이 일찍 개발되어 방정식에 대한 이론이 크게 발달하였다.

이러한 인도 수학의 영향을 받은 아라비아인 알콰리즈미(?780~?850)는 이차방정식 $x^2+10x=39$의 해를 오른쪽 그림과 같이 정사각형의 넓이를 이용하여 구하였다고 한다. 당시에는 근을 양수만 생각하였고, 두 근이 양수이면 그중에서 작은 수만을 근으로 취급하였다고 한다.

$$x^2+10x=39$$
$$(x+5)^2=39+25=64$$
$$x+5=8 \quad \therefore x=3$$

개념 CHECK

해설 BOOK 026쪽

개념 **확인**

(1) $AB=0$이면
$A=0$ [ ] $B=0$이다.
(2) 이차방정식의 두 근이 서로 같을 때, 이 근을 [ ]이라고 한다.

01 다음 이차방정식을 인수분해를 이용하여 풀어라.

(1) $x^2+3x-4=0$

(2) $x^2+6x+5=0$

(3) $6x^2+7x-3=0$

(4) $2x^2-5x-3=0$

02 다음 보기의 이차방정식 중 중근을 갖는 것을 모두 골라라.

보기
ㄱ. $x^2=4$
ㄴ. $(x+3)(x-3)=0$
ㄷ. $x^2-6x+9=0$
ㄹ. $(x+2)^2=9$

03 다음 이차방정식을 제곱근을 이용하여 풀어라.

(1) $3x^2=27$

(2) $9x^2-16=0$

(3) $(x-4)^2=3$

(4) $(3x-2)^2=2$

자기 **진단**

Q.059 ○142쪽
인수분해를 이용하여 이차방정식의 해를 어떻게 구할까?

Q.061 ○143쪽
이차방정식은 어떤 경우에 중근을 가질까?

Q.063 ○145쪽
완전제곱식을 이용하여 이차방정식을 어떻게 풀까?

04 다음 이차방정식을 완전제곱식을 이용하여 풀어라.

(1) $x^2+4x-2=0$

(2) $x^2+2x-6=0$

(3) $2x^2-4x+1=0$

(4) $3x^2-12x-3=0$

05 이차방정식 $(x+4)^2=1-k$가 근을 가질 때, 상수 k의 값의 범위를 구하여라.

문제 이해도를 ☺, ☺, ☹으로 표시해 보세요.

해설 BOOK 027쪽 | 테스트 BOOK 038쪽

유형 1 이차방정식의 뜻

다음 중 x에 대한 이차방정식인 것은?

① $(x-1)^2 = x^2 - 3x$ ② $3x^3 = x^2 - 2x$

③ $3x^2 - 3(x-2)^2 = 0$ ④ $(x-1)(x+1) = 0$

⑤ $2x^2 - 3x = (x+2)(2x-1)$

Summa Point
주어진 식을 전개한 후 모든 항을 좌변으로 이항하여 정리한 식이 (x에 대한 이차식)$=0$ 꼴로 변형되는 방정식을 찾는다.

137쪽 Q 056 ○

1-1 ☺☺☹

다음 보기 중 x에 대한 이차방정식은 모두 몇 개인지 구하여라.

┤ 보 기 ├

ㄱ. $x(x+1) = 0$

ㄴ. $(x+1)(x-1) = x^2 - 3x$

ㄷ. $2x^2 + 3x - 1 = x^2 - x - 5$

ㄹ. $(x+1)^2 = 4 - 2x + x^2$

1-2 ☺☺☹

이차방정식 $2(x-1)(x+1) = 2x - x^2$을 $ax^2 + bx - 2 = 0$ 꼴로 나타낼 때, 상수 a, b에 대하여 $a - b$의 값을 구하여라.

1-3 ☺☺☹

다음 중 방정식 $3x^2 - x - 4 = ax^2 - 2x + 1$이 x에 대한 이차방정식이 되도록 하는 상수 a의 값이 <u>아닌</u> 것은?

① 1 ② 2 ③ 3

④ 4 ⑤ 5

유형 2 이차방정식의 해

이차방정식 $3x^2 + x - a = 0$의 한 근이 $x = 1$일 때, 상수 a의 값을 구하여라.

Summa Point
이차방정식의 한 근이 1이므로 $x = 1$을 이차방정식에 대입하여 상수 a의 값을 구한다.

138쪽 Q 057 ○

2-1 ☺☺☹

다음 이차방정식 중 $x = -2$를 근으로 갖는 것은?

① $x^2 + 4x - 5 = 0$ ② $(x+3)(x-2) = 4$

③ $x^2 - 4x + 4 = 0$ ④ $x^2 + 5x + 6 = 0$

⑤ $(x+6)^2 = 25$

2-2 ☺☺☹

이차방정식 $x^2 + ax - (a+1) = 0$의 한 근이 $x = 2$일 때, 상수 a의 값을 구하여라.

2-3 ☺☺☹

$x = p$가 이차방정식 $x^2 + 2x - 4 = 0$의 한 근일 때, $p^2 + 2p$의 값을 구하여라.

유형 **3** 인수분해를 이용한 이차방정식의 풀이

이차방정식 $18+x=(x-2)^2$의 두 근을 $x=p$ 또는 $x=q$라고 할 때, $p+2q$의 값을 구하여라. (단, $p>q$)

Summa Point
주어진 식을 $ax^2+bx+c=0$ 꼴로 나타낸 후 $a(x-p)(x-q)=0$으로 인수분해한다. 이때 $AB=0$이면 $A=0$ 또는 $B=0$임을 이용하여 이차방정식의 두 근을 구한다.

142쪽 **Q 059**

유형 **4** 이차방정식의 중근

이차방정식 $x^2-8x+a+1=0$이 중근을 가질 때, 상수 a의 값을 구하여라.

Summa Point
이차방정식 $x^2+ax+b=0$이 중근을 가지려면 $b=\left(\dfrac{a}{2}\right)^2$을 만족해야 한다.

143쪽 **Q 060**

3-1 ☺☺☹

다음 중 해가 $x=-\dfrac{1}{2}$ 또는 $x=4$인 이차방정식을 모두 고르면? (정답 2개)

① $\left(x+\dfrac{1}{2}\right)(x-4)=0$ ② $\left(x-\dfrac{1}{2}\right)(x+4)=0$

③ $(2x+1)(x-4)=0$ ④ $(2x-1)(x+4)=0$

⑤ $(4x-2)(x-4)=0$

3-2 ☺☺☹

이차방정식 $2x^2-x-3=0$을 풀어라.

3-3 ☺☺☹

이차방정식 $x^2+ax+6=0$의 한 근이 $x=1$이고, 다른 한 근이 $x=b$라고 할 때, 상수 a, b에 대하여 $a-b$의 값을 구하여라.

4-1 ☺☺☹

이차방정식 $(x+1)(x-4)=x-8$을 풀어라.

4-2 ☺☺☹

다음 이차방정식 중 중근을 갖는 것은?

① $(x+2)^2=16$ ② $x^2+7x=0$

③ $x^2+3x-4=0$ ④ $(x+6)^2-25=0$

⑤ $(x+1)(x-1)=2x-2$

4-3 ☺☺☹

이차방정식 $x^2-kx+3k=0$이 중근 $x=p$를 가질 때, 0이 아닌 상수 k, p에 대하여 $k+p$의 값을 구하여라.

이차방정식 $(x+3)^2-6=0$의 두 근을 $x=p$ 또는 $x=q$라고 할 때, pq의 값을 구하여라.

Summa Point
$(x-a)^2=k(k≥0)$의 해는 $x=a±\sqrt{k}$이다.

144쪽 **Q 062**

이차방정식 $x^2+7x+5=0$을 완전제곱식을 이용하여 풀어라.

Summa Point
$x^2+7x=-5$의 양변에 $\left(\dfrac{7}{2}\right)^2$을 더하면 좌변이 $\left(x+\dfrac{7}{2}\right)^2$이 됨을 이용하여 푼다.

145쪽 **Q 063**

5-1 ☺☺☹
이차방정식 $3(x-2)^2=9$의 해가 $x=a±\sqrt{b}$일 때, 유리수 a, b에 대하여 $a+b$의 값을 구하여라.

6-1 ☺☺☹
이차방정식 $2(x-1)^2=4x+14$를 $(x+a)^2=b$ 꼴로 나타낼 때, 상수 a, b에 대하여 $a+b$의 값을 구하여라.

5-2 ☺☺☹
이차방정식 $2(x+5)^2=a$의 근이 $x=b±\sqrt{3}$일 때, 유리수 a, b에 대하여 $a+b$의 값을 구하여라.

6-2 ☺☺☹
이차방정식 $x^2-6x+k=0$을 완전제곱식을 이용하여 풀었더니 해가 $x=3±\sqrt{5}$이었다. 이때 상수 k의 값을 구하여라.

5-3 ☺☺☹
x에 대한 이차방정식 $(x-a)^2=b$가 해를 가질 조건을 구하여라.

6-3 ☺☺☹
이차방정식 $3x^2-8x+2=0$의 해가 $x=\dfrac{a±\sqrt{b}}{3}$일 때, 유리수 a, b에 대하여 a^2+b^2의 값을 구하여라.

Step 1 | 내·신·기·본

01 다음 중 x에 대한 이차방정식이 <u>아닌</u> 것은?

① $x^2 = 1$ ② $x(x+4) = 0$

③ $2x^2 = 2x - 1$ ④ $(2x-1)^2 = 0$

⑤ $(x-2)(x-1) = x^2 + 2x$

02 다음 중 방정식 $-2x(ax-2) = x^2 + 5$가 x에 대한 이차방정식이 되도록 하는 상수 a의 값이 될 수 <u>없는</u> 것은?

① -2 ② $-\dfrac{1}{2}$ ③ 0

④ $\dfrac{1}{2}$ ⑤ 2

03 다음 중 [ ] 안의 수가 주어진 이차방정식의 해인 것은?

① $x^2 - 6 = 0$ [2]

② $x^2 - 5x + 3 = 0$ [3]

③ $2x^2 - x - 1 = 0$ [1]

④ $x^2 - 6x + 9 = 0$ [-3]

⑤ $(2x-4)^2 = 0$ [3]

04 다음 이차방정식 중 $x = -2$를 근으로 갖지 <u>않는</u> 것을 모두 고르면? (정답 2개)

① $x^2 - 1 = 0$ ② $x^2 - 2x - 8 = 0$

③ $x^2 + 2x + 1 = 0$ ④ $4x^2 - 16 = 0$

⑤ $(x-1)(x+2) = 0$

05 이차방정식 $x^2 + (a+1)x - 5a = 0$의 한 근이 $x = -2$일 때, 상수 a의 값은?

① $-\dfrac{1}{2}$ ② $-\dfrac{1}{7}$ ③ $\dfrac{2}{7}$

④ $\dfrac{1}{2}$ ⑤ $\dfrac{7}{2}$

06 이차방정식 $3x^2 - 6x - 1 = 0$의 한 근이 $x = k$일 때, 다음 중 옳지 <u>않은</u> 것은?

① $3k^2 - 6k - 1 = 0$ ② $5 - 6k + 3k^2 = 6$

③ $6k^2 - 12k = 2$ ④ $k^2 - 2k + 1 = \dfrac{4}{3}$

⑤ $2k - k^2 = \dfrac{1}{3}$

07 이차방정식 $3x^2-4x-4=0$의 두 근 중 작은 근은?

① $x=-2$ ② $x=-\dfrac{3}{2}$ ③ $x=-\dfrac{2}{3}$

④ $x=\dfrac{2}{3}$ ⑤ $x=2$

08 이차방정식 $2x^2-5x-3=0$의 두 근 중 큰 근이 이차방정식 $x^2-ax+6=0$의 한 근일 때, 상수 a의 값을 구하여라.

09 이차방정식 $x^2-3x+a=0$의 두 근이 $x=-2$ 또는 $x=b$일 때, 상수 a, b에 대하여 $a+b$의 값을 구하여라.

10 $x=-3$이 두 이차방정식 $3x^2+mx-6=0$, $x^2-2x-n=0$의 공통인 근일 때, 상수 m, n에 대하여 $m-n$의 값을 구하여라.

11 다음 중 중근을 갖는 이차방정식을 모두 고르면?

(정답 2개)

① $x^2-6x+6=0$

② $3x^2-6x+3=0$

③ $x^2-25=0$

④ $(x+4)^2+2x+9=0$

⑤ $4x^2-16x-20=0$

12 이차방정식 $x^2+2ax+2a+3=0$이 중근을 가질 때, 자연수 a의 값은?

① 1   ② 2   ③ 3

④ 4   ⑤ 5

13 이차방정식 $(x-3)^2=2+k$가 근을 가질 때, 다음 중 상수 k의 값으로 옳지 <u>않은</u> 것은?

① -3 ② -2 ③ 0

④ 1   ⑤ 2

14 이차방정식 $3x^2+6x-4=0$을 $(x+a)^2=b$ 꼴로 나타낼 때, 상수 a, b에 대하여 $b-a$의 값을 구하여라.

15 이차방정식 $2(x+a)^2=b$의 근이 $x=\dfrac{2\pm\sqrt{14}}{2}$일 때, 유리수 a, b에 대하여 $a+b$의 값은? (단, $b>0$)

① -5 ② -2 ③ 2
④ 5 ⑤ 6

16 이차방정식 $(x-a)^2=7$의 두 근의 차를 구하여라.

(단, a는 상수)

17 이차방정식 $2x^2-8x+A=0$을 $(x+B)^2=\dfrac{11}{2}$로 고친 후 해를 구했더니 $x=\dfrac{C\pm\sqrt{22}}{2}$이었다. 이때 유리수 A, B, C에 대하여 $A+B+C$의 값을 구하여라.

18 $(a^2-5)x^2+4x+3=(a+1)x^2+2x-a$가 x에 대한 이차방정식일 때, 다음 중 상수 a의 값이 될 수 없는 것을 모두 고르면? (정답 2개)

① -2 ② -1 ③ 1
④ 3 ⑤ 5

19 다음 중 이차방정식 $x^2+ax-10=0$의 두 근이 모두 정수일 때, 상수 a의 값이 될 수 없는 것은?

① -9 ② -3 ③ 3
④ 9 ⑤ 11

20 이차방정식 $x^2+ax+2(a-2)=0$과 $x^2-(a+3)x+3a=0$이 공통인 근을 갖는다고 할 때, 가능한 모든 a의 값을 구하여라.

SUMMA CUM LAUDE

1. 이차방정식의 근의 공식

(1) 이차방정식의 근의 공식

① 이차방정식 $ax^2+bx+c=0$ $(a \neq 0)$의 해는

$$x = \frac{-b \pm \sqrt{b^2-4ac}}{2a} \quad (\text{단, } b^2-4ac \geq 0)$$

② 일차항의 계수가 짝수인 이차방정식 $ax^2+2b'x+c=0$ $(a \neq 0)$의 해는

$$x = \frac{-b' \pm \sqrt{b'^2-ac}}{a} \quad (\text{단, } b'^2-ac \geq 0)$$

(2) 복잡한 이차방정식의 풀이

❶ 계수가 소수 또는 분수이면 양변에 적당한 수를 곱하여 모든 계수를 정수로 고친다.

❷ 괄호가 있을 때는 분배법칙을 이용하여 괄호를 푼다.

❸ 공통 부분이 있으면 치환한다.

➡ $ax^2+bx+c=0$ 꼴로 고친 후 인수분해 또는 근의 공식을 이용하여 해를 구한다.

2. 이차방정식의 근의 개수

이차방정식 $ax^2+bx+c=0$ $(a \neq 0)$의 근의 개수는 b^2-4ac의 부호에 따라 결정된다.

(1) $b^2-4ac>0$이면 서로 다른 두 근을 갖는다. ➡ 근의 개수가 2

(2) $b^2-4ac=0$이면 한 근(중근)을 갖는다.   ➡ 근의 개수가 1

(3) $b^2-4ac<0$이면 근이 없다.   ➡ 근의 개수가 0

3. 이차방정식의 근과 계수의 관계 •⎯고등 과정 연계

(1) 이차방정식 $ax^2+bx+c=0$ $(a \neq 0)$의 두 근을 α, β라고 할 때

① 두 근의 합 : $\alpha+\beta = -\dfrac{b}{a}$

② 두 근의 곱 : $\alpha\beta = \dfrac{c}{a}$

(2) 두 근이 α, β이고 x^2의 계수가 a인 이차방정식은

$$a(x-\alpha)(x-\beta)=0 \Longleftrightarrow a\{x^2-(\alpha+\beta)x+\alpha\beta\}=0$$

1. 이차방정식의 근의 공식

주어진 이차방정식이 인수분해가 되지 않을 때, 완전제곱식으로 고치면 해를 구할 수 있었다. 그러나 일일이 완전제곱식으로 고쳐서 해를 구하는 것은 무척 번거롭다. 다행히도 각 항의 계수만으로 이차방정식의 해를 쉽게 구할 수 있는 공식이 있다. 이에 대해 알아보자.

Q 065 | 이차방정식의 근의 공식이란?

$ax^2+bx+c=0(a\neq0)$의 근은 $\Rightarrow$ $x=\dfrac{-b\pm\sqrt{b^2-4ac}}{2a}$ (단, $b^2-4ac\geq0$)

이차방정식 $2x^2+5x+1=0$의 해를 완전제곱식을 이용하여 구하는 과정을 이용하여 이차방정식 $ax^2+bx+c=0$ ($a\neq0$, $b^2-4ac\geq0$)의 해를 구하는 공식을 유도해 보자.

	$2x^2+5x+1=0$의 풀이	$ax^2+bx+c=0$의 풀이
❶ 양변을 x^2의 계수로 나눈다.	$x^2+\dfrac{5}{2}x+\dfrac{1}{2}=0$	$x^2+\dfrac{b}{a}x+\dfrac{c}{a}=0$
❷ 좌변의 상수항을 우변으로 이항한다.	$x^2+\dfrac{5}{2}x=-\dfrac{1}{2}$	$x^2+\dfrac{b}{a}x=-\dfrac{c}{a}$
❸ x의 계수의 절반을 제곱한 값을 양변에 더한다.	$x^2+\dfrac{5}{2}x+\left(\dfrac{5}{4}\right)^2=-\dfrac{1}{2}+\left(\dfrac{5}{4}\right)^2$ 절반의 제곱	$x^2+\dfrac{b}{a}x+\left(\dfrac{b}{2a}\right)^2=-\dfrac{c}{a}+\left(\dfrac{b}{2a}\right)^2$ 절반의 제곱
❹ 좌변을 완전제곱식으로 만든다.	$\left(x+\dfrac{5}{4}\right)^2=\dfrac{17}{16}$	$\left(x+\dfrac{b}{2a}\right)^2=\dfrac{b^2-4ac}{4a^2}$
❺ 제곱근을 구한다.	$x+\dfrac{5}{4}=\pm\dfrac{\sqrt{17}}{4}$	$x+\dfrac{b}{2a}=\pm\dfrac{\sqrt{b^2-4ac}}{2a}$
❻ 해를 구한다.	$x=-\dfrac{5}{4}\pm\dfrac{\sqrt{17}}{4}$ $\Rightarrow x=\dfrac{-5\pm\sqrt{17}}{4}$	$x=-\dfrac{b}{2a}\pm\dfrac{\sqrt{b^2-4ac}}{2a}$ $\Rightarrow x=\dfrac{-b\pm\sqrt{b^2-4ac}}{2a}$ ……㉠

완전제곱식을 통해 유도된 해 ㉠을 이차방정식 $ax^2+bx+c=0$ ($a\neq0$)의 **근의 공식**이라고 한다. 근의 공식에 각 항의 계수만 대입하면 이차방정식의 해가 구해진다.

예제 11 근의 공식을 이용하여 이차방정식 $2x^2-3x-6=0$을 풀어라.

풀이 근의 공식에 $a=2$, $b=-3$, $c=-6$을 대입하면
$$x=\dfrac{-(-3)\pm\sqrt{(-3)^2-4\times2\times(-6)}}{2\times2}=\dfrac{3\pm\sqrt{57}}{4}$$

Q 066 | **일차항의 계수가 짝수일 때 쓰는 근의 공식이 따로 있다고?**

$ax^2+2b'x+c=0(a\neq0)$의 근은 ➡ $x=\dfrac{-b'\pm\sqrt{b'^2-ac}}{a}$ (단, $b'^2-ac\geq0$)

이차방정식의 해를 근의 공식을 이용하여 구할 때 특별히 일차항의 계수가 짝수이면 좀 더 간단한 근의 공식을 사용할 수 있다. 이는 새롭게 등장한 공식이 아니라 근의 공식을 간단히 정리하는 과정에서 나타난 것이다. 어떤 공식인지 살펴보자.

이차방정식 $ax^2+bx+c=0\ (a\neq0)$의 근

$$x=\frac{-b\pm\sqrt{b^2-4ac}}{2a}\ (단, b^2-4ac\geq0)$$

에서 일차항의 계수가 짝수인 경우, $b=2b'$이라고 하면 다음과 같이 약분하는 과정이 생겨 결국 b'만 대입하면 되는 식이 생긴다.

$$\underset{b=2b'를\ 대입}{\overset{근의\ 공식에}{\longrightarrow}}\ x=\frac{-2b'\pm\sqrt{(2b')^2-4ac}}{2a}=\frac{-2b'\pm\sqrt{4(b'^2-ac)}}{2a}$$

$$=\frac{-2b'\pm2\sqrt{b'^2-ac}}{2a}=\boldsymbol{\frac{-b'\pm\sqrt{b'^2-ac}}{a}}\ (단, b'^2-ac\geq0)$$

이를 '짝수 근의 공식'으로 기억하자.

따라서 일차항의 계수가 짝수인 경우에는 b 대신 b'의 값을 짝수 근의 공식에 대입하여 근을 구할 수 있다.

이차방정식 $x^2+6x-5=0$을 근의 공식으로 풀기	
근의 공식에 대입	짝수 근의 공식에 대입
$a=1$, $b=6$, $c=-5$를 근의 공식에 대입하면 $x=\dfrac{-6\pm\sqrt{6^2-4\times1\times(-5)}}{2}=\dfrac{-6\pm\sqrt{56}}{2}$ $=\dfrac{-6\pm2\sqrt{14}}{2}=-3\pm\sqrt{14}$ 약분이 필요하다.	$a=1$, $b'=3$, $c=-5$를 짝수 근의 공식에 대입하면 $x=\dfrac{-3\pm\sqrt{3^2-1\times(-5)}}{1}=-3\pm\sqrt{14}$ 약분이 필요없다.

 예제 12 짝수 근의 공식을 이용하여 이차방정식 $5x^2+6x-2=0$을 풀어라.

풀이 짝수 근의 공식에 $a=5$, $b'=3$, $c=-2$를 대입하면

$$x=\frac{-3\pm\sqrt{3^2-5\times(-2)}}{5}=\boldsymbol{\frac{-3\pm\sqrt{19}}{5}}$$

짝수 근의 공식은 약분하는 번거로움을 줄일 수 있어 편리해!

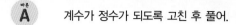

Q 067 | 계수가 소수 또는 분수인 이차방정식은 어떻게 풀까?

A 계수가 정수가 되도록 고친 후 풀어.

A 계수가 소수 또는 분수인 이차방정식은 인수분해가 가능한지 확인하는 데 어려움도 있고, 근의 공식에 대입해도 식이 복잡해진다.

만약 $\frac{1}{6}x^2+\frac{1}{4}x-\frac{1}{3}=0$의 해를 구하기 위해 다음과 같이 근의 공식에 $a=\frac{1}{6}$, $b=\frac{1}{4}$, $c=-\frac{1}{3}$

을 대입한다면 계산하는 데 상당히 복잡할 것이다.

$$x=\frac{-\frac{1}{4}\pm\sqrt{\left(\frac{1}{4}\right)^2-4\times\frac{1}{6}\times\left(-\frac{1}{3}\right)}}{2\times\frac{1}{6}}$$

따라서 계수가 소수인 경우는 양변에 10의 거듭제곱을, 분수인 경우는 양변에 분모의 최소공배수를 곱하여 이차방정식의 **계수가 모두 정수가 되도록 고친 후** 인수분해 또는 근의 공식을 이용하여 풀면 편리하다.

$$\frac{1}{6}x^2+\frac{1}{4}x-\frac{1}{3}=0 \xrightarrow[\substack{12를 곱한다.}]{\text{최소공배수}} 2x^2+3x-4=0 \xrightarrow{\text{근의 공식}} x=\frac{-3\pm\sqrt{41}}{4}$$

예제 13 다음 이차방정식을 풀어라.

(1) $\frac{1}{2}x^2-\frac{5}{6}x-\frac{1}{3}=0$ (2) $0.7x^2-x+0.2=0$

풀이 (1) 양변에 분모의 최소공배수 6을 곱하면 $3x^2-5x-2=0$

$(3x+1)(x-2)=0$ $\therefore x=-\frac{1}{3}$ **또는** $x=2$

(2) 양변에 10을 곱하면 $7x^2-10x+2=0$

짝수 근의 공식에 $a=7$, $b'=-5$, $c=2$를 대입하면

$$x=\frac{-(-5)\pm\sqrt{(-5)^2-7\times 2}}{7}=\frac{5\pm\sqrt{11}}{7}$$

Q 068 | 괄호가 있는 이차방정식은 어떻게 풀까?

A 분배법칙을 이용하여 괄호를 먼저 풀어.

A 괄호가 있는 이차방정식의 경우는 분배법칙, 곱셈 공식을 이용하여 **괄호를 풀고** 동류항끼리 모아서 $ax^2+bx+c=0$ 꼴로 정리한 후 인수분해 또는 근의 공식을 이용하여 푼다.

예제 14　이차방정식 $(2x+1)^2=x^2+2$를 풀어라.

풀이　괄호를 풀면 $4x^2+4x+1=x^2+2$

동류항끼리 정리하면 $3x^2+4x-1=0$

짝수 근의 공식에 $a=3$, $b'=2$, $c=-1$을 대입하면

$$x=\frac{-2\pm\sqrt{2^2-3\times(-1)}}{3}=\frac{-2\pm\sqrt{7}}{3}$$

Q 069　공통부분이 있는 이차방정식은 어떻게 풀까?

A　공통부분을 한 문자로 치환해.

A　$a(x+k)^2+b(x+k)+c=0$ 꼴의 이차방정식은 공통부분인 $x+k$를 A로 치환하여

$aA^2+bA+c=0$으로 정리한 후 인수분해 또는 근의 공식을 이용하여 A의 값을 구한다.

그런 다음 A 대신 원래의 식을 대입하여 x의 값을 구하면 된다.

예제 15　이차방정식 $(x+2)^2+4(x+2)-5=0$을 풀어라.

풀이 1　$x+2=A$로 치환하면 $A^2+4A-5=0$

$(A+5)(A-1)=0$　∴ $A=-5$ 또는 $A=1$

$A=x+2$이므로 $x+2=-5$ 또는 $x+2=1$　∴ ***$x=-7$ 또는 $x=-1$***

풀이 2　전개하여 정리하면 $x^2+4x+4+4x+8-5=0$

$x^2+8x+7=0$, $(x+1)(x+7)=0$　∴ ***$x=-7$ 또는 $x=-1$***

> 풀이 2처럼 좌변을 전개한 후 정리해도 되지만 치환하는 것이 더 빨리 풀 수 있어!

THINK Math

가장 아름답고 조화로운 비율 황금비

고대 피타고라스 학파는 정오각형에서 변의 길이와 대각선의 길이의 비, 서로 대각선을 나누면서 생기는 선분의 길이의 비가 모두 일정한 비로 나타난다는 사실을 발견하고 그것을 가장 아름다운 비, 즉 황금비로 생각하였다. 우리는 I단원에서 황금비의 값이 무리수임을 배웠다.

이번에는 정오각형을 이용해서 황금비의 값을 직접 구해 보자.

오른쪽 그림과 같이 정오각형의 한 변의 길이를 1, 대각선의 길이를 x라고 하면 $\overline{CD}=\overline{BC}=1$이므로 $\overline{AD}=x-1$

$\triangle DAB \backsim \triangle BAC$이므로 $\overline{AD}:\overline{AB}=\overline{AB}:\overline{AC}$

즉, $(x-1):1=1:x$에서 $x^2-x-1=0$

∴ $x=\dfrac{1+\sqrt{5}}{2}$ ($\because x>0$)

따라서 황금비의 값은 $\dfrac{1+\sqrt{5}}{2}$로 어림한 값은 1.618이다.

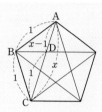

2. 이차방정식의 근의 개수

이차방정식의 해를 구하지 않고도 근의 개수를 알 수 있다?

A b^2-4ac의 부호만 확인하면 알 수 있어.

A 이차방정식의 근을 직접 구해 보지 않아도 각 항의 계수만으로 근의 개수를 알 수 있는 방법이 있다. 이는 근의 공식이나 그 유도 과정에서 쉽게 이해할 수 있다.

이차방정식 $ax^2+bx+c=0$ $(a\neq0)$의 근의 공식의 유도 과정은

$$\left(x+\frac{b}{2a}\right)^2=\frac{b^2-4ac}{4a^2} \implies x=\frac{-b\pm\sqrt{b^2-4ac}}{2a}$$

이때 근호 안에 있는 b^2-4ac의 값은 양수, 0, 음수 3가지가 될 수 있는데 각 경우에 따라 근의 개수가 달라진다. 즉,

b^2-4ac의 값의 부호를 알면 다음과 같이 근의 개수도 알 수 있게 된다.

$ax^2+bx+c=0$ $(a\neq0)$에서	
$b^2-4ac>0$인 경우	서로 다른 두 근을 갖는다. (2개)
$b^2-4ac=0$인 경우	한 근(중근)을 갖는다. (1개)
$b^2-4ac<0$인 경우	근이 없다. (0개)

이것을 거꾸로 생각하면 다음과 같이 근을 가질 조건도 알 수 있다.

$ax^2+bx+c=0$ $(a\neq0)$에서	
서로 다른 두 근을 가질 조건은	$b^2-4ac>0$
중근을 가질 조건은	$b^2-4ac=0$
근을 갖지 않을 조건은	$b^2-4ac<0$

근이 존재할 조건은
$b^2-4ac\geq0$

예제 16 다음 이차방정식의 근의 개수를 구하여라.

(1) $x^2+5x-1=0$　　　(2) $x^2-6x+9=0$　　　(3) $2x^2-5x+4=0$

풀이 (1) $b^2-4ac=5^2-4\times1\times(-1)=29>0 \implies$ 근은 **2개**

(2) $b^2-4ac=(-6)^2-4\times1\times9=0 \implies$ 근은 **1개**

(3) $b^2-4ac=(-5)^2-4\times2\times4=-7<0 \implies$ 근은 **0개**

| **참고** | 이차방정식의 일차항의 계수가 짝수일 때에는 짝수 근의 공식 $\dfrac{-b'\pm\sqrt{b'^2-ac}}{a}$에 의해 b'^2-ac의 부호를 이용하여 이차방정식의 근의 개수를 판단할 수 있다.

우리는 이미 **Q** 061에서 이차방정식 $x^2+ax+b=0$이 중근을 가질 조건으로 $b=\left(\dfrac{a}{2}\right)^2$이어야 한다는 것을 배웠다. 하지만 이차항의 계수가 1이어야 하는 불편함이 있고, 다음 예제와 같이 계수에 문자가 있는 경우는 계산이 쉽지 않은 경우도 있다.

따라서 위와 같이 근의 공식을 이용하여

$$\text{이차방정식 } ax^2+bx+c=0\text{이 중근을 가질 조건} \Rightarrow b^2-4ac=0$$

으로 기억해 두자.

예제 17 이차방정식 $4x^2+(m+1)x+1=0$이 중근을 가질 때, 상수 m의 값을 구하여라.

풀이 $(m+1)^2-4\times4\times1=0$이므로 $m^2+2m-15=0$

$(m+5)(m-3)=0$ ∴ $m=-5$ **또는** $m=3$

참고 $m=-5$이면 $4x^2-4x+1=0 \Rightarrow (2x-1)^2=0 \Rightarrow x=\dfrac{1}{2}$ (중근)

$m=3$이면 $4x^2+4x+1=0 \Rightarrow (2x+1)^2=0 \Rightarrow x=-\dfrac{1}{2}$ (중근)

---

3. 이차방정식의 근과 계수의 관계 ●── 고등 과정 연계

Q 071　이차방정식의 근과 계수 사이에는 어떤 관계가 있을까?

A (바른) $ax^2+bx+c=0$의 두 근이 α, β $\Rightarrow$ $\alpha+\beta=-\dfrac{b}{a}$, $\alpha\beta=\dfrac{c}{a}$

A (깊정한) 이차방정식의 두 근의 합과 곱도 근을 직접 구하지 않아도 각 항의 계수만 알면 쉽게 구할 수 있다. 다음과 같이 근의 공식으로 구한 근을 이용하여 합과 곱을 유도할 수 있다.

이차방정식 $ax^2+bx+c=0$ $(a\neq0)$의 두 근을 α, $\beta(\alpha<\beta)$라고 하면

$$\alpha=\frac{-b-\sqrt{b^2-4ac}}{2a}, \beta=\frac{-b+\sqrt{b^2-4ac}}{2a}$$

이때 합 $\alpha+\beta$와 곱 $\alpha\beta$를 구하면

$$\boldsymbol{\alpha+\beta}=\frac{-b-\sqrt{b^2-4ac}}{2a}+\frac{-b+\sqrt{b^2-4ac}}{2a}=-\boldsymbol{\frac{b}{a}}$$

$$\boldsymbol{\alpha\beta}=\frac{-b-\sqrt{b^2-4ac}}{2a}\times\frac{-b+\sqrt{b^2-4ac}}{2a}=\boldsymbol{\frac{c}{a}} \quad \leftarrow (a+b)(a-b)=a^2-b^2$$

로 합과 곱이 계수의 비로 나타난다.

따라서 우리는 이차방정식 $ax^2+bx+c=0\ (a\neq0)$을 보는 순간

계수만으로 두 근의 합과 곱을 바로 알 수 있다.

이러한 성질은 간단하면서 매우 중요하게 쓰이므로 기억해 두자!

이차방정식의 근과 계수의 관계

이차방정식 $ax^2+bx+c=0\ (a\neq0)$의 두 근을 α, β라고 하면

$$\alpha+\beta=-\frac{b}{a},\ \alpha\beta=\frac{c}{a}$$

예제 18 이차방정식 $2x^2-4x-1=0$의 두 근을 α, β라고 할 때, 다음을 구하여라.

(1) $\alpha+\beta$　　　(2) $\alpha\beta$　　　(3) $\alpha^2+\beta^2$　　　(4) $\dfrac{1}{\alpha}+\dfrac{1}{\beta}$

풀이

(1) $\alpha+\beta=-\dfrac{b}{a}=-\dfrac{-4}{2}=\mathbf{2}$

(2) $\alpha\beta=\dfrac{c}{a}=\dfrac{-1}{2}=-\dfrac{\mathbf{1}}{\mathbf{2}}$

(3) $\alpha^2+\beta^2=(\alpha+\beta)^2-2\alpha\beta=2^2-2\times\left(-\dfrac{1}{2}\right)=\mathbf{5}$

(4) $\dfrac{1}{\alpha}+\dfrac{1}{\beta}=\dfrac{\alpha+\beta}{\alpha\beta}=2\div\left(-\dfrac{1}{2}\right)=\mathbf{-4}$

계수가 유리수인 이차방정식 $ax^2+bx+c=0\ (a\neq0)$의 근 $x=\dfrac{-b\pm\sqrt{b^2-4ac}}{2a}$에서 두 근은

근호 앞의 부호가 $+$이거나 $-$인 것만 다르고 나머지는 같은 꼴이다.

따라서 계수가 유리수인 이차방정식에서 무리수인 한 근이 주어지면
다른 한 근도 자연스럽게 떠올려야 한다. 즉,

한 근이 $p+q\sqrt{m}$이면 다른 한 근은 $p-q\sqrt{m}$이다.

이와 더불어 이차방정식의 근과 계수의 관계를 이용하면 다음 문제도 간단히 풀 수 있다.

예제 19 이차방정식 $x^2-6x+k=0$의 한 근이 $3+\sqrt{2}$일 때, 유리수 k의 값을 구하여라.

풀이 1 한 근이 $3+\sqrt{2}$이므로 다른 한 근은 $3-\sqrt{2}$이다.

(두 근의 곱)$=\dfrac{k}{1}=k$이므로 $k=(3+\sqrt{2})(3-\sqrt{2})=\mathbf{7}$

풀이 2 $x=3+\sqrt{2}$가 근이므로 $x^2-6x+k=0$에 대입하면 식이 성립한다.

$(3+\sqrt{2})^2-6(3+\sqrt{2})+k=0$

$9+6\sqrt{2}+2-18-6\sqrt{2}+k=0$　　　$\therefore k=\mathbf{7}$

Q 072 | 두 근이 α, β이고, x^2의 계수가 a인 이차방정식은 어떻게 나타낼까?

A $a(x-\alpha)(x-\beta)=0 \Rightarrow a\{x^2-(\alpha+\beta)x+\alpha\beta\}=0$

A 두 근이 α, β이고, x^2의 계수가 1인 이차방정식은 다음과 같이 2가지로 생각할 수 있다.

[방법 1] $x=\alpha$ 또는 $x=\beta$를 해로 가지므로

$$(x-\alpha)(x-\beta)=0$$

[방법 2] 두 근의 합은 $\alpha+\beta$, 두 근의 곱은 $\alpha\beta$이므로

$$x^2-(\alpha+\beta)x+\alpha\beta=0$$

이를 바탕으로 x^2의 계수가 a인 경우는 구한 식의 양변에 a를 곱해 주면 된다.

이차방정식 만들기

두 근이 α, β이고, x^2의 계수가 a인 이차방정식은

$$a(x-\alpha)(x-\beta)=0 \Longleftrightarrow a\{x^2-(\alpha+\beta)x+\alpha\beta\}=0$$

| 참고 | 두 근이 α, α로 같고, x^2의 계수가 a인 이차방정식은

$$a(x-\alpha)(x-\alpha)=0 \quad \therefore a(x-\alpha)^2=0$$

따라서 중근이 α이고 x^2의 계수가 a인 이차방정식은 $a(x-\alpha)^2=0$으로 나타낼 수 있다.

예제 20 다음 조건을 만족시키는 이차방정식을 구하여라.

(1) 두 근이 -3, 5이고, x^2의 계수가 2인 이차방정식

(2) 중근이 -2이고, x^2의 계수가 1인 이차방정식

(3) 두 근의 합이 4, 곱이 -2이고, x^2의 계수가 3인 이차방정식

(4) 한 근이 $2+\sqrt{6}$이고, x^2의 계수가 -1인 이차방정식

(단, 계수와 상수항은 모두 유리수)

풀이

(1) $2(x+3)(x-5)=0 \Rightarrow \mathbf{2x^2-4x-30=0}$

(2) $(x+2)^2=0 \Rightarrow \mathbf{x^2+4x+4=0}$

(3) $3(x^2-4x-2)=0 \Rightarrow \mathbf{3x^2-12x-6=0}$

(4) 한 근이 $2+\sqrt{6}$이므로 다른 한 근은 $2-\sqrt{6}$이다.

(두 근의 합)$=(2+\sqrt{6})+(2-\sqrt{6})=4$

(두 근의 곱)$=(2+\sqrt{6})(2-\sqrt{6})=-2$

따라서 구하는 이차방정식은 $-(x^2-4x-2)=0$, 즉 $\mathbf{-x^2+4x+2=0}$

개념 확인

(1) $ax^2+bx+c=0$의 해는

$$x=\frac{-b\pm\sqrt{\boxed{}}}{2a}$$

(2) $ax^2+2b'x+c=0$의 해는

$$x=\frac{-b'\pm\sqrt{\boxed{}}}{a}$$

(3) $ax^2+bx+c=0$에서
$b^2-4ac>0$이면
근은 $\boxed{}$개이다.

01 다음 이차방정식을 근의 공식을 이용하여 풀어라.

(1) $x^2-x-5=0$

(2) $3x^2+x-1=0$

(3) $x^2+6x+4=0$

(4) $2x^2-4x-1=0$

02 다음 이차방정식을 풀어라.

(1) $\frac{1}{2}x^2-3x+\frac{7}{2}=0$

(2) $0.3x^2-x+0.3=0$

(3) $3(x-1)(x-2)=x+4$

(4) $(x-3)^2-4(x-3)+3=0$

03 다음 이차방정식의 근의 개수를 구하여라.

(1) $x^2-x+1=0$

(2) $x^2+x-3=0$

(3) $3x^2-5x+3=0$

(4) $4x^2-4x+1=0$

04 다음 이차방정식의 두 근의 합과 곱을 근과 계수의 관계를 이용하여 각각 구하여라.

(1) $x^2-4x-1=0$

(2) $3x^2+9x-15=0$

자기 진단

Q 065 ○ 156쪽
이차방정식의 근의 공식이란?

Q 067 ○ 158쪽
계수가 소수 또는 분수인 이차방정식은 어떻게 풀까?

Q 068 ○ 159쪽
괄호가 있는 이차방정식은 어떻게 풀까?

05 다음 조건을 만족시키는 x에 대한 이차방정식을 $ax^2+bx+c=0$ 꼴로 나타내어라.

(1) x^2의 계수가 2이고 두 근이 4, 6인 이차방정식

(2) x^2의 계수가 5이고 중근 -2를 갖는 이차방정식

(3) x^2의 계수가 -3이고 두 근의 합이 4, 두 근의 곱이 -5인 이차방정식

TURE **02** **이차방정식의 활용**

Ⅲ-2. 이차방정식의 근의 공식과 활용

SUMMA NOTE

1. 이차방정식의 활용

이차방정식의 활용 문제는 다음과 같은 순서로 푼다.

❶ 미지수 정하기 : 문제의 뜻을 파악하고, 구하려는 것을 미지수 x로 놓는다.

❷ 이차방정식 세우기 : 주어진 조건을 이용하여 수량 사이의 관계를 찾아 방정식을 세운다.

❸ 이차방정식 풀기 : 이차방정식을 풀어 해를 구한다.

❹ 답 구하기 : 구한 해 중에서 문제의 뜻에 맞는 것만을 답으로 선택한다.

1. 이차방정식의 활용

Q 073 이차방정식의 활용 문제에 접근하는 노하우는?

 미지수를 정한 다음, 주어진 조건에 맞는 이차방정식을 세워!

 지금부터 실생활 문제들을 수량 사이의 관계를 파악하여 이차방정식을 세워 해결해 보도록 하자. 해결 과정은 다음과 같은 순서로 한다.

❶ 미지수 정하기 ➡ ❷ 이차방정식 세우기 ➡ ❸ 이차방정식 풀기 ➡ ❹ 답 구하기

다음 예를 위 과정을 따라 해결해 보도록 하자.

예 오른쪽 그림과 같이 정사각형의 가로의 길이를 7 cm 늘이고, 세로의 길이를 1 cm 줄였더니 새로 생긴 직사각형의 넓이가 20 cm²가 되었다. 이때 처음 정사각형의 한 변의 길이를 구하여라.

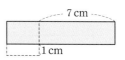

❶ 미지수 정하기	처음 정사각형의 한 변의 길이를 x cm라고 하자.
❷ 이차방정식 세우기	새로 생긴 직사각형의 가로, 세로의 길이는 각각 $(x+7)$ cm, $(x-1)$ cm 이고 이 직사각형의 넓이가 20 cm²이므로 $(x+7)(x-1)=20$
❸ 이차방정식 풀기	$x^2+6x-7=20$, $x^2+6x-27=0$ $(x+9)(x-3)=0$ ∴ $x=-9$ 또는 $x=3$
❹ 답 구하기	그런데 $x>0$이어야 하므로 $x=3$ 따라서 처음 정사각형의 한 변의 길이는 **3 cm**이다.

2. 이차방정식의 근의 공식과 활용 **165** Ⅲ

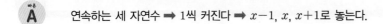

Q074 | 연속하는 수에 관한 문제는 어떻게 해결할까?

A 연속하는 세 자연수 ➡ 1씩 커진다 ➡ $x-1$, x, $x+1$로 놓는다.

A 연속하는 세 자연수가 있다. 가장 큰 수의 제곱은 나머지 두 수의 곱의 3배보다 11만큼 작을 때, 세 자연수의 합을 구해 보자.

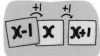

❶ 미지수 정하기	연속하는 세 자연수를 $x-1$, x, $x+1$이라고 하자.
❷ 이차방정식 세우기	가장 큰 수의 제곱은 나머지 두 수의 곱의 3배보다 11만큼 작으므로 $(x+1)^2=3x(x-1)-11$
❸ 이차방정식 풀기	$x^2+2x+1=3x^2-3x-11$, $2x^2-5x-12=0$ $(2x+3)(x-4)=0$ $\quad \therefore x=-\dfrac{3}{2}$ 또는 $x=4$
❹ 답 구하기	그런데 x는 자연수이어야 하므로 $x=4$ 따라서 세 자연수는 3, 4, 5이므로 합은 $3+4+5=$ **12**

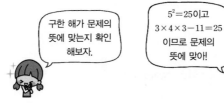

구한 해가 문제의 뜻에 맞는지 확인해보자.

$5^2=25$이고 $3\times4\times3-11=25$ 이므로 문제의 뜻에 맞아!

이번에는 위 문제에서 가장 작은 수를 x로 놓고 풀어 보자.

❶ 미지수 정하기	연속하는 세 자연수를 x, $x+1$, $x+2$라고 하자.
❷ 이차방정식 세우기	가장 큰 수의 제곱은 나머지 두 수의 곱의 3배보다 11만큼 작으므로 $(x+2)^2=3x(x+1)-11$
❸ 이차방정식 풀기	$x^2+4x+4=3x^2+3x-11$, $2x^2-x-15=0$ $(2x+5)(x-3)=0$ $\quad \therefore x=-\dfrac{5}{2}$ 또는 $x=3$
❹ 답 구하기	그런데 x는 자연수이어야 하므로 $x=3$ 따라서 세 자연수는 3, 4, 5이므로 합은 $3+4+5=$ **12**

x로 놓은 값이 가장 작은 수이냐 가운데 수이냐에 따라 방정식이 다르게 세워졌고, x의 값도 달랐다. 하지만 최종적으로 구하는 답은 서로 같다는 사실~!

| 참고 | 연속하는 수를 x를 사용하여 다음과 같이 나타내면 편리하다.
- 연속하는 두 정수 : x, $x+1$ 또는 $x-1$, x
- 연속하는 세 정수 : $x-1$, x, $x+1$ 또는 x, $x+1$, $x+2$
- 연속하는 두 홀수(짝수) : x, $x+2$ 또는 $x-1$, $x+1$

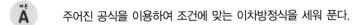

Q 075 간단한 공식을 적용하는 문제는 어떻게 해결할까?

A 주어진 공식을 이용하여 조건에 맞는 이차방정식을 세워 푼다.

A 오른쪽 그림과 같이 점을 찍어 삼각형 모양을 만들 때, n번째 삼각형에 사용한 점의 개수는 $\dfrac{n(n+1)}{2}$이다. 점의 개수가 55인 삼각형은 몇 번째 삼각형인지 구해 보자.

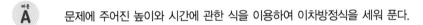

❶ 이차방정식 세우기	n번째 삼각형의 점의 개수가 55이므로 $\dfrac{n(n+1)}{2}=55$
❷ 이차방정식 풀기	$n(n+1)=110,\ n^2+n-110=0$ $(n+11)(n-10)=0$ ∴ $n=-11$ 또는 $n=10$
❸ 답 구하기	그런데 $n>0$이어야 하므로 $n=10$ 따라서 **10번째** 삼각형이다.

| 참고 | 이차방정식에 활용할 수 있는 식

(1) n각형의 대각선의 총 개수 : $\dfrac{n(n-3)}{2}$ (2) 1부터 n까지의 자연수의 합 : $\dfrac{n(n+1)}{2}$

Q 076 쏘아 올린 물체에 관한 문제는 어떻게 해결할까?

A 문제에 주어진 높이와 시간에 관한 식을 이용하여 이차방정식을 세워 푼다.

A 지면에서 초속 40 m로 똑바로 위로 던진 공의 t초 후의 높이는 $(40t-5t^2)$m라고 한다. 이 공이 지면으로부터 높이가 60 m인 지점을 지나는 것은 공을 던진 지 몇 초 후인지 구해 보자.

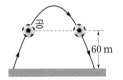

❶ 이차방정식 세우기	공이 t초 후에 지면으로부터 높이가 60 m인 지점을 지나므로 $40t-5t^2=60$
❷ 이차방정식 풀기	$5t^2-40t+60=0,\ t^2-8t+12=0$ $(t-2)(t-6)=0$ ∴ $t=2$ 또는 $t=6$
❸ 답 구하기	따라서 높이가 60 m인 지점을 지나는 것은 **2초 후 또는 6초 후**이다.

쏘아 올린 물체에 관해서는 다음 내용에 주의하여 문제를 해결한다.
(1) 쏘아 올린 물체가 일정한 높이가 되는 것은 올라갈 때와 내려올 때의 2번이 있다.
(2) 쏘아 올린 물체가 지면에 떨어지는 것은 높이가 0 m가 되는 순간이다.

위 문제에서 공이 지면에 떨어지는 것은 공을 던진 지 몇 초 후인지 구해 보자.

❶ 이차방정식 세우기	공이 지면에 떨어질 때의 높이가 0 m이므로 $40t-5t^2=0$
❷ 이차방정식 풀기	$5t^2-40t=0,\ t^2-8t=0$ $t(t-8)=0$　　∴ $t=0$ 또는 $t=8$
❸ 답 구하기	따라서 던진 지 **8초 후**에 지면에 떨어진다.

Q 077 | 도형의 넓이에 관한 문제는 어떻게 해결할까?

A 삼각형, 직사각형, 사다리꼴, 원의 넓이를 구하는 공식을 이용하여 푼다.

A 오른쪽 그림과 같이 정사각형 모양의 두꺼운 종이의 네 귀퉁이를 2 cm씩 잘라 내어 만든 전개도로 밑면이 정사각형인 상자를 만들었다. 전개도의 넓이가 105 cm²일 때, 상자 밑면의 한 변의 길이는 몇 cm인지 구해 보자.

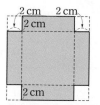

❶ 미지수 정하기	상자의 밑면인 정사각형의 한 변의 길이를 x cm라고 하자.
❷ 이차방정식 세우기	(처음 정사각형의 넓이)$=(x+4)^2$ (cm²) (잘린 부분의 넓이)$=2^2\times4=16$ (cm²) 전개도의 넓이가 105 cm²이므로 $(x+4)^2-16=105$
❸ 이차방정식 풀기	$x^2+8x+16-16=105,\ x^2+8x-105=0$ $(x+15)(x-7)=0$　　∴ $x=-15$ 또는 $x=7$
❹ 답 구하기	그런데 $x>0$이어야 하므로 $x=7$ 따라서 상자의 밑면의 한 변의 길이는 **7 cm**이다.

> 도형에서 변의 길이는 항상 양수라는 것에 주의해!

|참고| (1) (삼각형의 넓이)$=\dfrac{1}{2}\times$(밑변의 길이)$\times$(높이)

(2) (직사각형의 넓이)$=$(가로의 길이)$\times$(세로의 길이)

(3) (원의 넓이)$=\pi\times$(반지름의 길이)^2

(4) (사다리꼴의 넓이)$=\dfrac{1}{2}\times\{$(윗변의 길이)$+$(아랫변의 길이)$\}\times$(높이)

개념 CHECK

해설 BOOK 032쪽

개념 확인

(1) 이차방정식의 활용 문제를 푸는 순서는 다음과 같다.

❶ 미지수 정하기

↓

❷ [　　　] 세우기

↓

❸ [　　　] 풀기

↓

❹ 답 구하기

01 연속하는 두 자연수의 곱이 702일 때, 이 두 자연수의 합을 구하는 과정이다. ☐ 안에 알맞은 양수를 써넣어라.

> 연속하는 두 자연수를 x, $x+1$이라고 하면
>
> $x(x+1)=$ ☐ , x^2+x- ☐ $=0$
>
> $(x+$ ☐ $)(x-$ ☐ $)=0$ ∴ $x=$ ☐ ($\because x>0$)
>
> 따라서 두 자연수는 ☐ , ☐ 이므로 그 합은 ☐ 이다.

02 윤재는 귤 120개를 같은 모둠의 학생들에게 똑같이 나누어 주었다. 학생 1명이 받은 귤의 개수가 학생 수보다 2만큼 작을 때, 귤을 받은 학생 수를 구하여라.

03 가로, 세로의 길이가 각각 4 cm, 6 cm인 직사각형의 가로와 세로의 길이를 똑같은 길이만큼 늘였더니 넓이가 처음 직사각형의 넓이의 2배가 되었다. 이때 늘어난 길이를 구하여라.

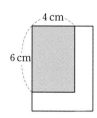

04 지면으로부터 초속 60 m로 수직으로 쏘아 올린 물체의 t초 후의 높이를 $(60t-5t^2)$ m라고 한다. 이 물체를 쏘아 올린 지 몇 초 후에 지면에 떨어지는지 구하여라.

자기 진단

Q.073 ○165쪽
이차방정식의 활용 문제에 접근하는 노하우는?

유형 EXERCISES

01. 이차방정식의 근의 공식
02. 이차방정식의 활용

문제 이해도를 ☺, ☺, ☹으로 표시해 보세요.

해설 BOOK 032쪽 | 테스트 BOOK 044쪽

유형 ① 이차방정식의 근의 공식

이차방정식 $2x^2+3x-1=0$의 두 근을 p, q라고 할 때, pq의 값을 구하여라.

Summa Point
인수분해가 안 되는 이차방정식은 근의 공식을 이용하여 해를 구한다.

156쪽 **Q 065**

유형 ② 계수가 소수 또는 분수인 이차방정식의 풀이

이차방정식 $0.5-x^2-2x=\dfrac{1}{5}x^2$의 근이 $x=\dfrac{a\pm2\sqrt{b}}{6}$ 일 때, $b-a$의 값을 구하여라. (단, a, b는 유리수)

Summa Point
이차방정식의 계수가 분수 또는 소수이면 양변에 적당한 수를 곱하여 모든 계수를 정수로 고친다.

158쪽 **Q 067**

1-1 ☺☺☹

이차방정식 $x^2-3x+k=0$의 근이 $x=\dfrac{3\pm\sqrt{29}}{2}$ 일 때, 유리수 k의 값을 구하여라.

2-1 ☺☺☹

이차방정식 $\dfrac{x^2}{2}-\dfrac{2}{3}x+a=0$의 해가 $x=\dfrac{b\pm\sqrt{22}}{3}$ 일 때, 유리수 a, b에 대하여 $\dfrac{b}{a}$ 의 값을 구하여라.

1-2 ☺☺☹

이차방정식 $2x^2-4x+1=0$의 두 근 중 작은 근을 $x=a$ 라고 할 때, $a-1$의 값을 구하여라.

2-2 ☺☺☹

이차방정식 $0.5x^2+0.2x-0.1=0$을 풀어라.

1-3 ☺☺☹

이차방정식 $2x^2+6x+A=0$의 근이 $x=\dfrac{B\pm\sqrt{3}}{2}$ 일 때, $A-B$의 값을 구하여라. (단, A, B는 유리수)

2-3 ☺☺☹

이차방정식 $\dfrac{1}{2}x^2-0.3x=\dfrac{x}{5}+x^2-0.5$의 두 근의 곱을 구하여라.

이차방정식 $\dfrac{x(x+1)}{3} - \dfrac{3x+1}{6} = \dfrac{(x+2)(x-2)}{2}$

의 해가 $x = \dfrac{A \pm \sqrt{B}}{2}$ 일 때, $B-A$의 값을 구하여라.

(단, A, B는 유리수)

Summa Point

분배법칙, 곱셈 공식 등을 이용하여 괄호를 푼 다음, 동류항끼리 정리한다.

158쪽 **Q 068**

3-1 ☺☺☹

이차방정식 $(2x-1)(x-4) = -3x+1$을 풀어라.

3-2 ☺☺☹

이차방정식 $4x - \dfrac{x^2+1}{3} = 2(x-1)$의 두 근의 차를 구하여라.

3-3 ☺☺☹

이차방정식 $(x+2)^2 = (2-x)(1+x)+1$의 두 근의 제곱의 합을 구하여라.

이차방정식 $(x-3)^2 - 2(x-3) - 24 = 0$의 두 근의 합을 구하여라.

Summa Point

• 공통부분을 A로 치환하고 인수분해 또는 근의 공식을 이용하여 A의 값을 구한다.
• 치환한 식에 A의 값을 대입하여 x의 값을 구한다.

159쪽 **Q 069**

4-1 ☺☺☹

이차방정식 $3\left(x - \dfrac{1}{3}\right)^2 = 7\left(\dfrac{1}{3} - x\right) + 6$의 두 근 중 큰 근을 구하여라.

4-2 ☺☺☹

$(a-b)(a-b-2) - 15 = 0$일 때, $a-b$의 값을 구하여라. (단, $a > b$)

4-3 ☺☺☹

$(x-y)^2 + (x-y) - 20 = 0$이고 $xy = 12$일 때, x^2+y^2의 값을 구하여라. (단, $x > y$)

유형 **5** 이차방정식의 근의 개수

이차방정식 $x^2+4x-(4-2n)=0$이 서로 다른 두 근을 갖도록 하는 자연수 n의 개수를 구하여라.

Summa Point

이차방정식 $ax^2+bx+c=0$ $(a\neq0)$에서 $b^2-4ac>0$이면 서로 다른 두 근을 갖는다.

160쪽 **Q 070** ○

유형 **6** 이차방정식의 근과 계수의 관계

이차방정식 $x^2-3x+1=0$의 두 근을 α, β라고 할 때, $\alpha^2+\beta^2-\alpha\beta$의 값을 구하여라.

Summa Point

• 이차방정식 $ax^2+bx+c=0$ $(a\neq0)$의 두 근의 합은 $-\dfrac{b}{a}$, 두 근의 곱은 $\dfrac{c}{a}$이다.

• 근과 계수의 관계를 이용하여 두 근의 합과 곱을 구한 후, 주어진 식을 적당히 변형하여 대입한다.

161쪽 **Q 071** ○

5-1 ☺☺☹

다음 이차방정식 중 근이 <u>없는</u> 것은?

① $2x^2=x+2$ ② $3x^2-4x+4=0$

③ $2x^2+8x+8=0$ ④ $x^2-5=0$

⑤ $x^2+\dfrac{1}{2}x=\dfrac{1}{4}$

6-1 ☺☺☹

이차방정식 $(x-2)^2=-2(x-3)$의 두 근을 α, β라고 할 때, $\dfrac{1}{\alpha}+\dfrac{1}{\beta}$의 값을 구하여라.

5-2 ☺☺☹

이차방정식 $4x^2-12x+3+m=0$이 중근을 가질 때, 상수 m의 값을 구하여라.

6-2 ☺☺☹

이차방정식 $2x^2+px+q=0$의 두 근이 2, 3일 때, 상수 p, q에 대하여 $p-q$의 값을 구하여라.

5-3 ☺☺☹

이차방정식 $(x+2)(x-4)=k-1$이 중근 $x=a$를 가질 때, 상수 a, k에 대하여 $a+k$의 값을 구하여라.

6-3 ☺☺☹

이차방정식 $x^2+4x+a=0$의 한 근이 $-2+\sqrt{5}$일 때, 유리수 a의 값을 구하여라.

유형 7 이차방정식의 활용 (1) − 공식, 수

n각형의 대각선의 총 개수가 $\dfrac{n(n-3)}{2}$ 일 때, 대각선의 개수가 44인 다각형을 구하여라.

Summa Point
대각선의 총 개수가 44임을 이용하여 n에 대한 이차방정식을 세운다.

166쪽 **Q 074** ○

유형 8 이차방정식의 활용 (2) − 도형, 쏘아 올리기

지면으로부터 80 m 높이의 건물 옥상에서 초속 30 m로 똑바로 던져 올린 공의 t초 후의 높이는 $(80+30t-5t^2)$ m일 때, 이 공이 지면에 떨어지는 것은 던져 올린 지 몇 초 후인지 구하여라.

Summa Point
공이 지면에 떨어질 때의 높이는 0 m이다.

167쪽 **Q 076** ○

7-1 ☺☺☹

자연수 1부터 n까지의 합은 $\dfrac{n(n+1)}{2}$ 이다. 합이 78이 되려면 1부터 얼마까지의 자연수를 더해야 하는지 구하여라.

8-1 ☺☺☹

지면에서 초속 70 m로 똑바로 쏘아 올린 물로켓의 t초 후의 높이가 $(70t-5t^2)$ m라고 한다. 물로켓이 120 m 이상의 높이에서 머무는 것은 몇 초 동안인지 구하여라.

7-2 ☺☺☹

연속하는 세 자연수의 제곱의 합이 509일 때, 이 세 자연수의 합을 구하여라.

8-2 ☺☺☹

길이가 48 cm인 철사로 넓이가 119 cm²인 직사각형을 만들 때, 이 직사각형의 가로의 길이를 구하여라.

7-3 ☺☺☹

연속하는 두 홀수의 제곱의 합이 290일 때, 이 두 홀수의 합을 구하여라.

8-3 ☺☺☹

가로의 길이가 세로의 길이보다 3 cm 더 긴 직사각형이 있다. 이 직사각형에서 가로의 길이를 2배로 늘이고 세로의 길이를 5 cm 줄였더니 넓이가 14 cm²만큼 늘어났다. 이 때 처음 직사각형의 가로의 길이를 구하여라.

Step 1 | 내·신·기·본

01 이차방정식 $x^2+7x+1=0$의 근이 $x=A\pm\dfrac{3}{2}\sqrt{B}$일 때, 유리수 A, B에 대하여 $A+B$의 값은?

① $-\dfrac{7}{2}$　　② $-\dfrac{3}{2}$　　③ $-\dfrac{1}{2}$

④ $\dfrac{3}{2}$　　⑤ $\dfrac{7}{2}$

02 이차방정식 $3x^2-4x+p=0$의 근이 $x=\dfrac{q\pm\sqrt{13}}{3}$일 때, 유리수 p, q에 대하여 $p+q$의 값은?

① 2　　② 1　　③ 0

④ -1　　⑤ -2

03 이차방정식 $x^2+x-3=0$의 두 근 중 음수인 근을 $x=k$라고 할 때, $2k+1$의 값은?

① $-\sqrt{13}$　　② $-\dfrac{\sqrt{13}}{4}$　　③ $4-\sqrt{13}$

④ $\sqrt{13}$　　⑤ $4+\sqrt{13}$

04 이차방정식 $x^2-8x=3$과 부등식 $3x-9>6$의 공통인 해는?

① $x=-\sqrt{19}$　　② $x=4-\sqrt{19}$

③ $x=\dfrac{4-\sqrt{19}}{2}$　　④ $x=\dfrac{4+\sqrt{19}}{2}$

⑤ $x=4+\sqrt{19}$

05 이차방정식 $\dfrac{1}{3}x^2-x-0.5=0$의 해가 $x=\dfrac{A\pm\sqrt{B}}{2}$ 일 때, 유리수 A, B에 대하여 $A+B$의 값을 구하여라.

06 이차방정식

$$(0.5x-1)(4x+2)+\dfrac{1}{4}x^2=2(x-1)^2$$

을 풀면?

① $x=-2\pm\sqrt{5}$　　② $x=-2\pm2\sqrt{5}$

③ $x=-5\pm\sqrt{5}$　　④ $x=-5\pm2\sqrt{5}$

⑤ $x=-5\pm3\sqrt{5}$

07 이차방정식 $2x^2-6x+m-1=0$이 중근을 가질 때, 상수 m의 값은?

① 8　　　　② $\dfrac{9}{2}$　　　　③ 5

④ $\dfrac{11}{2}$　　　　⑤ 6

08 이차방정식 $x^2-4x+1-k=0$이 서로 다른 두 근을 가질 때, 가장 작은 정수 k의 값은?

① 1　　　　② 0　　　　③ -1

④ -2　　　　⑤ -3

09 이차방정식 $5x^2-6x+k=0$의 근이 $x=\dfrac{A\pm\sqrt{B}}{5}$ 이고, 두 근의 곱이 -2일 때, 유리수 A, B에 대하여 $A+B$의 값을 구하여라. (단, k는 상수)

10 이차방정식 $x^2-7x+8=0$의 두 근을 α, β라고 할 때, $\alpha-\beta$의 값을 구하여라. (단, $\alpha>\beta$)

11 이차방정식 $x^2+ax+b=0$의 두 근이 $\dfrac{1}{2}$, $\dfrac{1}{3}$일 때, $bx^2+ax+1=0$의 두 근의 차는? (단, a, b는 상수)

① 1　　　　② 2　　　　③ 3

④ 4　　　　⑤ 5

12 어떤 두 자연수의 차는 2이고 곱은 24일 때, 이 두 자연수의 합을 구하여라.

13 자연수 1부터 n까지의 합은 $\dfrac{n(n+1)}{2}$이다. 합이 120이 되려면 1부터 얼마까지의 자연수를 더해야 하는지 구하여라.

14 지면으로부터 30 m 높이의 언덕에서 초속 25 m로 쏘아 올린 물체의 x초 후의 지면으로부터의 높이는 $(-5x^2+25x+30)$m이다. 이 물체가 지면에 떨어지는 것은 쏘아 올린 지 몇 초 후인지 구하여라.

15 이차방정식 $x^2+ax+b=0$의 한 근이 $3-\sqrt{6}$일 때, 이차방정식 $x^2+bx+a=0$의 근을 구하여라.

(단, a, b는 유리수)

16 두 양의 실수 x, y가 $(x+2y)^2-2x-4y=3$, $x-y=\dfrac{3}{2}$을 만족시킬 때, xy의 값은?

① 1 　　② $\dfrac{3}{2}$ 　　③ 2

④ $\dfrac{5}{2}$ 　　⑤ 3

17 이차방정식 $x^2-2(k+1)x+k^2+3=0$의 해가 없을 때, 다음 중 상수 k의 값으로 적당하지 <u>않은</u> 것은?

① -3 　　② -2 　　③ -1

④ 0 　　⑤ 1

18 이차방정식 $ax^2+bx-c=0$의 두 근이 -3, 2일 때, $b:c$는? (단, a, b, c는 상수)

① 1:2 　　② 1:3 　　③ 1:4

④ 1:5 　　⑤ 1:6

19 이차방정식 $x^2+ax+b=0$을 푸는데, 승빈이는 a의 값을 잘못 보고 풀어 $x=1$ 또는 $x=8$의 해를 얻었고, 윤아는 b의 값을 잘못 보고 풀어 $x=-1$ 또는 $x=7$의 해를 얻었다. 처음 이차방정식의 해를 구하여라.

(단, a, b는 상수)

20 오른쪽 그림과 같이 두 점 $(4, 0)$, $(0, 8)$을 지나는 일차함수의 그래프 위의 한 점 P에서 x축에 내린 수선의 발을 A, y축에 내린 수선의 발을 B라고 한다. □BOAP의 넓이가 8일 때, 점 P의 좌표를 구하여라. (단, O는 원점)

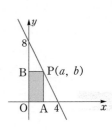

창의융합

21 너비가 16 cm인 철판의 양쪽을 같은 높이만큼 직각으로 접어서 빗금친 부분의 넓이가 30 cm²가 되도록 만들려고 한다. 양쪽 높이를 몇 cm씩 접어야 하는지 구하여라.

16 cm

대단원 REVIEW *for* **Ⅲ. 이차방정식**

※ 묻고 답하면서 대단원 정리하자!

1. 이차방정식의 뜻과 풀이

01. 이차방정식의 뜻과 해

055 이차방정식이란?

$(x$에 대한 이차식$)=0$ 꼴로 나타내어지는 방정식을 x에 대한 이차방정식이라고 해.

056 이차방정식이 되기 위한 조건은?

① 등식이다.
② (이차식)$=0$ 꼴이다.

057 이차방정식의 해란 무엇일까?

이차방정식을 참이 되게 하는 미지수의 값을 이차방정식의 해 또는 근이라고 해.

02. 이차방정식의 풀이

058 $AB=0$이면 A, B는 어떤 값이 되어야 할까?

$AB=0$이려면
$A=0$이거나 $B=0$
이어야 한다.
➡ $A=0$ 또는 $B=0$

059 인수분해를 이용하여 이차방정식의 해를 어떻게 구할까?

인수분해한 후 $AB=0$이면 $A=0$ 또는 $B=0$의 성질을 이용하여 해를 구하면 돼.

060 이차방정식의 중근이란?

이차방정식의 두 근이 중복되어 서로 같을 때, 이 근을 중근이라고 해.
$(x-3)^2=0$의 해
➡ $x=3$(중근)

061 이차방정식은 어떤 경우에 중근을 가질까?

(완전제곱식)$=0$ 꼴이면 중근을 갖는다.
즉, $x^2+ax+b=0$에서
$b=\left(\dfrac{a}{2}\right)^2$이면 중근!

063 완전제곱식을 이용하여 이차방정식을 어떻게 풀까?

$4x^2-8x-16=0$
➡ $x^2-2x-4=0$
➡ $x^2-2x=4$
➡ $x^2-2x+1=4+1$
➡ $(x-1)^2=5$
➡ $x-1=\pm\sqrt{5}$
➡ $x=1\pm\sqrt{5}$

064 이차방정식이 근을 가질 조건은 무엇일까?

$(x+p)^2=k$ 꼴에서 $k\geq0$이면 근을 갖는다.

2. 이차방정식의 근의 공식과 활용

01. 이차방정식의 근의 공식

065 이차방정식의 근의 공식이란?

$ax^2+bx+c=0$에서
$x=\dfrac{-b\pm\sqrt{b^2-4ac}}{2a}$
(단, $b^2-4ac\geq0$)

066 일차항의 계수가 짝수일 때 쓰는 근의 공식이 따로 있다고?

$ax^2+2b'x+c=0$에서
$x=\dfrac{-b'\pm\sqrt{b'^2-ac}}{a}$
(단, $b'^2-ac\geq0$)

067 계수가 소수 또는 분수인 이차방정식은 어떻게 풀까?

계수가 정수가 되도록 적당한 수를 양변에 곱해.

069 공통부분이 있는 이차방정식은 어떻게 풀까?

공통부분을 한 문자로 치환해.

070 이차방정식의 해를 구하지 않고도 근의 개수를 알 수 있다?

$ax^2+bx+c=0$에서
$b^2-4ac>0$ ➡ 근이 2개
$b^2-4ac=0$ ➡ 근이 1개
$b^2-4ac<0$ ➡ 근이 없다.

071 이차방정식의 근과 계수 사이에는 어떤 관계가 있을까?

$ax^2+bx+c=0$의 두 근을 α, β라고 하면
$\alpha+\beta=-\dfrac{b}{a}$, $\alpha\beta=\dfrac{c}{a}$

072 두 근이 α, β이고, x^2의 계수가 a인 이차방정식은 어떻게 나타낼까?

$a(x-\alpha)(x-\beta)=0$
➡ $a\{x^2-(\alpha+\beta)x+\alpha\beta\}=0$

02. 이차방정식의 활용

073 이차방정식의 활용 문제에 접근하는 노하우는?

다음과 같은 순서로 풀면 돼.
① 미지수 정하기
② 이차방정식 세우기
③ 이차방정식 풀기
④ 답 구하기

01 다음 중 x에 대한 이차방정식이 <u>아닌</u> 것은?

① $3x^2-x=2$

② $(x+1)(x-3)=2x+1$

③ $2x^2+7x-9=x^2-3$

④ $2x-5=3x^2+1$

⑤ $x^2-2x=(x+2)(x-7)$

02 다음 중 방정식 $(a-2)x^2-3x=0$이 x에 대한 이차방정식이 되도록 하는 상수 a의 값으로 적당하지 <u>않은</u> 것은?

① -2 ② -1 ③ 0

④ 1 ⑤ 2

03 다음 중 $x=3$을 근으로 갖는 이차방정식을 모두 고르면? (정답 2개)

① $x^2+3x-4=0$ ② $x^2-3x=0$

③ $3x^2-27=0$ ④ $(x-3)^2=1$

⑤ $(x+3)(3x-1)=0$

04 이차방정식 $x^2+3x+1=0$의 한 근이 $x=a$일 때, $a+\dfrac{1}{a}$의 값은?

① -3 ② -2 ③ 1

④ 2 ⑤ 3

05 다음 보기에서 해가 같은 것끼리 짝지어진 것은?

┤ 보 기 ├

ㄱ. $4x(x-1)=-1$

ㄴ. $2x^2+x-6=0$

ㄷ. $(2x+3)(x-2)=0$

ㄹ. $(2x-1)^2=0$

① ㄱ, ㄴ   ② ㄱ, ㄹ   ③ ㄴ, ㄷ

④ ㄴ, ㄹ   ⑤ ㄷ, ㄹ

06 이차방정식 $(x-3)(x-5)=7$을 $(x-p)^2=q$ 꼴로 고칠 때, 상수 p, q에 대하여 $p+q$의 값은?

① 12 ② 14 ③ 16

④ 18 ⑤ 20

07 x에 대한 이차방정식 $(x+A)^2=5$의 해가 $x=2\pm\sqrt{B}$ 라고 할 때, 유리수 A, B에 대하여 $2A+B$의 값은?

① -2 ② -1 ③ 0
④ 1 ⑤ 2

08 다음은 이차방정식 $x^2-6x+1=0$을 완전제곱식을 이용하여 푸는 과정이다. □ 안에 들어갈 수로 옳지 <u>않은</u> 것은?

$x^2-6x+1=0$에서
$x^2-6x=$ □①
좌변을 완전제곱식으로 나타내면
$(x-$ □② $)^2=$ □③
$x-3=$ □④
$\therefore x=$ □⑤

① -1 ② 3 ③ 8
④ $\pm2\sqrt{2}$ ⑤ $-3\pm2\sqrt{2}$

09 이차방정식 $2x^2-3x=4$의 근을 $x=\dfrac{A\pm\sqrt{B}}{4}$ 라고 할 때, 유리수 A, B에 대하여 $A+B$의 값을 구하여라.

10 이차방정식 $\dfrac{3}{2}x^2+2x-0.4=0$의 해가 $x=\dfrac{-10\pm4\sqrt{k}}{15}$ 일 때, 유리수 k의 값은?

① 5 ② 6 ③ 7
④ 10 ⑤ 14

11 이차방정식 $\dfrac{1}{2}(x-2)^2=3(x-2)-\dfrac{9}{2}$를 풀면?

① $x=2$ 또는 $x=3$ ② $x=\dfrac{1}{2}$ 또는 $x=5$
③ $x=3$ 또는 $x=5$ ④ $x=3$ (중근)
⑤ $x=5$ (중근)

12 다음 보기 중 이차방정식 $(x+a)^2=b$에 대한 설명으로 옳은 것을 모두 고른 것은?

┤ 보 기 ├
ㄱ. $b=0$이면 중근을 갖는다.
ㄴ. $b>0$이면 두 근의 절댓값은 같고 부호가 반대이다.
ㄷ. $a=0$이고 $b>0$이면 두 근의 합은 0이다.

① ㄱ   ② ㄴ   ③ ㄷ
④ ㄱ, ㄴ   ⑤ ㄱ, ㄷ

13 이차방정식 $(1-a)x^2-4x=2$가 서로 다른 두 근을 갖도록 하는 자연수 a의 값을 구하여라.

14 이차방정식 $x^2-3x+2k-1=0$의 두 근을 α, β라고 할 때, $\alpha^2+\beta^2=17$이다. 이때, 상수 k의 값은?

① $-\dfrac{3}{2}$ ② -1 ③ $-\dfrac{1}{2}$

④ 0 ⑤ $\dfrac{1}{2}$

15 이차방정식 $x^2+px+q=0$의 두 근이 이차방정식 $2(x+5)(x-1)=0$의 두 근의 합과 곱일 때, 상수 p, q에 대하여 $q-p$의 값은?

① -11 ② -6 ③ 1

④ 6 ⑤ 11

16 이차방정식 $x^2+px-9=0$의 두 근이 정수일 때, 될 수 있는 상수 p의 값을 모두 구하여라.

17 두 점 $(3, 0)$, $(0, -5)$를 지나는 일차방정식 $ax-y-b=0$의 그래프가 오른쪽 그림과 같을 때, a, b를 두 근으로 하고 x^2의 계수가 3인 이차방정식의 상수항은?

(단, a, b는 상수)

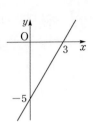

① 21 ② 22 ③ 23

④ 24 ⑤ 25

18 이차방정식 $x^2+4px+2p^2=q$의 한 근이 $2+\sqrt{3}$일 때, 유리수 p, q에 대하여 p^2-4q의 값은?

① -5 ② -3 ③ -1

④ 1 ⑤ 3

19 $[x]$는 자연수 x의 양의 약수의 개수라고 할 때, 다음 중 $[x]^2-[x]-6=0$을 만족시키는 10 이하의 자연수의 개수는?

① 1 ② 2 ③ 3

④ 4 ⑤ 5

20 연속하는 세 짝수의 제곱의 합이 116일 때, 세 짝수의 합을 구하여라.

21 초콜릿 440개를 모든 학생에게 똑같이 나누어 주려고 한다. 한 학생에게 돌아가는 초콜릿 수는 학생 수보다 2개가 많다고 할 때, 학생 수를 구하여라.

22 지면으로부터 30 m 높이의 건물 옥상에서 위로 쏘아 올린 폭죽의 x초 후의 높이가 $(30+kx-5x^2)$ m라고 한다. 폭죽을 쏘아 올리고 2초 후의 높이가 60 m라고 할 때, 이 폭죽이 땅에 떨어지는 시간은 쏘아 올린 지 몇 초 후인지 구하여라. (단, k는 상수)

23 오른쪽 그림과 같이 가로, 세로의 길이의 비가 3 : 2인 직사각형 모양의 화단에 폭이 3 m인 일정한 길을 내었다. 길을 제외한 부분의 넓이가 72 m²일 때, 화단의 가로의 길이를 구하여라.

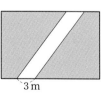
3 m

24 이차방정식 $9x^2+2ax+4=0$이 양수인 중근을 갖도록 하는 상수 a의 값을 구하여라.

답 _____

25 이차방정식 $x^2+4x-5=0$의 한 근이 $x=k$일 때, $k^2+\dfrac{25}{k^2}$ 의 값을 구하여라.

답 _____

26 오른쪽 그림과 같이 길이가 9 cm인 $\overline{AB}$ 위에 점 P를 잡고 $\overline{AP}$, $\overline{PB}$를 각각 한 변으로 하는 정사각형을 만들었더니 두 정사각형의 넓이의 합이 45 cm²이었다. 이때, 큰 정사각형의 넓이를 구하여라.

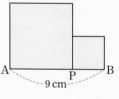
A　　P　　B
9 cm

답 _____

인수를 이용하여 삼차방정식 풀기

일차식 $x+1$이 삼차식 x^3+2x^2-5x-6의 인수일 때, 삼차방정식 $x^3+2x^2-5x-6=0$의 해를 나눗셈을 이용하여 구해 보자.

$x+1$이 삼차식의 인수라는 것은 삼차식이 $x+1$로 나누어 떨어진다는 것을 의미하므로

$$(x^3+2x^2-5x-6) \div (x+1) = A(x)$$
$$\Rightarrow x^3+2x^2-5x-6 = (x+1)A(x)$$

로 표현할 수 있다.

따라서 나눗셈을 통해 $A(x)$만 구하면 끝!

오른쪽 나눗셈에서 $A(x)=x^2+x-6$이므로 주어진 삼차방정식의 해는 다음과 같이 구할 수 있다.

$$
\begin{array}{r}
x^2+\ x-6 \\
x+1\overline{\smash)x^3+2x^2-5x-6} \\
\underline{x^3+\ x^2} \\
x^2-5x \\
\underline{x^2+\ x} \\
-6x-6 \\
\underline{-6x-6} \\
0
\end{array}
$$

$x^3+2x^2-5x-6=0 \Rightarrow (x+1)(x^2+x-6)=0$
$\Rightarrow (x+1)(x-2)(x+3)=0$
$\Rightarrow x=-1$ 또는 $x=2$
또는 $x=-3$

유제 01 일차식 $x+1$이 삼차식 x^3-4x^2+x+6의 인수임을 이용하여 삼차방정식
$x^3-4x^2+x+6=0$의 해를 구하여라.

근의 공식을 이용하여 인수분해하기

다항식 x^2+2x-4를 두 일차식의 곱으로 인수분해해 보자.

그런데 공통인수도 보이지 않고, 마땅한 인수분해 공식도 보이지 않는다.

보통은 인수분해되지 않는 식으로 간주하겠지만 이러한 경우 이차방정식으로 생각하여 근을 구해 보면 인수분해가 되는지 확인할 수 있다.

이차방정식 $x^2+2x-4=0$을 근의 공식을 이용하여 풀어 보면

$$x = -1 \pm \sqrt{1^2 - 1 \times (-4)} = -1 \pm \sqrt{5}$$

이차방정식 $x^2+2x-4=0$의 근이 존재한다는 것은 이차식 x^2+2x-4가 분명히

$$x^2+2x-4 = (x-\alpha)(x-\beta)$$

꼴로 나타난다고 할 수 있다. 그리고 α, β는 바로 이차방정식 $x^2+2x-4=0$의 근이다.

따라서 x^2+2x-4는 다음과 같이 인수분해된다.
$$x^2+2x-4=\{x-(-1+\sqrt{5})\}\{x-(-1-\sqrt{5})\}$$
$$=(x+1-\sqrt{5})(x+1+\sqrt{5})$$
한편 근의 공식을 사용했을 때 근이 없다면 인수분해되지 않는 식이 된다.

예를 들어 x^2+2x+3의 경우 이차방정식 $x^2+2x+3=0$의 근을 근의 공식으로 구해 보면
$$x=-1\pm\sqrt{1^2-1\times3}=-1\pm\sqrt{-2}$$
로 근호 안의 수가 음수가 되므로 근이 존재하지 않는다.

따라서 이차식 x^2+2x+3은 더 이상 인수분해되지 않는다.

유제 02 다음 이차식을 근의 공식을 이용하여 인수분해해 보아라.
(1) x^2+4x-4 (2) x^2+6x-1

TOPIC 3 '근과 계수의 관계'의 확장

이차방정식의 근을 실제로 구하지 않고서도 계수를 알면 두 근의 합과 곱을 알아낼 수 있음을 배웠다. 이와 더불어 계수를 알면 이차방정식의 두 근의 부호도 알 수 있다. 다음과 같은 단순한 원리를 기억하면 된다.

(1) 두 수의 합과 곱이 양수이면 두 수는 모두 양수이다.
(2) 두 수의 합이 음수이고, 곱은 양수이면 두 수는 모두 음수이다.
(3) 두 수의 곱이 음수이면 두 수의 부호는 다르다.

즉, 이차방정식 $ax^2+bx+c=0$의 근을 α, β라고 하면

(1) $\alpha+\beta=-\dfrac{b}{a}>0$, $\alpha\beta=\dfrac{c}{a}>0$ ➡ $\alpha>0$, $\beta>0$

(2) $\alpha+\beta=-\dfrac{b}{a}<0$, $\alpha\beta=\dfrac{c}{a}>0$ ➡ $\alpha<0$, $\beta<0$

(3) $\alpha\beta=\dfrac{c}{a}<0$ ➡ $\alpha>0$, $\beta<0$ 또는 $\alpha<0$, $\beta>0$

이처럼 근과 계수의 관계를 통해 두 근의 부호도 유추할 수 있다.

예를 들어 $2x^2-3x+1=0$의 두 근을 α, β라고 하면 $\alpha+\beta=\dfrac{3}{2}>0$, $\alpha\beta=\dfrac{1}{2}>0$으로 합도 양수, 곱도 양수이므로 두 근 α, β도 모두 양수이다. ← 실제로 $2x^2-3x+1=0$의 두 근을 구해 보면 $x=\dfrac{1}{2}$과 $x=1$로 모두 양수임이 확인된다.

유제 03 근과 계수의 관계를 이용하여 다음 이차방정식의 두 근의 부호를 정하여라.
(1) $x^2-6x+8=0$ (2) $x^2+6x+5=0$ (3) $x^2+3x-4=0$

01 역사 속의 이차방정식

고대 이집트와 바빌로니아의 사람들이 일차, 이차 및 삼차방정식에 해당하는 문제를 풀었던 기록이 발견되었다. 바빌로니아의 점토판에 다음과 같은 이차방정식 문제를 볼 수 있다.

> 어떤 정사각형의 넓이에서 그 정사각형의 한 변의 길이를 뺀 것이 870일 때, 이 정사각형의 한 변의 길이를 구하여라.

> 정사각형의 한 변의 길이를 x라고 하면 $x^2 - x = 870$의 해를 구하는 것과 같다.

우리 나라 수학책에서도 이차방정식 문제를 찾아볼 수 있다. 다음은 조선 후기 수학자 홍정하(1684~?)가 지은 책인 『구일집』에 실린 내용이다.

> 크고 작은 두 개의 정사각형이 있다. 두 정사각형의 넓이의 합은 468이고, 큰 정사각형의 한 변의 길이는 작은 정사각형의 한 변의 길이보다 6만큼 길다. 두 정사각형의 한 변의 길이는 각각 얼마나 되겠는가?

> 작은 정사각형의 한 변의 길이를 x라고 하면 $x^2 + (x+6)^2 = 468$의 해를 구하는 것과 같다.

다음의 시는 인도의 레베데후의 역작 『방정식을 발명한 이는 누구일까?』에 실려 있는 번역시를 인용한 것이다.

> 원숭이 무리가 둘로 나뉘어 매우 재미있게 놀다가 큰 소동이 벌어졌네. 무리의 $\frac{1}{4}$의 제곱은 숲속을 날뛰며 돌아다닌다네. 남은 원숭이 3마리 뿐. 산들바람이 불 때마다 캬 ― 캬 ― 소리로 서로 외친다네. 거참, 원숭이는 숲에 모두 몇 마리나 있는 것일까?

> 원숭이의 수를 x마리라고 하면 $\left(\frac{1}{4}x\right)^2 + 3 = x$의 해를 구하는 것과 같다.

02 삼차방정식도 근의 공식이 있다 ?

근의 공식을 배우면서도 느꼈겠지만 모든 이차방정식의 해를 하나의 공식으로 구할 수 있다는 점은 정말 경이롭지 않을 수 없다. 수학자들은 이처럼 공통인 틀을 찾는 데 많은 노력을 기울였다. 이차방정식의 근의 공식처럼 삼차방정식도 근의 공식이 있음은 16세기에 알려졌다. 하지만 그 공식이 다소 복잡하여 이차방정식처럼 일상적으로 쓰이지는 않는다.

삼차방정식의 근의 공식을 보통 발견자 이름을 붙여 **카르다노의 공식**이라고 부른다. 그런데 삼차방정식의 근의 공식을 최초로 발견한 사람은 타르탈리아(1499~1557)라는 수학자였다고 전해진다. 타르탈리아는 빈곤한 농가에서 태어나 독학으로 수학을 공부하여 많은 어려움을 겪은 끝에 삼차방정식의 해법을 얻게 되었다. 당시 해법을 알아내고서도 공표를 하지 않고 있었는데 이 해법에 특별한 관심을 가진 카르다노 (1501~1576)가 감언이설로 타르탈리아를 설득하여 해법을 알아낸 다음 그의 저서 「위대한 술법」에서 그 해법을 자신이 발견한 양 공표해 버렸다. 후세 사람들이 이 사실을 알고 **타르탈리아-카르다노의 공식**이라고 부르고 있다.

그것은 내가 발견한 공식이야!

미안하지만 기억하지 않는 사람이 먼저지…

타르탈리아   카르다노

삼차방정식의 근의 공식과 더불어 수학자 페라리(1522~1565)가 사차방정식의 근의 공식을 유도하는 데 성공하면서 수학자들에 의해 방정식의 일반적인 해법을 찾는 연구는 끊임없이 이어졌다. 하지만 19세기 초에 이 연구는 멈추게 된다. 왜냐하면 수학자 아벨(1802~1829)이 5차 이상의 방정식에서는 일반적인 근의 공식을 절대로 만들 수 없다는 것을 증명하였기 때문이다.

슬로바키아의 브라티슬라바
브라티슬라바는 주변 나라의 화려함에 비하면 시골 마을 같지만 꾸밈이 없고
단아한 모습에서 아늑함을 느낄 수 있는 도시이다.
벤치에 앉아서 광장을 느릿하게 산책하며 급할 것 없는 오후를 즐기면서
풍경을 만끽하는 평온한 도시이다.

IV

이차함수

숨마쿰라우데® 개념기본서

INTRO to Chapter IV
이차함수

SUMMA CUM LAUDE - MIDDLE SCHOOL MATHEMATICS

아르키메데스의 거울...

고대 그리스의 위대한 수학자이자 물리학자이면서 뛰어난 발명가였던 아르키메데스(B.C. 287~B.C. 212)는 로마군의 공격에 맞서기 위해 '죽음의 광선 (Death Ray)'이란 병기를 만들었다고 한다. 이 병기는 포물선 모양의 구리 거울로 만들어졌는데 포물선의 반사성질을 이용하여 빛으로 공격하는 것이었다.

아르키메데스는 이를 사용하여 바다에 떠 있던 로마군의 배들을 불태울 수 있었다고 한다. 물론 거울 하나로 배들을 과연 불태울 수 있는지 의문이 들 수 있다. 실제 이 점을 궁금해 하여 미국 대학 연구팀이 재현을 시도하기도 하였다. 연구팀은 구리와 유리로 만든 물체로 태양 광선을 반사하여 45 m 떨어진 나무배를 쬐었지만 배 표면만 약간 그을렸을 뿐 화염이 일지는 않았고, 거리를 좁혔을 때도 작은 부분만 불태우는 데 그쳤다. 연구팀은 아르키메데스의 일화가 포물선의 성질을 이용한 사례로 좋은 일화이지만 약간의 신화적 요소가 가미된 것으로 보여진다고 말했다.

물체의 움직임과 이차함수...

17세기 과학자 갈릴레이(1564~1642)는 물체의 낙하운동에 대해 연구하면서 '낙하하는 물체가 t초 후에 얼마나 낙하하는가' 라는 문제에 대한 결과로 $S = \dfrac{1}{2}gt^2$ (g는 비례상수)이라는 이차함수를 얻게 된다.

또한 그는 비스듬히 던져진 물체의 움직임이 곡선이 되는데, 이 곡선이 이차함수의 그래프, 즉 포물선이 된다는 것도 밝혀내었다.

이후 수학자 뉴턴(1642~1727)도 물체의 움직임을 연구하였는데 그는 물체를 위로 던질 때, 물체의 처음 속력이 a m/s이고, t초 후 물체의 높이를 y m라고 하면 $y = -4.9t^2 + at$라는 관계식이 성립함을 밝혀내었다. 이로부터 위로 던진 물체가 어떻게 움직이는지를 이차함수의 식을 이용하여 설명할 수 있게 되었다.

이차함수는 어떻게 공부할까?

중학교에서 배우는 일차함수와 이차함수는 고등학교에서 배우는 다양한 함수의 바탕이 된다. 중2 때 배운 일차함수 $y = ax + b$에서는 x의 값의 증가량에 대한 y의 값의 증가량의 비율이 항상 일정하여 그래프가 직선으로 나타나지만 이차함수는 직선이 아닌 포물선으로 나타난다. 따라서 함수의 뜻을 바탕으로 일차함수와 이차함수를 비교해가면서 제대로 이해해 놓도록 하자.

함수 단원에서 그래프의 중요성은 아무리 강조해도 지나치지 않을 것이다.

일차함수에서 $y = ax$의 그래프를 기본으로 하여 평행이동을 통해 $y = ax + b$의 그래프를 익힌 것처럼 이차함수에서는 $y = ax^2$의 그래프를 기본으로 하여 평행이동을 통해 $y = a(x - p)^2 + q$의 그래프를 익히게 된다. 따라서 기본이 되는 $y = ax^2$의 그래프의 성질을 제대로 알아두는 것이 무엇보다도 중요하다!

SUMMA **NOTE**

1. 이차함수의 뜻

함수 $y=f(x)$에서 y가 x에 대한 이차식
$$y=ax^2+bx+c \quad (a, b, c는 \ 상수, \ a\neq0)$$
로 나타내어질 때, 이 함수를 x에 대한 이차함수라고 한다.

중학교 2학년 때 배운 함수에 대한 내용을 잠시 복습해 보자.

❶ 함수란? 두 변수 x, y에 대하여 x의 값이 변함에 따라 y의 값이 하나씩 정해지는 대응 관계가 있을 때, y는 x의 함수라고 한다.

❷ 일차함수란? 함수 $y=f(x)$에서 y가 x에 대한 일차식 **$y=ax+b$** $(a, b는 \ 상수, \ a\neq0)$ 꼴로 나타내어질 때, 이 함수를 x에 대한 일차함수라고 한다.

1. 이차함수의 뜻

Q 078 이차함수란 무엇일까?

A (빠른) $y=ax^2+bx+c$ $(a, b, c는 \ 상수, \ a\neq0)$ 꼴의 함수

A (친절한) 오른쪽 그림과 같이 한 변의 길이가 4 cm인 정사각형의 각 변을 x cm씩 늘여서 만든 새로운 정사각형의 넓이를 y cm²라고 하자.

이때 두 양 x, y 사이의 관계식은
$$y=(4+x)^2$$
이고, 이 식의 우변을 정리하면
$$y=x^2+8x+16$$
즉, y는 x에 대한 이차식으로 나타내어진다.

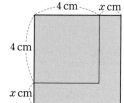

이때 다음 표에서 확인할 수 있듯이 x의 값이 하나 정해지면 그에 따라 y의 값이 오직 하나씩 정해지므로 y는 x의 함수이다.

$x(\text{cm})$	0	1	2	3	4
$y(\text{cm}^2)$	16	25	36	49	64

이와 같이 함수 $y=f(x)$에서 y가 x에 대한 이차식

$$y=ax^2+bx+c \ (a, b, c\text{는 상수}, a\neq0)$$

로 나타내어질 때, y를 x에 대한 **이차함수**라고 한다.

$y=ax^2+bx+c$에서 $a=0$이면 $y=bx+c$이므로 y는 x에 대한 일차함수가 된다.
따라서 $y=ax^2+bx+c$가 이차함수가 되려면 반드시 $a\neq0$이어야 한다.
$a\neq0$이면 b 또는 c의 값은 0이어도 x에 대한 이차식이므로 이차함수가 된다.

함수 $y=x^2-(x-1)^2$은 얼핏 보면 x에 대한 이차함수로 보이지만 우변을 동류항끼리 계산하여 정리하면 $y=x^2-(x^2-2x+1)=x^2-x^2+2x-1=2x-1$이므로 일차함수이다.
따라서 주어진 함수식이 복잡한 경우에는 반드시 우변을 전개한 후, 정리하여
$$y=(x\text{에 대한 이차식})$$
인지를 확인하자.

❶ 먼저 우변을 x에 대한 식으로 정리해!

❷ 그런 다음 x에 대한 이차식인지 확인해!

예제 1 이차함수인 것에는 ○표, 이차함수가 아닌 것에는 ×표를 하여라.

(1) $y=x^2-(2x^2-3x)+3$ (　　)   (2) $y=\dfrac{3}{x^2+1}$ (　　)

(3) $y=\dfrac{1}{2}x(x+3)$ (　　)   (4) $y=\dfrac{1}{3}x^2-\dfrac{1}{3}(x^2+2x)$ (　　)

풀이 (1) $y=-x^2+3x+3$ (○)   (2) 분모에 x가 있다. (×)

(3) $y=\dfrac{1}{2}x^2+\dfrac{3}{2}x$ (○)   (4) $y=-\dfrac{2}{3}x$ (×)

| 참고 | 이차식, 이차방정식, 이차함수는 각각 다음과 같은 꼴이므로 그 차이점을 알아두자.

(1) ax^2+bx+c : x에 대한 이차식
(2) $ax^2+bx+c=0$: x에 대한 이차방정식
(3) $y=ax^2+bx+c$: x에 대한 이차함수

$a\neq0$이고 a, b, c는 상수

x와 y 사이의 관계가 문장으로 주어지면 먼저 x와 y 사이의 관계식을 구한 다음, y가 x에 대한 이차함수인지 판단하면 된다.

(1) 어떤 자연수 x와 그 수의 제곱의 합은 y이다.	➡ $y=x+x^2$ (이차함수)
(2) 반지름의 길이가 x인 원의 둘레의 길이는 y이다.	➡ $y=2\pi x$ (일차함수)
(3) 밑변의 길이와 높이가 각각 x인 삼각형의 넓이는 y이다.	➡ $y=\dfrac{1}{2}x^2$ (이차함수)

예제 2 y가 x에 대한 이차함수인지 말하여라.

(1) 연속하는 두 홀수 x, $x+2$의 제곱의 합은 y이다.

(2) 한 모서리의 길이가 x인 정육면체의 부피는 y이다.

(3) 정x각형의 대각선의 개수는 y이다.

풀이 (1) $y=x^2+(x+2)^2$ ➡ $y=2x^2+4x+4$ ➡ 이차함수이다.

(2) $y=x^3$ ➡ 이차함수가 아니다.

(3) $y=\dfrac{x(x-3)}{2}$ ➡ $y=\dfrac{1}{2}x^2-\dfrac{3}{2}x$ ➡ 이차함수이다.

Q 079   이차함수 $f(x)=x^2-5x$에 대하여 $f(2)$의 값은 얼마일까?

$f(2)=2^2-5\times 2=-6$

함수 $y=f(x)$에서 정해진 x의 값에 대응하는 y의 값을 x에서의 함숫값이라고 한다.

즉, $f(2)$의 값은 $x=2$에서의 함숫값이다. 함숫값은 다음 그림으로 표현되는 입출력 시스템을 생각할 때 출력되는 값에 해당한다.

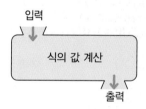

이차함수의 함숫값을 구하는 방법은 단순하다. x에 넣고자 하는 수만 잘 넣어 계산하면 끝~

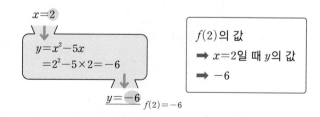

예제 3 이차함수 $f(x) = -x^2 + 2x - 3$에 대하여 다음 함숫값을 구하여라.

(1) $f(0)$ (2) $f(-1)$ (3) $f\left(\dfrac{1}{2}\right)$

풀이 (1) $f(0) = -0^2 + 2 \times 0 - 3 = \mathbf{-3}$

(2) $f(-1) = -(-1)^2 + 2 \times (-1) - 3 = \mathbf{-6}$

(3) $f\left(\dfrac{1}{2}\right) = -\left(\dfrac{1}{2}\right)^2 + 2 \times \dfrac{1}{2} - 3 = \mathbf{-\dfrac{9}{4}}$

| 참고 | $y = ax^2 + bx + c$와 $f(x) = ax^2 + bx + c$는 같은 함수이다.

Q 080 이차함수 $f(x) = x^2 - 5x$에 대하여 $f(a) = -6$일 때, a의 값은 얼마일까?

A 이차방정식 $a^2 - 5a = -6$을 풀어.

A $f(a) = -6$은 $x = a$일 때의 함숫값이 -6이라는 것을 나타낸다. 이는 앞의 입출력 시스템에서 출력한 값을 말해 주고 입력한 값을 묻는 경우이다. 이때에는 a에 관한 이차방정식을 풀면 된다.

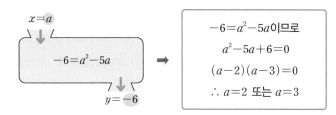

$x = a$

$-6 = a^2 - 5a$

$y = -6$

→

$-6 = a^2 - 5a$이므로

$a^2 - 5a + 6 = 0$

$(a-2)(a-3) = 0$

$\therefore a = 2$ 또는 $a = 3$

예제 4 함수 $f(x) = 3x^2 + 5x - 1$에 대하여 $f(k) = 1$일 때, 양수 k의 값을 구하여라.

풀이 $f(k) = 3k^2 + 5k - 1 = 1$이므로 $3k^2 + 5k - 2 = 0$

$(k+2)(3k-1) = 0$ $\therefore k = \dfrac{1}{3}$ $(\because k > 0)$

THINK Math

다항함수

함수 $y = f(x)$에서 $f(x)$가 x에 대한 다항식일 때, $y = f(x)$를 다항함수라고 한다. 다항함수 중에서 x에 대한 다항식의 차수가 일차, 이차, 삼차일 때, 각각 일차함수, 이차함수, 삼차함수라고 한다. 일반적으로 다항함수 $y = f(x)$는 $a \neq 0$이고 a, b, c, d가 상수일 때, 다음과 같이 나타낼 수 있다.

일차함수 : $y = ax + b$ 예 $y = 2x + 1$

이차함수 : $y = ax^2 + bx + c$ 예 $y = 3x^2 + 6x + 2$

삼차함수 : $y = ax^3 + bx^2 + cx + d$ 예 $y = -2x^3 + 3x^2 - 4x + 2$

특히 $y = a$, 즉 $f(x) = a$ (a는 상수)를 상수함수라고 한다. 상수함수는 다항함수이지만 차수가 0 이므로 일차함수는 아니다. 예 $y = 1$, $y = -3$

01 다음 중 이차함수인 것에는 ○표, 이차함수가 아닌 것에는 ×표를 하여라.

(1) $y=x^2+3x-1$　　　(　　　)

(2) $y=3x-1$　　　(　　　)

(3) $y=\dfrac{3}{x^2}$　　　(　　　)

(4) $y=-4x^2-(2x-4x^2)$　(　　　)

02 다음에서 y를 x의 식으로 나타내고, y가 x에 대한 이차함수인 것을 모두 골라라.

(1) 반지름의 길이가 x cm인 원의 넓이 y cm^2

(2) 시속 60 km로 달리는 자동차가 x시간 동안 달린 거리 y km

(3) 가로의 길이가 x cm, 세로의 길이가 $(x+2)$ cm인 직사각형의 넓이 y cm^2

(4) 밑면은 한 변의 길이가 x cm인 정사각형이고, 높이는 10 cm인 정사각뿔의 부피 y cm^3

03 이차함수 $f(x)=x^2-3x+1$에 대하여 다음을 구하여라.

(1) $f(0)$　　　　　　　　　　(2) $f(1)$

(3) $f(-2)$　　　　　　　　　(4) $f\left(\dfrac{1}{2}\right)$

04 이차함수 $f(x)=-x^2+4x+a$에서 $f(1)=8$일 때, 상수 a의 값을 구하여라.

SUMMA **NOTE**

1. 이차함수 $y=x^2$의 그래프

(1) 이차함수의 그래프

① 포물선 : 이차함수의 그래프와 같은 모양의 곡선

② 축 : 포물선의 대칭축

③ 꼭짓점 : 포물선과 축과의 교점

(2) 이차함수 $y=x^2$의 그래프의 성질

① 아래로 볼록하다.

② 꼭짓점의 좌표 : $(0, 0)$

③ 축의 방정식 : $x=0$ ➡ y축에 대칭이다.

④ $x<0$일 때, x의 값이 증가하면 y의 값은 감소한다.

$x>0$일 때, x의 값이 증가하면 y의 값도 증가한다.

⑤ $y=-x^2$의 그래프와 x축에 서로 대칭이다.

2. 이차함수 $y=ax^2$의 그래프의 성질

(1) 꼭짓점의 좌표 : $(0, 0)$

(2) 축의 방정식 : $x=0$ ➡ y축에 대칭이다.

(3) $a>0$이면 아래로 볼록하고, $a<0$이면 위로 볼록하다.

(4) a의 절댓값이 클수록 그래프의 폭은 좁아진다.

(5) $y=-ax^2$의 그래프와 x축에 서로 대칭이다.

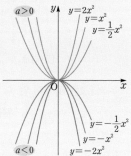

중학교 2학년 때 일차함수를 공부한 과정을 떠올려 보면 가장 간단한 일차함수 $y=ax$의 그래프를 바탕으로 일차함수의 그래프의 특징을 살펴본 후, 이를 이용하여 일차함수 $y=ax+b$의 그래프를 살펴보았다.

이와 비슷한 방법으로 이차함수의 그래프의 성질 역시 이차함수 중 가장 간단한 이차함수 $y=ax^2$의 그래프를 바탕으로 살펴보고자 한다.

먼저 $y=ax^2$의 그래프 중 $a=1$인 경우인 $y=x^2$의 그래프를 공부해 보자.

1. 이차함수 $y = x^2$의 그래프

Q 081 이차함수 $y = x^2$의 그래프는 어떤 모양일까?

A 원점을 지나고 아래로 볼록하며 y축에 대칭인 곡선!

A 이차함수 $y = x^2$에서 정수인 x의 값에 대응하는 y의 값을 표로 나타내면 다음과 같다.

x	$\cdots$	-3	-2	-1	0	1	2	3	$\cdots$
y	$\cdots$	9	4	1	0	1	4	9	$\cdots$

위의 표에서 x의 값과 y의 값으로 이루어진 순서쌍 (x, y)를 좌표로 하는 점을 좌표평면 위에 나타내면 아래 [그림 1]과 같다. 그리고 x의 값의 간격을 0.5로 하면 [그림 2]가 된다. 이를 토대로 x의 값의 간격을 점점 작게 하여 그 범위를 실수 전체로 확장하면 이차함수 $y = x^2$의 그래프는 [그림 3]과 같은 매끄러운 곡선이 된다.

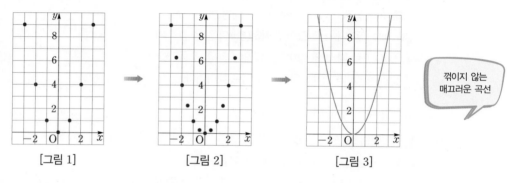

[그림 1] [그림 2] [그림 3]

꺾이지 않는 매끄러운 곡선

위의 [그림 3]에서 알 수 있듯이 이차함수 $y = x^2$의 그래프는

원점을 지나고 아래로 볼록하며 y축에 대칭인 곡선이다.

| **참고** | ① 우리가 배우는 이차함수의 그래프는 아래로 볼록한 모양과 위로 볼록한 모양으로 2가지이다.
② y축에 대칭이라는 말은 y축을 접는 선으로 하여 접으면 완전히 포개어진다는 뜻이다.

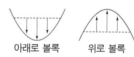

아래로 볼록 위로 볼록

이차함수 $y = x^2$의 그래프와 같은 모양의 곡선을 **포물선**이라고 한다.
포물선은 선대칭도형으로 그 대칭축을 포물선의 **축**이라 하고, 포물선과
축의 교점을 포물선의 **꼭짓점**이라고 한다.
이를테면, 이차함수 $y = x^2$의 그래프는

y축을 축으로 하고, 원점을 꼭짓점으로 하는 포물선이다.

축
포물선
꼭짓점

또한 이차함수 $y=x^2$의 그래프는 y축을 기준으로 좌우 대칭이므로 오른쪽 그림과 같이

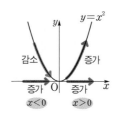

$x<0$일 때, x의 값이 증가하면 y의 값은 감소하고,

$x>0$일 때, x의 값이 증가하면 y의 값도 증가한다.

한편 임의의 실수 x에 대하여 $x^2 \geq 0$이므로 이차함수 $y=x^2$의 그래프는 x축의 아래쪽에는 그려지지 않는다. 즉, 포물선의 꼭짓점 $(0, 0)$이 가장 아래에 있는 점이 된다.

| 참고 | 포물선(抛物線)에서 '抛'는 '던지다', '物'은 '물체', '線'은 '선'을 의미하므로 포물선은 물체를 위로 던졌을 때, 그 물체가 올라갔다가 떨어지면서 그리는 선을 말한다.

Q 082 이차함수 $y=-x^2$의 그래프는 어떤 모양일까?

A 원점을 지나고 위로 볼록하며 y축에 대칭인 포물선!

A 두 이차함수 $y=x^2$, $y=-x^2$에 대하여 정수인 x의 값에 대응하는 y의 값을 표로 나타내면 다음과 같다.

x	$\cdots$	-3	-2	-1	0	1	2	3	$\cdots$
x^2	$\cdots$	9	4	1	0	1	4	9	$\cdots$
$-x^2$	$\cdots$	-9	-4	-1	0	-1	-4	-9	$\cdots$

위의 표에서 같은 x의 값에 대하여 $y=x^2$과 $y=-x^2$의 함숫값은

절댓값은 같고, 부호가 반대이다.

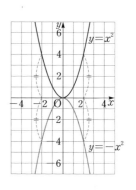

따라서 이차함수 $y=-x^2$의 그래프는 오른쪽 그림과 같이 $y=x^2$의 그래프 위의 각 점과 x축에 대칭인 점을 잡아서 곡선으로 연결하여 그릴 수 있다.

오른쪽 그림에서 알 수 있듯이 이차함수 $y=-x^2$의 그래프는

원점을 지나고 위로 볼록하며 y축에 대칭인 포물선이다.

또한 이차함수 $y=-x^2$의 그래프는 $y=x^2$의 그래프와 x축에 대칭이므로 $y=-x^2$의 그래프에서 증가, 감소하는 부분도 오른쪽 그림과 같이 $y=x^2$의 그래프와 반대가 된다. 즉,

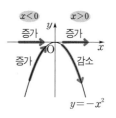

$x<0$일 때, x의 값이 증가하면 y의 값도 증가하고,

$x>0$일 때, x의 값이 증가하면 y의 값은 감소한다.

이상으로부터 두 이차함수 $y=x^2$과 $y=-x^2$의 그래프의 성질을 비교 분석하면 다음과 같다.
이차함수를 배우는 데 가장 기초가 되는 내용이므로 완벽히 이해해두도록 하자.

이차함수	$y=x^2$	$y=-x^2$
그래프		
꼭짓점의 좌표	$(0, 0)$	
축의 방정식	$x=0$ (y축)	
그래프의 모양	**아래**로 볼록	**위**로 볼록
그래프의 증가·감소 (축을 기준으로 나누어진다.)	$x<0$일 때, x의 값이 증가하면 y의 값은 감소한다.	$x<0$일 때, x의 값이 증가하면 y의 값도 증가한다.
	$x>0$일 때, x의 값이 증가하면 y의 값도 증가한다.	$x>0$일 때, x의 값이 증가하면 y의 값은 감소한다.
두 그래프의 관계	$y=x^2$과 $y=-x^2$의 그래프는 x축에 서로 대칭이다.	

| 참고 |

y축에 대칭		x축에 대칭

Math STORY

포탄을 가장 멀리 쏘려면 $45°$로?

오른쪽 그림과 같이 대포를 쏘면 포탄은 포물선을 그리면서 날아간다. 이때 포탄을 가장 멀리 쏘려면 포구를 지면으로부터 몇 도 방향으로 쏘아야 할까? 이론적으로는 $45°$ 방향으로 쏘아야 가장 멀리 날아갈 수 있다.

하지만 실제로는 공기의 저항, 던지는 물체의 무게, 속도에 영향을 받기 때문에 가장 멀리 쏘려면 $45°$ 이하로 쏘아야 한다고 한다.

예를 들면 육상경기 중 창던지기는 창이 가볍고 길기 때문에 $45°$로 던질 경우 공기의 저항을 크게 받게 되면서 창의 가장 윗부분이 들려 멀리 날아갈 수 없게 된다. 창던지기 선수들은 대부분 $31°{\sim}33°$로 던지는 것이 가장 멀리 날아간다고 말한다.

2. 이차함수 $y=ax^2$의 그래프

Q 083 이차함수 $y=ax^2$의 그래프는 어떤 모양일까?

A 원점을 꼭짓점으로 하고 y축을 축으로 하는 포물선!

A 두 이차함수 $y=x^2$, $y=2x^2$에 대하여 정수인 x의 값에 대응하는 y의 값을 표로 나타내면 다음과 같다.

x	$\cdots$	-3	-2	-1	0	1	2	3	$\cdots$
x^2	$\cdots$	9	4	1	0	1	4	9	$\cdots$
$2x^2$	$\cdots$	18	8	2	0	2	8	18	$\cdots$

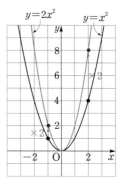

주어진 표에서 x의 값에 대하여 $y=2x^2$의 함숫값은 $y=x^2$의 함숫값의 2배임을 알 수 있다. 따라서 $y=2x^2$의 그래프는 오른쪽 그림과 같이 $y=x^2$의 그래프의 각 점에 대하여 y좌표가 2배가 되는 점을 잡아서 그릴 수 있다.

위와 같은 방법으로 하여 $a>0$일 때, $y=ax^2$ 꼴의 몇몇 함수의 그래프를 그려 보면 $y=x^2$의 그래프의 각 점에 대하여 y좌표가 a배로 된 점들로 이루어짐을 확인할 수 있다.

한편 $a<0$일 때 이차함수 $y=ax^2$의 그래프는 이차함수 $y=-ax^2$의 그래프 위의 각 점과 x축에 대칭인 점을 잡아서 그리면 된다.

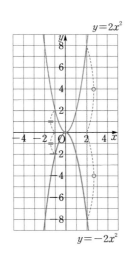

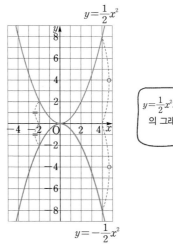

$y=\frac{1}{2}x^2$과 $y=-\frac{1}{2}x^2$의 그래프는 x축에 대칭!

이차함수 $y=ax^2$의 그래프는 a의 값에 관계없이 항상 원점을 꼭짓점으로 하고 y축을 축으로 하는 포물선임을 알 수 있다.

A $a>0$이면 아래로 볼록하고, $a<0$이면 위로 볼록하다.

A a의 값이 각각 -2, -1, $-\dfrac{1}{2}$, $\dfrac{1}{2}$, 1, 2일 때, 이차함수 $y=ax^2$의

그래프를 그려 보면 오른쪽 그림과 같다.

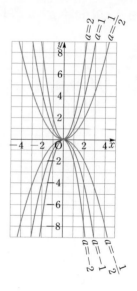

그래프를 통해 알 수 있듯이 a의 값은 그래프의 모양과 관계가 매우 깊다.

① a의 부호는 그래프의 모양을 결정한다.

$a>0$이면 아래로 볼록하고, $a<0$이면 위로 볼록하다.

② a의 절댓값은 <u>그래프의 폭</u>을 결정한다.
_{그래프의 벌어진 정도}

이차함수 $y=2x^2$의 그래프는 $y=x^2$의 그래프보다 폭이 좁다.

또한 이차함수 $y=\dfrac{1}{2}x^2$의 그래프는 $y=x^2$의 그래프보다 폭이 넓다. 즉,

a의 절댓값이 클수록 그래프의 폭이 좁아진다.

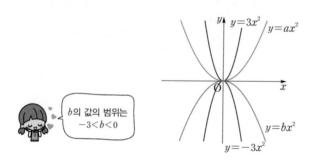

| 참고 | 그래프에서 a의 값의 변화를 살펴보면 마치 수직선에서와 같이 한 방향으로 a의 값이 점점 작아지거나 커짐을 알 수 있다.

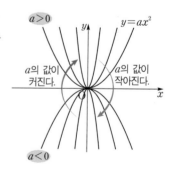

한편 이차함수 $y=x^2$의 그래프와 $y=-x^2$의 그래프가 x축에 서로 대칭인 것과 같이 이차함수 $y=ax^2$의 그래프와 $y=-ax^2$의 그래프는 x축에 서로 대칭이다.

이상으로부터 이차함수 $y=ax^2$의 그래프의 성질을 정리하면 다음과 같다.

이차함수	$a>0$	$a<0$
그래프		
꼭짓점의 좌표	$(0, 0)$	
축의 방정식	$x=0 \ (y$축$)$	
그래프의 모양	아래로 볼록	위로 볼록
그래프의 증가·감소	$x<0$일 때, x의 값이 증가하면 y의 값은 감소한다.	$x<0$일 때, x의 값이 증가하면 y의 값도 증가한다.
	$x>0$일 때, x의 값이 증가하면 y의 값도 증가한다.	$x>0$일 때, x의 값이 증가하면 y의 값은 감소한다.
	• a의 절댓값이 클수록 그래프의 폭이 좁아진다. • $y=-ax^2$의 그래프와 x축에 대칭이다.	

예제 5 이차함수 $y=-3x^2$의 그래프에 대해 옳은 것에 ○표, 옳지 않은 것에 ×표를 하여라.

(1) 아래로 볼록한 포물선이다. (　　)

(2) $y=3x^2$의 그래프와 x축에 대칭이다. (　　)

(3) $y=4x^2$의 그래프보다 폭이 넓다. (　　)

(4) 그래프가 x축의 위쪽에 그려진다. (　　)

(5) 제3사분면과 제4사분면을 지난다. (　　)

풀이 (1) × (2) ○ (3) ○ (4) × (5) ○

개념 **확인**

(1) $y=ax^2$의 그래프의 꼭짓점의
    좌표는 [   ]이고,
    축은 직선 $x=$ [ ]이다.

(2) $y=2x^2$의 그래프는 $y=-2x^2$
    의 그래프와 [ ]축에 대칭이다.

01 네 이차함수 $y=-3x^2$, $y=-2x^2$, $y=-x^2$, $y=-\dfrac{1}{2}x^2$의 공통점에 대하여 다음 □ 안에 알맞은 것을 써넣어라.

(1) 그래프의 꼭짓점의 좌표는 (□ , □)이고, □축을 축으로 한다.

(2) 그래프는 [   ]로 볼록한 포물선이다.

(3) $x>0$일 때, x의 값이 증가하면 y의 값은 [   ]한다.

02 다음 보기의 이차함수에 대하여 물음에 답하여라.

> 보기
> ㄱ. $y=\dfrac{1}{3}x^2$　　　　　ㄴ. $y=-4x^2$　　　　　ㄷ. $y=4x^2$
>
> ㄹ. $y=-\dfrac{1}{3}x^2$　　　　ㅁ. $y=-\dfrac{1}{4}x^2$　　　　ㅂ. $y=5x^2$

(1) 그래프가 아래로 볼록한 것을 모두 찾아라.

(2) 그래프의 폭이 가장 넓은 것과 가장 좁은 것을 찾아라.

(3) 그래프가 x축에 서로 대칭인 것을 모두 찾아라.

자기 **진단**

Q 083 ⊙ 199쪽
이차함수 $y=ax^2$의 그래프는 어떤
모양일까?

Q 084 ⊙ 200쪽
이차함수 $y=ax^2$의 그래프는 a의
값에 따라 어떻게 달라질까?

03 다음 이차함수의 그래프가 오른쪽 그림과 같을 때, 각 그래프에 해당하는 이차함수의 식을 찾아 짝지어라.

> $y=x^2$, $y=-2x^2$, $y=3x^2$, $y=-\dfrac{1}{3}x^2$

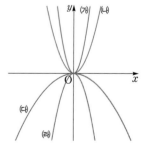

SUMMA **NOTE**

1. 이차함수 $y=ax^2+q$의 그래프

(1) 이차함수 $y=ax^2$의 그래프를 y축의 방향으로 q만큼 평행이동한 것이다.

(2) 꼭짓점의 좌표 : $(0,\ q)$

(3) 축의 방정식 : $x=0$ (y축)

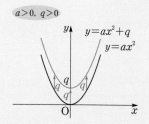

2. 이차함수 $y=a(x-p)^2$의 그래프

(1) 이차함수 $y=ax^2$의 그래프를 x축의 방향으로 p만큼 평행이동한 것이다.

(2) 꼭짓점의 좌표 : $(p,\ 0)$

(3) 축의 방정식 : $x=p$

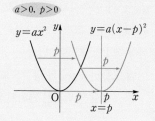

3. 이차함수 $y=a(x-p)^2+q$의 그래프

(1) 이차함수 $y=ax^2$의 그래프를 x축의 방향으로 p만큼, y축의 방향으로 q만큼 평행이동한 것이다.

(2) 꼭짓점의 좌표 : $(p,\ q)$

(3) 축의 방정식 : $x=p$

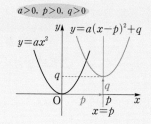

우리는 중학교 2학년 때 평행이동을 이용하여 두 일차함수 $y=ax$, $y=ax+b$의 그래프 사이의 관계를 공부하였다.

오른쪽 그림과 같이 일차함수 $y=ax+b$의 그래프는 $y=ax$의 그래프를 y축의 방향으로 b만큼 평행이동한 것임을 알 수 있다.

이와 같은 방법으로 이차함수 $y=ax^2$의 그래프를 y축 또는 x축의 방향으로 평행이동한 그래프에 대하여 알아보자.

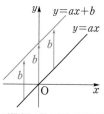

평행이동 : 한 도형을 일정한 방향으로 일정한 거리만큼 옮기는 것

1. 이차함수 $y=ax^2+q$의 그래프

Q 085 이차함수 $y=ax^2$의 그래프를 y축의 방향으로 q만큼 평행이동한 그래프는?

A $y=ax^2+q$의 그래프!

A 두 이차함수 $y=x^2$, $y=x^2+3$에 대하여 정수인 x의 값에 대응하는 y의 값을 표로 나타내면 다음과 같다.

x	$\cdots$	-3	-2	-1	0	1	2	3	$\cdots$
x^2	$\cdots$	9	4	1	0	1	4	9	$\cdots$
x^2+3	$\cdots$	12	7	4	3	4	7	12	$\cdots$

위의 표에서 같은 x의 값에 대하여 이차함수 $y=x^2+3$의 함숫값은 $y=x^2$의 함숫값보다 항상 3만큼 큰 것을 알 수 있다. 즉, 이차함수 $y=x^2+3$의 그래프는 오른쪽 그림과 같이 이차함수 $y=x^2$의 그래프를 y축의 방향으로 3만큼 평행이동한 것과 같다.

이때 포물선을 y축의 방향으로 평행이동한 것이므로

포물선의 축은 변하지 않고 꼭짓점의 y좌표만 달라진다!

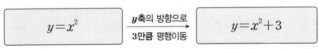

$$y=x^2 \quad \xrightarrow[\text{3만큼 평행이동}]{y\text{축의 방향으로}} \quad y=x^2+3$$

① 꼭짓점의 좌표 : $(0, 0)$ ① 꼭짓점의 좌표 : $(0, 3)$
② 축의 방정식 : $x=0$ ② 축의 방정식 : $x=0$

따라서 이차함수 $y=ax^2+q$의 그래프를 그릴 때에는 순서쌍을 찾거나 대응표를 만들 필요없이 $y=ax^2$의 그래프를 그린 다음 y축의 방향으로 q만큼 평행이동하여 그리면 된다.

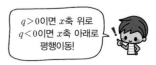

$q>0$이면 x축 위로
$q<0$이면 x축 아래로
평행이동!

이상을 바탕으로 다음과 같이 정리할 수 있다.

이차함수 $y=ax^2+q$의 그래프
(1) 이차함수 $y=ax^2$의 그래프를 y축의 방향으로 q만큼 평행이동한 것이다.
(2) 꼭짓점의 좌표 : $(0, q)$ ← 꼭짓점이 y축 위에 있다.
(3) 축의 방정식 : $x=0$ ← y축

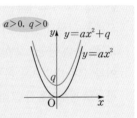

예제 6 다음 이차함수의 그래프를 y축의 방향으로 [   ] 안의 수만큼 평행이동한 그래프의 꼭짓점의 좌표와 축의 방정식을 구하여라.

(1) $y=2x^2$ [5]　　　　　　　　(2) $y=-3x^2$ [-2]

풀이 (1) $y=2x^2+5$의 그래프 ➡ 꼭짓점의 좌표 : $(0, 5)$, 축의 방정식 : $x=0$
(2) $y=-3x^2-2$의 그래프 ➡ 꼭짓점의 좌표 : $(0, -2)$, 축의 방정식 : $x=0$

예제 7 이차함수 $y=ax^2+q$의 그래프를 보고, 상수 a, q의 부호를 구하여라.

(1)
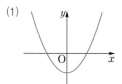

(2)
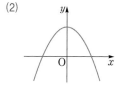

풀이 (1) 아래로 볼록 : $a>0$, 꼭짓점의 위치 : $q<0$
(2) 위로 볼록 : $a<0$, 꼭짓점의 위치 : $q>0$

2. 이차함수 $y=a(x-p)^2$의 그래프

Q 086 이차함수 $y=ax^2$의 그래프를 x축의 방향으로 p만큼 평행이동한 그래프는?

$y=a(x-p)^2$의 그래프!

두 이차함수 $y=x^2$, $y=(x-2)^2$에 대하여 정수인 x의 값에 대응하는 y의 값을 표로 나타내면 다음과 같다.

x	$\cdots$	-3	-2	-1	0	1	2	3	$\cdots$
x^2	$\cdots$	9	4	1	0	1	4	9	$\cdots$
$(x-2)^2$	$\cdots$	25	16	9	4	1	0	1	$\cdots$

위의 표에서 x의 값이 -3, -2, -1, $\cdots$일 때의 $y=x^2$의 함숫값과 x의 값이 -1, 0, 1, $\cdots$일 때의 $y=(x-2)^2$의 함숫값은 각각 서로 같다. 즉, 이차함수 $y=(x-2)^2$의 그래프는 오른쪽 그림과 같이 이차함수 $y=x^2$의 그래프를 x축의 방향으로 2만큼 평행이동한 것과 같다.
이때 포물선을 x축의 방향으로 평행이동한 것이므로
　　　꼭짓점의 x좌표가 달라진다!

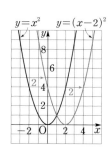

$$\boxed{y=x^2} \quad \substack{x\text{축의 방향으로} \\ \longrightarrow \\ 2\text{만큼 평행이동}} \quad \boxed{y=(x-2)^2}$$

① 꼭짓점의 좌표 : $(0, 0)$ ① 꼭짓점의 좌표 : $(\,2, 0)$

② 축의 방정식 : $x=0$ ② 축의 방정식 : $x=2$

이상을 바탕으로 다음과 같이 정리할 수 있다.

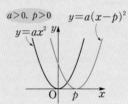

이차함수 $y=a(x-p)^2$의 그래프

(1) 이차함수 $y=ax^2$의 그래프를 x축의 방향으로 p만큼 평행이동한 것이다.

(2) 꼭짓점의 좌표 : $(p, 0)$ ← 꼭짓점이 x축 위에 있다.

(3) 축의 방정식 : $x=p$

예제 8   다음 이차함수의 그래프를 x축의 방향으로 [ ] 안의 수만큼 평행이동한 그래프의 꼭짓점의 좌표와 축의 방정식을 구하여라.

(1) $y=2x^2$ [3]   (2) $y=-\dfrac{1}{3}x^2$ [-2]

풀이   (1) $y=2(x-3)^2$의 그래프 ➡ 꼭짓점의 좌표 : $(3, 0)$, 축의 방정식 : $x=3$

(2) $y=-\dfrac{1}{3}(x+2)^2$의 그래프 ➡ 꼭짓점의 좌표 : $(-2, 0)$, 축의 방정식 : $x=-2$

예제 9   이차함수 $y=a(x-p)^2$의 그래프를 보고, 상수 a, p의 부호를 구하여라.

(1) 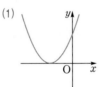   (2)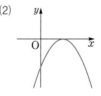

풀이   (1) 아래로 볼록 : $a>0$, 꼭짓점의 위치 : $p<0$

(2) 위로 볼록 : $a<0$, 꼭짓점의 위치 : $p>0$

THINK Math

함수의 그래프의 평행이동과 식

(1) $y=f(x)$의 그래프를 x축의 방향으로 p만큼 평행이동

➡ x 대신 $x-p$ 대입 ➡ $y=f(x-p)$

(2) $y=f(x)$의 그래프를 y축의 방향으로 q만큼 평행이동

➡ y 대신 $y-q$ 대입 ➡ $y-q=f(x)$ ➡ $y=f(x)+q$

위 함수의 그래프의 평행이동의 규칙을 이차함수 $y=ax^2$에 적용시켜 나온 식이 $y=a(x-p)^2$과 $y=ax^2+q$이다.

3. 이차함수 $y=a(x-p)^2+q$의 그래프

Q 087 이차함수 $y=ax^2$의 그래프를 x축의 방향으로 p만큼, y축의 방향으로 q만큼 평행이동한 그래프는?

A $y=a(x-p)^2+q$의 그래프

A Q 085와 Q 086을 잘 이해했다면 이차함수 $y=(x-3)^2+2$의 그래프는 $y=x^2$의 그래프를

$$x축의\ 방향으로\ 3만큼,\ y축의\ 방향으로\ 2만큼$$

평행이동한 것임을 알 수 있다.

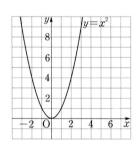 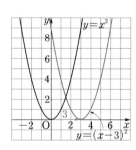 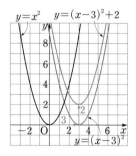

$$\boxed{y=x^2} \xrightarrow[\text{3만큼 평행이동}]{\text{x축의 방향으로}} \boxed{y=(x-3)^2} \xrightarrow[\text{2만큼 평행이동}]{\text{y축의 방향으로}} \boxed{y=(x-3)^2+2}$$

① 꼭짓점의 좌표 : $(0, 0)$ ① 꼭짓점의 좌표 : $(3, 0)$ ① 꼭짓점의 좌표 : $(3, 2)$
② 축의 방정식 : $x=0$ ② 축의 방정식 : $x=3$ ② 축의 방정식 : $x=3$

순서를 달리하여 이차함수 $y=x^2$의 그래프를 y축의 방향으로 2만큼 평행이동한 다음 x축의 방향으로 3만큼 평행이동해도 같은 그래프가 된다.

$$\boxed{y=x^2} \xrightarrow[\text{2만큼 평행이동}]{\text{y축의 방향으로}} \boxed{y=x^2+2} \xrightarrow[\text{3만큼 평행이동}]{\text{x축의 방향으로}} \boxed{y=(x-3)^2+2}$$

이상을 바탕으로 다음과 같이 정리할 수 있다.

이차함수 $y=a(x-p)^2+q$의 그래프
(1) 이차함수 $y=ax^2$의 그래프를 x축의 방향으로 p만큼, y축의 방향으로 q만큼 평행이동한 것이다.
(2) 꼭짓점의 좌표 : (p, q)
(3) 축의 방정식 : $x=p$

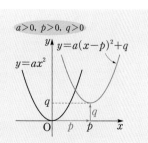

예제 10 이차함수 $y=-2(x-1)^2+4$의 그래프에 대한 설명으로 옳은 것에 ○표, 옳지 않은 것에 ×표를 하여라.

(1) 축의 방정식은 $x=1$이다. (　　　)

(2) $y=2x^2$의 그래프와 폭이 같다. (　　　)

(3) $x>1$일 때, x의 값이 증가하면 y의 값도 증가한다. (　　　)

(4) $y=-2x^2$의 그래프를 x축의 방향으로 1만큼, y축의 방향으로 4만큼 평행이동한 그래프이다. (　　　)

풀이 (1) ○　(2) ○　(3) ×　(4) ○

예제 11 이차함수 $y=a(x-p)^2+q$의 그래프를 보고, 상수 a, p, q의 부호를 구하여라.

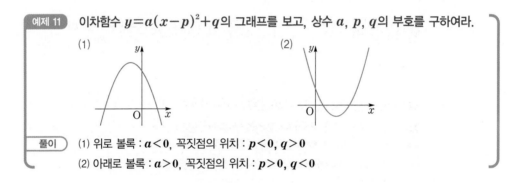

풀이 (1) 위로 볼록 : $a<0$, 꼭짓점의 위치 : $p<0$, $q>0$

(2) 아래로 볼록 : $a>0$, 꼭짓점의 위치 : $p>0$, $q<0$

Q.083~Q.087의 내용을 정리하면 다음과 같다. 이차함수의 그래프를 평행이동해도 꼭짓점의 위치만 바뀔 뿐 그래프의 모양은 변하지 않는다는 것! 그리고 그래프의 모양을 결정하는 것은 x^2의 계수임을 항상 기억하자.

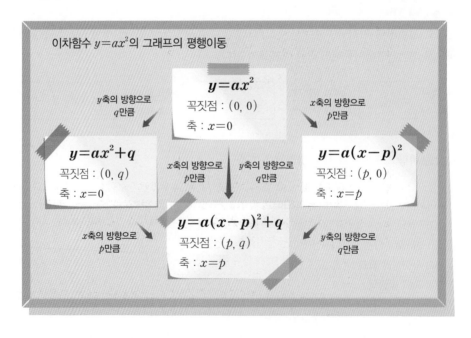

이차함수 $y=ax^2$의 그래프의 평행이동

$y=ax^2$
꼭짓점 : $(0, 0)$
축 : $x=0$

y축의 방향으로 q만큼

x축의 방향으로 p만큼

$y=ax^2+q$
꼭짓점 : $(0, q)$
축 : $x=0$

x축의 방향으로 p만큼　y축의 방향으로 q만큼

$y=a(x-p)^2$
꼭짓점 : $(p, 0)$
축 : $x=p$

$y=a(x-p)^2+q$
꼭짓점 : (p, q)
축 : $x=p$

x축의 방향으로 p만큼

y축의 방향으로 q만큼

Q 088 이차함수 $y=a(x-p)^2+q$의 그래프를 x축의 방향으로 m만큼, y축의 방향으로 n만큼 평행이동한 그래프의 식은?

바른 A

$y=a(x-p-m)^2+q+n$

친절한 A

이차함수 $y=ax^2$의 그래프를 x축의 방향으로 p만큼, y축의 방향으로 q만큼 평행이동한 그래프의 식은

$$y=a(x-p)^2+q$$

이다. 이와 마찬가지로 $y=a(x-p)^2+q$의 그래프를 x축의 방향으로 m만큼, y축의 방향으로 n만큼 평행이동한 그래프의 식은

$$y=a(x-p-m)^2+q+n$$

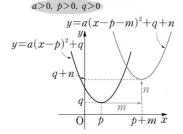

이다. 이때 그래프의 평행이동 대신 꼭짓점의 평행이동으로 생각하여 식을 구할 수도 있다.

즉, 꼭짓점 $(p,\ q)$를 x축의 방향으로 m만큼, y축의 방향으로 n만큼 평행이동하면 꼭짓점 $(p+m,\ q+n)$이 되므로 그래프의 식은 다음과 같다.

$$y=a\{x-(p+m)\}^2+q+n$$

예제 12 다음 그래프를 나타내는 식을 구하여라.

(1) 이차함수 $y=3x^2+1$의 그래프를 y축의 방향으로 4만큼 평행이동한 그래프

(2) 이차함수 $y=-3(x+3)^2+2$의 그래프를 x축의 방향으로 -4만큼, y축의 방향으로 3만큼 평행이동한 그래프

풀이 (1) $y=3x^2+1+4 \Rightarrow y=3x^2+5$ ← 꼭짓점의 좌표 : $(0, 5)$

(2) $y=-3(x+3+4)^2+2+3 \Rightarrow y=-3(x+7)^2+5$ ← 꼭짓점의 좌표 : $(-7, 5)$

Q 089 이차함수 $y=a(x-p)^2+q$의 그래프를 x축에 대하여 대칭이동한 그래프의 식은?

바른 A

$y=-a(x-p)^2-q$

친절한 A

이차함수 $y=\dfrac{1}{2}(x-3)^2+1$의 그래프를 x축에 대하여 대칭이동한 그래프의 식을 구해 보자.

$y=\dfrac{1}{2}(x-3)^2+1$의 그래프의 꼭짓점 $(3, 1)$을 x축에 대하여 대칭이동한 점의 좌표는 $(3,\ -1)$이므로 대칭이동한 그래프의 식은 $y=-\dfrac{1}{2}(x-3)^2-1$이 된다.

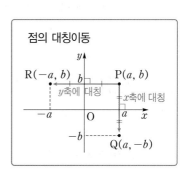

이때 모양이 뒤집어지므로 이차항의 계수의 부호도 반드시 바꾸어 주어야 함에 주의하자!

한편 $y=\dfrac{1}{2}(x-3)^2+1$의 그래프를 y축에 대하여 대칭이동한 그래프는 꼭짓점의 위치만 바뀔 뿐 모양은 변하지 않는다.

즉, 꼭짓점의 좌표가 $(3,\ 1)$에서 $\underline{(-3,\ 1)}$로 바뀌므로 대칭이동한 그래프의 식은

└→ x의 부호가 바뀐다.

$$y=\frac{1}{2}(x+3)^2+1$$

이다.

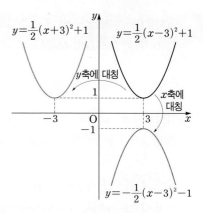

$y=-\dfrac{1}{2}(x-3)^2-1$	x축에 대하여 대칭이동 ←	$y=\dfrac{1}{2}(x-3)^2+1$	y축에 대하여 대칭이동 →	$y=\dfrac{1}{2}(x+3)^2+1$
꼭짓점의 좌표 : $(3,\ -1)$		꼭짓점의 좌표 : $(3,\ 1)$		꼭짓점의 좌표 : $(-3,\ 1)$

이차함수의 그래프의 대칭이동은 위와 같이 그림을 통하여 직관적으로 설명할 수 있지만 대칭이동한 그래프의 식을 구할 때에는 다음과 같은 방법을 이용한다.

이차함수 $y=a(x-p)^2+q$의 그래프의 대칭이동

(1) x축에 대하여 대칭이동 : y의 부호가 바뀌므로 y 대신 $-y$ 대입

$$-y=a(x-p)^2+q \ \Rightarrow \ y=-a(x-p)^2-q$$

(2) y축에 대하여 대칭이동 : x의 부호가 바뀌므로 x 대신 $-x$ 대입

$$y=a(-x-p)^2+q \ \Rightarrow \ y=a(x+p)^2+q$$

예제 13 이차함수 $y=-(x+2)^2+5$의 그래프에 대하여 다음과 같이 대칭이동한 그래프의 식을 구하여라.

(1) x축에 대하여 대칭이동

(2) y축에 대하여 대칭이동

풀이 (1) $-y=-(x+2)^2+5 \ \Rightarrow \ y=(x+2)^2-5$

(2) $y=-(-x+2)^2+5 \ \Rightarrow \ y=-(x-2)^2+5$

개념 CHECK

해설 BOOK 041쪽

개념 **확인**

(1) $y=ax^2+q$의 그래프의 꼭짓점의 좌표는 □□□이다.

(2) $y=a(x-p)^2$의 그래프의 꼭짓점의 좌표는 □□□이다.

(3) $y=a(x-p)^2+q$의 그래프의 꼭짓점의 좌표는 □□□이다.

01 오른쪽 그림은 이차함수 $y=\dfrac{1}{2}x^2$의 그래프이다.

이 그래프를 이용하여 다음 이차함수의 그래프를 그려라.

(1) $y=\dfrac{1}{2}x^2+2$

(2) $y=\dfrac{1}{2}(x-1)^2$

(3) $y=\dfrac{1}{2}(x+2)^2-3$

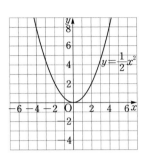

02 다음 이차함수의 그래프의 축의 방정식과 꼭짓점의 좌표를 각각 구하여라.

(1) $y=-5x^2+2$

(2) $y=\dfrac{4}{3}(x-2)^2$

(3) $y=-2(x+1)^2-4$

(4) $y=\dfrac{1}{5}(x-3)^2-\dfrac{4}{5}$

자기 **진단**

Q.085 ◎ 204쪽
이차함수 $y=ax^2$의 그래프를 y축의 방향으로 q만큼 평행이동한 그래프는?

Q.086 ◎ 205쪽
이차함수 $y=ax^2$의 그래프를 x축의 방향으로 p만큼 평행이동한 그래프는?

Q.087 ◎ 207쪽
이차함수 $y=ax^2$의 그래프를 x축의 방향으로 p만큼, y축의 방향으로 q만큼 평행이동한 그래프는?

03 다음 이차함수의 그래프를 x축의 방향으로 m만큼, y축의 방향으로 n만큼 평행이동한 그래프의 식을 구하여라.

(1) $y=2x^2$ $[\,m=1,\ n=-1\,]$

(2) $y=-4x^2$ $[\,m=-3,\ n=3\,]$

(3) $y=3(x-3)^2-6$ $[\,m=-2,\ n=4\,]$

(4) $y=-\dfrac{1}{3}(x+2)^2+\dfrac{1}{2}$ $[\,m=-1,\ n=-\dfrac{3}{2}\,]$

04 이차함수 $y=3(x+4)^2-1$의 그래프를 x축에 대하여 대칭이동한 그래프의 식을 구하여라.

문제 이해도를 ☺, ☺, ☹으로 표시해 보세요.

해설 BOOK **041**쪽 | 테스트 BOOK **056**쪽

유형 1 이차함수의 뜻

다음 중 이차함수인 것을 모두 고르면? (정답 2개)

① $y=-3x^2$

② $y=x(x+1)-x^2$

③ $y=\dfrac{(x-1)^2}{2}$

④ $y=3x-2$

⑤ $y=\dfrac{1}{x^2}$

Summa Point
함수 $y=f(x)$에서 $f(x)=(x$에 대한 이차식$)$ 꼴로 나타내어지
면 y를 x에 대한 이차함수라고 한다.

190쪽 **Q 078** ↻

1-1 ☺☺☹
다음 중 y가 x에 대한 이차함수인 것은?

① 한 변의 길이가 $4x$ cm인 정사각형의 둘레의 길이 y cm

② 두 대각선의 길이가 각각 $(2x+5)$cm, x cm인 마름모
의 넓이 y cm^2

③ 한 모서리의 길이가 x cm인 정육면체의 부피 y cm^3

④ 밑면의 반지름의 길이가 x cm이고 높이가 x cm인 원
뿔의 부피 y cm^3

⑤ 한 개에 300원인 지우개 x개의 값 y원

1-2 ☺☺☹
$y=2(x+3)^2-ax^2+2$가 x에 대한 이차함수일 때, 다음
중 실수 a의 값이 될 수 <u>없는</u> 것은?

① -2 ② -1 ③ 1

④ 2 ⑤ 4

유형 2 이차함수의 함숫값

이차함수 $f(x)=x^2-x-2$에 대하여 $f(2)-f(-2)$의
값을 구하여라.

Summa Point
이차함수 $y=f(x)$에서 $f(a)$의 값은 $y=f(x)$의 x에 a를 대입
하여 구할 수 있다.

192쪽 **Q 079** ↻

2-1 ☺☺☹
이차함수 $f(x)=x^2-3x-2$에 대하여 $f(a)=2$일 때, 양
수 a의 값을 구하여라.

2-2 ☺☺☹
이차함수 $f(x)=ax^2+5x-1$에 대하여 $f(-3)=2$일 때,
상수 a의 값을 구하여라.

2-3 ☺☺☹
이차함수 $f(x)=3x^2+ax+b$에 대하여
$f(1)=0$, $f(-2)=6$일 때, $f(-1)$의 값을 구하여라.
(단, a, b는 상수)

이차함수 $y=3x^2$의 그래프에 대한 다음 설명 중 옳은 것은?

① 위로 볼록한 포물선이다.
② 축의 방정식은 $y=0$이다.
③ $y=-3x^2$의 그래프와 x축에 대칭이다.
④ $x>0$일 때, x의 값이 증가하면 y의 값은 감소한다.
⑤ 제3, 4사분면을 지나는 포물선이다.

Summa Point

이차함수 $y=ax^2$의 그래프는
• 원점을 꼭짓점으로 하고, y축을 축으로 한다.
• $a>0$일 때 아래로 볼록하고, $a<0$일 때 위로 볼록하다.

199쪽 **Q 083** ○

3-1 ☺☺☺

다음 중 이차함수 $y=-\frac{1}{2}x^2$의 그래프 위의 점이 <u>아닌</u> 것은?

① $(-2, -2)$ ② $\left(-1, -\frac{1}{2}\right)$ ③ $(0, 0)$

④ $(2, -2)$ ⑤ $(4, -4)$

3-2 ☺☺☺

이차함수 $y=-2x^2$의 그래프가 두 점 $(p, -8)$, $(1, q)$를 지날 때, pq의 값을 구하여라. (단, $p<0$)

3-3 ☺☺☺

다음 이차함수 중 그 그래프가 위로 볼록하고 그래프의 폭이 가장 넓은 것은?

① $y=-\frac{1}{2}x^2$ ② $y=\frac{1}{4}x^2$ ③ $y=-4x^2$

④ $y=5x^2$ ⑤ $y=-\frac{1}{3}x^2$

3-4 ☺☺☺

이차함수 $y=ax^2$의 그래프가 $y=-3x^2$의 그래프보다 폭이 넓고, $y=-\frac{1}{2}x^2$의 그래프보다는 폭이 좁을 때, 정수 a의 값의 개수를 구하여라.

3-5 ☺☺☺

다음 이차함수 중 그 그래프가 이차함수 $y=2x^2$의 그래프와 x축에 대칭인 것은?

① $y=-2x^2$ ② $y=-\frac{1}{2}x^2$ ③ $y=\frac{1}{2}x^2$

④ $y=x^2$ ⑤ $y=2x^2$

3-6 ☺☺☺

이차함수 $y=-\frac{1}{3}x^2$의 그래프와 x축에 대칭인 이차함수의 그래프가 점 $(-6, a)$를 지날 때, a의 값을 구하여라.

3-7 ☺☺☺

오른쪽 그림과 같이 원점을 꼭짓점으로 하고, 점 $(-2, 6)$을 지나는 포물선을 그래프로 하는 이차함수의 식을 구하여라.

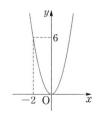

이차함수 $y=3x^2$의 그래프를 y축의 방향으로 -5만큼 평행이동한 그래프의 식을 구하여라.

Summa Point
이차함수 $y=ax^2$의 그래프를 y축의 방향으로 q만큼 평행이동한 그래프의 식은 $y=ax^2+q$이다.

204쪽 **Q** 085

이차함수 $y=-\dfrac{1}{2}(x+2)^2$의 그래프의 축의 방정식과 꼭짓점의 좌표를 차례로 구하여라.

Summa Point
이차함수 $y=a(x-p)^2$의 그래프의 축의 방정식은 $x=p$, 꼭짓점의 좌표는 $(p, 0)$이다.

205쪽 **Q** 086

4-1 ☺☺☹

이차함수 $y=4x^2+2$의 그래프에 대한 설명으로 옳은 것은?

① 꼭짓점의 좌표는 $(4, 2)$이다.

② y축에 대칭이다.

③ $x<0$일 때, x의 값이 증가하면 y의 값도 증가한다.

④ 점 $(-1, -2)$를 지난다.

⑤ $y=4x^2$의 그래프를 y축의 방향으로 -2만큼 평행이동한 것이다.

4-2 ☺☺☹

이차함수 $y=-\dfrac{1}{2}x^2$의 그래프를 y축의 방향으로 a만큼 평행이동하면 점 $(2, 1)$을 지난다. 이때 a의 값을 구하여라.

4-3 ☺☺☹

오른쪽 그림은 이차함수 $y=ax^2+q$의 그래프이다. 이때 상수 a, q의 값을 각각 구하여라.

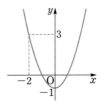

5-1 ☺☺☹

이차함수 $y=-2(x+1)^2$의 그래프에 대한 설명으로 옳지 <u>않은</u> 것은?

① 축의 방정식은 $x=-1$이다.

② 꼭짓점의 좌표는 $(-1, 0)$이다.

③ 위로 볼록하다.

④ $y=-2x^2$의 그래프를 x축의 방향으로 -1만큼 평행이동한 것이다.

⑤ x의 값이 증가할 때 y의 값도 증가하는 x의 값의 범위는 $x>-1$이다.

5-2 ☺☺☹

이차함수 $y=3x^2$의 그래프를 x축의 방향으로 p만큼 평행이동한 그래프의 꼭짓점의 좌표가 $(2, 0)$일 때, p의 값을 구하여라.

5-3 ☺☺☹

이차함수 $y=-4x^2$의 그래프를 x축의 방향으로 2만큼 평행이동한 그래프가 점 $(1, k)$를 지날 때, k의 값을 구하여라.

유형 ⑥ 이차함수 $y=a(x-p)^2+q$의 그래프

이차함수 $y=2(x-1)^2+4$의 그래프에 대한 설명으로 옳지 <u>않은</u> 것은?

① 이차함수 $y=2x^2$의 그래프를 x축의 방향으로 1만큼, y축의 방향으로 4만큼 평행이동한 것이다.

② 꼭짓점의 좌표는 $(1, 4)$이다.

③ 축의 방정식은 $x=1$이다.

④ 점 $(2, 2)$를 지난다.

⑤ 아래로 볼록하다.

Summa Point
이차함수 $y=a(x-p)^2+q$의 그래프는 이차함수 $y=ax^2$의 그래프를 x축의 방향으로 p만큼, y축의 방향으로 q만큼 평행이동한 것이다.

207쪽 **Q 087** ○

6-1 ☺☺☹
이차함수 $y=-2x^2+5$의 그래프를 평행이동하여 완전히 포갤 수 있는 그래프는?

① $y=2(x+1)^2-3$ ② $y=\dfrac{1}{2}(x-1)^2$

③ $y=-(x-1)^2+2$ ④ $y=-2(x+1)^2-2$

⑤ $y=(x-1)^2-3$

6-2 ☺☺☹
이차함수 $y=3(x-p)^2+1$의 그래프의 꼭짓점의 좌표는 $(-2, q)$이고, 점 $(-3, r)$를 지날 때, $p+q+r$의 값을 구하여라. (단, p는 상수)

6-3 ☺☺☹
이차함수 $y=3(x-1)^2+4$의 그래프를 x축의 방향으로 m만큼, y축의 방향으로 n만큼 평행이동하였더니 $y=3x^2$의 그래프와 일치하였다. 이때 $m+n$의 값을 구하여라.

6-4 ☺☺☹
이차함수 $y=-2(x+1)^2-4$의 그래프를 x축에 대하여 대칭이동한 그래프의 식을 $y=a(x-p)^2+q$라고 할 때, 상수 a, p, q에 대하여 $a+p+q$의 값을 구하여라.

6-5 ☺☺☹
$a>0$, $p>0$, $q<0$일 때, 다음 중 이차함수 $y=a(x-p)^2+q$의 그래프로 적당한 것은?

①   ②

③   ④

⑤

6-6 ☺☺☹
이차함수 $y=a(x-1)^2-4$의 그래프가 모든 사분면을 지나도록 하는 상수 a의 값의 범위를 구하여라.

Step 1 | 내·신·기·본

01 다음 중 y가 x에 대한 이차함수인 것을 모두 고르면?
(정답 2개)

① 한 변의 길이가 x cm인 정삼각형의 둘레의 길이 y cm

② 한 변의 길이가 x cm인 정사각형의 넓이 y cm²

③ 밑변의 길이가 x cm, 높이가 2 cm인 평행사변형의 넓이 y cm²

④ 반지름의 길이가 x cm, 중심각의 크기가 90°인 부채꼴의 넓이 y cm²

⑤ 밑면의 반지름의 길이가 x cm이고 높이가 $2x$ cm인 원기둥의 부피 y cm³

02 $y=a^2x^2+3a(1+x)^2$이 x에 대한 이차함수가 되기 위한 실수 a의 조건은?

① $a=0$ 　　② $a=-3$ 또는 $a=0$

③ $a \neq -3$ 　　④ $a \neq 0$

⑤ $a \neq -3$이고 $a \neq 0$

03 이차함수 $f(x)=2x^2-6x+3$에 대하여 $f(a)=a$를 만족하는 a의 값을 모두 구하여라.

04 이차함수 $y=-2x^2$의 그래프에 대한 설명으로 옳지 <u>않은</u> 것을 모두 고르면? (정답 2개)

① 꼭짓점의 좌표가 $(0,\ 0)$이다.

② 제1, 2사분면을 지나는 포물선이다.

③ $y=3x^2$의 그래프보다 폭이 넓다.

④ $x<0$일 때, x의 값이 증가하면 y의 값은 감소한다.

⑤ $y=2x^2$의 그래프와 x축에 대칭이다.

05 이차함수 $y=-3x^2$의 그래프와 x축에 대칭인 이차함수의 그래프가 점 $(-1,\ k)$를 지날 때, k의 값을 구하여라.

06 오른쪽 그림은 이차함수 $y=ax^2$의 그래프이다. a의 값이 가장 큰 것과 가장 작은 것을 차례로 나열하면?

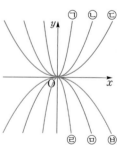

① ㉠, ㉣

② ㉠, ㉥

③ ㉡, ㉤

④ ㉢, ㉣

⑤ ㉢, ㉥

07 이차함수 $y=2x^2$의 그래프를 y축의 방향으로 -4만큼 평행이동한 그래프의 꼭짓점의 좌표를 구하여라.

08 이차함수 $y=3x^2$의 그래프를 x축의 방향으로 p만큼 평행이동하면 점 $(-2, 3)$을 지날 때, 모든 p의 값의 합을 구하여라.

09 이차함수 $y=\left(x-\dfrac{1}{2}\right)^2$의 그래프에 대한 설명으로 옳은 것을 모두 고르면? (정답 2개)

① 꼭짓점은 x축 위에 있다.

② 점 $\left(0, \dfrac{1}{4}\right)$을 지난다.

③ 제1, 2, 3사분면을 지난다.

④ $x>\dfrac{1}{2}$일 때, x의 값이 증가하면 y의 값은 감소한다.

⑤ $y=\left(x+\dfrac{1}{2}\right)^2$의 그래프와 x축에 대칭이다.

10 오른쪽 그림은 이차함수 $y=-2x^2$의 그래프를 평행이동한 그래프일 때, 이 그래프의 식은?

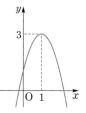

① $y=-2(x-3)^2+1$

② $y=-2(x+3)^2-1$

③ $y=-(x-3)^2-1$

④ $y=-(x-1)^2+3$

⑤ $y=-2(x-1)^2+3$

11 다음 중 이차함수 $y=-(x+1)^2+1$의 그래프는?

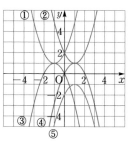

12 다음 이차함수 중 그래프가 아래로 볼록하고, 꼭짓점이 제4사분면에 있는 것은?

① $y=(x+3)^2+5$

② $y=-2(x+1)^2+2$

③ $y=3(x-2)^2+1$

④ $y=-(x+5)^2-3$

⑤ $y=\dfrac{1}{2}(x-1)^2-4$

13 다음 중 이차함수 $y=\frac{1}{3}(x+1)^2-1$의 그래프에 대한 설명으로 옳은 것은?

① 축의 방정식은 $x=1$이다.

② 꼭짓점의 좌표는 $(1, -1)$이다.

③ $y=\frac{1}{3}x^2$의 그래프를 x축의 방향으로 -1만큼, y축의 방향으로 1만큼 평행이동한 것이다.

④ $y=\frac{1}{2}x^2$의 그래프보다 폭이 좁다.

⑤ $x>-1$일 때, x의 값이 증가하면 y의 값도 증가한다.

14 이차함수 $y=a(x-p)^2+q$의 그래프의 꼭짓점의 좌표가 $(-4, 3)$이고, 점 $(-3, 5)$를 지날 때, 상수 a, p, q에 대하여 $a+p+q$의 값을 구하여라.

15 이차함수 $y=-\frac{1}{2}(x+1)^2+3$의 그래프에서 x의 값이 증가할 때 y의 값도 증가하는 x의 값의 범위가 될 수 있는 것은?

① $x<-1$ ② $x>-1$ ③ $x<1$
④ $x>1$ ⑤ $x<3$

16 이차함수 $y=\frac{2}{5}(x-p)^2+3p$의 그래프의 꼭짓점이 일차함수 $y=-\frac{1}{2}x+7$의 그래프 위에 있을 때, 상수 p의 값을 구하여라.

17 이차함수 $y=-(x-2)^2+1$의 그래프를 x축의 방향으로 m만큼, y축의 방향으로 n만큼 평행이동하면 $y=-(x-6)^2-3$의 그래프와 일치한다. 이때 mn의 값을 구하여라.

18 이차함수 $y=-2(x-1)^2+5$의 그래프가 y축과 만나는 점을 A라 하고, 이 그래프를 x축에 대하여 대칭이동한 그래프가 y축과 만나는 점을 B라 할 때, $\overline{AB}$의 길이를 구하여라.

19 이차함수 $y=3(x-2)^2+1$의 그래프를 x축에 대하여 대칭이동하면 점 $(3, k)$를 지난다고 할 때, k의 값을 구하여라.

20 이차함수 $y=a(x-p)^2+q$의
그래프가 오른쪽 그림과 같을
때, 이차함수 $y=q(x-a)^2+pq$
의 그래프가 지나지 않는 사분면
을 모두 말하여라.

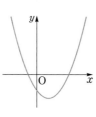

21 그림에서 사각형 ABCD는
정사각형이고 각 변은 x축
또는 y축에 평행하다. 두 점
A, C는 포물선 $y=x^2$ 위
의 점이고 점 B는 포물선
$y=4x^2$ 위의 점일 때, 점 C의 좌표를 구하여라.
(단, 점 A, C의 x좌표는 모두 양수이다.)

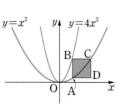

22 창의융합

어떤 건물의 문의 윗부분은 오른쪽
그림과 같이 폭이 4 m, 높이가
2 m인 포물선 모양의 아치로 되어
있다. 점 A에서 1 m 떨어진 곳을
점 P라고 할 때, $\overline{PQ}$의 길이를 구
하여라. (단, 점 Q는 포물선 위의 점이다.)

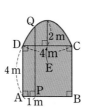

23 이차함수 $y=a(x-p)^2$의 그래프
가 오른쪽 그림과 같이 x축, y축과
각각 두 점 A, B에서 만난다. 두
점 A, B를 지나는 직선의 방정식이
$y=2x-4$일 때, 상수 a, p에 대하
여 $a+p$의 값을 구하여라.

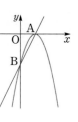

24 오른쪽 그림과 같이
두 이차함수 $y=-3x^2+12$
와 $y=a(x-p)^2$의 그래프가
서로의 꼭짓점을 지날 때, 상
수 a, p에 대하여 $a+p$의 값
을 구하여라. (단, $p>0$)

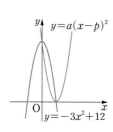

25 오른쪽 그림과 같은 이차함수
$y=2(x-1)^2+2$의 그래프의
꼭짓점을 C, 직선 $y=10$과의
교점을 각각 A, B라고 할 때,
$\triangle$ABC의 넓이를 구하여라.

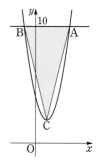

이차함수 $y=ax^2+bx+c$의 그래프

IV-2. 이차함수 $y=ax^2+bx+c$의 그래프

SUMMA **NOTE**

1. 이차함수 $y=ax^2+bx+c$의 그래프

(1) 이차함수 $y=ax^2+bx+c$의 그래프는 완전제곱식을 이용하여 식을 $y=a(x-p)^2+q$ 꼴로 고치면 그리기가 편리하고, 그 성질을 알 수 있다.

(2) 이차함수 $y=ax^2+bx+c$의 그래프의 x절편, y절편

x절편	y절편
그래프와 x축과의 교점의 x좌표	그래프와 y축과의 교점의 y좌표
$y=0$을 대입하여 x의 값을 구한다. ($ax^2+bx+c=0$의 두 근)	$x=0$을 대입하여 y의 값을 구한다. (c의 값)

2. 이차함수의 식 구하기

(1) 꼭짓점 (p, q)와 그래프 위의 다른 한 점을 알 때

➡ 이차함수의 식을 $y=a(x-p)^2+q$로 놓고 주어진 다른 한 점의 좌표를 대입한다.

(2) 축의 방정식 $x=p$와 그래프 위의 두 점을 알 때

➡ 이차함수의 식을 $y=a(x-p)^2+q$로 놓고, 주어진 두 점의 좌표를 각각 대입한다.

(3) 그래프 위의 서로 다른 세 점을 알 때

➡ 이차함수의 식을 $y=ax^2+bx+c$로 놓고 주어진 세 점의 좌표를 각각 대입한다.

(4) x축과의 두 교점 $(\alpha, 0)$, $(\beta, 0)$과 그래프 위의 다른 한 점을 알 때

➡ 이차함수의 식을 $y=a(x-\alpha)(x-\beta)$로 놓고 주어진 한 점의 좌표를 대입한다.

1. 이차함수 $y=ax^2+bx+c$의 그래프

이차함수의 그래프는 축을 기준으로 좌우 대칭인 포물선이므로 a의 값과 꼭짓점의 좌표를 알면 그래프의 대략적인 모양을 그릴 수 있다. 이차함수가 $y=a(x-p)^2+q$ 꼴로 주어지면 그래프의 꼭짓점의 좌표를 바로 알 수 있기 때문에 그래프를 그리기가 편리하다. 하지만 이차함수가 $y=ax^2+bx+c$ 꼴로 주어지면 그래프의 꼭짓점의 좌표를 한눈에 알아볼 수 없어서 그래프를 쉽게 그릴 수 없다. 따라서 이차함수 $y=ax^2+bx+c$는 그래프의 꼭짓점의 좌표를 알기 위해, 더 나아가 그래프의 성질을 알기 위해 $y=a(x-p)^2+q$ 꼴로 고치는 과정이 필요하다.

완전제곱식이 되는 조건을 생각해 봐.

 우리는 Ⅲ단원에서 이차방정식을 등식의 성질을 이용하여 완전제곱식 꼴로 고치는 것을 이미 배웠다. 하지만 이차함수에서는 등식의 성질을 이용하는 것이 아님에 유의해야 한다.

다음은 주어진 이차함수의 식을 $y=a(x-p)^2+q$ 꼴로 변형하는 과정이다. 방법을 잘 이해해 두도록 하자.

$y=x^2+6x+8$	$y=2x^2-4x+1$
상수항을 제외한 나머지 항을 묶으면 $\Rightarrow y=(x^2+6x)+8$	상수항을 제외한 나머지 항을 x^2의 계수 2로 묶으면 $\Rightarrow y=2(x^2-2x)+1$
괄호 안에서 $\left(\dfrac{6}{2}\right)^2=9$를 더하고 빼면 $\Rightarrow y=(x^2+6x+9-9)+8$	괄호 안에서 $\left(\dfrac{-2}{2}\right)^2=1$을 더하고 빼면 $\Rightarrow y=2(x^2-2x+1-1)+1$
$y=$(완전제곱식)+(상수) 꼴로 만들면 $\Rightarrow y=(x^2+6x+9)-9+8$ $\Rightarrow y=(x+3)^2-1$	$y=$(완전제곱식)+(상수) 꼴로 만들면 $\Rightarrow y=2(x^2-2x+1)-2+1$ $\Rightarrow y=2(x-1)^2-1$

> 괄호 밖으로 꺼낼 때는 반드시 괄호 앞의 수와 곱해.

따라서 이차함수 $y=ax^2+bx+c$를 $y=a(x+p)^2+q$ 꼴로 고치면 다음과 같다.

$$y=ax^2+bx+c=a\left(x^2+\frac{b}{a}x+\frac{b^2}{4a^2}-\frac{b^2}{4a^2}\right)+c$$
$$=a\left(x+\frac{b}{2a}\right)^2-\frac{b^2-4ac}{4a}$$

← 이 식을 외울 필요는 없다. 고치는 과정을 이해하도록 하자.

다음과 같이 잘못 변형하지 않도록 주의하자!

$$\begin{aligned} y &= -3x^2-12x+6 \\ &= -3(x^2+4x)+6 \\ &= -3(x^2+4x+4)+6 \\ &= -3(x+2)^2+6 \end{aligned}$$

절반의 제곱을 더하고 빼야 해!

(×)

$$\begin{aligned} y &= -3x^2-12x+6 \\ &= x^2+4x-2 \\ &= (x^2+4x+4-4)-2 \\ &= (x+2)^2-4-2 \\ &= (x+2)^2-6 \end{aligned}$$

(×)

x^2의 계수로 나누는 것이 아니라 묶어 줘야 해!

$$\begin{aligned} y &= -3(x^2+4x)+6 \\ &= -3(x^2+4x+4-4)+6 \\ &= -3(x^2+4x+4)+12+6 \\ &= -3(x+2)^2+18 \end{aligned}$$

| 참고 | $y=ax^2+bx+c$ 꼴을 이차함수의 일반형, $y=a(x-p)^2+q$ 꼴을 이차함수의 표준형이라고 한다.

예제 14 다음 이차함수를 $y=a(x-p)^2+q$ 꼴로 고쳐라.

    (1) $y=x^2+6x+7$ (2) $y=\dfrac{1}{2}x^2-4x+3$ (3) $y=-2x^2+4x+3$

풀이 (1) $y=(x^2+6x+9-9)+7$ ➡ $\boldsymbol{y=(x+3)^2-2}$

      (2) $y=\dfrac{1}{2}(x^2-8x+16-16)+3$ ➡ $\boldsymbol{y=\dfrac{1}{2}(x-4)^2-5}$

      (3) $y=-2(x^2-2x+1-1)+3$ ➡ $\boldsymbol{y=-2(x-1)^2+5}$

Q 091 이차함수 $y=ax^2+bx+c$의 그래프에서 x절편, y절편은 어떻게 구할까?

 A x절편 ➡ $y=0$ 대입, y절편 ➡ $x=0$ 대입

A 중학교 2학년 때, 일차함수의 그래프와 x축과의 교점의 x좌표를 x절편, y축과의 교점의 y좌표를 y절편이라고 배웠다. 이와 마찬가지로 이차함수의 그래프와 x축과의 교점의 x좌표를 $\boldsymbol{x}$**절편**, y축과의 교점의 y좌표를 $\boldsymbol{y}$**절편**이라고 한다.

이차함수 $y=ax^2+bx+c$의 그래프에서 x절편과 y절편은 다음과 같이 구하면 된다.

(i) x절편 : x축과의 교점의 x좌표 ➡ $y=0$일 때 x의 값

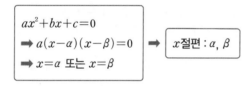

(ii) y절편 : y축과의 교점의 y좌표 ➡ $x=0$일 때 y의 값

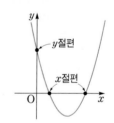

상수항 c가 곧 y절편이야.

예제 15 이차함수 $y=x^2+x-2$의 그래프의 x절편과 y절편을 구하여라.

풀이 x절편 ➡ $y=0$을 대입하면 $x^2+x-2=0$

         $(x+2)(x-1)=0$ $\therefore$ $x=-2$ 또는 $x=1$

         따라서 x절편은 -2와 1이다.

      y절편 ➡ $x=0$을 대입하면 $y=-2$이므로 y절편은 -2이다.

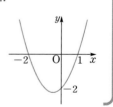

| **참고** | 이차함수의 그래프를 그려 보면 오른쪽 그림과 같이 x축과 만나지 않는 경우도 있고, 한 점 또는 두 점에서 만나는 경우도 있으므로 이차함수의 그래프의 x절편은 0개, 1개, 2개로 나타난다.

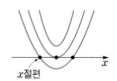

Q 092 | 이차함수 $y=ax^2+bx+c$의 그래프는 어떻게 그릴까?

A $y=a(x-p)^2+q$의 꼴로 고쳐서 꼭짓점의 좌표를 구해.

A 이차함수 $y=ax^2+bx+c$에서 주어진 식을 $y=a(x-p)^2+q$ 꼴로 고치면 그래프의 꼭짓점의 좌표를 알 수 있다. 또한 y절편은 식의 변형 없이 쉽게 찾아낼 수 있다.
다음은 꼭짓점의 좌표와 y절편을 이용하여 이차함수의 그래프를 그리는 과정이다.

이차함수 $y=x^2+2x-3$의 그래프 그리기	
❶ 그래프의 모양 결정하기 x^2의 계수가 양수이므로 아래로 볼록한 모양이다.	따라서 이차함수 $y=x^2+2x-3$의 그래프를 그리면 다음 그림과 같다.
❷ 꼭짓점의 좌표 구하기 $y=x^2+2x-3=(x+1)^2-4$ 따라서 꼭짓점의 좌표는 $(-1,\,-4)$이다.	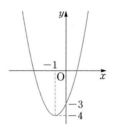
❸ y절편 알아보기 $x=0$일 때 $y=-3$이므로 y절편은 -3이다.	

이차함수 $y=-2x^2-8x-5$의 그래프 그리기	
❶ 그래프의 모양 결정하기 x^2의 계수가 음수이므로 위로 볼록한 모양이다.	따라서 이차함수 $y=-2x^2-8x-5$의 그래프를 그리면 다음 그림과 같다.
❷ 꼭짓점의 좌표 구하기 $y=-2x^2-8x-5=-2(x+2)^2+3$ 따라서 꼭짓점의 좌표는 $(-2,\,3)$이다.	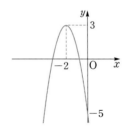
❸ y절편 알아보기 $x=0$일 때 $y=-5$이므로 y절편은 -5이다.	

필요에 따라 꼭짓점의 좌표 대신 x절편, y절편으로 그래프를 그릴 때도 있다.
위의 함수식 $y=x^2+2x-3$의 경우 우변의 인수분해가 쉽게 되므로 x절편을 구해서 그래프를 그릴 수 있다.

$$x^2+2x-3=(x+3)(x-1)=0 \qquad \therefore x=-3 \text{ 또는 } x=1$$

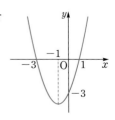

이때 x절편을 이용해 축의 방정식도 바로 알 수 있다.

$$x=\frac{-3+1}{2}=-1$$

2. 이차함수 $y=ax^2+bx+c$의 그래프 **223** **IV**

Q 093 | 이차함수 $y=ax^2+bx+c$의 그래프를 보고 a, b, c의 부호를 알 수 있을까?

a ➡ 그래프의 모양, b ➡ 축의 위치, c ➡ y축과의 교점의 위치

이차함수 $y=ax^2+bx+c$의 그래프에서 그래프의 모양과 좌표
평면에서의 위치를 보고 a, b, c의 부호를 알 수 있다.

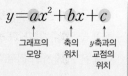

(1) a의 부호 : 그래프의 모양에 따라 결정된다.
  ① 아래로 볼록하면 ➡ $a>0$
  ② 위로 볼록하면 ➡ $a<0$

(2) b의 부호 : 축의 위치에 따라 결정된다.

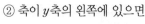

이차함수 $y=ax^2+bx+c$의 그래프의 축의 방정식은 $x=-\dfrac{b}{2a}$이므로

  ① 축이 y축의 오른쪽에 있으면

  $-\dfrac{b}{2a}>0$, 즉 $ab<0$

  ➡ a와 b는 서로 **다른** 부호이다.

  ② 축이 y축의 왼쪽에 있으면

  $-\dfrac{b}{2a}<0$, 즉 $ab>0$

  ➡ a와 b는 서로 **같은** 부호이다.

  ③ 축이 y축과 일치하면 $-\dfrac{b}{2a}=0$ ➡ $b=0$

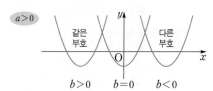

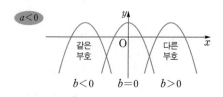

(3) c의 부호 : y축과의 교점의 위치에 따라 결정된다.
  ① y축과의 교점이 x축보다 위쪽에 있으면 ➡ $c>0$
  ② y축과의 교점이 x축보다 아래쪽에 있으면 ➡ $c<0$
  ③ y축과의 교점이 x축 위에 있으면 ➡ $c=0$

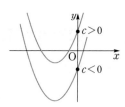

예제 16 이차함수 $y=ax^2+bx+c$의 그래프가 오른쪽 그림과 같을 때, a, b, c의 부호를 각각 구하여라.

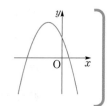

풀이 위로 볼록하므로 $a<0$
축이 y축의 왼쪽에 있으므로 $ab>0$ ∴ $b<0$
y축과의 교점이 x축보다 위쪽에 있으므로 $c>0$

2. 이차함수의 식 구하기

이제까지 우리는 이차함수의 식이 주어졌을 때 그래프를 그리거나 꼭짓점의 좌표, 축의 방정식, 그래프의 평행이동과 같은 그래프에 대한 여러 가지 성질을 공부하였다. 지금부터는 거꾸로 어떤 조건이 주어질 때, 이것을 만족하는 이차함수의 식을 구해 보도록 하자.

이차함수의 식을 구할 때, 다음과 같이 두 가지로 놓을 수 있다.

> (i) 꼭짓점의 좌표를 알면 ➡ $y=a(x-p)^2+q$를 이용
> (ii) 꼭짓점의 좌표를 모르면 ➡ $y=ax^2+bx+c$를 이용

이를 바탕으로 이차함수의 식을 구할 수 있는 네 가지 경우에 대해 알아보자.

Q094 꼭짓점의 좌표가 주어지는 경우, 이차함수의 식은 어떻게 구할까?

 $y=a(x-p)^2+q$를 이용해.

 이차함수의 그래프의 꼭짓점의 좌표가 (p, q)이고, 다른 한 점 (m, n)을 지날 때, 이차함수의 식은 다음과 같이 구한다.

> ① 꼭짓점의 좌표가 (p, q)이므로 이차함수의 식을 $y=a(x-p)^2+q$로 놓는다.
> ② $y=a(x-p)^2+q$에 $x=m$, $y=n$을 대입하여 a의 값을 구한다.

예제 17 오른쪽 그래프를 보고, 이차함수의 식을 구하여라.

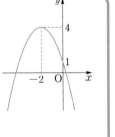

풀이 ① 꼭짓점의 좌표가 $(-2, 4)$이므로 이차함수의 식을
$y=a(x+2)^2+4$로 놓는다.
② 이차함수의 그래프가 점 $(0, 1)$을 지나므로
$y=a(x+2)^2+4$에 $x=0$, $y=1$을 대입하면
$1=a(0+2)^2+4$ ∴ $a=-\dfrac{3}{4}$

따라서 구하는 이차함수의 식은 $\boldsymbol{y=-\dfrac{3}{4}(x+2)^2+4}$이다.

| 참고 | 꼭짓점의 좌표에 따라 이차함수의 식의 형태는 다음과 같이 변형된다.
　　　① 꼭짓점의 좌표가 $(0, 0)$인 경우 ➡ $y=ax^2$
　　　② 꼭짓점의 좌표가 $(0, q)$인 경우 ➡ $y=ax^2+q$
　　　③ 꼭짓점의 좌표가 $(p, 0)$인 경우 ➡ $y=a(x-p)^2$
　　　④ 꼭짓점의 좌표가 (p, q)인 경우 ➡ $y=a(x-p)^2+q$

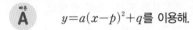

Q 095 | 축의 방정식이 주어지는 경우, 이차함수의 식은 어떻게 구할까?

A (바른) $y=a(x-p)^2+q$를 이용해.

A (친절한) 이차함수의 그래프의 축의 방정식이 $x=p$이고, 서로 다른 두 점을 지날 때, 축의 방정식이 $x=p$이므로 꼭짓점의 x좌표가 p가 된다. 즉, 축의 방정식이 주어지는 경우에도 다음과 같이 이차함수의 식을 $y=a(x-p)^2+q$로 놓는 것이 편리하다.

> ① 꼭짓점의 x좌표가 p이므로 이차함수의 식을 $y=a(x-p)^2+q$로 놓는다.
> ② 두 점의 좌표를 대입하여 a, q의 값을 구한다.

예제 18 축의 방정식이 $x=-1$이고, 두 점 $(0, -5)$, $(1, -8)$을 지나는 포물선을 그래프로 하는 이차함수의 식을 구하여라.

풀이 ① 축의 방정식이 $x=-1$이므로 이차함수의 식을 $y=a(x+1)^2+q$로 놓는다.
② 이차함수의 그래프가 두 점 $(0, -5)$, $(1, -8)$을 지나므로
$y=a(x+1)^2+q$에 $x=0$, $y=-5$를 대입하면 $a+q=-5$ ······㉠
$y=a(x+1)^2+q$에 $x=1$, $y=-8$을 대입하면 $4a+q=-8$ ······㉡
㉠, ㉡을 연립하여 풀면 $a=-1$, $q=-4$
따라서 구하는 이차함수의 식은 $\boldsymbol{y=-(x+1)^2-4}$이다.

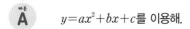

Q 096 | 꼭짓점이 아닌 세 점의 좌표가 주어지는 경우, 이차함수의 식은 어떻게 구할까?

A (바른) $y=ax^2+bx+c$를 이용해.

A (친절한) 이차함수의 그래프의 꼭짓점이 아닌 서로 다른 세 점의 좌표가 주어지는 경우에는 이차함수의 식을 $y=ax^2+bx+c$로 놓는 것이 좋다. 물론 $y=a(x-p)^2+q$로 놓아도 되지만 계산 과정에서 어차피 전개를 해야 하므로 이미 전개된 식에 대입하는 것이 편리하다.

> ① 이차함수의 식을 $y=ax^2+bx+c$로 놓는다.
> ② 세 점의 좌표를 각각 대입하여 a, b, c의 값을 구한다.

|참고| 대부분의 문제는 이차함수의 그래프가 지나는 서로 다른 세 점 중 y축과의 교점, 즉 x좌표가 0인 점이 주어진다. 따라서 먼저 그 점을 $y=ax^2+bx+c$에 대입해서 c의 값을 구한 후 나머지 점의 좌표를 각각 대입한다.

예제 19 세 점 $(0, -3)$, $(1, -3)$, $(-1, -1)$을 지나는 포물선을 그래프로 하는 이차함수의 식을 구하여라.

풀이 ① 이차함수의 식을 $y=ax^2+bx+c$로 놓는다.

② 이차함수의 그래프가 세 점 $(0, -3)$, $(1, -3)$, $(-1, -1)$을 지나므로

$y=ax^2+bx+c$에 $x=0$, $y=-3$을 대입하면 $c=-3$

$y=ax^2+bx-3$에 $x=1$, $y=-3$을 대입하면 $a+b-3=-3$ ······ ㉠

$y=ax^2+bx-3$에 $x=-1$, $y=-1$을 대입하면 $a-b-3=-1$ ······ ㉡

㉠, ㉡을 연립하여 풀면 $a=1$, $b=-1$

따라서 구하는 이차함수의 식은 $\boldsymbol{y=x^2-x-3}$이다.

Q 097 x축과 만나는 두 점의 좌표가 주어지는 경우, 이차함수의 식은 어떻게 구할까?

 $y=a(x-\alpha)(x-\beta)$를 이용해.

 이차함수의 그래프가 x축과 두 점 $(\alpha, 0)$, $(\beta, 0)$에서 만나고 다른 한 점을 지날 때, 이차함수의 식은 다음과 같이 구한다.

① 이차함수의 식을 $y=a(x-\alpha)(x-\beta)$로 놓는다.
② 다른 한 점의 좌표를 대입하여 a의 값을 구한다.

물론 꼭짓점이 아닌 서로 다른 세 점의 좌표가 주어졌으므로 **Q 096**에서와 같이 이차함수의 식을 $y=ax^2+bx+c$로 놓아도 되지만 주어진 두 점이 x축과의 교점인 경우에는 이차함수의 식을 $y=a(x-\alpha)(x-\beta)$로 놓고 푸는 것이 계산 과정이 더 간단하다.

예제 20 x축과 두 점 $(1, 0)$, $(3, 0)$에서 만나고, 점 $(-1, 8)$을 지나는 포물선을 그래프로 하는 이차함수의 식을 구하여라.

풀이 ① x축과 두 점 $(1, 0)$, $(3, 0)$에서 만나므로 이차함수의 식을 $y=a(x-1)(x-3)$으로 놓는다.

② 이차함수의 그래프가 점 $(-1, 8)$을 지나므로

$y=a(x-1)(x-3)$에 $x=-1$, $y=8$을 대입하면

$8=a(-1-1)(-1-3)$, $8=8a$ ∴ $a=1$

따라서 이차함수의 식은 $y=(x-1)(x-3)$, 즉 $\boldsymbol{y=x^2-4x+3}$이다.

|참고| 이차함수의 그래프는 축에 대칭이므로 x축과 두 점 $(1, 0)$, $(3, 0)$에서 만난다는 사실로부터 축의 방정식이 $x=2$임을 알 수 있다.
따라서 이차함수의 식을 $y=a(x-2)^2+p$로 놓고 a, p의 값을 구할 수도 있다.

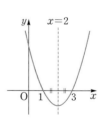

개념 확인

(1) 이차함수 $y=ax^2+bx+c$의 그래프는 $y=$ ⬚⬚ 꼴로 고쳐서 그린다.

(2) $y=ax^2+bx+c$의 그래프는 $a>0$이면 ⬚ 볼록하고, $a<0$이면 ⬚ 볼록하다. 또한 점 $(0,$ ⬚$)$를 지난다.

(3) $y=ax^2+bx+c$의 그래프의 축은 $ab>0$이면 y축의 ⬚ 쪽에, $ab<0$이면 y축의 ⬚ 쪽에 위치한다.

01 다음 이차함수를 $y=a(x-p)^2+q$ 꼴로 변형하고, 그래프의 꼭짓점의 좌표와 축의 방정식을 각각 구하여라.

	$y=a(x-p)^2+q$	꼭짓점의 좌표	축의 방정식
$(1)\,y=x^2-6x+4$			
$(2)\,y=-x^2-2x$			
$(3)\,y=-2x^2+8x-6$			
$(4)\,y=\dfrac{1}{3}x^2-2x+1$			

02 다음 이차함수의 그래프의 x절편과 y절편을 각각 구하여라.

$(1)\,y=x^2-2x-3$ $\qquad$ $(2)\,y=x^2-8x+16$

$(3)\,y=-x^2+4x+21$ $\qquad$ $(4)\,y=-3x^2+2x+8$

03 이차함수 $y=ax^2+bx+c$의 그래프가 오른쪽 그림과 같을 때, a, b, c의 부호를 각각 구하여라.

자기 진단

Q 092 ◐ 223쪽
이차함수 $y=ax^2+bx+c$의 그래프는 어떻게 그릴까?

Q 093 ◐ 224쪽
이차함수 $y=ax^2+bx+c$의 그래프를 보고 a, b, c의 부호를 알 수 있을까?

Q 094 ◐ 225쪽
꼭짓점의 좌표가 주어지는 경우, 이차함수의 식은 어떻게 구할까?

04 다음 조건을 만족하는 포물선을 그래프로 하는 이차함수의 식을 $y=a(x-p)^2+q$ 꼴로 나타내어라.

(1) 꼭짓점의 좌표가 $(2, -3)$이고, y절편이 1인 포물선

(2) 직선 $x=-3$을 축으로 하고, 두 점 $(-1, 5)$, $(0, 15)$를 지나는 포물선

05 다음 조건을 만족하는 포물선을 그래프로 하는 이차함수의 식을 $y=ax^2+bx+c$ 꼴로 나타내어라.

(1) 세 점 $(1, 2)$, $(-1, 0)$, $(0, 3)$을 지나는 포물선

(2) x절편이 -2, 1이고, 점 $(0, 2)$를 지나는 포물선

문제 이해도를 😊, 😐, 😣으로 표시해 보세요.

해설 BOOK **046**쪽 | 테스트 BOOK **065**쪽

유형 1 이차함수 $y=ax^2+bx+c$의 그래프

이차함수 $y=-x^2+4x$와 $y=2x^2+4ax+b$의 그래프의 꼭짓점이 일치할 때, b의 값을 구하여라.

(단, a, b는 상수)

Summa Point

이차함수 $y=ax^2+bx+c$를 $y=a(x-p)^2+q$의 꼴로 변형하면 꼭짓점의 좌표는 (p, q)이다.

221쪽 **Q 090**

1-1 😊😐😣

이차함수 $y=-2x^2+4x-5$를 $y=a(x-p)^2+q$ 꼴로 나타내었을 때, 상수 a, p, q에 대하여 $a+p+q$의 값을 구하여라.

1-2 😊😐😣

다음 이차함수 중 그래프의 꼭짓점이 제3사분면에 있는 것은?

① $y=x^2+4x-3$
② $y=-2x^2+12x-15$
③ $y=\dfrac{1}{2}x^2-2x-6$
④ $y=-4x^2+8x-1$
⑤ $y=-3x^2-12x-5$

1-3 😊😐😣

이차함수 $y=2x^2-4ax+1$의 그래프의 축의 방정식이 $x=4$일 때, 상수 a의 값을 구하여라.

1-4 😊😐😣

이차함수 $y=x^2-2(k-1)x+4$의 그래프의 꼭짓점이 x축과 한 점에서 만날 때, 양수 k의 값을 구하여라.

1-5 😊😐😣

다음 중 그 그래프가 아래로 볼록하면서 폭이 가장 좁은 것은?

① $y=\dfrac{1}{2}x^2$
② $y=-x^2+\dfrac{1}{4}$
③ $y=2x^2-x$
④ $y=\dfrac{1}{4}x^2-x+1$
⑤ $y=-\dfrac{1}{3}x^2+2x-5$

1-6 😊😐😣

이차함수 $y=-3x^2+6x+1$의 그래프에서 x의 값이 증가할 때, y의 값이 감소하는 x의 값의 범위를 구하여라.

1-7 😊😐😣

이차함수 $y=x^2-6x+2$의 그래프를 x축의 방향으로 p만큼, y축의 방향으로 q만큼 평행이동하면 이차함수 $y=x^2+2x+2$의 그래프와 일치한다. 이때 $p+q$의 값을 구하여라.

유형 **2** 이차함수 $y=ax^2+bx+c$의 그래프의 x절편과 y절편

이차함수 $y=x^2$의 그래프를 x축의 방향으로 -2만큼, y축의 방향으로 -9만큼 평행이동한 그래프의 x절편과 y절편을 각각 구하여라.

Summa Point
이차함수 $y=ax^2+bx+c$의 그래프에서 x절편은 $y=0$일 때의 x의 값이고, y절편은 $x=0$일 때의 y의 값이다.

222쪽 **Q 091**

유형 **3** 이차함수 $y=ax^2+bx+c$의 그래프 그리기

이차함수 $y=x^2+4x+1$의 그래프가 지나지 않는 사분면은?

① 제1사분면   ② 제2사분면
③ 제3사분면   ④ 제4사분면
⑤ 없다.

Summa Point
이차함수 $y=ax^2+bx+c$를 $y=a(x-p)^2+q$ 꼴로 변형한 후 꼭짓점 (p, q)와 y축과의 교점 $(0, c)$를 찾아 좌표평면에 나타내고 $a>0$이면 아래로 볼록, $a<0$이면 위로 볼록하게 그래프를 그린다.

223쪽 **Q 092**

2-1 ☺☺☹

이차함수 $y=-x^2+4x+a$의 그래프의 한 x절편이 3일 때, y절편을 구하여라. (단, a는 상수)

2-2 ☺☺☹

이차함수 $y=2x^2+ax+10$의 그래프가 x축과 두 점에서 만난다. 두 교점 중 한 점의 x좌표가 -1일 때, 다른 한 점의 좌표를 구하여라. (단, a는 상수)

2-3 ☺☺☹

이차함수 $y=x^2-4x-12$의 그래프와 x축과의 교점을 각각 A, B라고 할 때, $\overline{AB}$의 길이를 구하여라.

3-1 ☺☺☹

다음 중 이차함수 $y=-2x^2+4x-3$의 그래프는?

① 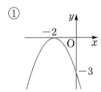   ②

③ 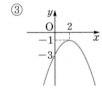   ④

⑤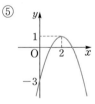

3-2 ☺☺☹

이차함수 $y=-3(x+1)^2+q$의 그래프가 모든 사분면을 지나도록 하는 상수 q의 값의 범위를 구하여라.

이차함수 $y=ax^2+bx+c$의 그래프가 오른쪽 그림과 같을 때, 상수 a, b, c의 부호는?

① $a>0$, $b>0$, $c>0$

② $a>0$, $b>0$, $c<0$

③ $a<0$, $b<0$, $c>0$

④ $a<0$, $b<0$, $c<0$

⑤ $a<0$, $b>0$, $c>0$

Summa Point

이차함수 $y=ax^2+bx+c$에서

• 그래프가 아래로 볼록하면 $a>0$, 위로 볼록하면 $a<0$

• 그래프의 축이 y축의 왼쪽에 있으면 a와 b는 같은 부호, y축의 오른쪽에 있으면 a와 b는 다른 부호

• 그래프와 y축과의 교점이 x축보다 위에 있으면 $c>0$, x축보다 아래에 있으면 $c<0$

224쪽 **Q 093**

4-1 ☺☺☹

일차함수 $y=ax+b$의 그래프가 오른쪽 그림과 같을 때, 다음 중 이차함수 $y=bx^2+ax+a-b$의 그래프로 알맞은 것은?

①

②

③

④

⑤

오른쪽 그림은 이차함수 $y=x^2-x-6$의 그래프이다. x축과의 교점을 각각 A, B, y축과의 교점을 C라고 할 때, △ABC의 넓이를 구하여라.

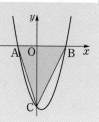

Summa Point

x절편과 y절편을 이용하여 삼각형의 밑변의 길이와 높이를 구한다.

223쪽 **Q 092**

5-1 ☺☺☹

오른쪽 그림은 이차함수 $y=-x^2+4x+5$의 그래프이다. 꼭짓점을 A, x축과의 교점을 각각 B, C라고 할 때, △ABC의 넓이를 구하여라.

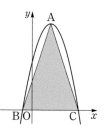

5-2 ☺☺☹

오른쪽 그림과 같은 이차함수 $y=-x^2+ax-4a$의 그래프의 축의 방정식이 $x=-1$이다. y축과의 교점을 A, x축과의 교점을 각각 B, C라고 할 때, △ABC의 넓이를 구하여라. (단, a는 상수)

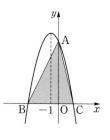

유형 6 이차함수의 식 구하기-꼭짓점의 좌표 또는 축을 알 때

오른쪽 그림과 같은 포물선을 그래프로 하는 이차함수의 식이 $y=a(x-p)^2+q$일 때, 상수 a, p, q에 대하여 $a+p+q$의 값을 구하여라.

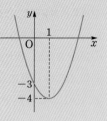

Summa Point
꼭짓점 (p, q)와 다른 한 점이 주어질 때의 이차함수의 식 구하기
① 이차함수의 식을 $y=a(x-p)^2+q$로 놓는다.
② 주어진 다른 한 점을 식에 대입하여 a의 값을 구한다.

225쪽 Q 094

유형 7 이차함수의 식 구하기-세 점의 좌표를 알 때

이차함수 $y=ax^2+bx+c$의 그래프가 세 점 $(0, -2)$, $(1, 2)$, $(2, 4)$를 지날 때, 상수 a, b, c에 대하여 $a+b-c$의 값을 구하여라.

Summa Point
• 세 점이 주어질 때
  ① 이차함수의 식을 $y=ax^2+bx+c$로 놓는다.
  ② 세 점의 좌표를 각각 대입하여 a, b, c의 값을 구한다.
• x축과 만나는 두 점의 좌표가 $(\alpha, 0)$, $(\beta, 0)$이 주어지면 $y=a(x-\alpha)(x-\beta)$로 놓는다.

226쪽 Q 096

6-1 ☺☺☹
꼭짓점의 좌표가 $(2, -1)$이고, 점 $(1, 1)$을 지나는 이차함수의 그래프의 y절편을 구하여라.

7-1 ☺☺☹
세 점 $(0, 1)$, $(1, 2)$, $(-1, 6)$을 지나는 이차함수의 그래프의 축의 방정식을 구하여라.

6-2 ☺☺☹
축의 방정식이 $x=2$이고, 두 점 $(0, 9)$와 $(-1, 19)$를 지나는 포물선을 그래프로 하는 이차함수의 식을 구하여라.

7-2 ☺☺☹
세 점 $(-5, 0)$, $(-1, 0)$, $(0, 5)$를 지나는 이차함수의 그래프의 꼭짓점의 좌표를 구하여라.

6-3 ☺☺☹
축의 방정식이 $x=-2$이고 y절편이 2인 이차함수의 그래프가 두 점 $(-1, 8)$, $(-5, k)$를 지날 때, k의 값을 구하여라.

7-3 ☺☺☹
이차함수 $y=ax^2+bx+c$의 그래프가 오른쪽 그림과 같을 때, 상수 a, b, c에 대하여 $a-b-c$의 값을 구하여라.

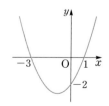

Step 1 | 내·신·기·본

01 이차함수 $y=-4x^2+2x+1$을 $y=-4(x-p)^2+q$의 꼴로 나타낼 때, 상수 p, q에 대하여 $p-q$의 값은?

① -1 ② 0 ③ 1

④ 2 ⑤ 3

02 다음 이차함수 중 그 그래프의 꼭짓점이 제2사분면 위에 있는 것은?

① $y=4x^2-8x$ ② $y=-3x^2-6x-1$

③ $y=x^2+4x+2$ ④ $y=-2x^2+8x+1$

⑤ $y=-(x+1)(x-2)$

03 이차함수 $y=x^2+ax-8$의 그래프의 꼭짓점의 좌표가 $(1, b)$일 때, 상수 a, b에 대하여 $a+b$의 값을 구하여라.

04 이차함수 $y=-2x^2+8x+3$의 그래프는 이차함수 $y=-2x^2$의 그래프를 x축의 방향으로 p만큼, y축의 방향으로 q만큼 평행이동한 것이다. 이때 $p+q$의 값은?

① 7 ② 9 ③ 11

④ 13 ⑤ 15

05 이차함수 $y=-2x^2+12x+k$의 그래프의 꼭짓점이 직선 $y=2x+3$ 위에 있을 때, 상수 k의 값을 구하여라.

06 이차함수 $y=x^2+mx+2$의 그래프가 점 $(2, -2)$를 지난다. 이 그래프에서 x의 값이 증가할 때 y의 값이 감소하는 x의 값의 범위를 구하여라. (단, m은 상수)

07 이차함수 $y=3x^2-6x+2$의 그래프를 x축의 방향으로 k만큼 평행이동한 그래프에서 $x<-4$이면 x의 값이 증가할 때 y의 값이 감소하고, $x>-4$이면 x의 값이 증가할 때 y의 값도 증가한다. 이때 상수 k의 값을 구하여라.

08 이차함수 $y=-3x^2+6x+4$의 그래프를 y축의 방향으로 n만큼 평행이동하면 x축과 만나지 않는다. 이때 n의 값의 범위를 구하여라.

09 이차함수 $y=-\dfrac{1}{2}x^2-4x-3$의 그래프에 대한 다음 설명 중 옳은 것은?

① y절편은 3이다.
② 꼭짓점의 좌표는 $(-4, 3)$이다.
③ $x<-4$일 때, x의 값이 증가하면 y의 값은 감소한다.
④ 점 $(2, -13)$을 지난다.
⑤ 아래로 볼록한 그래프이다.

10 다음 중 이차함수 $y=-2x^2-4x-1$의 그래프가 지나지 <u>않는</u> 사분면은?

① 제1사분면   ② 제2사분면
③ 제3사분면   ④ 제4사분면
⑤ 제1, 2사분면

11 일차함수 $y=ax+b$의 그래프가 오른쪽 그림과 같을 때, 다음 중 이차함수 $y=-x^2+ax+b$의 그래프로 알맞은 것은?

①   ②

③   ④

⑤

12 이차함수 $y=\dfrac{1}{2}x^2$의 그래프와 모양이 같고, 꼭짓점의 좌표가 $(-1, 4)$인 포물선을 그래프로 하는 이차함수의 식이 $y=ax^2+bx+c$일 때, 상수 a, b, c에 대하여 $a+b+c$의 값을 구하여라.

13 오른쪽 그림은 세 점 $(-1, 0)$, $(b, 0)$, $(0, 2)$를 지나는 이차함수 $y=ax^2+x+2$의 그래프이다. 이때 상수 a, b에 대하여 $a+b$의 값을 구하여라.

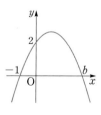

14 이차함수 $y=-x^2+4x+5a+1$의 그래프가 모든 사분면을 지나도록 하는 상수 a의 값의 범위는?

① $a<-1$ ② $a<-\dfrac{1}{5}$

③ $a<0$ ④ $a>-1$

⑤ $a>-\dfrac{1}{5}$

15 오른쪽 그림은 이차함수 $y=x^2+2x-3$의 그래프이다. x축과의 교점을 A, y축과의 교점을 B, 꼭짓점을 C라고 할 때, △ABC의 넓이를 구하여라. (단, 점 A의 x좌표는 음수이다.)

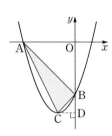

16 세 점 $(-1, 6)$, $(2, 0)$, $(-3, 0)$을 지나는 이차함수의 그래프의 꼭짓점의 좌표가 (p, q)일 때, $4(p+q)$의 값은?

① -23 ② -17 ③ -15

④ 23 ⑤ 25

17 이차함수 $y=ax^2+bx+c$의 그래프가 오른쪽 그림과 같을 때, 다음 학생 중 옳게 말한 학생의 이름을 말하여라.

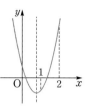

범석 : 축이 y축의 오른쪽에 위치하므로 $ab>0$이야.

찬우 : y축과 만나는 점이 x축보다 위쪽에 있으므로 $c<0$이야.

민경 : $a>0$, $c>0$이므로 $a+b+c>0$이야.

희윤 : $x=2$일 때의 함숫값이 양수이므로 $4a+2b+c>0$이야.

미소 : $a>0$, $c<0$이므로 $ac<0$이야.

18 이차함수 $y=x^2-3x+a$의 그래프가 x축과 만나는 두 점을 각각 A, B라고 하자. $\overline{\text{AB}}=5$일 때, 상수 a의 값을 구하여라.

19 오른쪽 그림과 같이 두 이차함수 $y=-x^2+4x-2$, $y=-x^2+8x-14$의 그래프의 꼭짓점을 각각 A, B라고 할 때, 색칠한 부분의 넓이를 구하여라.

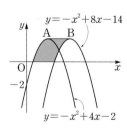

20 세 점 $(0, 5)$, $(-1, 8)$, $(-2, 13)$을 지나는 이차함수의 그래프를 x축에 대하여 대칭이동한 그래프의 꼭짓점의 좌표를 구하여라.

1. 이차함수와 그 그래프

01. 이차함수의 뜻

078 이차함수란 무엇일까?
$$y=ax^2+bx+c$$
$(a, b, c$는 상수, $a \neq 0)$
꼴로 나타내어지는 함수!

079 이차함수
$f(x)=x^2-5x$에 대하여
$f(2)$의 값은 얼마일까?
$f(2)$의 값
➡ $f(x)$의 x에 2를
대입한 값

02. 이차함수 $y=ax^2$의 그래프

081~082 이차함수 $y=x^2$, $y=-x^2$의 그래프는 어떤 모양일까?

❶ 아래로 볼록한 포물선
❷ 원점이 꼭짓점
❸ y축에 대칭

❶ 위로 볼록한 포물선
❷ 원점이 꼭짓점
❸ y축에 대칭

083 이차함수 $y=ax^2$의
그래프는 어떤 모양일까?

a의 값에 관계없이
원점을 꼭짓점으로 하고
y축에 대칭인 포물선

084 이차함수 $y=ax^2$의 그
래프는 a의 값에 따라 어떻게
달라질까?

a의 절댓값이 클수록 그래프
의 폭이 좁아져.

03. 이차함수 $y=a(x-p)^2+q$의 그래프

085 이차함수 $y=ax^2$의
그래프를 y축의 방향으로 q
만큼 평행이동한 그래프는?
➡ $y=ax^2+q$

086 이차함수 $y=ax^2$의
그래프를 x축의 방향으로 p
만큼 평행이동한 그래프는?
➡ $y=a(x-p)^2$

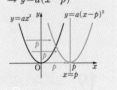

087 이차함수 $y=ax^2$의 그래프를 x축
의 방향으로 p만큼, y의 방향으로 q만
큼 평행이동한 그래프는?
➡ $y=a(x-p)^2+q$

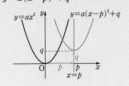

088 이차함수 $y=a(x-p)^2+q$의
그래프를 x축의 방향으로 m만큼, y축
의 방향으로 n만큼 평행이동한 그래프
의 식은?
➡ $y=a(x-p-m)^2+q+n$

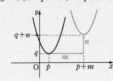

089 이차함수 $y=a(x-p)^2+q$의
그래프를 x축에 대하여 대칭이동한
그래프의 식은?

x축에 대하여 대칭이동
➡ y 대신 $-y$ 대입!
➡ $y=-a(x-p)^2-q$

2. 이차함수 $y=ax^2+bx+c$의 그래프

01. 이차함수 $y=ax^2+bx+c$의 그래프

090 이차함수 $y=ax^2+bx+c$를 $y=a(x-p)^2+q$ 꼴로 어떻게 고칠까?

$y=2x^2-4x+1$
$=2(x^2-2x)+1$
$=2(x^2-2x+1-1)+1$
$=2(x-1)^2-1$

091 이차함수 $y=ax^2+bx+c$의 그래프에서 x절편, y절편은 어떻게 구할까?

x절편 : $ax^2+bx+c=0$의 두 근
y절편 : c

092 이차함수 $y=ax^2+bx+c$의 그래프는 어떻게 그릴까?

이차함수 $y=a(x-p)^2+q$ 꼴로 고쳐서 그린다.
$y=2x^2-4x+1 \Rightarrow y=2(x-1)^2-1$
① 그래프의 모양 : 아래로 볼록
② 꼭짓점 : $(1, -1)$
③ y축과의 교점 : $(0, 1)$

093 이차함수 $y=ax^2+bx+c$의 그래프를 보고 a, b, c의 부호를 알 수 있을까?

① 그래프의 모양 ➡ a의 부호 결정

$a>0 \qquad a<0$

② 축의 위치 ➡ b의 부호 결정

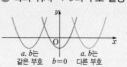
a, b는 같은 부호 $\qquad b=0 \qquad$ a, b는 다른 부호

③ y축과의 교점의 위치 ➡ c의 부호 결정

$c>0$
$c<0$

094 꼭짓점의 좌표가 주어지는 경우, 이차함수의 식은 어떻게 구할까?

➡ $y=a(x-p)^2+q$ 꼴 이용

095 축의 방정식이 주어지는 경우, 이차함수의 식은 어떻게 구할까?

➡ $y=a(x-p)^2+q$ 꼴 이용

096 꼭짓점이 아닌 세 점의 좌표가 주어지는 경우, 이차함수의 식은 어떻게 구할까?

➡ $y=ax^2+bx+c$ 꼴 이용

097 x축과 만나는 두 점의 좌표가 주어지는 경우, 이차함수의 식은 어떻게 구할까?

➡ $y=a(x-\alpha)(x-\beta)$ 꼴 이용

01 다음 중 이차함수가 <u>아닌</u> 것은?

① $y=x(x-3)$

② $y=x^2-(x-2)^2$

③ $y=(2x-1)^2+6x$

④ $y=(x+1)^2-2x^2$

⑤ $y=(x-1)^2+2x-1$

02 다음 보기의 이차함수의 그래프에 대한 설명으로 옳은 것을 모두 고르면? (정답 2개)

┤ 보 기 ├

ㄱ. $y=2x^2$ ㄴ. $y=-4x^2$

ㄷ. $y=5x^2$ ㄹ. $y=-\dfrac{2}{3}x^2$

① 꼭짓점의 좌표는 모두 $(0, 0)$이다.

② 아래로 볼록한 그래프는 ㄴ, ㄹ이다.

③ 각각의 그래프는 x축에 대칭이다.

④ 그래프의 폭이 좁은 것부터 차례로 나열하면 ㄷ, ㄴ, ㄱ, ㄹ이다.

⑤ 꼭짓점 이외의 부분은 모두 x축보다 위쪽에 있다.

03 오른쪽 그림은 이차함수 $y=2x^2$, $y=4x^2$, $y=-4x^2$, $y=-2x^2$, $y=-\dfrac{1}{2}x^2$의 그래프를 한 좌표평면 위에 나타낸 것이다. 포물선 ㉠이 점 $(2, a)$를 지날 때, a의 값을 구하여라.

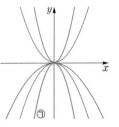

04 다음 이차함수의 그래프 중 이차함수 $y=-\dfrac{1}{3}x^2$의 그래프를 평행이동하여 포갤 수 있는 것을 모두 고르면? (정답 2개)

① $y=-\dfrac{1}{3}(x+1)^2$ ② $y=\dfrac{1}{3}x^2$

③ $y=-\dfrac{1}{3}x^2-4$ ④ $y=\dfrac{1}{3}x^2+4$

⑤ $y=3(x-1)^2$

05 이차함수 $y=\dfrac{1}{2}x^2$의 그래프 위의 한 점 P를 꼭짓점으로 하는 △POA의 넓이가 24일 때, 점 P의 좌표를 구하여라. (단, 점 O는 원점, 점 P는 제1사분면 위의 점이다.)

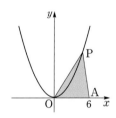

06 이차함수 $y=3x^2+q$의 그래프가 점 $(1, -5)$를 지날 때, 이 그래프의 꼭짓점의 좌표는? (단, q는 상수)

① $(0, -5)$ ② $(1, -5)$ ③ $(3, 0)$

④ $(0, -8)$ ⑤ $(1, 3)$

07 오른쪽 그림은 이차함수 $y=x^2+4$와 $y=x^2-2$의 그래프이다. 두 점 A, B의 x좌표가 같을 때, $\overline{\text{AB}}$의 길이를 구하여라.

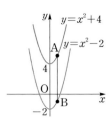

08 이차함수 $y=ax^2$의 그래프를 x축의 방향으로 -3만큼 평행이동하면 점 $(-2,\ 5)$를 지난다고 할 때, 상수 a의 값은?

① -5 ② -3 ③ -1
④ 3 ⑤ 5

09 이차함수 $y=-2(x+1)^2-5$의 그래프를 x축의 방향으로 -3만큼, y축의 방향으로 2만큼 평행이동한 그래프의 식을 구하여라.

10 다음 중 오른쪽 그림의 각 그래프가 나타내는 이차함수의 식이 <u>잘못된</u> 것은?

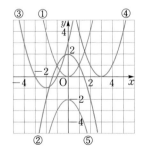

① $y=x^2$
② $y=-x^2+2$
③ $y=(x+2)^2-1$
④ $y=(x+3)^2$
⑤ $y=-x^2-2$

11 이차함수 $y=-(x-4)^2-3$의 그래프에 대한 다음 설명 중 옳은 것은?

① 꼭짓점의 좌표는 $(-4,\ -3)$이다.
② $y=x^2$의 그래프를 x축의 방향으로 4만큼, y축의 방향으로 -3만큼 평행이동한 것이다.
③ 점 $(0,\ -3)$을 지난다.
④ 아래로 볼록한 포물선이다.
⑤ $x>4$일 때, x의 값이 증가하면 y의 값은 감소한다.

12 이차함수 $y=-2(x-p)^2+4p^2$의 그래프는 점 $(2,\ 2)$를 지나고, 꼭짓점이 제1사분면 위에 있다. 이때 상수 p의 값을 구하여라.

13 다음 중 이차함수 $y=-\dfrac{1}{2}x^2+2x+1$의 그래프는?

①   ②

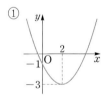

③   ④

  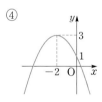

⑤

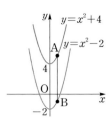

14 다음 이차함수의 그래프 중 이차함수 $y=2x^2+4x-3$의 그래프와 꼭짓점의 좌표가 같은 것은?

① $y=-3x^2-6$　　② $y=-(x+1)^2$

③ $y=-2(x+1)^2-5$　④ $y=3(x-1)^2+5$

⑤ $y=4(x-1)^2-5$

15 이차함수 $y=-4x^2+ax-1$의 그래프의 축의 방정식이 $x=2$일 때, 상수 a의 값을 구하여라.

16 오른쪽 그림과 같은 이차함수 $y=x^2-6x-7$의 그래프에 대하여 y축과의 교점을 A, 꼭짓점을 B, x축과의 한 교점을 C라고 할 때, □OABC의 넓이를 구하여라. (단, O는 원점이고, 점 C의 x좌표는 양수이다.)

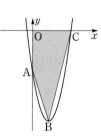

17 이차함수 $y=2x^2-4x+a-3$의 그래프의 꼭짓점이 x축과 한 점에서 만날 때, 상수 a의 값은?

① 1　　② 2　　③ 3

④ 4　　⑤ 5

18 이차함수 $y=x^2+ax+b$의 그래프가 오른쪽 그림과 같을 때, 일차함수 $y=ax+b$의 그래프가 지나지 않는 사분면은? (단, a, b는 상수)

① 제1사분면　　② 제2사분면

③ 제3사분면　　④ 제4사분면

⑤ 없다.

19 오른쪽 그림은 어떤 이차함수의 그래프이다. 다음 중 이 그래프 위의 점이 <u>아닌</u> 것은?

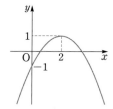

① $\left(1, \dfrac{1}{2}\right)$

② $(-2, -7)$

③ $(4, -1)$

④ $\left(\dfrac{1}{2}, -\dfrac{1}{8}\right)$

⑤ $\left(\dfrac{3}{2}, \dfrac{9}{10}\right)$

20 이차함수 $y=2x^2-8x+3$의 그래프를 x축의 방향으로 -1만큼, y축의 방향으로 3만큼 평행이동한 그래프가 점 $(-1, k)$를 지날 때, 상수 k의 값을 구하여라.

21 오른쪽 그림과 같이 이차함수 $y=\dfrac{1}{2}x^2-x-4$의 그래프가 x축과 만나는 두 점을 각각 A, E, y축과 만나는 점을 B, 꼭짓점을 C라 할 때, 다음 중 옳은 것은? (단, $\overline{\mathrm{BD}}$는 x축에 평행하다.)

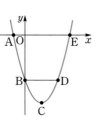

① $\mathrm{A}(-1, 0)$
② $\mathrm{B}(0, -2)$
③ $\mathrm{C}(1, -3)$
④ $\mathrm{D}(2, -4)$
⑤ $\mathrm{E}(6, 0)$

22 이차함수 $y=-x^2+ax+b$의 그래프가 직선 $x=-2$를 축으로 하고 점 $(1, -3)$을 지날 때, 상수 a, b에 대하여 ab의 값은?

① -8
② -6
③ -4
④ 2
⑤ 4

23 이차함수 $y=ax^2+bx+c$의 그래프가 오른쪽 그림과 같을 때, 상수 a, b, c에 대하여 $4a-2b-c$의 값은?

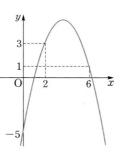

① -7
② -8
③ -9
④ 9
⑤ 12

24 오른쪽 그림은 이차함수 $y=ax^2+4$의 그래프이다. $\triangle \mathrm{ABC}$의 넓이가 16일 때, 상수 a의 값을 구하여라.

답 _____

25 두 점 $(-1, 0)$, $(3, 0)$을 지나고 꼭짓점의 y좌표가 4인 포물선이 y축과 만나는 점의 좌표를 구하여라.

답 _____

26 이차함수 $y=f(x)$에 대하여 $f(1)=f(3)=5$, $f(0)=8$일 때, 이차함수 $y=f(x)$의 그래프의 꼭짓점의 좌표를 구하여라.

답 _____

Advanced Lecture

TOPIC

1 이차방정식과 이차함수의 관계

수학의 각 단원은 마치 완전하게 독자적으로 보이지만 내용을 들여다보면 서로 연관을 지니고 있어 함께 이해해야 하는 내용이 많다. 이를테면 인수분해 단원에서 배운 이차식 ax^2+bx+c의 인수분해는 이차방정식 단원에서 이차방정식 $ax^2+bx+c=0$의 근을 구하는 데 필수적으로 이용되고, 거꾸로 이차방정식 $ax^2+bx+c=0$의 근은 이차식 ax^2+bx+c의 인수를 찾는 데 이용된다. 여기서는 이차방정식과 이차함수 사이의 연관성을 통해 이차방정식의 근을 이해해 보도록 하자.

이차식 ax^2+bx+c에 대해

> 이차방정식에서는 이차식이 0이 되는 x의 값을 구하는 데 중점을 두고,

> 이차함수는 이차식의 x의 값에 따라 변화하는 값을 관찰하는 데 중점을 둔다.

특히 이차함수의 경우 y의 값이 최대 또는 최소가 되는 경우에 관심이 많다.

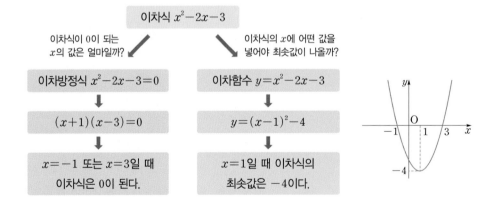

이처럼 이차방정식과 이차함수는 하나의 이차식을 어떤 부분에 중점을 두느냐에 따라 나누어 놓은 것일 뿐 결국 하나의 맥락으로 볼 수 있다.

따라서 이차방정식 문제를 접할 때 단순히 해를 구하는 것에서 그치지 말고 이차함수의 그래프를 이용하여 변화를 추측해 보도록 하자.

'아는 만큼 보이고, 보는 만큼 느낀다.' 는 말은 수학에서도 일맥상통합니다.
교과서 밖으로 나와 더 넓은 수학을 접하여 나만의 사고력을 한 단계 높여 보세요!

해설 BOOK **053쪽**

예제 01 지면으로부터 100 m 높이의 건물 옥상에서 초속 40 m로 위로 던진 물체의 t초 후의 지면으로부터의 높이는 $(100+40t-5t^2)$ m이다. 이 물체의 높이가 처음으로 160 m가 되는 것은 물체를 던진 지 몇 초 후인지 구하여라.

풀이 물체의 높이를 y m라고 하면
$y=100+40t-5t^2=-5(t^2-8t)+100=-5(t-4)^2+180$
이므로 물체의 높이의 변화를 그래프로 나타내면 오른쪽 그림과 같다.
이때 물체의 높이가 160 m가 되는 시간을 구하려면 $y=160$일 때 t의 값, 즉 이차방정식 $160=100+40t-5t^2$을 풀면 된다.
$5t^2-40t+60=0$, $t^2-8t+12=0$, $(t-2)(t-6)=0$
$\therefore t=2$ 또는 $t=6$
따라서 높이가 처음으로 160 m가 되는 것은 물체를 던진 지 2초 후이다.

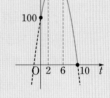

유제 01 지면으로부터의 높이가 35 m인 건물 옥상에서 초속 30 m로 똑바로 위로 던진 야구공의 t초 후의 지면으로부터의 높이가 $(-5t^2+30t+35)$ m일 때, 다음 물음에 답하여라.

(1) 이차함수 $y=-5t^2+30t+35$의 그래프를 그려라.

(2) 이 공이 최고 높이에 도달한 때는 던진 지 몇 초 후이고, 그때의 지면으로부터의 높이를 차례로 구하여라.

(3) 이 공의 높이가 처음으로 75 m가 되는 것은 공을 던진 지 몇 초 후인지 구하여라.

(4) 이 공은 던진 지 몇 초 후에 지면에 떨어지는지 구하여라.

유제 02 지면으로부터의 높이가 2500 m인 어느 화산이 폭발하여 초속 150 m의 속력으로 용암을 분출하였다. 이때 분출물의 t초 후의 높이를 y m라고 하면 $y=-5t^2+150t+2500$인 관계가 성립한다. 분출물의 높이가 3500 m 이상인 시간은 몇 초 동안인지 구하여라.

01 아르키메데스와 포물선

고대 그리스 시대에 시라쿠사라는 작은 도시 국가가 있었다. 이 나라에는 유명한 수학자 아르키메데스(B.C. 287~B.C. 212)가 살고 있었는데, 그의 노력 덕분에 시라쿠사는 로마군이 공격해 올 때마다 끝까지 저항할 수 있었다고 한다.

당시 70세가 넘은 나이에도 불구하고 아르키메데스는 각종 투석기, 기중기 등 신형 무기를 만들어 로마군에 대적했다. 그 발명품 중 구리거울은 전쟁에서 큰 역할을 하였는데, 직접 불을 이용하거나 폭탄과 같은 다른 장치들은 전혀 사용하지 않고 오직 포물면의 거울 하나로 로마군의 배를 불태운 일화는 **INTRO**에서 소개한 바 있다.

여기에서는 아르키메데스가 이용한 포물선의 특별한 성질을 살펴보도록 하자.

포물선을 축을 중심으로 회전시키면 [그림 1]과 같이 포물선들로 이루어진 곡면이 만들어지는데 포물선의 축에 평행하게 들어오는 빛이나 전파는 [그림 2]와 같이 포물선에 반사된 후 한 점에 모이게 된다. 이때 한 점에 빛이 모이면서 강력해지게 된다.

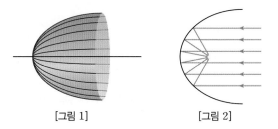

[그림 1]   [그림 2]

아르키메데스는 바로 이 점을 이용하였다. 그는 [그림 1]과 같은 모양으로 거울을 만들어서 빛을 반사시켜 나무로 된 적군의 배를 불태웠던 것이다.

이와 같은 포물선의 성질은 현재에도 매우 유용하게 쓰이고 있다. 대표적으로 태양열 발전소를 예로 들 수 있다. 태양열 발전소는 포물면 모양의 파라볼라 안테나를 이용해 태양열을 모아 전기를 만들어 우리 생활에 큰 도움을 주고 있다.

02 특별한 곡선의 발견

그리스 시대 이전부터 수학자들은 '곡선이란 무엇인가'에 대해 다양하게 연구해 왔다. 이러한 연구의 결과물 중 하나가 **원뿔곡선**이다.

원뿔곡선은 원, 포물선, 타원, 쌍곡선을 통틀어 부르는 말로, 원뿔곡선이라는 명칭에서 짐작되듯이 네 곡선 모두 원뿔에서 찾을 수 있다.

이차함수의 그래프는 원뿔곡선 중 포물선의 하나이다.

   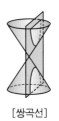

[원]　　　　[포물선]　　　　[타원]　　　　[쌍곡선]

오호~ 원뿔 속에 이런 곡선의 비밀이 숨겨져 있다니!

원뿔곡선에 대한 연구로 유명한 사람은 그리스의 수학자인 아폴로니오스(?B.C. 262~?B.C. 190)였다. 그가 저술한 "원뿔곡선론"은 총 8권으로 구성되어 있는데 이전의 원뿔곡선에 관한 연구 내용이 집대성되어 있다. 원뿔곡선을 좌표평면 위에 놓고 x, y에 관한 식으로 나타내면 이차식이 되는데 이런 이유로 교과서에서는 특성을 살려 이차곡선이라고 한다.

원뿔곡선은 자동차의 전조등, 파라볼라 안테나, 체외 충격파, 쇄석기, 장거리 무선 항법 시스템 등 다양한 분야에서 광범위하게 활용되고 있다.

원뿔곡선과 같이 특정한 경우에 나타나는 곡선이 또 있다.

원이 직선 위를 미끄러지지 않고 굴러갈 때 원 위의 한 점이 반복적으로 곡선을 그리는데 이 곡선을 **사이클로이드 곡선**이라고 부른다. 설명만으로는 어려워 보이지만 자전거를 떠올리면 간단하다. 오른쪽 그림과 같이 밤에 바퀴의 가장 바깥 부분에 휠라이트를 붙여 자전거를 움직이면 이 휠라이트가 곡선을 그리게 되는데 이 곡선이 바로 사이클로이드 곡선이다.

스위스의 수학자 베르누이(1654~1705)는 오른쪽 그림과 같이 공중의 B 지점에서 지면의 A 지점까지 가장 빨리 내려갈 수 있는 경로가 직선이 아니라 사이클로이드 곡선이라는 것을 증명하였다. 이러한 사실을 동물들은 이미 알고 있는 듯 하다. 공중에서 먹이를 발견하고 먹이를 향해 내려갈 때 독수리도 사이클로이드 곡선에 가깝게 하강을 한다고 한다.

제곱근표

수	0	1	2	3	4	5	6	7	8	9
1.0	1.000	1.005	1.010	1.015	1.020	1.025	1.030	1.034	1.039	1.044
1.1	1.049	1.054	1.058	1.063	1.068	1.072	1.077	1.082	1.086	1.091
1.2	1.095	1.100	1.105	1.109	1.114	1.118	1.122	1.127	1.131	1.136
1.3	1.140	1.145	1.149	1.153	1.158	1.162	1.166	1.170	1.175	1.179
1.4	1.183	1.187	1.192	1.196	1.200	1.204	1.208	1.212	1.217	1.221
1.5	1.225	1.229	1.233	1.237	1.241	1.245	1.249	1.253	1.257	1.261
1.6	1.265	1.269	1.273	1.277	1.281	1.285	1.288	1.292	1.296	1.300
1.7	1.304	1.308	1.311	1.315	1.319	1.323	1.327	1.330	1.334	1.338
1.8	1.342	1.345	1.349	1.353	1.356	1.360	1.364	1.367	1.371	1.375
1.9	1.378	1.382	1.386	1.389	1.393	1.396	1.400	1.404	1.407	1.411
2.0	1.414	1.418	1.421	1.425	1.428	1.432	1.435	1.439	1.442	1.446
2.1	1.449	1.453	1.456	1.459	1.463	1.466	1.470	1.473	1.476	1.480
2.2	1.483	1.487	1.490	1.493	1.497	1.500	1.503	1.507	1.510	1.513
2.3	1.517	1.520	1.523	1.526	1.530	1.533	1.536	1.539	1.543	1.546
2.4	1.549	1.552	1.556	1.559	1.562	1.565	1.568	1.572	1.575	1.578
2.5	1.581	1.584	1.587	1.591	1.594	1.597	1.600	1.603	1.606	1.609
2.6	1.612	1.616	1.619	1.622	1.625	1.628	1.631	1.634	1.637	1.640
2.7	1.643	1.646	1.649	1.652	1.655	1.658	1.661	1.664	1.667	1.670
2.8	1.673	1.676	1.679	1.682	1.685	1.688	1.691	1.694	1.697	1.700
2.9	1.703	1.706	1.709	1.712	1.715	1.718	1.720	1.723	1.726	1.729
3.0	1.732	1.735	1.738	1.741	1.744	1.746	1.749	1.752	1.755	1.758
3.1	1.761	1.764	1.766	1.769	1.772	1.775	1.778	1.780	1.783	1.786
3.2	1.789	1.792	1.794	1.797	1.800	1.803	1.806	1.808	1.811	1.814
3.3	1.817	1.819	1.822	1.825	1.828	1.830	1.833	1.836	1.838	1.841
3.4	1.844	1.847	1.849	1.852	1.855	1.857	1.860	1.863	1.865	1.868
3.5	1.871	1.873	1.876	1.879	1.881	1.884	1.887	1.889	1.892	1.895
3.6	1.897	1.900	1.903	1.905	1.908	1.910	1.913	1.916	1.918	1.921
3.7	1.924	1.926	1.929	1.931	1.934	1.936	1.939	1.942	1.944	1.947
3.8	1.949	1.952	1.954	1.957	1.960	1.962	1.965	1.967	1.970	1.972
3.9	1.975	1.977	1.980	1.982	1.985	1.987	1.990	1.992	1.995	1.997
4.0	2.000	2.002	2.005	2.007	2.010	2.012	2.015	2.017	2.020	2.022
4.1	2.025	2.027	2.030	2.032	2.035	2.037	2.040	2.042	2.045	2.047
4.2	2.049	2.052	2.054	2.057	2.059	2.062	2.064	2.066	2.069	2.071
4.3	2.074	2.076	2.078	2.081	2.083	2.086	2.088	2.090	2.093	2.095
4.4	2.098	2.100	2.102	2.105	2.107	2.110	2.112	2.114	2.117	2.119
4.5	2.121	2.124	2.126	2.128	2.131	2.133	2.135	2.138	2.140	2.142
4.6	2.145	2.147	2.149	2.152	2.154	2.156	2.159	2.161	2.163	2.166
4.7	2.168	2.170	2.173	2.175	2.177	2.179	2.182	2.184	2.186	2.189
4.8	2.191	2.193	2.195	2.198	2.200	2.202	2.205	2.207	2.209	2.211
4.9	2.214	2.216	2.218	2.220	2.223	2.225	2.227	2.229	2.232	2.234
5.0	2.236	2.238	2.241	2.243	2.245	2.247	2.249	2.252	2.254	2.256
5.1	2.258	2.261	2.263	2.265	2.267	2.269	2.272	2.274	2.276	2.278
5.2	2.280	2.283	2.285	2.287	2.289	2.291	2.293	2.296	2.298	2.300
5.3	2.302	2.304	2.307	2.309	2.311	2.313	2.315	2.317	2.319	2.322
5.4	2.324	2.326	2.328	2.330	2.332	2.335	2.337	2.339	2.341	2.343
5.5	2.345	2.347	2.349	2.352	2.354	2.356	2.358	2.360	2.362	2.364
5.6	2.366	2.369	2.371	2.373	2.375	2.377	2.379	2.381	2.383	2.385
5.7	2.387	2.390	2.392	2.394	2.396	2.398	2.400	2.402	2.404	2.406
5.8	2.408	2.410	2.412	2.415	2.417	2.419	2.421	2.423	2.425	2.427
5.9	2.429	2.431	2.433	2.435	2.437	2.439	2.441	2.443	2.445	2.447
6.0	2.449	2.452	2.454	2.456	2.458	2.460	2.462	2.464	2.466	2.468
6.1	2.470	2.472	2.474	2.476	2.478	2.480	2.482	2.484	2.486	2.488
6.2	2.490	2.492	2.494	2.496	2.498	2.500	2.502	2.504	2.506	2.508
6.3	2.510	2.512	2.514	2.516	2.518	2.520	2.522	2.524	2.526	2.528
6.4	2.530	2.532	2.534	2.536	2.538	2.540	2.542	2.544	2.546	2.548
6.5	2.550	2.551	2.553	2.555	2.557	2.559	2.561	2.563	2.565	2.567
6.6	2.569	2.571	2.573	2.575	2.577	2.579	2.581	2.583	2.585	2.587
6.7	2.588	2.590	2.592	2.594	2.596	2.598	2.600	2.602	2.604	2.606
6.8	2.608	2.610	2.612	2.613	2.615	2.617	2.619	2.621	2.623	2.625
6.9	2.627	2.629	2.631	2.632	2.634	2.636	2.638	2.640	2.642	2.644
7.0	2.646	2.648	2.650	2.651	2.653	2.655	2.657	2.659	2.661	2.663
7.1	2.665	2.666	2.668	2.670	2.672	2.674	2.676	2.678	2.680	2.681
7.2	2.683	2.685	2.687	2.689	2.691	2.693	2.694	2.696	2.698	2.700
7.3	2.702	2.704	2.706	2.707	2.709	2.711	2.713	2.715	2.717	2.718
7.4	2.720	2.722	2.724	2.726	2.728	2.729	2.731	2.733	2.735	2.737
7.5	2.739	2.740	2.742	2.744	2.746	2.748	2.750	2.751	2.753	2.755
7.6	2.757	2.759	2.760	2.762	2.764	2.766	2.768	2.769	2.771	2.773
7.7	2.775	2.777	2.778	2.780	2.782	2.784	2.786	2.787	2.789	2.791
7.8	2.793	2.795	2.796	2.798	2.800	2.802	2.804	2.805	2.807	2.809
7.9	2.811	2.812	2.814	2.816	2.818	2.820	2.821	2.823	2.825	2.827
8.0	2.828	2.830	2.832	2.834	2.835	2.837	2.839	2.841	2.843	2.844
8.1	2.846	2.848	2.850	2.851	2.853	2.855	2.857	2.858	2.860	2.862
8.2	2.864	2.865	2.867	2.869	2.871	2.872	2.874	2.876	2.877	2.879
8.3	2.881	2.883	2.884	2.886	2.888	2.890	2.891	2.893	2.895	2.897
8.4	2.898	2.900	2.902	2.903	2.905	2.907	2.909	2.910	2.912	2.914
8.5	2.915	2.917	2.919	2.921	2.922	2.924	2.926	2.927	2.929	2.931
8.6	2.933	2.934	2.936	2.938	2.939	2.941	2.943	2.944	2.946	2.948
8.7	2.950	2.951	2.953	2.955	2.956	2.958	2.960	2.961	2.963	2.965
8.8	2.966	2.968	2.970	2.972	2.973	2.975	2.977	2.978	2.980	2.982
8.9	2.983	2.985	2.987	2.988	2.990	2.992	2.993	2.995	2.997	2.998
9.0	3.000	3.002	3.003	3.005	3.007	3.008	3.010	3.012	3.013	3.015
9.1	3.017	3.018	3.020	3.022	3.023	3.025	3.027	3.028	3.030	3.032
9.2	3.033	3.035	3.036	3.038	3.040	3.041	3.043	3.045	3.046	3.048
9.3	3.050	3.051	3.053	3.055	3.056	3.058	3.059	3.061	3.063	3.064
9.4	3.066	3.068	3.069	3.071	3.072	3.074	3.076	3.077	3.079	3.081
9.5	3.082	3.084	3.085	3.087	3.089	3.090	3.092	3.094	3.095	3.097
9.6	3.098	3.100	3.102	3.103	3.105	3.106	3.108	3.110	3.111	3.113
9.7	3.114	3.116	3.118	3.119	3.121	3.122	3.124	3.126	3.127	3.129
9.8	3.130	3.132	3.134	3.135	3.137	3.138	3.140	3.142	3.143	3.145
9.9	3.146	3.148	3.150	3.151	3.153	3.154	3.156	3.158	3.159	3.161

제곱근표

수	0	1	2	3	4	5	6	7	8	9
10	3.162	3.178	3.194	3.209	3.225	3.240	3.256	3.271	3.286	3.302
11	3.317	3.332	3.347	3.362	3.376	3.391	3.406	3.421	3.435	3.450
12	3.464	3.479	3.493	3.507	3.521	3.536	3.550	3.564	3.578	3.592
13	3.606	3.619	3.633	3.647	3.661	3.674	3.688	3.701	3.715	3.728
14	3.742	3.755	3.768	3.782	3.795	3.808	3.821	3.834	3.847	3.860
15	3.873	3.886	3.899	3.912	3.924	3.937	3.950	3.962	3.975	3.987
16	4.000	4.012	4.025	4.037	4.050	4.062	4.074	4.087	4.099	4.111
17	4.123	4.135	4.147	4.159	4.171	4.183	4.195	4.207	4.219	4.231
18	4.243	4.254	4.266	4.278	4.290	4.301	4.313	4.324	4.336	4.347
19	4.359	4.370	4.382	4.393	4.405	4.416	4.427	4.438	4.450	4.461
20	4.472	4.483	4.494	4.506	4.517	4.528	4.539	4.550	4.561	4.572
21	4.583	4.593	4.604	4.615	4.626	4.637	4.648	4.658	4.669	4.680
22	4.690	4.701	4.712	4.722	4.733	4.743	4.754	4.764	4.775	4.785
23	4.796	4.806	4.817	4.827	4.837	4.848	4.858	4.868	4.879	4.889
24	4.899	4.909	4.919	4.930	4.940	4.950	4.960	4.970	4.980	4.990
25	5.000	5.010	5.020	5.030	5.040	5.050	5.060	5.070	5.079	5.089
26	5.099	5.109	5.119	5.128	5.138	5.148	5.158	5.167	5.177	5.187
27	5.196	5.206	5.215	5.225	5.235	5.244	5.254	5.263	5.273	5.282
28	5.292	5.301	5.310	5.320	5.329	5.339	5.348	5.357	5.367	5.376
29	5.385	5.394	5.404	5.413	5.422	5.431	5.441	5.450	5.459	5.468
30	5.477	5.486	5.495	5.505	5.514	5.523	5.532	5.541	5.550	5.559
31	5.568	5.577	5.586	5.595	5.604	5.612	5.621	5.630	5.639	5.648
32	5.657	5.666	5.675	5.683	5.692	5.701	5.710	5.718	5.727	5.736
33	5.745	5.753	5.762	5.771	5.779	5.788	5.797	5.805	5.814	5.822
34	5.831	5.840	5.848	5.857	5.865	5.874	5.882	5.891	5.899	5.908
35	5.916	5.925	5.933	5.941	5.950	5.958	5.967	5.975	5.983	5.992
36	6.000	6.008	6.017	6.025	6.033	6.042	6.050	6.058	6.066	6.075
37	6.083	6.091	6.099	6.107	6.116	6.124	6.132	6.140	6.148	6.156
38	6.164	6.173	6.181	6.189	6.197	6.205	6.213	6.221	6.229	6.237
39	6.245	6.253	6.261	6.269	6.277	6.285	6.293	6.301	6.309	6.317
40	6.325	6.332	6.340	6.348	6.356	6.364	6.372	6.380	6.387	6.395
41	6.403	6.411	6.419	6.427	6.434	6.442	6.450	6.458	6.465	6.473
42	6.481	6.488	6.496	6.504	6.512	6.519	6.527	6.535	6.542	6.550
43	6.557	6.565	6.573	6.580	6.588	6.595	6.603	6.611	6.618	6.626
44	6.633	6.641	6.648	6.656	6.663	6.671	6.678	6.686	6.693	6.701
45	6.708	6.716	6.723	6.731	6.738	6.745	6.753	6.760	6.768	6.775
46	6.782	6.790	6.797	6.804	6.812	6.819	6.826	6.834	6.841	6.848
47	6.856	6.863	6.870	6.877	6.885	6.892	6.899	6.907	6.914	6.921
48	6.928	6.935	6.943	6.950	6.957	6.964	6.971	6.979	6.986	6.993
49	7.000	7.007	7.014	7.021	7.029	7.036	7.043	7.050	7.057	7.064
50	7.071	7.078	7.085	7.092	7.099	7.106	7.113	7.120	7.127	7.134
51	7.141	7.148	7.155	7.162	7.169	7.176	7.183	7.190	7.197	7.204
52	7.211	7.218	7.225	7.232	7.239	7.246	7.253	7.259	7.266	7.273
53	7.280	7.287	7.294	7.301	7.308	7.314	7.321	7.328	7.335	7.342
54	7.348	7.355	7.362	7.369	7.376	7.382	7.389	7.396	7.403	7.409

수	0	1	2	3	4	5	6	7	8	9
55	7.416	7.423	7.430	7.436	7.443	7.450	7.457	7.463	7.470	7.477
56	7.483	7.490	7.497	7.503	7.510	7.517	7.523	7.530	7.537	7.543
57	7.550	7.556	7.563	7.570	7.576	7.583	7.589	7.596	7.603	7.609
58	7.616	7.622	7.629	7.635	7.642	7.649	7.655	7.662	7.668	7.675
59	7.681	7.688	7.694	7.701	7.707	7.714	7.720	7.727	7.733	7.740
60	7.746	7.752	7.759	7.765	7.772	7.778	7.785	7.791	7.797	7.804
61	7.810	7.817	7.823	7.829	7.836	7.842	7.849	7.855	7.861	7.868
62	7.874	7.880	7.887	7.893	7.899	7.906	7.912	7.918	7.925	7.931
63	7.937	7.944	7.950	7.956	7.962	7.969	7.975	7.981	7.987	7.994
64	8.000	8.006	8.012	8.019	8.025	8.031	8.037	8.044	8.050	8.056
65	8.062	8.068	8.075	8.081	8.087	8.093	8.099	8.106	8.112	8.118
66	8.124	8.130	8.136	8.142	8.149	8.155	8.161	8.167	8.173	8.179
67	8.185	8.191	8.198	8.204	8.210	8.216	8.222	8.228	8.234	8.240
68	8.246	8.252	8.258	8.264	8.270	8.276	8.283	8.289	8.295	8.301
69	8.307	8.313	8.319	8.325	8.331	8.337	8.343	8.349	8.355	8.361
70	8.367	8.373	8.379	8.385	8.390	8.396	8.402	8.408	8.414	8.420
71	8.426	8.432	8.438	8.444	8.450	8.456	8.462	8.468	8.473	8.479
72	8.485	8.491	8.497	8.503	8.509	8.515	8.521	8.526	8.532	8.538
73	8.544	8.550	8.556	8.562	8.567	8.573	8.579	8.585	8.591	8.597
74	8.602	8.608	8.614	8.620	8.626	8.631	8.637	8.643	8.649	8.654
75	8.660	8.666	8.672	8.678	8.683	8.689	8.695	8.701	8.706	8.712
76	8.718	8.724	8.729	8.735	8.741	8.746	8.752	8.758	8.764	8.769
77	8.775	8.781	8.786	8.792	8.798	8.803	8.809	8.815	8.820	8.826
78	8.832	8.837	8.843	8.849	8.854	8.860	8.866	8.871	8.877	8.883
79	8.888	8.894	8.899	8.905	8.911	8.916	8.922	8.927	8.933	8.939
80	8.944	8.950	8.955	8.961	8.967	8.972	8.978	8.983	8.989	8.994
81	9.000	9.006	9.011	9.017	9.022	9.028	9.033	9.039	9.044	9.050
82	9.055	9.061	9.066	9.072	9.077	9.083	9.088	9.094	9.099	9.105
83	9.110	9.116	9.121	9.127	9.132	9.138	9.143	9.149	9.154	9.160
84	9.165	9.171	9.176	9.182	9.187	9.192	9.198	9.203	9.209	9.214
85	9.220	9.225	9.230	9.236	9.241	9.247	9.252	9.257	9.263	9.268
86	9.274	9.279	9.284	9.290	9.295	9.301	9.306	9.311	9.317	9.322
87	9.327	9.333	9.338	9.343	9.349	9.354	9.359	9.365	9.370	9.375
88	9.381	9.386	9.391	9.397	9.402	9.407	9.413	9.418	9.423	9.429
89	9.434	9.439	9.445	9.450	9.455	9.460	9.466	9.471	9.476	9.482
90	9.487	9.492	9.497	9.503	9.508	9.513	9.518	9.524	9.529	9.534
91	9.539	9.545	9.550	9.555	9.560	9.566	9.571	9.576	9.581	9.586
92	9.592	9.597	9.602	9.607	9.612	9.618	9.623	9.628	9.633	9.638
93	9.644	9.649	9.654	9.659	9.664	9.670	9.675	9.680	9.685	9.690
94	9.695	9.701	9.706	9.711	9.716	9.721	9.726	9.731	9.737	9.742
95	9.747	9.752	9.757	9.762	9.767	9.772	9.778	9.783	9.788	9.793
96	9.798	9.803	9.808	9.813	9.818	9.823	9.829	9.834	9.839	9.844
97	9.849	9.854	9.859	9.864	9.869	9.874	9.879	9.884	9.889	9.894
98	9.899	9.905	9.910	9.915	9.920	9.925	9.930	9.935	9.940	9.945
99	9.950	9.955	9.960	9.965	9.970	9.975	9.980	9.985	9.990	9.995

SUMMA CUM LAUDE
MIDDLE SCHOOL MATHEMATICS

보내는 사람

Stamp

숨마쿰라우데
중학수학 개념기본서 3-상

홈페이지를 방문하시면 온라인으로 편리하게 교재 평가에 참여할 수 있습니다!
(매월 우수 평가자를 선정하여 소정의 교재를 보내드립니다.)
www.erumenb.com

풀 칠 하 세 요

이 름		남☐ 여☐		학교(학원)	학년
Mobile		E-mail			

숨마쿰라우데 중학수학 개념기본서 3-상

■ 교재를 구입하게 된 동기는 무엇입니까?

① 서점에서 보고　② 선생님의 추천　③ 학교 보충수업용　④ 학원 수업용
⑤ 과외 수업용　⑥ 공부방 수업용　⑦ 부모, 형제, 친구의 추천　⑧ 서점에서 추천

■ 교재의 전체적인 디자인 및 내용 구성에 대한 의견을 들려주세요.

❯ 표지디자인:　① 매우 좋다　② 좋다　③ 보통이다　④ 좋지 않다
그 이유는? _____

❯ 본문디자인:　① 매우 좋다　② 좋다　③ 보통이다　④ 좋지 않다
그 이유는? _____

❯ 내용 구성:　① 매우 좋다　② 좋다　③ 보통이다　④ 좋지 않다
그 이유는? _____

■ 교재의 세부적인 내용에 대한 의견을 들려주세요.

QA를 통한 본문 설명	내 용	① 매우 좋다	② 좋다	③ 보통이다	④ 좋지 않다
	분 량	① 많다	② 적당하다	③ 조금 부족하다	④ 부족하다
EXERCISES(유형·중단원·대단원)	분 량	① 많다	② 적당하다	③ 조금 부족하다	④ 부족하다
	난이도	① 쉽다	② 적당하다	③ 약간 어렵다	④ 어렵다
대단원 심화 학습·수학으로 보는 세상	내 용	① 매우 좋다	② 좋다	③ 보통이다	④ 좋지 않다
	분 량	① 많다	② 적당하다	③ 조금 부족하다	④ 부족하다
테스트 BOOK	내 용	① 매우 좋다	② 좋다	③ 보통이다	④ 좋지 않다
	분 량	① 많다	② 적당하다	③ 조금 부족하다	④ 부족하다
	난이도	① 쉽다	② 적당하다	③ 약간 어렵다	④ 어렵다

■ 이 책에 대해 느낀 점이나 바라는 점을 자유롭게 적어주세요.

성의껏 작성해서 보내주신 엽서는 뽑아서 선물을 보내드립니다.

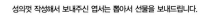

튼튼한 **개념!** 흔들리지 않는 **실력!**

숨마쿰라우데 중학수학

개념기본서

테스트 BOOK

Q&A를 통한 스토리텔링
수학 학습의 결정판!

EBS 중학프리미엄 인터넷강의 교재

자기주도 학습서 베스트 1위
새교육
과정
숨 마 쿰 라 우 데

3-상

튼튼한 개념! 흔들리지 않는 실력!

숨마쿰라우데 중학수학

개념기본서

3-상

테스트 BOOK

유형 **1** 제곱근의 뜻과 이해

01 다음 중 'x는 12의 제곱근이다.'를 식으로 바르게 나타낸 것은?

① $x=12$ ② $x=-\sqrt{12}$ ③ $x=\sqrt{12}$
④ $x=\pm\sqrt{12}$ ⑤ $2x=12$

02 16의 제곱근을 a, 25의 제곱근을 b라고 할 때, a^2+b^2의 값을 구하여라.

03 다음 중 옳은 것은?

① 4의 제곱근은 2이다.
② -3은 -9의 음의 제곱근이다.
③ 모든 수의 제곱근은 2개이다.
④ 제곱하여 5가 되는 수는 $-\sqrt{5}$뿐이다.
⑤ 제곱근 0.16은 0.4이다.

04 다음 중 그 값이 나머지 넷과 <u>다른</u> 하나는? (단, $a>0$)

① $x^2=a$를 만족하는 양수 x의 값
② 넓이가 a인 정사각형의 한 변의 길이
③ 제곱근 a
④ a의 양의 제곱근
⑤ 제곱하여 a가 되는 수

05 $\sqrt{81}$의 양의 제곱근을 A, $(-6)^2$의 음의 제곱근을 B라고 할 때, $A-B$의 양의 제곱근을 구하여라.

06 가로의 길이가 3 cm, 세로의 길이가 5 cm인 직사각형과 넓이가 같은 정사각형을 그리려고 한다. 이 정사각형의 한 변의 길이를 구하여라.

07 한 변의 길이가 a인 정사각형의 넓이가 한 변의 길이가 각각 $\sqrt{5}$, $\sqrt{11}$인 정사각형 두 개의 넓이를 합한 것과 같다고 할 때, a의 값을 구하여라.

08 다음 수 중 제곱근을 근호를 사용하지 않고 나타낼 수 있는 것을 모두 고르면? (정답 2개)

① 12   ② 0.4   ③ $0.\dot{4}$
④ $\sqrt{16}$ ⑤ 0.025

09 다음 중 옳지 <u>않은</u> 것은?

① $\sqrt{6^2}=6$

② $\sqrt{(-12)^2}=12$

③ $-\sqrt{0.3^2}=-0.3$

④ $-\sqrt{\left(-\dfrac{5}{3}\right)^2}=\dfrac{5}{3}$

⑤ $-\sqrt{\left(\dfrac{1}{4}\right)^2}=-\dfrac{1}{4}$

10 $\sqrt{2^4}\times\sqrt{(-5)^2}+(-\sqrt{7})^2-\sqrt{64}$ 를 계산하여라.

11 $a<0$일 때, 다음 보기 중 옳은 것만을 있는 대로 골라라.

┤ 보 기 ├
ㄱ. $\sqrt{a^2}=-a$
ㄴ. $\sqrt{(-a)^2}=-a$
ㄷ. $-\sqrt{(-2a)^2}=-2a$
ㄹ. $-\sqrt{4a^2}=2a$

12 ^{up} $\sqrt{(2x-3)^2}=7$을 만족하는 모든 x의 값의 합을 구하여라.

13 $a-b<0$, $ab<0$일 때,
$\sqrt{a^2}-(\sqrt{b})^2-\sqrt{(-2a)^2}+\sqrt{9b^2}$ 을 간단히 하여라.

14 $-2<a<1$일 때, $\sqrt{(a+2)^2}+\sqrt{(a-1)^2}$ 을 간단히 하여라.

15 ^{up} $A=\sqrt{(x-1)^2}-\sqrt{(x+1)^2}$일 때, 다음 보기 중 옳은 것만을 있는 대로 골라라.

┤ 보 기 ├
ㄱ. $x\geq1$일 때, $A=-x$
ㄴ. $-1\leq x<1$일 때, $A=-2x$
ㄷ. $x<-1$일 때, $A=2$

16 $\sqrt{180x}$가 자연수가 되도록 하는 가장 작은 두 자리의 자연수 x의 값을 구하여라.

17 $\sqrt{26+n}$이 10보다 작은 자연수가 되도록 하는 자연수 n의 값을 모두 구하여라.

18 $\sqrt{50-x}$가 정수가 되도록 하는 자연수 x의 개수를 구하여라.

유형 **5** 제곱근의 대소 관계

중요

19 다음 중 두 수의 대소 관계가 옳은 것은?

① $\sqrt{10}<3$ ② $\sqrt{2}<1.4$

③ $-1<-\sqrt{2}$ ④ $\sqrt{\dfrac{1}{3}}>\dfrac{1}{2}$

⑤ $0.1>\sqrt{0.1}$

20 $\sqrt{(\sqrt{10}-3)^2}+\sqrt{(\sqrt{10}-4)^2}$을 간단히 하여라.

유형 제곱근을 포함한 부등식

21 $\sqrt{50}<n<\sqrt{120}$을 만족하는 자연수 n의 개수를 구하여라.

22 $3<\sqrt{n+1}<4$를 만족하는 자연수 n의 개수를 구하여라.

23 다음 두 조건을 모두 만족하는 자연수 x의 개수를 구하여라.

(가) $\sqrt{13}<x<\sqrt{63}$
(나) $1.8<\sqrt{x-2}<2.5$

24^{up} 자연수 n에 대하여 $10<\sqrt{n}<20$인 무리수 $\sqrt{n}$의 개수를 구하여라.

25 다음 중 무리수를 모두 찾아라.

$$\sqrt{5},\ \sqrt{0.25},\ \sqrt{\frac{4}{9}},\ -\sqrt{16},\ 1.0\dot{6},\ \sqrt{3}-1$$

26 ^{중요} 다음 중 옳지 <u>않은</u> 것을 모두 고르면? (정답 2개)

① 소수는 유한소수와 무한소수로 이루어져 있다.

② 순환소수는 모두 무한소수이다.

③ 유리수의 제곱근은 모두 무리수이다.

④ 근호로 나타내어진 수는 모두 무리수이다.

⑤ 무리수는 $\dfrac{(\text{정수})}{(0\text{이 아닌 정수})}$ 꼴로 나타낼 수 없다.

27 다음 중 유리수가 <u>아닌</u> 것을 모두 고르면? (정답 2개)

① $\sqrt{2}+1$ ② $1.\dot{3}$ ③ $\sqrt{100}$

④ $\sqrt{1.44}$ ⑤ 2π

28 다음 중 옳지 <u>않은</u> 것은?

① 실수는 유리수와 무리수로 이루어져 있다.

② 유리수이면서 무리수인 수는 없다.

③ 유리수 중에는 제곱근이 없는 유리수도 있다.

④ 무한소수 중에는 유리수인 것도 있다.

⑤ 순환하지 않는 무한소수는 실수가 아니다.

29 ^{중요} 다음 그림에서 모눈 한 칸은 한 변의 길이가 1인 정사각형이다. $\overline{\text{PQ}}=\overline{\text{PT}}$일 때, 점 T에 대응하는 수를 구하여라.

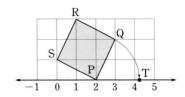

30 다음 그림은 수직선 위에 한 변의 길이가 1인 정사각형 2개를 그린 것이다. $\overline{\text{AB}}=\overline{\text{AP}}$, $\overline{\text{CD}}=\overline{\text{CQ}}$를 만족하는 두 점 P, Q에 대응하는 수를 각각 a, b라고 할 때, $a+b$의 값을 구하여라.

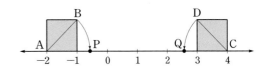

31 ^{up} 다음 그림과 같이 한 변의 길이가 1인 정사각형 ABCD에서 수직선 위에 $\overline{\text{CA}}=\overline{\text{CP}}$, $\overline{\text{BD}}=\overline{\text{BQ}}$가 되도록 두 점 P, Q를 잡는다. 점 Q에 대응하는 수가 $2+\sqrt{2}$일 때, 점 P에 대응하는 수를 구하여라.

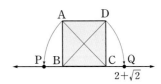

32 다음 중 옳지 <u>않은</u> 것은?

① 서로 다른 두 무리수 사이에는 무수히 많은 무리수가 존재한다.

② 1과 2 사이에는 무수히 많은 유리수가 존재한다.

③ 1과 1000 사이에는 무수히 많은 자연수가 존재한다.

④ 서로 다른 두 무리수 사이에는 무수히 많은 유리수가 존재한다.

⑤ 서로 다른 두 유리수 사이에는 무수히 많은 무리수가 존재한다.

유형 9 실수의 대소 관계

중요
33 다음 중 두 실수의 대소 관계가 옳지 <u>않은</u> 것은?

① $\sqrt{5}-1>1$ ② $\sqrt{2}-1>\sqrt{3}-2$

③ $3-\sqrt{5}>\sqrt{8}-\sqrt{5}$ ④ $\sqrt{2}+\sqrt{5}>2+\sqrt{2}$

⑤ $\sqrt{5}-2<2-\sqrt{5}$

34 다음 세 수 a, b, c의 대소 관계를 부등호를 사용하여 나타내어라.

$$a=\sqrt{5}+\sqrt{3}, \ \ b=2+\sqrt{3}, \ \ c=\sqrt{5}+2$$

35 다음 수직선 위의 점 중에서 $\sqrt{12}-2$에 대응하는 점을 구하여라.

36 다음 수를 수직선 위에 나타낼 때, 오른쪽에서 두 번째에 오는 수를 구하여라.

$$5-\sqrt{2}, \ \ \sqrt{3}+1, \ \ \sqrt{30}-4, \ \ \sqrt{6}-2$$

37 $\sqrt{10}-10$과 $10-\sqrt{10}$ 사이에 있는 정수의 개수를 구하여라.

38^{up} 자연수 x에 대하여 $\sqrt{x}$ 이하의 자연수의 개수를 $N(x)$라고 하자. 예를 들면, $1<\sqrt{3}<2$이므로 $N(3)=1$이다. 이때 $N(1)+N(2)+N(3)+\cdots+N(15)$의 값을 구하여라.

01 다음 보기 중 옳은 것은 모두 몇 개인지 구하여라.

┤ 보 기 ├

ㄱ. 모든 수의 제곱근은 2개이다.

ㄴ. 양수 a의 제곱근 중에서 음수인 것은 $-\sqrt{a}$이다.

ㄷ. 양수 a에 대하여 a의 제곱근과 제곱근 a는 같다.

ㄹ. $\sqrt{16}$의 제곱근은 ± 2이다.

ㅁ. $\sqrt{9}$를 3배하면 $\sqrt{27}$이다.

> $a>0$일 때
> (a의 제곱근)$=\pm\sqrt{a}$
> (제곱근 a)$=\sqrt{a}$

02 ♥, ♣ 그림이 그려진 카드가 각각 3장씩 모두 6장이 있는데, ♥ 카드에는 세 자연수 a, b, c가 적혀 있다. 또 ♣ 카드에는 세 자연수 $\sqrt{a}$, $\sqrt{b}$, $\sqrt{c}$가 적혀 있는데, 그중 2개는 a, b와 같은 수라고 한다. $a+b=10$, $a<b<c$일 때, $a+b+c$의 값을 구하여라.

♥ ♥ ♥   ♣ ♣ ♣

> $\sqrt{x}$가 자연수가 되려면 x는 제곱수이어야 한다.

03 $\sqrt{(x-2)^2}+\sqrt{(x-1)^2}=7$을 만족하는 모든 x의 값의 합을 구하여라.

> $x<1$, $1\le x<2$, $x\ge 2$인 경우로 나누어 식의 값을 계산한다.

●●○

04 다음을 보고, $\sqrt{f(k)}$의 값을 구하여라.

근호 안은 연속하는 k개의 홀수의 합이다.

$$
\begin{aligned}
f(1) &= \sqrt{1} \\
f(2) &= \sqrt{1+3} \\
f(3) &= \sqrt{1+3+5} \\
f(4) &= \sqrt{1+3+5+7} \\
&\quad\vdots \\
f(k) &= \sqrt{1+3+5+\cdots+161}
\end{aligned}
$$

●●●
서술형

05 200 이하의 자연수 중에서 한 개의 수를 뽑아 x라고 할 때, $\sqrt{x}$의 정수 부분이 12일 확률을 구하여라.

답 _____

서술 **TIP**
$\sqrt{x}$의 정수 부분이 n이면 $n \leq \sqrt{x} < n+1$이어야 한다.

●●●

06 삼각형의 세 변의 길이가 각각 3, 6, $\sqrt{3x}$이고 모두 자연수일 때, $\sqrt{3x}$의 값을 구하여라. (단, x는 자연수)

삼각형의 두 변의 길이가 a, $b(a>b)$와 다른 한 변의 길이 x 사이에
$$a-b<x<a+b$$
가 성립해야 한다.

●●●

07 다음 식이 성립하는 세 자연수 a, b, c에 대하여 $a+b+c$의 최솟값을 구하여라.

$$\sqrt{30+a}-\sqrt{30-b}=c$$

$a+b+c$가 최솟값이 되려면 $\sqrt{30+a}$는 최솟값, $\sqrt{30-b}$는 최댓값이 되어야 한다.

08 $1 \le n \le 300$일 때, $\sqrt{2n}$과 $\sqrt{3n}$이 모두 무리수가 되는 자연수 n의 개수를 구하여라.

....

....

....

답 _____

서술 **TIP**
$\sqrt{2n}$과 $\sqrt{3n}$이 각각 유리수가 되는 자연수 n의 개수를 먼저 구한다.

09 자연수의 양의 제곱근 1, $\sqrt{2}$, $\sqrt{3}$, 2, $\sqrt{5}$, $\sqrt{6}$, $\sqrt{7}$, $\sqrt{8}$, 3에 대응하는 점을 수직선 위에 나타내면 다음 그림과 같다.

이와 같이 자연수의 양의 제곱근에 대응하는 점을 계속 나타내었더니 연속하는 두 자연수 n과 $n+1$ 사이에 20개의 점이 찍혔다. 이때 n의 값을 구하여라.

연속하는 두 자연수 사이에 찍히는 점의 개수의 규칙을 찾아본다.

10 오른쪽 그림과 같이 A4 용지는 큰 직사각형 모양의 종이 A0 용지를 계속 반으로 잘라서 서로 닮음이 되도록 만든 것으로 크기에 따라 A1, A2, A3, A4, …라고 이름을 붙인다. A4 용지의 가로의 길이와 세로의 길이의 비를 구하여라. (단, 가로의 길이가 세로의 길이보다 더 길다.)

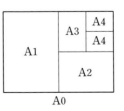

닮음인 두 도형에서 대응하는 변의 길이의 비는 같다.

유형 **TEST** ≫ 01. 제곱근의 곱셈과 나눗셈
02. 제곱근의 덧셈과 뺄셈

SUMMA CUM LAUDE

chapter I

해설 BOOK 057쪽
개념 BOOK 058쪽

유형 ① 제곱근의 곱셈과 나눗셈

01 다음 중 옳지 <u>않은</u> 것을 모두 고르면? (정답 2개)

① $\sqrt{15} \div \sqrt{3} = 5$

② $2\sqrt{12} \times 5\sqrt{3} = 60$

③ $\dfrac{\sqrt{27}}{\sqrt{3}} = 3$

④ $\sqrt{\dfrac{3}{2}} \times \sqrt{\dfrac{8}{3}} = 2$

⑤ $\dfrac{\sqrt{6}}{\sqrt{3}} \div \sqrt{2} = \sqrt{3}$

02 $\sqrt{2} \times \sqrt{5} \times \sqrt{a} \times \sqrt{8} \times \sqrt{5a} = 40$일 때, 자연수 a의 값을 구하여라.

03 다음을 만족하는 유리수 a, b에 대하여 $\sqrt{a}\sqrt{b}$의 값을 구하여라.

$$\sqrt{a} = \dfrac{\sqrt{72}}{\sqrt{8}}, \ \sqrt{b} = \sqrt{\dfrac{35}{2}} \div \sqrt{\dfrac{21}{4}}$$

유형 ② 근호가 있는 식의 변형

04 다음 중 옳지 <u>않은</u> 것은?

① $\sqrt{24} = 2\sqrt{6}$

② $\sqrt{45} = 3\sqrt{5}$

③ $\sqrt{\dfrac{13}{100}} = \dfrac{\sqrt{13}}{10}$

④ $-\sqrt{\dfrac{14}{63}} = -\dfrac{\sqrt{2}}{3}$

⑤ $\sqrt{0.48} = \dfrac{\sqrt{6}}{5}$

05 유리수 a, b에 대하여 $\sqrt{180} = 6\sqrt{a}$, $3\sqrt{6} = \sqrt{b}$일 때, $\sqrt{b-a}$의 값을 구하여라.

06 $\sqrt{3} = x$, $\sqrt{5} = y$일 때, $\sqrt{48} - \sqrt{20}$을 x, y를 이용하여 나타내면?

① $2x + 4y$

② $2x - 4y$

③ $4x - 2y$

④ $-2x - 4y$

⑤ $-4x - 2y$

07 ^{up} $ab = 12$일 때, $a\sqrt{\dfrac{2b}{a}} + b\sqrt{\dfrac{18a}{b}}$의 값을 구하여라.

(단, $a > 0$, $b > 0$)

유형 ③ 분모의 유리화

08 다음 중 분모를 유리화한 것으로 옳지 <u>않은</u> 것은?

① $\dfrac{6}{\sqrt{3}} = 2\sqrt{3}$

② $\dfrac{5}{4\sqrt{5}} = \dfrac{\sqrt{5}}{4}$

③ $\dfrac{\sqrt{10}}{\sqrt{15}} = \dfrac{\sqrt{2}}{3}$

④ $\sqrt{0.4} = \dfrac{\sqrt{10}}{5}$

⑤ $\dfrac{3\sqrt{3}}{2\sqrt{7}} = \dfrac{3\sqrt{21}}{14}$

09 $\dfrac{5}{\sqrt{18}}=A\sqrt{2}$, $\dfrac{\sqrt{2}}{2\sqrt{3}}=B\sqrt{6}$일 때, $\sqrt{AB}$의 값을 구하여라.

10 $\dfrac{\sqrt{15-k}}{\sqrt{2}}$ 의 분모를 유리화하였더니 2가 되었다. 이때 유리수 k의 값을 구하여라.

유형 **4** 제곱근의 곱셈과 나눗셈의 혼합 계산

11 $2\sqrt{3}\times4\sqrt{6}\div3\sqrt{2}$를 간단히 하여라.

12 $a=\dfrac{\sqrt{15}}{\sqrt{8}}\times2\sqrt{3}\div\dfrac{\sqrt{5}}{\sqrt{96}}$, $b=\dfrac{\sqrt{14}}{\sqrt{3}}\div\dfrac{\sqrt{28}}{\sqrt{15}}\times\dfrac{3}{\sqrt{10}}$ 일 때, ab의 값을 구하여라.

13 ^{up} $\dfrac{\sqrt{72}}{12}\div\sqrt{48}\times a\sqrt{2}=2\sqrt{3}$일 때, 유리수 a의 값을 구하여라.

유형 **5** 제곱근의 계산의 도형에의 활용(1)

14 가로의 길이가 $\sqrt{27}$ cm, 세로의 길이가 $\sqrt{12}$ cm인 직사각형과 넓이가 같은 정사각형의 한 변의 길이를 구하여라.

15 오른쪽 그림과 같이 밑면의 반지름의 길이가 $3\sqrt{6}$ cm인 원뿔의 부피가 $36\sqrt{10}\pi$ cm³일 때, 이 원뿔의 높이를 구하여라.

16 ^{up} 다음 그림과 같이 빗변의 길이가 같은 두 직각삼각형의 넓이가 각각 27 cm², $18\sqrt{2}$ cm²일 때, $\dfrac{b}{a}$의 값을 구하여라.

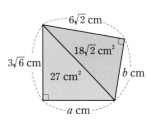

유형 ⑥ 제곱근의 덧셈과 뺄셈

17 $\sqrt{20}-\sqrt{80}+\sqrt{48}+\sqrt{27}$ 을 간단히 하여라.

18 $x=\dfrac{\sqrt{7}+\sqrt{3}}{2}$, $y=\dfrac{3\sqrt{7}-\sqrt{3}}{2}$ 일 때, $10x-4y$의 값을 구하여라.

19 $\sqrt{2}+\sqrt{75}-\dfrac{8}{\sqrt{2}}-\dfrac{6}{\sqrt{12}}=a\sqrt{2}+b\sqrt{3}$일 때, 유리수 a, b에 대하여 $a-b$의 값을 구하여라.

유형 ⑦ 실수의 대소 관계

20 다음 중 두 실수의 대소 관계가 옳은 것은?

① $\sqrt{2}+2<3\sqrt{2}-1$ ② $2\sqrt{6}+1>\sqrt{54}$

③ $3-\sqrt{3}<4-2\sqrt{3}$ ④ $3\sqrt{2}-5>2\sqrt{3}-5$

⑤ $2\sqrt{5}+\sqrt{6}>\sqrt{5}+2\sqrt{6}$

21 다음 세 수 A, B, C의 대소 관계를 부등호를 사용하여 나타내어라.

$$A=3\sqrt{5}+2,\ B=15-3\sqrt{5},\ C=4\sqrt{3}+2$$

유형 ⑧ 근호를 포함한 복잡한 식의 계산

22 다음 중 옳지 <u>않은</u> 것은?

① $\sqrt{3}(\sqrt{6}+3\sqrt{3})=3\sqrt{2}+9$

② $(\sqrt{8}-2)\sqrt{2}=4-2\sqrt{2}$

③ $(4\sqrt{3}-\sqrt{6})\div\sqrt{3}=4-\sqrt{2}$

④ $(\sqrt{42}-\sqrt{18})\div\sqrt{6}=\sqrt{7}-\sqrt{3}$

⑤ $(\sqrt{72}+\sqrt{6})\div3\sqrt{2}=2+\sqrt{3}$

23 $\dfrac{\sqrt{3}-2}{\sqrt{2}}-\dfrac{\sqrt{6}+\sqrt{2}}{\sqrt{3}}$ 를 간단히 하여라.

24 다음 식을 간단히 하여라.

$$\sqrt{54}\left(\sqrt{8}-\dfrac{4}{\sqrt{6}}\right)-2\sqrt{2}(\sqrt{6}-\sqrt{32})$$

25 $\sqrt{6}\left(\dfrac{1}{\sqrt{2}}+\dfrac{1}{\sqrt{3}}\right)+\sqrt{2}\left(\sqrt{\dfrac{8}{3}}-\dfrac{3}{2}\right)=a\sqrt{2}+b\sqrt{3}$ 일 때, 유리수 a, b에 대하여 $a+b$의 값을 구하여라.

29 $x=\dfrac{2\sqrt{2}}{\sqrt{3}}$, $y=\dfrac{2-\sqrt{3}}{\sqrt{2}}$일 때, $\dfrac{6x-2y}{3x+4y}$의 값을 구하여라.

유형 **9** 식의 값 구하기

26 $x=\sqrt{3}-\dfrac{1}{\sqrt{2}}$, $y=\sqrt{2}+\dfrac{2\sqrt{3}}{3}$일 때, $4\sqrt{3}x+3\sqrt{2}y$의 값을 구하여라.

유형 **10** 제곱근의 계산의 도형에의 활용(2)

30 오른쪽 그림과 같이 윗변의 길이가 $\sqrt{3}$ cm, 아랫변의 길이가 $(\sqrt{2}+\sqrt{3})$ cm, 높이가 $\sqrt{6}$ cm인 사다리꼴의 넓이를 구하여라.

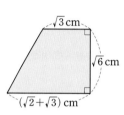

27 $x=\sqrt{3}-\sqrt{2}$, $y=\sqrt{3}+\sqrt{2}$일 때, $\dfrac{3x-2y}{x+y}$의 값을 구하여라.

31 다음 그림과 같이 넓이가 각각 3 cm^2, 12 cm^2, 27 cm^{2}인 정사각형 모양의 색종이 세 장을 이어 붙여 새로운 도형을 만들었다. 이 도형의 둘레의 길이를 구하여라.

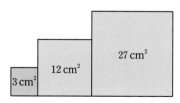

28 $x=\dfrac{2}{\sqrt{3}}$, $y=\dfrac{3}{\sqrt{5}}$일 때, $6x^2-2\sqrt{15}xy+10y^2$의 값을 구하여라.

32 다음 그림은 한 변의 길이가 1인 두 정사각형을 수직선 위에 그린 것이다. $\overline{AP}=\overline{AB}$, $\overline{CQ}=\overline{CD}$일 때, 점 P, Q에 대응하는 수를 각각 a, b라고 하자. 이때 $2a+3b$의 값을 구하여라.

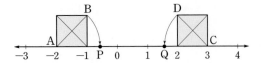

33^{up} 다음 그림과 같이 수직선 위에 넓이가 5인 정사각형 ABCD가 있다. $\overline{AB}=\overline{BP}$, $\overline{CD}=\overline{CQ}$일 때, 점 P, Q에 대응하는 수를 각각 a, b라고 하자. 이때 $\dfrac{a+b}{a-b}$의 값을 구하여라.

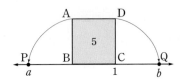

유형 ⑪ 무리수의 소수 부분과 정수 부분

34 $\sqrt{n}$의 소수 부분을 $<n>$으로 나타낼 때, $<3>+<5>-<12>+<20>$의 값을 구하여라.

35 (중요) $\sqrt{7}+2$의 정수 부분을 a, $\sqrt{10}-2$의 소수 부분을 b라고 할 때, $a+b$의 값을 구하여라.

36 $2+\sqrt{3}$의 정수 부분을 a, 소수 부분을 b라고 할 때, $\dfrac{a}{b+1}$의 값을 구하여라.

유형 ⑫ 제곱근표의 이용

37 (중요) 다음은 제곱근표를 이용하여 어림한 값을 구한 것이다. 이때 $a+b$의 값을 구하여라.

$$\sqrt{0.0312}=a, \quad \sqrt{b}=17.69$$

수	0	1	2	3	4
3.1	1.732	1.735	1.738	1.741	1.744
3.2	1.761	1.764	1.766	1.769	1.772

38 $\sqrt{6}=2.449$, $\sqrt{60}=7.746$일 때, 다음 중 옳지 <u>않은</u> 것은?

① $\sqrt{600}=24.49$ ② $\sqrt{0.06}=0.2449$

③ $\sqrt{6000}=774.6$ ④ $\sqrt{24}=4.898$

⑤ $\sqrt{0.6}=0.7746$

39 $\sqrt{7}=2.646$을 이용하여 $\sqrt{63}-\dfrac{14}{\sqrt{7}}-\sqrt{0.07}$의 어림한 값을 구하여라.

01 $x=\dfrac{\sqrt{3}+1}{\sqrt{2}}$, $y=\dfrac{\sqrt{3}-1}{\sqrt{2}}$ 일 때, $\sqrt{6}x-\sqrt{18}y$의 값을 구하여라.

x, y의 분모를 유리화한 후, 식에 대입한다.

02 다음 조건을 모두 만족하는 자연수 n의 개수를 구하여라.

> (가) n은 6의 배수이다.
>
> (나) $\sqrt{n}$은 자연수이다.
>
> (다) $\sqrt{3}<\dfrac{\sqrt{n}}{2}<4\sqrt{3}$

- 조건 (다)를 이용하여 n의 값의 범위를 구한다.
- $\sqrt{n}$이 자연수이려면 n은 제곱수이어야 한다.

03 일차방정식 $x-\dfrac{\sqrt{8}x-1}{\sqrt{2}}=\dfrac{\sqrt{27}x+2}{\sqrt{3}}$의 해가 $x=a\sqrt{2}+b\sqrt{3}$이다. 이때 유리수 a, b에 대하여 $48ab$의 값을 구하여라.

$\dfrac{bx+c}{a}=\dfrac{b}{a}x+\dfrac{c}{a}$ 임을 이용하여 식을 정리한다.

04 $\dfrac{1}{\sqrt{2}+\dfrac{1}{\sqrt{2}+\dfrac{1}{\sqrt{2}}}}+\dfrac{1}{\sqrt{2}+\dfrac{1}{\sqrt{2}-\dfrac{1}{\sqrt{2}}}}$ 의 값을 구하여라.

분모를 유리화하여 식을 간단히 한다.

05 오른쪽 그림에서 □OAB′A′은 한 변의 길이가 2인 정사각형이고, □A′OCD′은 직사각형이다. $\overline{OB'}=\overline{OB}$, $\overline{OC'}=\overline{OC}$일 때, △D′OC의 넓이를 구하여라.

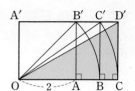

피타고라스 정리를 이용하여 $\overline{OB'}$, $\overline{OC'}$의 길이를 구한다.

06 다음 그림은 한 변이 x축 위에 있는 직각이등변삼각형을 원점 O를 꼭짓점으로 하여 이어 그린 것이다. 삼각형의 넓이를 차례로 S_1, S_2, S_3, …이라 하고, 삼각형의 직각인 꼭짓점을 차례로 A_1, A_2, A_3, …이라고 하자. $S_2=\dfrac{1}{2}S_1$, $S_3=\dfrac{1}{2}S_2$, …이고 $\overline{OA_1}=8$일 때, 점 A_6의 좌표를 구하여라.

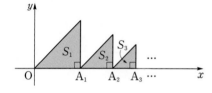

직각이등변삼각형의 빗변이 아닌 한 변의 길이가 a이면 넓이는 $\dfrac{1}{2}a^2$이다.

서술형
07 무리수 a의 정수 부분을 $[a]$, 소수 부분을 $<a>$로 나타내기로 하자. 예를 들어 $[\sqrt{2}]=1$, $<\sqrt{2}>=\sqrt{2}-1$이다. 이때 다음 식을 간단히 하여라.

$$[\sqrt{15}-1]-<-8+\sqrt{300}>+<\sqrt{12}+3>\times[\sqrt{5}+3]$$

．．

．．

답 ＿＿＿＿＿＿＿＿＿＿

서술 **TIP**
먼저 각각의 $[a]$, $<a>$의 값을 구한다.

08 $\dfrac{8x-6y}{2y-x}=3$일 때, 무리수 $\sqrt{\dfrac{x+y}{x-y}}$의 정수 부분을 구하여라.

$\dfrac{8x-6y}{2y-x}=3$을 y에 대하여 푼 후

$\sqrt{\dfrac{x+y}{x-y}}$에 대입한다.

09 오른쪽 그림과 같은 직육면체에서 △AEG의 넓이가 48 cm² 일 때, $\overline{AG}$의 길이를 구하여라.

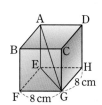

$\overline{EG}$의 길이를 먼저 구한 후 △AEG의 넓이를 이용하여 $\overline{AE}$의 길이를 구한다.

10 서술형 다음은 넓이가 각각 3, 6, 24, 27인 정사각형을 겹치는 부분이 정사각형이 되도록 이어 붙인 것이다. 전체 도형의 바깥쪽 둘레의 길이를 구하여라.

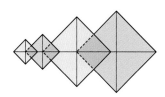

답 _____

서술 **TIP**

넓이가 a인 정사각형의 한 변의 길이는 $\sqrt{a}$이다.

01 다음 중 옳지 <u>않은</u> 것을 모두 고르면? (정답 2개)

① -1의 제곱근은 없다.

② 제곱근 $\left(-\dfrac{3}{4}\right)^2$은 $\dfrac{3}{4}$이다.

③ -225의 음의 제곱근은 -15이다.

④ $\sqrt{36}$의 제곱근은 $\pm\sqrt{6}$이다.

⑤ $x<0$일 때, $\sqrt{(-x)^2}=x$이다.

02 $\sqrt{a^2}=-a$, $\sqrt{(a-b)^2}=a-b$일 때, 다음 식의 값을 구하여라.

$$-\sqrt{(-a)^2}+\sqrt{b^2}+\sqrt{(a+b)^2}$$

03 다음 조건을 모두 만족하는 자연수 n의 값을 구하여라.

(가) $\sqrt{108}<n<\sqrt{160}$
(나) $1.2<\sqrt{n-8}<1.8$

04 두 정수 a, b에 대하여 $a+\sqrt{5}<n<b-\sqrt{5}$를 만족하는 정수 n의 값이 3개일 때, $b-a$의 값을 구하여라.

05 두 수 $\sqrt{x+46}$, $\sqrt{99-x}$가 모두 자연수가 되게 하는 가장 작은 자연수 x의 값을 구하여라.

06 $\sqrt{x}$ 이하의 자연수의 개수를 $f(x)$라고 하자. $f(1)+f(2)+\cdots+f(x)=34$일 때, 자연수 x의 값을 구하여라.

07 수직선 위에서 $\sqrt{2}-5$와 $5-\sqrt{2}$ 사이에 있는 정수의 개수를 구하여라.

08 다음 설명 중 옳지 <u>않은</u> 것은?

① 모든 무리수는 수직선 위의 한 점에 대응한다.

② 0과 1 사이에는 무수히 많은 무리수가 있다.

③ $\sqrt{2}$와 $\sqrt{3}$ 사이에는 유리수가 없다.

④ 유리수와 무리수의 합은 항상 무리수가 된다.

⑤ 수직선은 유리수와 무리수에 대응하는 점들로 완전히 메워져 있다.

09 다음 중 $x=12$일 때 자연수가 되는 것을 모두 고르면?

(정답 2개)

① $\sqrt{12+x}$ ② $\sqrt{3x}$ ③ $\sqrt{50-x}$

④ $\sqrt{\dfrac{36}{x}}$ ⑤ $\sqrt{\dfrac{3}{4}x}$

10 다음 중 옳은 것은?

① $\sqrt{(-3)^2}+\sqrt{3^2}=0$

② $\dfrac{4}{\sqrt{8}}+4\sqrt{2}=3\sqrt{2}$

③ $5\sqrt{48}\div 2\sqrt{75}=3\sqrt{6}$

④ $2\sqrt{3}\div\sqrt{\dfrac{12}{5}}\times\sqrt{3}=\dfrac{12\sqrt{15}}{5}$

⑤ $\dfrac{2-\sqrt{3}}{\sqrt{2}}+\dfrac{2+\sqrt{3}}{\sqrt{2}}=2\sqrt{2}$

11 $\sqrt{(4\sqrt{2}-\sqrt{27})^2}-\sqrt{(2\sqrt{3}-\sqrt{18})^2}$을 간단히 하여라.

12 $A=a+3\sqrt{2}$, $B=5-A\sqrt{2}$일 때, $A+B$가 유리수가 되도록 하는 유리수 a의 값을 구하여라.

13 $\sqrt{3}=x$, $\sqrt{5}=y$라 할 때, $\sqrt{1500}$을 x, y를 이용하여 나타내면 $2x^a y^b$이다. 자연수 a, b에 대하여 $a+b$의 값을 구하여라.

14 양수 a, b에 대하여 $ab=2$일 때, 다음 식의 값을 구하여라.

$$\sqrt{3ab}-a\sqrt{\dfrac{b}{3a}}+\dfrac{\sqrt{3b}}{b\sqrt{a}}$$

15 오른쪽 그림과 같은 직육면체의 겉넓이를 구하여라.

서술형
18 $\sqrt{3}$의 소수 부분을 a, $\sqrt{12}$의 소수 부분을 b라고 할 때, $3a-b$의 값은 c의 $\sqrt{6}$배이다. 이때 c의 값을 구하여라.

16 다음 그림에서 모눈 한 칸은 한 변의 길이가 1인 정사각형일 때, 네 점 A, B, C, D에 대응하는 수를 각각 a, b, c, d라고 하자. 이때 $b(a-3)+\sqrt{10}(d-c)$의 값을 구하여라.

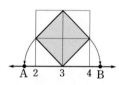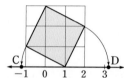

19 두 실수 $\dfrac{\sqrt{29}}{12}$와 $\dfrac{\sqrt{133}}{12}$ 사이에 있는 유리수 중 분모가 12인 기약분수의 개수를 구하여라.

서술형
17 다음 그림과 같이 수직선 위의 두 점 P, Q에 대응하는 수를 각각 a, b라고 할 때, $\dfrac{a}{a+b}+\dfrac{b}{a-b}$의 값을 구하여라. (단, 모눈의 한 눈금의 길이는 1이다.)

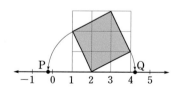

20 다음 중 $\sqrt{5}=2.236$임을 이용하여 어림한 값을 구할 수 없는 것은?

① $\sqrt{0.\dot{2}}$　　② $\sqrt{80}$　　③ $\sqrt{0.005}$
④ $\sqrt{0.\dot{5}}$　　⑤ $\sqrt{500}$

01

넓이가 4인 정사각형의 내부에 몇 개의 점을 찍어서 찍힌 점들 중 어느 두 점을 잡아도 그 거리가 $\sqrt{2}$보다 크게 하려고 할 때, 최대로 찍을 수 있는 점의 개수는 4이다. 다음 물음에 답하여라.

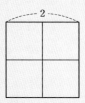

① 작은 정사각형의 대각선의 길이는?
② 작은 정사각형의 내부에 서로의 거리가 $\sqrt{2}$인 두 점을 잡을 수 있을까?

(1) 4등분된 오른쪽 정사각형에 조건에 맞는 4개의 점을 찍어 보아라.
(2) 5개의 점을 찍을 수 없는 이유를 설명하여라.

02

두 상자 (가), (나)에 각각 숫자가 적힌 4장의 카드가 들어 있다.

$$A, B, C, D$$

(가)

$$\sqrt{A}, \sqrt{B}, \sqrt{C}, \sqrt{D}$$

(나)

① A와 B는 어떤 성질을 가진 수인가?
② A, B의 값은?

다음 조건을 만족할 때, 두 상자에 들어 있는 수를 모두 구하여라.

- $\sqrt{A}, \sqrt{B}, \sqrt{C}, \sqrt{D}$는 모두 자연수이다.
- $A < B < C < D$
- (가), (나)에는 모두 A, B가 들어 있다.
- $A + B = 13$

유형 **1** (다항식)×(다항식)의 계산

01 다음 식을 전개하여라.

(1) $(3x-2)(2x+2)$

(2) $(2x-y)(x-2y+3)$

02 $(x-y)(2x+y-2)$를 전개했을 때, xy의 계수는?

① -4 ② -1 ③ 2

④ 4 ⑤ 6

03 $(x+3)(Ax+B)=3x^2+Cx-18$일 때, 상수 A, B, C에 대하여 $A+B-C$의 값은?

① -6 ② -3 ③ -1

④ 0 ⑤ 3

04 $(2x+y)(2x-3y-4)$를 전개했을 때, x^2의 계수와 xy의 계수의 합을 구하여라.

유형 **2** $(a+b)^2$, $(a-b)^2$의 전개

05 $(5a-3b)^2$을 전개하면?

① $25a^2-9b^2$

② $25a^2+9b^2$

③ $25a^2-15ab+9b^2$

④ $25a^2-30ab-9b^2$

⑤ $25a^2-30ab+9b^2$

06 $(2x-a)^2=4x^2+12x+b$일 때, 상수 a, b에 대하여 $a+b$의 값은?

① -12 ② -6 ③ 6

④ 12 ⑤ 18

07 다음 중 $(-x+y)^2$의 전개식과 같은 것은?

① $(x+y)^2$ ② $(x-y)^2$ ③ $(-x-y)^2$

④ $-(x+y)^2$ ⑤ $-(x-y)^2$

08 $(x+5)^2-(-2x+7)^2$을 전개하여라.

$(a+b)(a-b)$의 전개

09 다음 식을 전개하여라.

(1) $(3a+2)(3a-2)$

(2) $\left(-5x+\dfrac{1}{2}\right)\left(-5x-\dfrac{1}{2}\right)$

10 $(2x+a)(a-2x)=-4x^2+16$일 때, 상수 a의 값을 구하여라. (단, $a>0$)

11 $(3x-2y)(3x+2y)-(2x-y)^2$을 전개하여라.

12 다음 중 계산 결과가 나머지 넷과 다른 하나는?

① $(a-b)(a+b)$ ② $(-a+b)(a+b)$

③ $(-a-b)(-a+b)$ ④ $(-b-a)(b-a)$

⑤ $(-b+a)(b+a)$

$(x+a)(x+b)$의 전개

13 다음 식을 전개하여라.

(1) $(x+6)(x+5)$

(2) $(x+2y)(x-3y)$

14 $(x+5)(x+a)$의 전개식에서 상수항이 -10일 때, x의 계수는? (단, a는 상수)

① -2 ② -1 ③ 0

④ 3 ⑤ 4

15 $(x+7)(x-2)=x^2+ax+b$일 때, 상수 a, b에 대하여 $a+b$의 값은?

① -9 ② -5 ③ 0

④ 4 ⑤ 7

16 $(x+2)(x-3)+(x-1)(x+4)$를 전개하여라.

중요

17 $(2x+3y)(2x-y)$를 전개하면?

① $4x^2-3y^2$ ② $4x^2-2xy-3y^2$

③ $4x^2+4xy-y^2$ ④ $4x^2-8xy-3y^2$

⑤ $4x^2+4xy-3y^2$

18 $(5x-1)(ax+b)=10x^2+cx-4$일 때, 상수 a, b, c에 대하여 $a-b+c$의 값은?

① 12 ② 14 ③ 16

④ 18 ⑤ 20

19 $(ax+4)(5x-b)$를 전개한 식이 cx^2-x-12일 때, 상수 a, b, c에 대하여 $a+b+c$의 값은?

① 25 ② 31 ③ 38

④ 39 ⑤ 45

20 $-3(2x+1)^2+(6x+5)(2x-3)$을 전개하면?

① $4x-18$ ② $4x+18$

③ $-18x-18$ ④ $-20x-12$

⑤ $-20x-18$

21 $(5+3\sqrt{2})(5-3\sqrt{2})-(\sqrt{6}+2)^2$을 계산하여라.

22 $(4\sqrt{3}-\sqrt{2})(2\sqrt{3}+2\sqrt{2})$를 계산하면 $a+b\sqrt{6}$이다. 이 때 유리수 a, b에 대하여 $a-b$의 값은?

① 12 ② 14 ③ 16

④ 18 ⑤ 20

23 $\dfrac{4\sqrt{3}-\sqrt{6}}{\sqrt{3}}+\dfrac{3\sqrt{2}-2}{3-\sqrt{2}}$를 계산하면?

① 1 ② 2 ③ 3

④ 4 ⑤ 5

24 $x=\dfrac{1}{5-2\sqrt{6}}$일 때, $x^2-10x+8$의 값은?

① 5 ② 6 ③ 7

④ 8 ⑤ 9

곱셈 공식을 이용한 수의 계산

25 다음 중 주어진 수의 계산을 간편하게 하기 위하여 이용되는 곱셈 공식을 바르게 나타낸 것은?

(단, a, b, c, d는 자연수)

① $81^2 \Rightarrow (a-b)^2 = a^2 - 2ab + b^2$

② $999^2 \Rightarrow (a+b)^2 = a^2 + 2ab + b^2$

③ $81 \times 82 \Rightarrow (a+b)(a-b) = a^2 - b^2$

④ $197 \times 203 \Rightarrow (x+a)(x+b)$
$= x^2 + (a+b)x + ab$

⑤ $8.9 \times 9.1 \Rightarrow (a+b)(a-b) = a^2 - b^2$

26 다음은 곱셈 공식을 이용하여 102×96을 계산하는 과정이다. 빈 칸에 알맞은 수를 써넣어라.

$$102 \times 96 = (100+2)(100-\boxed{})$$
$$= 100^2 - \boxed{} \times 100 - \boxed{} = \boxed{}$$

27 곱셈 공식을 이용하여 다음을 계산하여라.

(1) 203^2

(2) 71×69

(3) 102×103

(4) $105^2 - 98 \times 102$

곱셈 공식의 변형

28 $a^2 + b^2 = 8$, $a - b = 2$일 때, ab의 값은?

① 1   ② 2   ③ 3

④ 4   ⑤ 5

29 $a + b = 4$, $ab = 2$일 때, $\dfrac{b}{a} + \dfrac{a}{b}$의 값은?

① 2   ② 3   ③ 4

④ 5   ⑤ 6

30 다음 식의 값을 구하여라.

(1) $a + \dfrac{1}{a} = 5$일 때, $a^2 + \dfrac{1}{a^2}$

(2) $x - \dfrac{1}{x} = 4$일 때, $x + \dfrac{1}{x}$ (단, $x > 0$)

31 $x^2 - 4x + 1 = 0$일 때, $x^2 + x + \dfrac{1}{x} + \dfrac{1}{x^2}$의 값을 구하여라.

유형 TEST >>> 02. 인수분해
03. 인수분해 공식의 활용

SUMMA CUM LAUDE

해설 BOOK 066쪽
개념 BOOK 114쪽

chapter II

유형 ① 공통인수를 이용한 인수분해

01 다음 중 $3x^2y - 12xy^3$의 인수가 <u>아닌</u> 것은?

① y ② x^2 ③ xy

④ $x - 4y^2$ ⑤ $x(x - 4y^2)$

02 다음 중 $x - 2$를 인수로 갖지 <u>않는</u> 것은?

① $2x - 4$ ② $x(x - 2)$

③ $(x - 2)(x + 2)$ ④ $(x - 2)^2$

⑤ $(x - 2) + x$

03 $m(x - 2y) - n(2y - x)$를 인수분해하여라.

04 다음 중 인수분해한 것이 옳은 것은?

① $ax + ay = a(x - y)$

② $2x^2 - 4xy = 2xy(x - 2)$

③ $a^3b^2 + ab^4 = a^2b^2(a + b^2)$

④ $a(b - 1) - 3(1 - b) = (a + 3)(b - 1)$

⑤ $(x + 2)(5 - x) + (x - 5) = (x + 3)(5 - x)$

유형 ② 인수분해 공식 (1)

05 $\frac{1}{4}x^2 + Ax + 4$가 완전제곱식이 될 때, 양수 A의 값은?

① 1 ② 2 ③ 4

④ 6 ⑤ 8

06 다음 중 완전제곱식으로 인수분해할 수 <u>없는</u> 것은?

① $x^2 - 10x + 25$ ② $9x^2 + 6x + 1$

③ $x^2 - x + \frac{1}{4}$ ④ $4x^2 - 12xy + 3y^2$

⑤ $2x^2 - 16x + 32$

07 $(x + 3)(x - 5) + k$가 완전제곱식이 되기 위한 상수 k의 값은?

① 12 ② 14 ③ 16

④ 18 ⑤ 20

08 $x^2 + axy + 49y^2 = (x + by)^2$을 만족시키는 두 음수 a, b에 대하여 $a - b$의 값은?

① -14 ② -12 ③ -9

④ -7 ⑤ -5

09 $a<b<0$일 때, $\sqrt{a^2-2ab+b^2}-\sqrt{a^2+2ab+b^2}$을 간단히 하면?

① $-2b$ ② $-2a$ ③ 0

④ $2a$ ⑤ $2b$

유형 ❸ 인수분해 공식(2)

10 다음 중 ab^2-a의 인수가 <u>아닌</u> 것은?

① a ② $b+1$ ③ $b-1$

④ $b-a$ ⑤ $a(b-1)$

11 중요 $64x^2-25$는 x의 계수가 자연수인 두 일차식의 곱으로 인수분해될 때, 두 일차식의 합을 구하여라.

12 $9x^2-\dfrac{1}{4y^2}$ 을 인수분해하여라.

유형 ❹ 인수분해 공식(3)

13 중요 $x^2+ax-12=(x-4)(x+b)$일 때, 상수 a, b에 대하여 $a+b$의 값은?

① 1 ② 2 ③ 3

④ 4 ⑤ 5

14 $x+4$가 x^2-8x+a의 인수일 때, 상수 a의 값은?

① -48 ② -36 ③ -24

④ -12 ⑤ -4

15 $(x-1)(x-4)+2$를 인수분해하여라.

16 ^{up} x^2+8x+k가 $(x+a)(x+b)$로 인수분해될 때, 다음 중 자연수 k의 값으로 알맞지 <u>않은</u> 것은?

① 7 ② 12 ③ 15

④ 16 ⑤ 18

17 x^2의 계수가 1인 어떤 이차식을 인수분해하는데 지윤이는 x의 계수를 잘못 보고 $(x-6)(x+3)$으로 인수분해하였고, 동준이는 상수항을 잘못 보고 $(x+2)(x+5)$로 인수분해하였다. 처음의 이차식을 바르게 인수분해하여라.

유형 **5**

인수분해 공식(4)

18 $3x^2+10x+8=(ax+b)(cx+d)$일 때, 상수 a, b, c, d에 대하여 $ab+cd$의 값은?

① 10   ② 11   ③ 13
④ 14   ⑤ 15

19 $3x^2+ax-18=(x+b)(cx+9)$일 때, 상수 a, b, c에 대하여 $a+b+c$의 값은?

① -2 ② 2   ③ 4
④ 6   ⑤ 8

20 다음 두 다항식의 공통인수를 구하여라.

$$2x^2-9xy+9y^2,\ 3x^2-8xy-3y^2$$

유형 **6**

인수분해의 도형에의 활용

21 다음 그림의 직사각형을 모두 사용하여 하나의 큰 정사각형을 만들 때, 그 직사각형의 둘레의 길이를 구하여라.

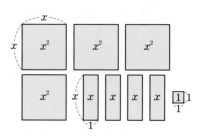

22 오른쪽 그림과 같은 평행사변형의 넓이가 $9x^2+27x+14$이고, 밑변의 길이가 $3x+2$일 때, 이 평행사변형의 높이를 구하여라.

23^{up} 오른쪽 그림과 같은 직육면체의 밑면의 가로, 세로의 길이가 각각 $3b$, a이고, 부피가 $-3a^2b+6ab^2+9abc$일 때, 이 직육면체의 모든 모서리의 길이의 합을 구하여라.

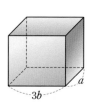

24 다음 중 $(x-y-2)(x-y+5)-18$의 인수인 것은?

① $x+y+4$ ② $x-y-4$ ③ $x+y-7$

④ $x-y-7$ ⑤ $x-y+4$

25 $3(a+b)^2-(a+b)-4$를 인수분해하여라.

26 $(x+2y)^2-(2x-y)^2$을 인수분해하여라.

27 $x(x+1)(x+2)(x+3)+1$이 $(x^2+ax+b)^2$으로 인수분해될 때, 상수 a, b에 대하여 $a+b$의 값은?

① 3   ② 4   ③ 5

④ 6   ⑤ 7

28 다음 두 다항식의 공통인수를 구하여라.

$$x^2+xy+x-y-2,\ x^2+4x+4-y^2$$

29 다음 중 $x^2-y^2+8y-16$의 인수인 것은?

① $x-y+4$ ② $x-y-4$ ③ $x+y+4$

④ $x-y+2$ ⑤ $x+y-2$

30 $2x^2+3xy-5x-9y-3$을 인수분해하여라.

31 $x^2+2xy+y^2-x-y-2$를 인수분해하였을 때, x의 계수가 1인 두 일차식의 곱으로 인수분해된다. 이때 두 일차식의 합을 구하여라.

32 인수분해 공식을 이용하여 다음 두 수 A, B의 차를 구하여라.

$$A = 9 \times 153 + 9 \times 47, \ B = 103^2 - 97^2$$

33 인수분해 공식을 이용하여 다음을 계산하여라.

$$0.75^2 - 0.75 \times 0.5 + 0.25^2$$

34 인수분해 공식을 이용하여 다음을 계산하여라.

$$\frac{2020 \times 2021 - 2021}{2020^2 - 1}$$

35^{up} 인수분해 공식을 이용하여 다음을 계산하여라.

$$12^2 - 10^2 + 8^2 - 6^2 + 4^2 - 2^2$$

36 $x = 2 + \sqrt{2}$, $y = 2 - \sqrt{2}$ 일 때, $x^3 y - xy^3$의 값은?

① $2\sqrt{2}$ ② 8 ③ $8\sqrt{2}$
④ 16 ⑤ $16\sqrt{2}$

37 $x = \dfrac{1}{\sqrt{2}+1}$, $y = \dfrac{1}{\sqrt{2}-1}$ 일 때, $x^2 - 2xy + y^2$의 값은?

① 1 ② 4 ③ 9
④ 16 ⑤ 25

38 $a - b = -1$일 때, $a^2 - 2ab + b^2 - 2a + 2b + 1$의 값을 구하여라.

39^{up} $\sqrt{12}$의 정수 부분을 x, 소수 부분을 y라고 할 때, $\dfrac{x^3 y + 2x^2 y^2 + xy^3}{x+y}$의 값을 구하여라.

01 $\left(3x+\dfrac{a}{2}\right)\left(x+\dfrac{1}{4}\right)$의 전개식에서 x의 계수가 상수항의 2배일 때, 상수 a의 값을 구하여라.

주어진 식을 전개하여 x의 계수와 상수항을 비교한다.

02 [서술형] $(x+3)(x-5)$를 전개하는데 3을 A로 잘못 보고 전개하였더니 x^2-7x+B가 되었고, $(4x+3)(x-2)$를 전개하는데 4를 C로 잘못 보고 전개하였더니 Dx^2-x-6이 되었다. 이때 $A+B+C+D$의 값을 구하여라. (단, A, B, C, D는 상수)

....

....

답 _____

서술 **TIP**

어떤 수를 잘못 보았는지 확인하여 전개식을 다시 세우고 전개한다.

03 $364 \times 366 - 728 - 363 \times 365$를 계산하여라.

$364=x$라고 놓자.

04 $x-\dfrac{1}{x}=2$일 때, $x^4+x^2+\dfrac{1}{x^2}+\dfrac{1}{x^4}$의 값을 구하여라.

$x^2+\dfrac{1}{x^2}=\left(x-\dfrac{1}{x}\right)^2+2$

$x^4+\dfrac{1}{x^4}=\left(x^2+\dfrac{1}{x^2}\right)^2-2$

05 $0<a<1$일 때, $5\sqrt{(-a)^2}+2\sqrt{\left(a+\dfrac{1}{a}\right)^2-4}-2\sqrt{\left(a-\dfrac{1}{a}\right)^2+4}$의 값을 구하여라.

근호 안의 식을 완전제곱식으로 인수분해하여 $\sqrt{A^2}$ 꼴로 만든다.

06 x^2+x-n이 x의 계수가 1인 두 일차식의 곱으로 인수분해될 때, 1과 40 사이에 있는 자연수 n의 개수를 구하여라.

주어진 다항식을 $(x+a)(x-b)$로 놓고 전개하여 계수를 비교한다.

07 서술형

$x^2+cx-10$을 인수분해하였더니 $(x-a)(x-b)$가 되었다. c가 최솟값을 가질 때, 정수 a, b, c에 대하여 $a-b-c$의 값을 구하여라. (단, $a>b$)

....

....

답 _____

서술 **TIP**
$(x-a)(x-b)$를 전개한 후 계수를 비교하여 c의 최솟값을 구한다.

08 $(a+b)^2+(c+d)^2-2ac-2ad-2bc-2bd$를 인수분해하여라.

$ac+ad+bc+bd$를 인수분해하면 $(a+b)(c+d)$이다.

09 연속하는 두 홀수의 제곱의 차는 다음 중 어느 수의 배수인가?

① 3   ② 5   ③ 7

④ 8   ⑤ 10

연속하는 두 홀수를 각각 $2n-1$, $2n+1$로 놓고 푼다.

10 인수분해 공식을 이용하여 $\sqrt{2020 \times 2022 + 1}$을 계산하여라.

$2020 = a$로 놓고 계산한다.

11 자연수 $2^{40} - 1$은 30과 40 사이의 두 자연수로 나누어 떨어진다. 이때 이 두 자연수의 합을 구하여라.

$a^2 - b^2 = (a+b)(a-b)$를 이용한다.

서술형

12 $4 - \sqrt{5}$의 정수 부분을 x, 소수 부분을 y라고 할 때, $x^2 + y^2 - 2xy + 4x - 4y + 4$의 값을 구하여라.

답 _____

서술 TIP
$2 < \sqrt{5} < 3$을 이용하여 x, y의 값을 구한다.

13 $\sqrt{n^2 + 33} = m$이고, m, n은 자연수일 때, m의 값을 모두 구하여라.

양변을 제곱하여 $a^2 - b^2 = (a+b)(a-b)$를 이용한다.

01 다음 중 옳은 것은?

① $(2x-3y)^2=4x^2-9y^2$

② $(x+3)(x-2)=x^2-x-6$

③ $(-x+2y)^2=x^2-4xy+4y^2$

④ $(-x+5)(-x-5)=-x^2-25$

⑤ $(3x+2y)^2=9x^2+6xy+4y^2$

02 $(2x+A)(4x-5)=8x^2+Bx-15$일 때, 상수 A, B에 대하여 $A+B$의 값을 구하여라.

03 다음 식을 전개하였을 때, x의 계수가 가장 큰 것은?

① $(2x+1)(2x+3)$

② $(3x-2)(2x+5)$

③ $(5x+3)(3x+1)$

④ $(6x-1)(2x-1)$

⑤ $(x+7)(3x-4)$

04 $(4x-3)(3x+1)-2(x-5)(x+2)$를 전개하였을 때, x의 계수는?

① -11 ② -7 ③ -2

④ 1 ⑤ 11

05 $2(3+1)(3^2+1)(3^4+1)-3^8$을 계산하여라.

06 다음을 계산하여라.

$$(3\sqrt{3}-\sqrt{2})(\sqrt{3}+\sqrt{2})+\frac{\sqrt{3}}{\sqrt{2}-\sqrt{3}}$$

07 곱셈 공식을 이용하여 103×97을 계산하려고 한다. 이때, 어느 공식을 이용하면 가장 편리한가?

① $(a+b)^2=a^2+2ab+b^2$

② $(a-b)^2=a^2-2ab+b^2$

③ $(a+b)(a-b)=a^2-b^2$

④ $(x+a)(x+b)=x^2+(a+b)x+ab$

⑤ $(ax+b)(cx+d)=acx^2+(ad+bc)x+bd$

08 $x^2+y^2=20$, $xy=-\dfrac{5}{2}$일 때, $x-y$의 값은? (단, $x>y$)

① 1 ② 2 ③ 3

④ 5 ⑤ 10

09 다음 중 유리수 범위 내에서 인수분해할 수 없는 식은?

① x^2-6x+9 ② x^2-121

③ $x^2-x+\dfrac{1}{4}$ ④ x^2+9

⑤ x^2-2x+1

10 다음 식이 완전제곱식이 되도록 □ 안에 알맞은 양수를 넣을 때, □ 안의 수가 가장 큰 것은?

① $x^2-10x+\square$ ② $4x^2-\square x+49$

③ $9x^2+\square x+4$ ④ $x^2-12x+\square$

⑤ $x^2-\square x+64$

11 다음 등식을 만족시키는 상수 a, b, c에 대하여 $a+b+c$의 값을 구하여라.

> (가) $x^2-6x=x(x+a)$
> (나) $x^2-10x+21=(x-3)(x-b)$
> (다) $6x^2-5x-21=(2x+c)(3x-7)$

12 $(x+2)(x-5)-8$과 $(x-1)^2-3x-25$의 공통인수를 구하여라.

13 x에 대한 이차식 x^2+kx+6이 $(x+a)(x+b)$로 인수분해될 때, 상수 k의 최솟값과 최댓값의 합을 구하여라. (단, a, b는 정수)

서술형
14 x^2의 계수가 2인 어떤 이차식을 경찬이는 x의 계수를 잘못 보아 $(2x-1)(x+4)$로 인수분해하였고, 윤정이는 상수항을 잘못 보아 $2(x-2)(x+3)$으로 인수분해하였다. 처음의 이차식을 바르게 인수분해하여라.

15 다음 그림의 직사각형 A와 정사각형 B의 둘레의 길이가 서로 같다. 도형 A의 넓이가 $x^2+2x-24$일 때, 도형 B의 넓이는? (단, a는 양수)

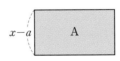

① x^2-4x+4 ② x^2-2x+1

③ x^2+2x+1 ④ x^2+4x+4

⑤ x^2+6x+9

16 두 이차식 ax^2+7x-6과 $2x^2+bx-3$의 공통인수가 $x+3$일 때, 상수 a, b에 대하여 $a-b$의 값은?

① -2 ② -1 ③ 0

④ 1 ⑤ 2

17 다음 중 $a^2-2ab+4b-2a$의 인수를 모두 고르면?

(정답 2개)

① $a+2$ ② $a-2b$ ③ $a+2b$

④ $a-2$ ⑤ $2b$

18 $(a+b+2)^2-(a-b-2)^2$을 인수분해하면?

① $2(a+b+2)$ ② $4(a-b-2)$

③ $4a(b+1)$ ④ $2b(a+2)$

⑤ $4a(b+2)$

19 다음을 인수분해하여라.

$$a^2-ab+ac-2b^2+bc$$

서술형
20 어떤 직육면체의 밑면의 가로, 세로의 길이가 각각 $x+1$, $x-1$, 부피가 x^3-x^2y-x+y라고 할 때, 이 직육면체의 겉넓이를 구하여라.

서술형
21 인수분해 공식을 이용하여 $A+B+C$의 값을 구하여라.

$$A=12\times70-12\times65$$
$$B=54^2-46^2$$
$$C=\sqrt{102^2-408+2^2}$$

22 $x=7+6\sqrt{2}$, $y=3\sqrt{2}+3$일 때, $\dfrac{2x+4y}{x^2+xy-2y^2}$ 의 값은?

① $-8-3\sqrt{2}$ ② $-4+3\sqrt{2}$

③ $4-3\sqrt{2}$ ④ $4+3\sqrt{2}$

⑤ $8+4\sqrt{2}$

01

$(2+1)(2^2+1)(2^4+1)(2^8+1)=2^{16}-\square$일 때, $\square$ 안에 알맞은 값을 구하여라.

① 어떤 식을 양변에 곱할까?
② 좌변을 어떻게 전개할까?
③ □의 값은?

02

$(x+1)(x+3)(x+5)(x+7)+a$가 완전제곱식이 되도록 하는 상수 a의 값을 구하여라.

① 어떻게 묶어서 전개할까?
② 치환해야 할 부분은?
③ 완전제곱식이 되려면?

03

다음은 세 학생 A, B, C가 가지고 있는 구슬의 개수에 대하여 알아본 것이다. 이때 세 학생이 가지고 있는 구슬의 개수의 합을 구하여라.

① A, B, C가 가지고 있는 구슬의 개수를 미지수로 놓고, 조건 (가), (나)를 이용하여 식을 세우면?
② 조건 (나)를 이용하여 세운 식에서 문자를 좌변으로 이항한 후 인수분해하면?

> (가) A가 가지고 있는 구슬의 개수는 B와 C가 가지고 있는 구슬의 개수의 합보다 6개 더 많다.
> (나) A가 가지고 있는 구슬의 개수의 제곱은 B와 C가 가지고 있는 구슬의 개수의 합의 제곱보다 144개가 더 많다.

유형 ① 이차방정식의 뜻

01 다음 중 x에 대한 이차방정식이 <u>아닌</u> 것을 모두 고르면? (정답 2개)

① $x^2 - x = (x-1)(x+1)$

② $x^3 + 1 = x^2 + x^3$

③ $2x^2 - 3x = x^2 - 3$

④ $x + 5 = -x^2$

⑤ $4x^2 - 4(x-2)^2 = 0$

02 이차방정식 $(x-1)^2 = 3 - x^2$을 $x^2 + ax + b = 0$ 꼴로 나타내었을 때, 상수 a, b에 대하여 $a - b$의 값을 구하여라.

03 다음 중 방정식 $(a+1)x^2 + 3ax + 6 = 0$이 x에 대한 이차방정식이 되도록 하는 상수 a의 조건은?

① $a \neq -2$ ② $a \neq -1$ ③ $a \neq 0$

④ $a \neq 1$ ⑤ $a \neq 2$

유형 ② 이차방정식의 해

04 x가 -3보다 크고 2보다 작은 정수일 때, 이차방정식 $x^2 - 3x + 2 = 0$의 해를 구하여라.

05 이차방정식 $x^2 - 5x + a = 0$의 한 근이 $x = 2$일 때, 상수 a의 값은?

① 4 ② 5 ③ 6

④ 7 ⑤ 8

06 $x = -1$이 두 이차방정식 $x^2 - (a+1)x + 2 = 0$과 $x^2 - 6x = b$의 공통인 근일 때, 상수 a, b에 대하여 $a + b$의 값을 구하여라.

07 $x = k$가 이차방정식 $x^2 + 4x - 3 = 0$의 한 근일 때, $k^2 + 4k + 1$의 값을 구하여라.

08^{up} 이차방정식 $x^2 - 4x + 1 = 0$의 한 근을 $x = a$라고 할 때, $a^2 + \dfrac{1}{a^2}$의 값을 구하여라.

09 다음 이차방정식을 인수분해를 이용하여 풀어라.

(1) $2x^2 - 5x + 2 = 0$

(2) $(x+2)^2 = 2(x+6)$

10 이차방정식 $2(x-3)(x+5) = x^2 - 6x - 46$의 두 근을 $x=p$ 또는 $x=q$라고 할 때, p^2+q^2의 값은?

① 65   ② 66   ③ 67

④ 68   ⑤ 69

11 이차방정식 $x^2 - ax + a + 2 = 0$의 한 근이 $x=2$일 때, 다른 한 근을 구하여라. (단, a는 상수)

12 다음 두 이차방정식의 공통인 근을 구하여라.

$$x^2 - 7x + 6 = 0, \ 3x^2 - 16x - 12 = 0$$

13 이차방정식 $x^2 + 6x + 2k - 3 = 0$이 중근을 가질 때, 상수 k의 값은?

① 5   ② 6   ③ 7

④ 8   ⑤ 9

14 이차방정식 $x^2 + mx - m + 3 = 0$이 중근을 갖도록 하는 상수 m의 값을 모두 구하여라.

15 이차방정식 $x^2 + ax + b = 0$이 중근 $x=-3$을 가질 때, 상수 a, b에 대하여 $a-b$의 값을 구하여라.

16 ^{up} 이차방정식 $(x+6)(x+a) = b$가 중근 $x=-5$를 가질 때, 상수 a, b에 대하여 $a+b$의 값을 구하여라.

17 다음 이차방정식을 제곱근을 이용하여 풀어라.

(1) $3x^2 = 9$

(2) $-5x^2 + 6 = 0$

(3) $(x-6)^2 = 25$

(4) $(x+1)^2 = 3$

18 이차방정식 $2(x+a)^2 = b$의 해가 $x = 1 \pm \sqrt{5}$일 때, 유리수 a, b에 대하여 ab의 값을 구하여라.

19 이차방정식 $(x+2)^2 = p$의 한 근이 $x = q + \sqrt{2}$일 때, $p - q$의 값은? (단, p, q는 유리수)

① 1 ② 2 ③ 3

④ 4 ⑤ 5

20 이차방정식 $(x+3)^2 = \dfrac{a-5}{4}$가 서로 다른 두 근을 갖도록 하는 상수 a의 값의 범위를 구하여라.

21 다음 이차방정식을 완전제곱식을 이용하여 풀어라.

(1) $x^2 + 6x - 2 = 0$

(2) $(x+3)^2 = 4x + 11$

(3) $2x^2 - 7x + 4 = 0$

22 이차방정식 $x^2 - 8x - 3 = 0$을 $(x+p)^2 = q$ 꼴로 나타낼 때, 상수 p, q에 대하여 $p+q$의 값을 구하여라.

23 이차방정식 $x^2 - 8x + a = 0$을 $(x+b)^2 = 8$ 꼴로 나타낼 때, 상수 a, b에 대하여 $a-b$의 값은?

① 10 ② 11 ③ 12

④ 13 ⑤ 14

24 이차방정식 $x^2 - x + k = 0$을 완전제곱식을 이용하여 풀었더니 $x = \dfrac{1 \pm \sqrt{5}}{2}$이었다. 이때, 유리수 k의 값을 구하여라.

실력 TEST
1. 이차방정식의 뜻과 풀이
SUMMA CUM LAUDE
해설 BOOK 075쪽
개념 BOOK 152쪽
chapter III

01 이차방정식 $2x^2-x-3=0$의 한 근을 $x=a$, 이차방정식 $x^2-6x+4=0$의 한 근을 $x=b$라고 할 때, $(2a^2-a+2)(b^2-6b+5)$의 값을 구하여라.

$x=p$가 $ax^2+bx+c=0$의 해이면 $x=p$를 $ax^2+bx+c=0$에 대입했을 때 등식이 성립한다.

02 x에 대한 이차방정식 $x^2-(a-b)x+ab=2b^2$의 해를 구하여라. (단, a, b는 상수)

우변의 항을 모두 좌변으로 이항한 후 좌변을 $(x-A)(x-B)$ 꼴로 인수분해한다.

03 이차방정식 $x^2-2|x|-3=0$을 풀어라.

$x \geq 0$, $x < 0$인 경우로 구분해서 생각해 본다.

04 일차함수 $y=mx+2$의 그래프가 점 $(m-1, 2m^2)$을 지나고, 제3사분면은 지나지 않을 때, 상수 m의 값을 구하여라.

$x=m-1$, $y=2m^2$을 주어진 일차함수의 그래프의 식에 대입한다.

05 서로 다른 두 개의 주사위를 던져서 나온 눈의 수의 합이 이차방정식 $x^2=6x-8$의 해가 될 확률을 구하여라.

먼저 이차방정식의 해를 구한 후 경우의 수와 확률을 구한다.

06 이차방정식 $x^2-(3k+1)x+16=0$이 중근을 갖도록 하는 모든 k의 값이 이차방정식 $x^2+2px+q=0$의 근이라고 할 때, $3p+q$의 값을 구하여라. (단, k, p, q는 상수)

이차방정식 $x^2+ax+b=0$이 중근을 가지려면 $b=\left(\dfrac{a}{2}\right)^2$을 만족해야 한다.

서술형
07 중근을 갖는 이차방정식 $x^2+ax+b=0$을 잘못 보고 $x^2-14x+b=0$을 풀었더니 한 근이 $x=7$이었다. 바르게 풀었을 때의 근을 구하여라. (단, $a>0$)

답 _____

서술 **TIP**
먼저 b의 값을 구한 후 중근일 때의 조건을 이용하여 a의 값을 구한다.

$x^2-3x+2=0$의 근 중 하나는 $x^2+ax+b=0$의 근이다.

08 두 이차방정식 $x^2+ax+b=0$, $x^2-3x+2=0$의 공통인 근이 한 개일 때, 음의 정수 a, b의 값을 각각 구하여라.

서술형

09 x, y에 대한 연립방정식 $\begin{cases} (a^2-5a+5)x+2y=a+4 \\ x-2y=-6 \end{cases}$ 의 해가 없을 때, 상수 a의 값을 구하여라.

....

....

답 _____

서술 **TIP**

연립방정식 $\begin{cases} ax+by=c \\ a'x+b'y=c' \end{cases}$
이 해가 없을 조건은
$\dfrac{a}{a'}=\dfrac{b}{b'}\neq\dfrac{c}{c'}$ 이다.

---

10 실수 x에 대한 이차식 $f(x)$가 $f(x+1)-f(x)=4x+1$, $f(0)=1$인 관계를 만족시킬 때, 이차방정식 $f(x)=2x$를 풀어라.

$f(x)$가 이차식이고 $f(0)=1$이므로 $f(x)=ax^2+bx+1$ 꼴이다.

유형 ❶ 이차방정식의 근의 공식

01 이차방정식 $-2x^2+3=6x$의 근이 $x=\dfrac{A\pm\sqrt{B}}{2}$일 때, 유리수 A, B에 대하여 $A+B$의 값을 구하여라.

02 이차방정식 $x^2-8x+k=0$의 근이 $x=4\pm\sqrt{7}$일 때, 유리수 k의 값은?

① 8   ② 9   ③ 10
④ 11   ⑤ 12

03 이차방정식 $4x^2+5x+A=0$의 근이 $x=\dfrac{B\pm\sqrt{41}}{8}$ 일 때, 유리수 A, B에 대하여 AB의 값은?

① -10 ② -5 ③ 5
④ 10 ⑤ 15

04 이차방정식 $x^2-4x+1=0$의 두 근 중 큰 근이 a일 때, $a-\dfrac{1}{a}$의 값을 구하여라.

유형 ❷ 복잡한 이차방정식의 풀이

05 다음 이차방정식을 풀어라.
(1) $0.2x^2-x+0.7=0$
(2) $\dfrac{1}{2}x^2+\dfrac{4}{3}x=-\dfrac{1}{6}$

06 이차방정식 $\dfrac{1}{5}x^2+0.1x-\dfrac{3}{4}=0$의 근이 $x=\dfrac{A\pm\sqrt{B}}{4}$ 일 때, 유리수 A, B에 대하여 $A+B$의 값은?

① 60   ② 61   ③ 62
④ 63   ⑤ 64

07 이차방정식 $0.3(x+1)^2=\dfrac{1}{5}(x+1)(x+4)$를 풀어라.

08 이차방정식 $\dfrac{x(x+1)}{5}+x^2=\dfrac{3x^2-1}{2}$의 두 근을 각각 a, b라고 할 때, 이차방정식 $x^2+ax+b=0$의 해를 구하여라. (단, $a>b$)

09 이차방정식 $(3x-2)^2+6(3x-2)+5=0$의 두 근의 곱을 구하여라.

10 이차방정식 $(1-2x)^2+2(2x-1)-4=1-2x$를 풀어라.

11 ^{up} 두 수 a, b가 다음 조건을 만족시킬 때, a, b의 값을 각각 구하여라.

> (가) $a < b$
> (나) $a+2b=7$
> (다) $(a-b)(a-b-2)-8=0$

12 ^{up} $2(x+2y)^2-11x+5=22y$를 만족시키는 자연수 x, y의 순서쌍 (x, y)의 개수는?

① 1   ② 2   ③ 3
④ 4   ⑤ 5

13 다음 이차방정식 중 근의 개수가 나머지 넷과 <u>다른</u> 하나는?

① $x^2=3$ ② $x^2+4=0$
③ $x^2+2x=0$ ④ $2x^2+4x-6=0$
⑤ $7x^2-8x+1=0$

14 두 이차방정식 $x^2-6x-3p=0$, $x^2-2(p+1)x+q=0$이 모두 중근을 가질 때, 상수 p, q에 대하여 $p+q$의 값을 구하여라.

15 이차방정식 $x^2-6x+m-1=0$이 중근을 가질 때, 이차방정식 $(m-5)x^2-6x+1=0$의 두 근 중 작은 근을 구하여라. (단, m은 상수)

16 이차방정식 $2x^2+3x+k-2=0$이 서로 다른 두 근을 가질 때, 자연수 k의 개수를 구하여라.

17 이차방정식 $0.5x^2-0.3x-1=0$의 두 근의 합을 m, 두 근의 곱을 n이라고 할 때, mn의 값을 구하여라.

18 이차방정식 $x^2-\dfrac{2}{3}x-\dfrac{1}{2}=0$의 두 근을 α, β라고 할 때, $3(\alpha+\beta)-4\alpha\beta$의 값은?

① -4 ② -2 ③ 2
④ 4 ⑤ 6

19 이차방정식 $6x^2+ax+b=0$의 두 근이 $-\dfrac{1}{2}$, $\dfrac{1}{3}$일 때, 상수 a, b에 대하여 ab의 값을 구하여라.

20 이차방정식 $2x^2+4x+k=0$의 두 근은 $x=\dfrac{A\pm\sqrt{B}}{2}$ 이고 이 두 근의 곱이 $-\dfrac{1}{2}$일 때, 두 유리수 A, B의 합 $A+B$의 값을 구하여라.

21 이차방정식 $x^2-5x+3=0$의 두 근을 α, β라고 할 때, $\dfrac{\beta}{\alpha}+\dfrac{\alpha}{\beta}$의 값을 구하여라.

22 이차방정식 $(x-1)^2=x+2$의 두 근을 α, β라고 할 때, $\dfrac{\alpha}{\beta+1}+\dfrac{\beta}{\alpha+1}$의 값을 구하여라.

23 이차방정식 $x^2+5kx+8k=0$의 한 근이 다른 근의 4배일 때, 상수 k의 값은? (단, $k\neq0$)

① 1 ② 2 ③ 3
④ 4 ⑤ 5

24 이차방정식 $x^2-ax+b=0$의 한 근이 $3+\sqrt{3}$일 때, 이차방정식 $ax^2-bx-3=0$의 해를 구하여라.
(단, a, b는 유리수)

25 이차방정식 $3x^2+mx+n=0$의 두 근이 $-\dfrac{2}{3}$, 3일 때, 상수 m, n에 대하여 mn의 값은?

① 32 ② 35 ③ 36

④ 40 ⑤ 42

26 이차방정식 $3x^2+Ax+B=0$이 중근 $x=2$를 가질 때, A, B를 두 근으로 하고 x^2의 계수가 1인 이차방정식을 구하여라.

27 이차방정식 $x^2-3x-2=0$의 두 근을 α, β라고 할 때, $\alpha-1$, $\beta-1$을 두 근으로 하고 x^2의 계수가 2인 이차방정식을 구하여라.

28^{up} 오른쪽 그림과 같이 일차함수 $y=ax+b$의 그래프의 x절편이 4, y절편이 -2이다. x^2의 계수가 2이고, a, b를 두 근으로 하는 이차방정식을 구하여라.

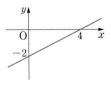

29 연속하는 두 짝수의 곱이 224일 때, 이 두 수의 합은?

① 26 ② 28 ③ 30

④ 32 ⑤ 34

30 두 자리의 자연수가 있다. 이 수의 십의 자리의 숫자와 일의 자리의 숫자의 합은 7이고, 각 자리의 숫자의 곱은 원래의 자연수보다 15만큼 작다고 한다. 이 두 자리의 자연수를 구하여라.

31 언니는 동생보다 3살이 많고, 언니의 나이의 5배는 동생의 나이의 제곱보다 1살 많을 때, 동생의 나이를 구하여라.

32 어느 달의 달력에서 둘째 주 화요일의 날짜와 넷째 주 목요일의 날짜를 곱하면 192이다. 이때 이 달력에서 둘째 주 화요일은 며칠인지 구하여라.

33 둘레의 길이가 44 cm이고 넓이가 96 cm²인 직사각형이 있다. 가로의 길이가 세로의 길이보다 더 길 때, 가로의 길이는?

① 10 cm ② 12 cm ③ 14 cm

④ 16 cm ⑤ 18 cm

34 오른쪽 그림과 같이 세 반원으로 이루어진 도형이 있다. $\overline{AB}$의 길이가 20 cm이고, 색칠한 부분의 넓이가 24π cm²일 때, $\overline{AC}$의 길이를 구하여라. (단, $\overline{AC} > \overline{CB}$)

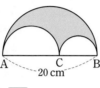

35 오른쪽 그림과 같이 가로, 세로의 길이가 각각 15 cm, 10 cm인 직사각형에서 가로의 길이는 매초 1 cm씩 줄어들고, 세로의 길이는 매초 2 cm씩 늘어날 때, 변화되는 직사각형의 넓이가 처음 직사각형의 넓이와 같아지는 것은 몇 초 후인지 구하여라.

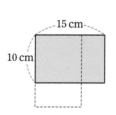

36 오른쪽 그림과 같이 가로, 세로의 길이가 각각 18 m, 16 m인 직사각형 모양의 잔디밭에 폭이 일정한 산책로를 만들었더니 산책로를 제외한 잔디밭의 넓이가 168 m²가 되었다. 이 산책로의 폭은 몇 m인지 구하여라.

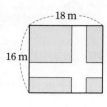

37 지면으로부터 초속 60 m로 똑바로 쏘아 올린 물체의 t초 후의 높이가 $(60t - 5t^2)$ m이다. 이때 지면으로부터 물체까지의 높이가 180 m가 되는 것은 물체를 쏘아 올린 지 몇 초 후인지 구하여라.

38 지면으로부터 15 m 높이의 건물 옥상에서 초속 10 m로 똑바로 던져 올린 공의 t초 후의 지면으로부터의 높이가 $(15 + 10t - 5t^2)$ m일 때, 이 공이 지면에 떨어지는 것은 공을 던져 올린 지 몇 초 후인지 구하여라.

01 $5-\sqrt{2}$의 정수 부분을 a, 소수 부분을 b라고 할 때, 이차방정식 $x^2+(4a-b-\sqrt{2})x-(2+\sqrt{2})b=0$을 풀어라.

> 정수 n에 대하여
> $n<$(무리수)$<n+1$일 때,
> 정수 부분 $\rightarrow n$
> 소수 부분 $\rightarrow$ (무리수)$-n$

02 한 개의 주사위를 두 번 던져 첫 번째 나온 눈의 수를 a, 두 번째 나온 눈의 수를 b라고 할 때, 이차방정식 $x^2+2ax+b=0$이 중근을 가질 확률을 구하여라.

> 이차방정식 $ax^2+bx+c=0$이
> 중근을 가질 조건은 $b^2-4ac=0$
> 이다.

03 이차방정식 $x^2+(k-2)x+1=0$의 두 근을 α, β라고 할 때, $(1+k\alpha+\alpha^2)(1+k\beta+\beta^2)$의 값을 구하여라. (단, k는 상수)

> $x=\alpha$, $x=\beta$를 각각 이차방정식에 대입한 후 구하려는 식의 형태가 나오도록 변형한다.

04 이차방정식 $x^2-14x-1=0$의 두 근을 a, b라고 할 때, $a^{2019}b^{2021}+a^{2022}b^{2020}$의 값을 구하여라. (단, $a<b$)

> 근과 계수의 관계에 의하여
> $ab=-1$이다.

05 이차방정식 $ax^2+bx+c=0$의 두 근이 -2, $\dfrac{3}{2}$일 때, 이차방정식 $abx^2+bcx+ca=0$의 해를 구하여라. (단, a, b, c는 상수)

x^2의 계수가 a이고 두 근이 α, β 인 이차방정식은 $a(x-\alpha)(x-\beta)=0$

서술형
06 이차방정식 $3x^2-6x-2=0$의 두 근을 α, β라고 할 때, $\alpha+k$, $\beta+k$를 두 근으로 하고 x^2의 계수가 1인 이차방정식을 만들면 일차항이 없는 이차방정식이 된다. 이때, 이 이차방정식의 해를 구하여라.

....

....

답 _____

서술 **TIP**
두 근을 $\alpha+k$, $\beta+k$로 놓고 근과 계수의 관계를 이용한다.

07 이차방정식 $x^2+ax+b=0$의 두 근이 -3, α이고 이차방정식 $x^2+bx+a=0$의 두 근이 1, β일 때, α, β를 두 근으로 하고 x^2의 계수가 1인 이차방정식을 구하여라.

(단, a, b는 상수)

근과 계수의 관계를 이용하여 미지수가 α, β인 연립방정식을 만든다.

서술형
08 주머니 A에는 구슬이 x개 들어 있고, 주머니 B에는 구슬이 주머니 A보다 10개 더 들어 있다. 그런데 주머니 A와 주머니 B의 구슬의 개수를 각각 $x\,\%$만큼 늘렸더니 구슬의 개수의 합이 처음보다 21개 많아졌다. 처음에 주머니 A에 들어 있던 구슬의 개수를 구하여라.

....

....

답 _____

서술 **TIP**
구슬이 늘어난 개수를 구하는 이차방정식을 세운다.

09 오른쪽 그림과 같이 두 점 A(6, 0)과 B(0, 8)을 지나는 직선 위의 점 P에서 x축과 y축에 내린 수선의 발을 각각 Q, R라고 하자. △OQP의 넓이가 6이 되도록 점 P를 잡을 때, △BRP의 넓이를 구하여라. (단, O는 원점)

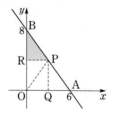

직선 $y=mx+n$ 위의 점 P의 좌표를 $(a, ma+n)$으로 놓고 식을 세운다.

10 오른쪽 그림은 지름이 $\overline{AB}$인 원과 지름이 $\overline{AC}$, $\overline{BC}$인 두 반원으로 이루어진 도형이다. $\overline{AB}=40$ cm이고, 지름이 $\overline{AC}$인 반원과 지름이 $\overline{BC}$인 반원의 넓이의 비가 3 : 1일 때, $\overline{BC}$의 길이를 구하여라.

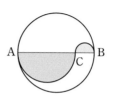

$\overline{BC}=2r$ cm라고 하면 $\overline{AC}=(40-2r)$ cm이다.

11 길이가 7 m인 끈을 두 부분으로 잘라서 오른쪽 그림과 같은 크기가 서로 다른 두 개의 정사각형을 만들려고 한다. 두 정사각형의 넓이의 비가 1 : 2일 때, 큰 정사각형의 한 변의 길이를 구하여라.

큰 정사각형의 둘레의 길이를 x m라고 하면 작은 정사각형의 둘레의 길이는 $(7-x)$ m이다.

01 다음 중 x에 대한 이차방정식이 <u>아닌</u> 것은?

① $x^2=0$ ② $2x^2=1$

③ $2x^2=9-5x$ ④ $x^2=5x^2-5$

⑤ $x^2+3x=(x+2)(x-3)$

02 다음 중 [ ] 안의 수가 주어진 이차방정식의 해인 것은?

① $(x+2)(x+4)=0$ [2]

② $x^2-3x-40=0$ [5]

③ $2x^2+3x+1=0$ [-1]

④ $x^2+x-12=0$ [-3]

⑤ $2x(x-1)=6$ [2]

03 이차방정식 $3x^2-ax-4=0$의 한 근이 $x=k$일 때, $3k^2-ak+3$의 값은? (단, a는 상수)

① 5 ② 6 ③ 7

④ 8 ⑤ 9

04 이차방정식 $x^2-ax+3a=0$의 한 근이 $x=2$일 때, 상수 a의 값과 다른 한 근의 곱은?

① -12 ② -6 ③ -4

④ 12 ⑤ 24

05 다음 이차방정식 중에서 중근을 갖지 <u>않는</u> 것은?

① $(x+1)^2=4x$ ② $(x-5)^2=0$

③ $x^2-9=0$ ④ $x^2+10x+25=0$

⑤ $2x^2-4x+2=0$

06 이차방정식 $2(x+1)^2=12$를 풀면?

① $x=-1-\sqrt{6}$ ② $x=-1+\sqrt{6}$

③ $x=-1\pm\sqrt{6}$ ④ $x=1\pm\sqrt{6}$

⑤ $x=1+\sqrt{6}$

07 이차방정식 $(x+1)^2=4$의 두 근 중 음수인 근이 $x^2+2mx+3m=0$의 한 근일 때, 상수 m의 값은?

① -3 ② -2 ③ 1

④ 2 ⑤ 3

08 다음은 완전제곱식을 이용하여 이차방정식 $2x^2+3x-1=0$의 해를 구하는 과정이다. 이때, B의 값은?

> $2x^2+3x-1=0$의 양변을 2로 나누면
>
> $x^2+\dfrac{3}{2}x-\dfrac{1}{2}=0$, $x^2+\dfrac{3}{2}x=\dfrac{1}{2}$
>
> $x^2+\dfrac{3}{2}x+A=\dfrac{1}{2}+A$, $\left(x+\dfrac{3}{4}\right)^2=B$
>
> $x+\dfrac{3}{4}=\pm\sqrt{B}$ $\therefore x=-\dfrac{3}{4}\pm\sqrt{B}$

① $\dfrac{17}{16}$　　② $\dfrac{5}{4}$　　③ $\dfrac{23}{16}$

④ $\dfrac{13}{8}$　　⑤ $\dfrac{29}{16}$

서술형

09 이차방정식 $2x^2+5x+a=0$의 근이 $x=\dfrac{b\pm\sqrt{17}}{4}$일 때, 유리수 a, b에 대하여 $a+b$의 값을 구하여라.

10 두 이차방정식 $\dfrac{1}{6}x^2-\dfrac{2}{3}x+\dfrac{1}{2}=0$과 $0.2x^2-0.3x+0.1=0$의 공통인 근을 구하여라.

11 $x^2+2xy+y^2+x+y=12$일 때, $x+y$의 값을 구하여라. (단, $x>0$, $y>0$)

12 다음 보기의 이차방정식 중 해가 <u>없는</u> 것은 몇 개인가?

> ┤ 보 기 ├
>
> ㄱ. $x^2-2x+1=0$　　ㄴ. $4x^2-12x+9=0$
>
> ㄷ. $x^2-6x+8=0$　　ㄹ. $3x^2-4x+2=0$
>
> ㅁ. $x^2+x+1=0$

① 1개　　② 2개　　③ 3개

④ 4개　　⑤ 5개

13 이차방정식 $2x^2+2ax+b=0$이 중근 $x=3$을 가질 때, 상수 a, b에 대하여 $a+b$의 값을 구하여라.

14 이차방정식 $x^2-6x+a-2=0$의 해가 모두 유리수가 되도록 하는 자연수 a의 값의 합을 구하여라.

15 서술형 이차방정식 $4x^2-8x-1=0$의 두 근을 α, β라고 할 때, $\alpha^2+\beta^2-3\alpha\beta$의 값을 구하여라.

16 이차방정식 $3x^2-12x+k=0$의 두 근의 비가 $1:3$일 때, 상수 k의 값은?

① 3   ② 6   ③ 9

④ 12   ⑤ 15

17 이차방정식 $2x^2+6x+3=0$의 두 근을 α, β라고 할 때, α^2, β^2을 두 근으로 하고 x^2의 계수가 4인 이차방정식을 구하여라.

18 서술형 어떤 동호회에서 대표 2명을 뽑는 경우의 수가 28일 때, 이 동호회의 회원 수를 구하여라.

19 지면으로부터 초속 20 m로 똑바로 위로 던진 물체의 t 초 후의 높이가 $(-5t^2+20t)$m일 때, 이 물체가 지면으로부터의 높이가 20 m인 지점에 도달할 때는 물체를 쏘아 올린 지 몇 초 후인지 구하여라.

20 가로의 길이가 세로의 길이보다 4 cm 긴 직사각형 모양의 골판지가 있다. 이 골판지의 네 귀퉁이에서 한 변의 길이가 3 cm인 정사각형을 잘라내고

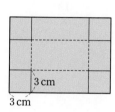

나머지를 접어서 만든 상자의 부피가 96 cm³일 때, 골판지의 세로의 길이를 구하여라.

21 서술형 오른쪽 그림과 같이 모양과 크기가 똑같은 직사각형 모양의 카드 11장을 빈틈없이 붙였더니 직사각형 ABCD의 넓이가 528 cm² 이었다. 이때 직사각형 ABCD의 둘레의 길이를 구하여라.

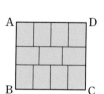

창의 사고력 TEST   Ⅲ. 이차방정식

SUMMA CUM LAUDE

해설 BOOK 084쪽

01

세 자리의 자연수 x에 대하여 $<x>$는 x를 8로 나누었을 때의 나머지라고 하자. 예를 들어 $397 \div 8 = 49 \cdots 5$이므로 $<397> = 5$이다. 이때 $<x>^2 - 3<x> + 2 = 0$을 만족시키는 x를 작은 수부터 차례대로 세었을 때, 21번째 수를 구하여라.

① $<x>$에 대한 이차방정식의 해는?

② 조건을 만족시키는 가장 작은 세 자리의 자연수를 구하면?

02

양의 실수 a의 소수 부분이 b일 때, $a^2 + b = 10$이 성립한다. 이때 a의 값을 구하여라.

① b는 양의 실수의 소수 부분이므로 b의 값의 범위는?

② a와 b의 관계식을 구하면?

유형 1 이차함수의 뜻

01 다음 중 이차함수인 것은?

① $y=\dfrac{1}{x^2}+1$ ② $y=(x-2)^2-x^2$

③ $y=2x^3+x$ ④ $y=3x-1$

⑤ $y=(1+x)(1-x)$

02 다음 중 y가 x에 대한 이차함수가 <u>아닌</u> 것을 모두 고르면? (정답 2개)

① 가로의 길이가 x cm이고, 둘레의 길이가 24 cm인 직사각형의 넓이 y cm²

② 밑면은 한 변의 길이가 x cm인 정사각형이고, 높이가 4 cm인 직육면체의 겉넓이 y cm²

③ 윗변, 아랫변의 길이가 각각 $2x$ cm, x cm이고, 높이가 2 cm인 사다리꼴의 넓이 y cm²

④ 반지름의 길이가 x cm인 구의 겉넓이 y cm²

⑤ 시속 x km로 60 km를 달리는 데 걸리는 시간 y 시간

03 $y=k(1-x^2)+4x-2x^2$이 x에 대한 이차함수가 되기 위한 실수 k의 조건을 구하여라.

유형 2 이차함수의 함숫값

04 이차함수 $f(x)=-x^2+2x-1$에 대하여 $f(1)+f(-1)$의 값을 구하여라.

05 이차함수 $f(x)=3x^2-ax+5$에 대하여 $f(-1)=14$일 때, 상수 a의 값을 구하여라.

06 이차함수 $f(x)=6x^2-x-1$에 대하여 $f(a)=1$, $f(2)=b$일 때, ab의 값을 구하여라. (단, $a>0$)

07 이차함수 $f(x)=-x^2+3x+3$에서 $f(a)=a$일 때, 상수 a의 값을 모두 구하여라.

이차함수 $y=ax^2$의 그래프

08 다음 중 두 이차함수 $y=4x^2$, $y=\frac{1}{4}x^2$의 그래프의 공통점은?

① 원점을 지나는 직선이다.

② 축의 방정식은 $y=0$이다.

③ 꼭짓점이 원점이고, 위로 볼록한 포물선이다.

④ 제 1, 2사분면을 지난다.

⑤ 서로 x축에 대칭이다.

09 다음 중 이차함수 $y=ax^2\,(a>0)$의 그래프 위의 점이 될 수 <u>없는</u> 것은?

① $(-2, 2)$ ② $(0, 0)$ ③ $\left(\frac{1}{2}, -4\right)$

④ $(4, 8)$ ⑤ $(3, 6)$

10^{up} 이차함수 $y=-2x^2$의 그래프와 x축에 대칭인 그래프가 점 $(a-4, 2a-1)$을 지날 때, 모든 a의 값의 합을 구하여라.

11 원점을 꼭짓점으로 하고, 점 $(2, -4)$를 지나는 포물선을 그래프로 하는 이차함수의 식을 구하여라.

12 다음 중 아래 조건을 모두 만족하는 포물선을 그래프로 하는 이차함수의 식은?

> (가) 원점을 꼭짓점, y축을 축으로 하는 포물선이다.
> (나) 아래로 볼록하다.
> (다) $y=-\frac{1}{2}x^2$의 그래프보다 폭이 넓다.

① $y=-2x^2$ ② $y=-\frac{1}{5}x^2$ ③ $y=\frac{1}{5}x^2$

④ $y=x^2$ ⑤ $y=2x^2$

13 다음 보기 중 이차함수의 그래프의 폭이 넓은 것부터 차례대로 나열하여라.

> ┤ 보 기 ├
> ㄱ. $y=2x^2$ ㄴ. $y=-5x^2$
> ㄷ. $y=x^2$ ㄹ. $y=-\frac{3}{2}x^2$

14 이차함수 $y=ax^2$의 그래프는 $y=-4x^2$의 그래프보다 폭이 넓고, $y=-\frac{1}{3}x^2$의 그래프보다 폭이 좁다고 할 때, 음수 a의 값의 범위를 구하여라.

이차함수 $y=ax^2+q$의 그래프

15 이차함수 $y=2x^2$의 그래프를 y축의 방향으로 5만큼 평행이동한 그래프의 꼭짓점의 좌표를 구하여라.

16 이차함수 $y=-3x^2+1$의 그래프에 대한 설명으로 옳지 않은 것은?

① 꼭짓점의 좌표는 $(0, 1)$이다.
② 축의 방정식은 $x=0$이다.
③ 모든 사분면을 지난다.
④ $y=-3x^2$의 그래프를 y축의 방향으로 1만큼 평행이동한 그래프이다.
⑤ $x>0$일 때, x의 값이 증가하면 y의 값도 증가한다.

17 이차함수 $y=2x^2+p$의 그래프가 점 $(-1, 7)$을 지날 때, 상수 p의 값을 구하여라.

18 오른쪽 그림은 이차함수 $y=2x^2$의 그래프를 y축의 방향으로 평행이동한 것이다. 이 그래프가 점 $(2, a)$를 지날 때, a의 값을 구하여라.

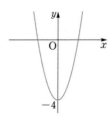

19 이차함수 $y=ax^2+q$의 그래프는 점 $(2, 5)$를 지난다. 이 그래프를 y축의 방향으로 2만큼 평행이동하면 이차함수 $y=ax^2-1$의 그래프와 완전히 포개어질 때, 상수 a, q에 대하여 $a+q$의 값은?

① -2　　　　② -1　　　　③ 1
④ 2　　　　⑤ 3

20 이차함수 $y=-ax^2+3$의 그래프와 x축에 대칭인 그래프가 점 $(-2, -1)$을 지날 때, 상수 a의 값은?

① $\frac{1}{2}$　　　　② 1　　　　③ $\frac{3}{2}$
④ 2　　　　⑤ $\frac{5}{2}$

이차함수 $y=a(x-p)^2$의 그래프

21 이차함수 $y=\frac{1}{2}(x-4)^2$의 그래프의 축의 방정식과 꼭짓점의 좌표를 차례로 구하여라.

22 이차함수 $y=4x^2$의 그래프를 x축의 방향으로 평행이동한 그래프의 꼭짓점의 좌표가 $(3, 0)$일 때, 이 이차함수의 식을 구하여라.

23 두 이차함수 $y=4x^2-2$, $y=4(x-2)^2$의 그래프의 공통점으로 옳은 것은?

① 꼭짓점의 좌표가 $(0, -2)$이다.

② 축의 방정식은 $x=2$이다.

③ 점 $(1, 2)$를 지난다.

④ 위로 볼록하다.

⑤ $y=4x^2$의 그래프를 평행이동한 것이다.

24 이차함수 $y=-(x+3)^2$의 그래프에서 x의 값이 증가하면 y의 값은 감소하는 x의 값의 범위는?

① $x>-5$ ② $x<3$ ③ $x<0$

④ $x>-3$ ⑤ $x<-3$

25 이차함수 $y=ax^2$의 그래프 위의 점 $\mathrm{A}(p, k)$와 이차함수 $y=a(x-m)^2$의 그래프 위의 점 $\mathrm{B}(q, k)$에 대하여 $\overline{\mathrm{AB}}=4$일 때, 양수 m의 값은? (단, 점 B는 점 A를 x축의 방향으로 m만큼 평행이동한 점이다.)

① 1   ② 2   ③ 3

④ 4   ⑤ 5

26 이차함수 $y=-3x^2$의 그래프를 x축의 방향으로 2만큼 평행이동한 그래프가 점 $(-1, a)$를 지날 때, a의 값을 구하여라.

유형 **6** 이차함수 $y=a(x-p)^2+q$의 그래프

27 이차함수 $y=-\dfrac{1}{2}(x-3)^2$의 그래프를 평행이동하였을 때, 완전히 포갤 수 없는 그래프는?

① $y=-\dfrac{1}{2}x^2+3$ ② $y=-\dfrac{1}{2}(1-x)^2+2$

③ $y=-\dfrac{1}{2}(x+1)^2$ ④ $y=\dfrac{1}{2}(x-3)^2+1$

⑤ $y=-\dfrac{1}{2}(x-4)^2-2$

28 다음 중 $x<-2$일 때, x의 값이 증가하면 y의 값도 증가하는 이차함수의 식은?

① $y=\dfrac{1}{3}(x+2)^2$ ② $y=5x^2-3$

③ $y=-2(x+3)^2-1$ ④ $y=-(x+2)^2-4$

⑤ $y=4(x-2)^2+1$

29 이차함수 $y=-3(x+1)^2+4$의 그래프에 대한 설명으로 옳지 <u>않은</u> 것은?

① 위로 볼록하다.

② 꼭짓점의 좌표는 $(-1, 4)$이다.

③ 축의 방정식은 $x=-1$이다.

④ $x>-1$일 때, x의 값이 증가하면 y의 값은 감소한다.

⑤ 점 $(-2, 7)$을 지난다.

30 이차함수 $y=4(x-3)^2+2$의 그래프가 지나지 <u>않는</u> 사분면은?

① 제1, 2사분면   ② 제1, 4사분면

③ 제2, 3사분면   ④ 제2, 4사분면

⑤ 제3, 4사분면

31 다음 이차함수 중 그 그래프가 모든 사분면을 지나는 것은?

① $y=2(x-3)^2+4$ ② $y=-x^2+1$

③ $y=-\dfrac{1}{2}(x-1)^2$ ④ $y=3(x+1)^2+1$

⑤ $y=-2(x-1)^2-2$

32 이차함수 $y=-\dfrac{1}{2}x^2$의 그래프를 x축의 방향으로 3만큼, y축의 방향으로 1만큼 평행이동하면 점 $(a,\ -1)$을 지난다. 이때 모든 a의 값의 합을 구하여라.

33 이차함수 $y=a(x-p)^2+q$의 그래프가 오른쪽 그림과 같을 때, 상수 a, p, q에 대하여 apq의 값을 구하여라.

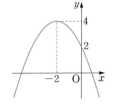

34 이차함수 $y=-5(x-1)^2+2$의 그래프를 x축의 방향으로 3만큼, y축의 방향으로 -1만큼 평행이동한 그래프의 식을 구하여라.

35 이차함수 $y=3(x-1)^2+2$의 그래프를 x축의 방향으로 m만큼, y축의 방향으로 n만큼 평행이동하면 $y=3(x+4)^2-2$의 그래프와 일치할 때, $m-n$의 값을 구하여라.

36^{up} 이차함수 $y=\dfrac{1}{4}(x-p)^2+p^2$의 그래프를 y축의 방향으로 p^2만큼 평행이동한 그래프의 꼭짓점이 일차함수 $y=-x+1$의 그래프 위에 있을 때, 상수 p의 값을 구하여라. (단, $p<0$)

37 이차함수 $y=2(x-2)^2+3$의 그래프를 x축에 대하여 대칭이동한 그래프가 점 $(3,\ k)$를 지날 때, k의 값을 구하여라.

38 이차함수 $y=a(x-p)^2+q$의
그래프가 오른쪽 그림과 같을
때, a,p,q의 부호로 옳은 것은?

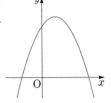

① $a<0, p>0, q>0$
② $a>0, p>0, q>0$
③ $a<0, p>0, q<0$
④ $a>0, p>0, q<0$
⑤ $a<0, p<0, q>0$

39 일차함수 $y=ax+b$의 그래프가
오른쪽 그림과 같을 때, 다음 중
이차함수 $y=-bx^2+a$의 그래프
는?

①
②

③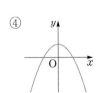
④

⑤

40 오른쪽 그림과 같이 이차함수
$y=-(x-3)^2+8$의 그래프의
꼭짓점 A에서 x축에 내린 수
선의 발을 C, y축과의 교점을
B라고 할 때, $\triangle$ABC의 넓이
를 구하여라.

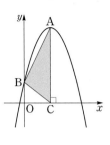

41 오른쪽 그림과 같이 이차함수
$y=8-x^2$의 그래프 위의 두
점 A, D와 x축 위의 두 점
B, C로 만들어진 정사각형
ABCD의 넓이를 구하여라.
(단, 두 점 A, D의 y좌표는
양수이다.)

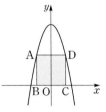

42^{up} 오른쪽 그림과 같이 이차함수
$y=-(x-2)^2$의 그래프의
꼭짓점을 A, 그래프 위의 한
점을 P라고 할 때, 삼각형
OPA의 넓이가 16이 되도록
하는 점 P의 좌표를 구하여
라. (단, 점 P는 제3사분면 위의 점이고, 점 O는 원점이
다.)

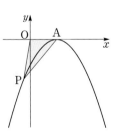

01 이차함수 $y=ax^2$의 그래프가 두 점 $\left(\dfrac{1}{2}, -a^2\right)$, $(-2, b)$를 지날 때, $4a+b$의 값을 구하여라. (단, a는 상수)

두 점의 좌표를 대입하여 미지수의 값을 구한다.

02 서술형 오른쪽 그림과 같이 두 이차함수 $y=2x^2$, $y=ax^2$의 그래프가 직선 $x=2$와 만나는 점을 각각 A, B라 하고, 직선과 x축과의 교점을 C라고 하면 $\overline{AB}=2\overline{BC}$이다. 이때 양수 a의 값을 구하여라.

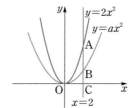

....

답 _____

서술 TIP

먼저 점 A, C의 좌표를 알아본 후 조건을 이용하여 점 B의 좌표를 구해 본다.

03 오른쪽 그림과 같이 두 점 A, B는 이차함수 $y=\dfrac{1}{4}x^2$의 그래프 위에 있고, 두 점 C, D는 x축 위에 있다. 직사각형 ABCD에서 $\overline{AB}:\overline{BC}=2:1$일 때, □ABCD의 넓이를 구하여라.

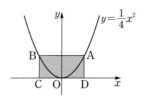

점 A의 좌표를 $\left(a, \dfrac{1}{4}a^2\right)$이라고 놓고 a의 값을 구한다.

04 이차함수 $y=-\dfrac{2}{9}(x-2)^2-1$의 그래프를 x축의 방향으로 -3만큼, y축의 방향으로 4만큼 평행이동한 그래프가 점 $(-a,\ -21)$을 지날 때, 모든 a의 값의 합을 구하여라.

답 _____

05 이차함수 $y=2(x-3)^2+4$의 그래프를 x축에 대하여 대칭이동한 후 다시 y축에 대하여 대칭이동하면 이 그래프는 점 $(1,\ k)$를 지난다. 이때 k의 값을 구하여라.

이차함수 $y=a(x-p)^2+q$의 그래프를
① x축에 대하여 대칭이동하면 $y=-a(x-p)^2-q$
② y축에 대하여 대칭이동하면 $y=a(x+p)^2+q$

06 이차함수 $y=a(x-p)^2+q$의 그래프가 오른쪽 그림과 같을 때, 다음 중 일차함수 $y=apx+q$의 그래프는?

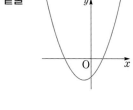

이차함수 $y=a(x-p)^2+q$의 그래프에서 a의 부호는 그래프의 모양에 의하여 결정되고, p, q의 부호는 꼭짓점의 위치에 의하여 결정된다.

①

②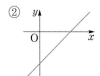

③

④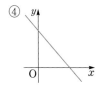

⑤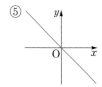

07 오른쪽 그림은 세 이차함수

$y=(x+4)^2$, $y=(x-1)^2$, $y=(x-1)^2+q$

의 그래프이다. 세 그래프 위의 점 A, B, C에 대하여 $\overline{AB}$는 x축에 평행하고, $\overline{BC}$는 y축에 평행하며 $\overline{AB}=\overline{BC}$이다. 이때 상수 q의 값을 구하여라.

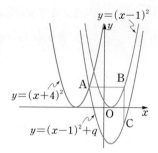

세 이차함수의 그래프는 평행이동 하면 서로 포개어진다.

08 오른쪽 그림과 같이 이차함수 $y=ax^2$의 그래프 위에 네 점 A, B, C, D가 있다. 두 점 B와 C의 y좌표가 같고 $\overline{BC}=12$일 때, 사다리꼴 ABCD의 넓이를 구하여라.

(단, a는 상수)

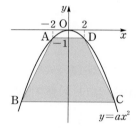

y축에 대칭인 그래프이므로 점 B, C의 x좌표는 절댓값이 같고 부호 가 반대인 수이다.

09 오른쪽 그림은 두 이차함수 $y=x^2-6$, $y=-\dfrac{1}{2}x^2+a$의 그래프이다. 이 두 그래프가 x축에서 2개의 교점을 가질 때, □ABCD의 넓이를 구하여라. (단, a는 상수)

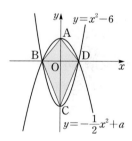

$y=x^2-6$의 그래프와 x축과의 교 점의 좌표를 $y=-\dfrac{1}{2}x^2+a$에 대 입한다.

10 오른쪽 그림과 같이 두 이차함수 $y=x^2$, $y=(x-4)^2$의 그래프가 있다. 두 점 B, C는 이차함수 $y=(x-4)^2$의 그래프와 y축, x축과의 각각의 교점이고 $\overline{AB}$는 x축과 평행할 때, 색칠한 부분의 넓이를 구하여라.

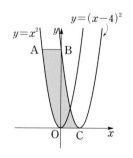

색칠한 부분 중 일부를 적절하게 평행이동시켜 넓이를 구해 본다.

유형 ❶ 이차함수 $y=ax^2+bx+c$의 그래프

01 이차함수 $y=\dfrac{1}{2}x^2-4x+3$을 $y=a(x-p)^2+q$꼴로 나타내었을 때, 상수 a, p, q에 대하여 $a-p-q$의 값을 구하여라.

02 이차함수 $y=2x^2+px+3$의 그래프의 꼭짓점의 좌표가 $(2, q)$일 때, 상수 p, q에 대하여 $p-q$의 값을 구하여라.

03 다음 이차함수의 그래프 중 이차함수
$y=-\dfrac{1}{2}x^2+3x-\dfrac{5}{2}$의 그래프와 꼭짓점의 좌표가 일치하는 것은?

① $y=2x^2+6x+4$ ② $y=-x^2+6x-7$
③ $y=2x^2+12x+10$ ④ $y=-3x^2+18x-17$
⑤ $y=3x^2+6x+2$

04 ^{up} 이차함수 $y=-\dfrac{1}{2}x^2+2x+m-3$의 그래프의 꼭짓점이 직선 $2x+3y=2$ 위에 있도록 하는 상수 m의 값을 구하여라.

05 다음 이차함수 중 그 그래프가 위로 볼록하면서 폭이 가장 넓은 것은?

① $y=-\dfrac{1}{2}x^2+3x-7$ ② $y=-3x^2+\dfrac{1}{4}$
③ $y=2(x+1)^2+3$ ④ $y=-\dfrac{1}{3}(x-2)^2$
⑤ $y=\dfrac{1}{4}x^2$

06 이차함수 $y=\dfrac{1}{4}x^2+ax-3$의 그래프에서 $x>1$이면 x의 값이 증가할 때 y의 값도 증가하고, $x<1$이면 x의 값이 증가할 때 y의 값은 감소한다. 이때 상수 a의 값을 구하여라.

07 다음 이차함수의 그래프 중 x축에 접하는 것은?

① $y=x^2+5$ ② $y=-3x^2+2$
③ $y=x^2-x+\dfrac{1}{4}$ ④ $y=x^2+4x+5$
⑤ $y=(x+3)(x-5)$

08 이차함수 $y=-2x^2+8x+1$의 그래프를 x축의 방향으로 -1만큼, y축의 방향으로 -4만큼 평행이동하면 점 $(2, k)$를 지난다. 이때 k의 값을 구하여라.

09 이차함수 $y=x^2-4x-3$의 그래프는 이차함수 $y=(x+2)^2-6$의 그래프를 x축의 방향으로 m만큼, y축의 방향으로 n만큼 평행이동한 것이다. 이때 상수 m, n에 대하여 $m+n$의 값을 구하여라.

유형 2 이차함수 $y=ax^2+bx+c$의 그래프의 x절편과 y절편

10 이차함수 $y=-2x^2+5x+3$의 그래프의 x절편이 p, q이고, y절편이 r일 때, $p+q-r$의 값을 구하여라.

11 이차함수 $y=ax^2-3x+7$의 그래프가 x축과 두 점에서 만난다. 두 교점 중 한 점의 좌표가 $(-14, 0)$일 때, 다른 한 점의 좌표를 구하여라.

12^{up} 이차함수 $y=-x^2+2x+a$의 그래프가 x축과 만나는 두 점 사이의 거리가 4일 때, 상수 a의 값을 구하여라.

유형 3 이차함수 $y=ax^2+bx+c$의 그래프 그리기

13 다음 중 이차함수와 그 그래프가 잘못 짝지어진 것은?

① $y=-x^2+2x+3$ ② $y=-x^2-2x+3$

③ $y=(x-3)(x-1)$ ④ $y=(x-1)(x+3)$

⑤ $y=-(x-1)(x-3)$

14 다음 중 이차함수 $y=x^2-6x+3$의 그래프가 지나지 않는 사분면은?

① 제1사분면   ② 제2사분면

③ 제3사분면   ④ 제4사분면

⑤ 제1, 2사분면

15 다음 이차함수 중 그 그래프가 모든 사분면을 지나는 것은?

① $y=x^2+4x+3$ ② $y=2x^2-7x+3$

③ $y=-2x^2+3x$ ④ $y=-\dfrac{3}{4}x^2-3x+1$

⑤ $y=-2x^2+4x-1$

유형 ④ 이차함수 $y=ax^2+bx+c$의 그래프의 성질

16 이차함수 $y=-2x^2+4x+2$의 그래프에 대한 다음 설명 중 옳지 <u>않은</u> 것은?

① 꼭짓점의 좌표는 $(1, 4)$이다.

② 축의 방정식이 이차함수 $y=2(x-1)^2$의 그래프의 축의 방정식과 같다.

③ x축과 만나지 않는다.

④ $y=-2x^2$의 그래프를 x축의 방향으로 1만큼, y축의 방향으로 4만큼 평행이동한 것이다.

⑤ $x>1$일 때, x의 값이 증가하면 y의 값은 감소한다.

17 다음 보기 중 이차함수 $y=3x^2+12x+7$의 그래프에 대한 설명으로 옳은 것을 모두 골라라.

┤ 보 기 ├

ㄱ. 꼭짓점의 좌표는 $(2, -5)$이다.

ㄴ. 모든 사분면을 지난다.

ㄷ. y절편은 7이다.

ㄹ. 이차함수 $y=3x^2$의 그래프와 모양이 같다.

18 ^{up} 이차함수 $y=x^2+6x-k+4$의 그래프가 x축과 서로 다른 두 점에서 만나기 위한 상수 k의 값의 범위를 구하여라.

유형 ⑤ 이차함수 $y=ax^2+bx+c$의 그래프에서 a, b, c의 부호

19 이차함수 $y=ax^2+bx+c$의 그래프가 오른쪽 그림과 같을 때, 다음 중 이차함수 $y=bx^2-ax-c$의 그래프는?

①   ②

③   ④

⑤

20 ^{up} 이차함수 $y=ax^2+bx+c$의 그래프가 오른쪽 그림과 같을 때, 다음 중 옳은 것은?

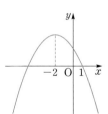

① $a>0$

② $b>0$

③ $c=0$

④ $4a-2b+c<0$

⑤ $a+b+c=0$

유형 TEST　**067**

21 오른쪽 그림은 이차함수 $y=x^2+2x-3$의 그래프이다. x축과의 교점을 각각 A, B라 하고, y축과의 교점을 C라고 할 때, △ACB의 넓이를 구하여라.

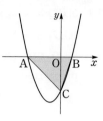

22 오른쪽 그림과 같이 이차함수 $y=-\dfrac{1}{2}x^2-2x+\dfrac{5}{2}$의 그래프와 x축과의 교점을 A, B, 꼭짓점을 C, y축과의 교점을 D라고 할 때, △ABC : △ABD는?

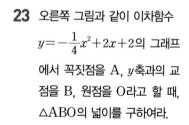

① 8 : 3   ② 8 : 5   ③ 9 : 4
④ 9 : 5   ⑤ 10 : 7

23 오른쪽 그림과 같이 이차함수 $y=-\dfrac{1}{4}x^2+2x+2$의 그래프에서 꼭짓점을 A, y축과의 교점을 B, 원점을 O라고 할 때, △ABO의 넓이를 구하여라.

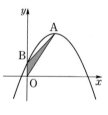

24 이차함수 $y=a(x-p)^2+q$의 그래프가 오른쪽 그림과 같을 때, 상수 a, p, q에 대하여 $ap-q$의 값을 구하여라.

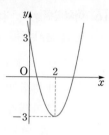

25 꼭짓점의 좌표가 $(2, 4)$이고, 점 $(4, 6)$을 지나는 이차함수의 그래프가 y축과 만나는 점의 좌표는?

① $(2, 0)$ ② $(6, 0)$ ③ $(0, 2)$
④ $(0, 4)$ ⑤ $(0, 6)$

26 이차함수 $y=-x^2+4x+1$의 그래프를 x축의 방향으로 a만큼, y축의 방향으로 b만큼 평행이동한 그래프가 오른쪽 그림과 같을 때, 상수 a, b에 대하여 $a+b$의 값을 구하여라.

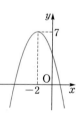

27 축의 방정식이 $x=-3$이고, 두 점 $(-2, -8)$, $(-1, -2)$를 지나는 이차함수의 그래프의 y절편을 구하여라.

30 이차함수 $y=ax^2+bx+c$의 그래프가 세 점 $(0, 1)$, $(1, 2)$, $(-1, 6)$을 지날 때, 상수 a, b, c에 대하여 abc의 값을 구하여라.

28 오른쪽 그림과 같이 직선 $x=-1$을 축으로 하는 포물선을 그래프로 하는 이차함수의 식이 $y=ax^2+bx+c$일 때, 상수 a, b, c의 곱 abc의 값을 구하여라.

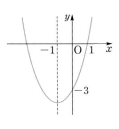

31 이차함수 $y=-2x^2+ax+b$의 그래프가 x축과 두 점 $(-3, 0)$, $(5, 0)$에서 만날 때, 상수 a, b에 대하여 $a+b$의 값을 구하여라.

29 축의 방정식이 $x=1$이고, x축에 접하며 y축과의 교점의 좌표가 $(0, -3)$인 이차함수의 그래프가 점 $(3, k)$를 지날 때, 상수 k의 값을 구하여라.

32^{up} 이차함수 $y=x^2+ax+b$의 그래프가 y축을 축으로 하고, x축과의 두 교점 사이의 거리가 8이다. 이때 상수 a, b에 대하여 $a+b$의 값을 구하여라.

●●○
01 다음 두 이차함수의 그래프의 꼭짓점의 좌표가 서로 같을 때, 상수 a, b에 대하여 $a+b$의 값을 구하여라.

$$y=2x^2-4ax+2a^2+3b-1$$
$$y=3x^2-12bx+12b^2+a-3$$

두 이차함수를 $y=a(x-p)^2+q$ 꼴로 나타낸 후 꼭짓점의 좌표를 비교한다.

●●○ 서술형
02 이차함수 $y=x^2-4x+5$의 그래프의 꼭짓점과 y축과의 교점을 지나는 직선을 그래프로 하는 일차함수의 식을 구하여라.

....

....

답 _____

서술 **TIP**
$y=a(x-p)^2+q$ 꼴로 나타내어 꼭짓점의 좌표를 구한다.

●●○
03 이차함수 $y=ax^2+bx+c$의 그래프가 오른쪽 그림과 같을 때, 다음 중 옳은 것은?

① $a+b+c<0$ ② $a-b+c>0$

③ $2a+b>0$ ④ $abc>0$

⑤ $4a-2b+c>0$

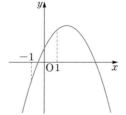

그래프가 위로 볼록하고, 축이 y축의 오른쪽에 위치한다. 또한, y절편이 양수이다.

04 좌표평면 위의 점 $(-1, 0)$에서 돌을 위로 던졌더니 오른쪽 그림과 같이 포물선 모양으로 돌이 움직였다. 돌의 좌표가 모두 자연수인 위치에 오게 되는 순서쌍 (x, y)를 모두 구하여라.

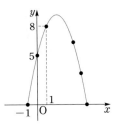

세 점 $(-1, 0)$, $(0, 5)$, $(1, 8)$의 좌표를 이용하여 이차함수의 식을 구한다.

서술형
05 이차함수 $y=x^2+ax+b$의 그래프가 오른쪽 그림과 같이 x축 위의 두 점 A, B를 지나고 점 C는 그래프 위에서 두 점 A, B 사이를 움직일 때, $\triangle$ABC의 넓이가 48이 되는 점 C의 좌표를 모두 구하여라. (단, a, b는 상수)

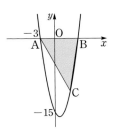

....

....

답 _____

서술 **TIP**

두 점 $(-3, 0)$, $(0, -15)$를 지나는 이차함수의 식을 구한다.

---

06 이차함수 $y=x^2+ax+b$의 그래프는 축의 방정식이 $x=-1$이고 x축과 만나는 두 점 사이의 거리가 6이다. 이때 상수 a, b에 대하여 $a+b$의 값을 구하여라.

x축과 만나는 두 점의 좌표를 먼저 구한다.

07 오른쪽 그림과 같이 이차함수 $y = -\dfrac{1}{2}x^2 + 5x$의 그래프의 꼭짓점을 A, x축과의 교점을 각각 P, Q라 하자. 직선 $y = ax + b$가 점 A를 지나고 삼각형 APQ의 넓이를 2 : 3으로 나눌 때, $2a + b$의 값을 구하여라. (단, $a > 0$)

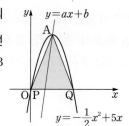

선분 PQ를 2 : 3으로 나누는 점의 좌표를 구한다.

08 오른쪽 그림과 같이 이차함수 $y = x^2 - 1$의 그래프 위의 한 점 P에서 x축에 평행한 직선을 그어 직선 $y = x - 3$과 만나는 점을 Q라고 하자. $\overline{PQ} = 4$일 때, 점 P의 좌표를 구하여라. (단, 점 P는 제1사분면 위의 점이다.)

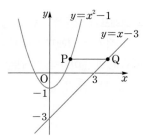

두 점 P, Q의 y좌표가 같다.

서술형

09 이차함수 $y = 3x^2 - 6x + 2a$의 그래프가 점 $(a, \ a^2 + 6)$을 지나고, x축과 두 점에서 만나도록 하는 상수 a의 값을 구하여라.

서술 **TIP**

그래프가 주어진 점을 지날 조건과 x축과 두 점에서 만날 조건을 각각 구해본다.

답 _____

10 이차함수 $f(x)=ax^2+bx+c$의 그래프가 오른쪽 그림과

같을 때, $\dfrac{b+c}{a}$ 의 값을 구하여라.

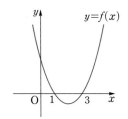

이차함수의 그래프가 x축과 만나는 두 점의 좌표가 $(\alpha,\ 0),\ (\beta,\ 0)$이면 $f(x)=a(x-\alpha)(x-\beta)$

11 이차함수 $y=x^2-2x-3$의 그래프를 y축의 방향으로 k만큼 평행이동하면 x축과 만나

는 두 점 사이의 거리가 처음의 $\dfrac{1}{2}$배가 된다. 이때 상수 k의 값을 구하여라.

$y=x^2-2x-3$의 그래프가 x축과 만나는 점의 좌표를 구한다.

12 오른쪽 그림의 직사각형 ABCD에서 두 점 B, C는 x축 위

에 있고, 두 점 A, D는 각각 직선 $y=2x+6$, $y=-x+6$

위에 있다. 점 A의 y좌표를 k라 하고, □ABCD의 넓이를

$f(k)$라 할 때, 다음 물음에 답하여라.

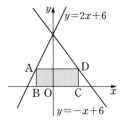

두 점 A, D의 x좌표를 k로 나타내 본다.

(1) $f(k)$를 k에 관한 식으로 나타내어라.

(2) $f(4)-f(2)$의 값을 구하여라.

01 다음 중 y가 x에 관한 이차함수인 것은?

① 자동차가 시속 80 km로 x시간 동안 달린 거리 y km

② 한 모서리의 길이가 x cm인 정육면체의 부피 y cm³

③ 한 변의 길이가 x cm인 정삼각형의 둘레의 길이 y cm

④ 밑면의 반지름의 길이가 x cm, 높이가 4 cm인 원기둥의 부피 y cm³

⑤ 둘레의 길이가 10 cm, 세로의 길이가 x cm인 직사각형의 가로의 길이 y cm

02 $y=(a^2-2)x^2-4x-2x^2$이 x에 대한 이차함수일 때, 다음 중 상수 a의 값이 될 수 <u>없는</u> 것을 모두 고르면?

(정답 2개)

① -2 　 ② $-\sqrt{2}$ 　 ③ $\sqrt{2}$

④ 2 　 ⑤ 3

03 다음 이차함수 중 그래프의 폭이 가장 넓은 것은?

① $y=-4x^2$ ② $y=-\dfrac{1}{3}x^2$ ③ $y=\dfrac{1}{2}x^2$

④ $y=x^2$ 　 ⑤ $y=2x^2$

04 다음 그림과 같이 직선 $y=8$이 y축과 만나는 점을 P, 이차함수 $y=2x^2$, $y=ax^2$의 그래프와 만나는 점을 각각 Q, R라고 하자. $\overline{\mathrm{PQ}}=\overline{\mathrm{QR}}$일 때, 상수 a의 값을 구하여라. (단, 두 점 Q, R는 제1사분면 위의 점이다.)

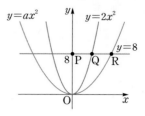

05 이차함수 $y=4x^2$의 그래프와 x축에 대칭인 이차함수의 그래프가 점 $(-1, k)$를 지날 때, k의 값을 구하여라.

06 다음 보기에 주어진 이차함수의 그래프에 대한 설명으로 옳은 것은?

┤ 보 기 ├
ㄱ. $y=-4x^2+3$ 　 ㄴ. $y=-4(x+1)^2+3$
ㄷ. $y=4x^2-3$ 　 ㄹ. $y=-4(x-1)^2+3$

① ㄱ과 ㄴ의 y절편은 같다.

② ㄱ과 ㄷ의 축의 방정식은 같다.

③ ㄹ은 ㄴ을 x축의 방향으로 -2만큼 평행이동한 것이다.

④ ㄱ을 y축에 대하여 대칭이동한 것은 ㄷ이다.

⑤ ㄴ을 x축에 대하여 대칭이동한 것은 ㄹ이다.

07 이차함수 $y=\dfrac{3}{2}x^2$의 그래프를 y축의 방향으로 a만큼

평행이동하면 점 $(2, -3)$을 지날 때, a의 값은?

① -9 ② -7 ③ -4

④ -1 ⑤ 3

08 $y=-\dfrac{2}{3}(x-a)^2$의 그래프가 오른

쪽 그림과 같다. 이 그래프가 y축과
만나는 점의 좌표가 $(0, b)$일 때,
상수 a, b에 대하여 $a-3b$의 값은?

① -2 ② -1 ③ 1

④ 2 ⑤ 3

09 이차함수 $y=a(x-p)^2-2$의 그래프가 직선 $x=-3$
을 축으로 하고 점 $(-2, 1)$을 지날 때, a의 값을 구하
여라. (단, a, p는 상수)

10 이차함수 $y=\dfrac{1}{3}(x-p)^2+2p^2$의 그래프의 꼭짓점이 일
차함수 $y=-x+3$의 그래프 위에 있을 때, 음수 p의
값을 구하여라.

11 이차함수 $y=a(x-1)^2+2$의 그래프를 y축에 대하여
대칭이동한 그래프가 점 $(-3, -6)$을 지날 때, 상수 a
의 값은?

① -3 ② -2 ③ -1

④ 2 ⑤ 3

12 오른쪽 그림과 같은 이차함수
$y=-(x-2)^2+5$의 그래프
의 꼭짓점 A에서 x축에 내린
수선의 발을 C, y축과의 교점
을 B라고 할 때, $\triangle$ABC의 넓
이를 구하여라.

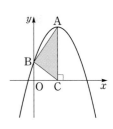

13 이차함수 $y=3x^2-6x-2$의 그래프에 대한 다음 설명
중 옳은 것은?

① 위로 볼록하고, 축은 y축의 왼쪽에 위치한다.

② 꼭짓점의 좌표는 $(1, -2)$이다.

③ 이차함수 $y=3x^2$의 그래프를 x축의 방향으로 -1
만큼, y축의 방향으로 -5만큼 평행이동한 것이다.

④ $x<1$일 때, x의 값이 증가하면 y의 값도 증가한다.

⑤ y축과 점 $(0, -2)$에서 만난다.

14 이차함수 $y=ax^2-2abx$의 그래프의 꼭짓점이 제3사분면 위에 있을 때, a, b의 부호는?

① $a>0$, $b>0$ ② $a>0$, $b<0$
③ $a<0$, $b>0$ ④ $a<0$, $b<0$
⑤ $a>0$, $b=0$

15 이차함수 $y=kx^2-2kx+k+3$의 그래프가 모든 사분면을 지날 때, 상수 k의 값의 범위를 구하여라.

16 이차함수 $y=ax^2+bx+c$의 그래프가 오른쪽 그림과 같을 때, 다음 중 일차함수 $y=-\dfrac{b}{a}x+\dfrac{c}{a}$의 그래프로 적당한 것은?

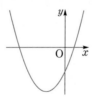

①
②
③
④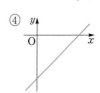
⑤

17 이차함수 $y=\dfrac{1}{2}x^2+4x-\dfrac{9}{2}$의 그래프가 x축과 만나는 두 점을 각각 A, B라고 할 때, 선분 AB의 길이는?

① 6 ② 8 ③ 10
④ 12 ⑤ 14

18 오른쪽 그림은 지면으로부터 18 m 높이에서 던져 올린 물체의 t초 후의 높이 h m를 그래프로 나타낸 것이다. 물체를 던진 후 지면에 떨어질 때까지 걸리는 시간은 몇 초인지 구하여라.

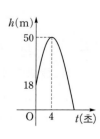

19 다음 세 조건을 모두 만족하는 이차함수의 식을 구하여라.

> ㈎ 그래프가 점 $(-2, 2)$를 지난다.
> ㈏ 그래프를 평행이동하면 이차함수 $y=3x^2$의 그래프와 일치한다.
> ㈐ x의 값이 증가함에 따라 y의 값도 증가하는 x의 값의 범위는 $x>-1$이다.

20 이차함수 $y=ax^2+bx+c$의 그래프가 세 점 $(-2, 5)$, $(1, -4)$, $(0, -3)$을 지날 때, 상수 a, b, c에 대하여 $a-b-c$의 값을 구하여라.

창의 사고력 **TEST** Ⅳ. 이차함수

01 두 이차함수 $f(x)$와 $g(x)$에 대하여 $f(x)=x^2-2x+2$이고, $g(x)=x^2+2x+2$일 때, $\dfrac{g(0)\times g(1)\times g(2)\times\cdots\times g(18)}{f(1)\times f(2)\times f(3)\times\cdots\times f(19)}$ 의 값을 구하여라.

① 두 함수 $f(x)$, $g(x)$ 를 $y=a(x-p)^2+q$ 꼴로 나타내면?

② $f(x)$ 와 $g(x)$ 는 어떤 관계가 있을까?

02 오른쪽 그림과 같이 이차함수 $y=-x^2-2x+8$의 그래프의 꼭 짓점을 A, x축과 만나는 두 점을 B, C라고 할 때, 점 B를 지나고 △ABC의 넓이를 이등분하는 직선의 방정식을 구하여라.
(단, 점 B의 x좌표는 음수이다.)

① 삼각형의 넓이를 이등분하는 직선은 삼각형 내부의 어떤 점을 지날까?

② 두 점을 지나는 직선을 그래프로 하는 일차함수의 식을 구하는 방법은?

03 오른쪽 그림과 같이 이차함수 $y=-x^2+4x+5$의 그래프와 x축 으로 둘러싸인 부분에 직사각형 ABCD가 내접하도록 그리려고 한다. 직사각형의 둘레의 길이가 20일 때, 넓이를 구하여라.

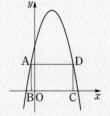

① B$(a, 0)$ 이라고 할 때, 축의 방정식을 통해 점 C의 좌표를 구하면?

② 직사각형의 둘레의 길이를 a를 이용해서 나타내면?

SUMMA CUM LAUDE
MIDDLE SCHOOL MATHEMATICS

튼튼한 **개념!** 흔들리지 않는 **실력!**

숨마쿰라우데 중학수학 3-상 개념기본서

숨마쿰라우데란 최고의 영예를 뜻하는 말입니다

숨마쿰라우데라는 말은 라틴어로 SUMMA CUM LAUDE라고 씁니다. 이는 최고의 영예를 뜻하는 말인데요. 보통 미국 아이비리그 명문 대학들의 최우수 졸업자에게 부여되는 칭호입니다. 우리나라로 치면 '수석 졸업'이라는 뜻이지요. 그러나 모든 일에 있어서 그렇듯 공부에 있어서도 결과 뿐 아니라 과정이 중요합니다. 최선을 다하는 과정이 있으면 좋은 결과가 따라올 뿐 아니라, 그 과정을 통해 얻어진 깨달음이 평생을 함께하기 때문입니다. 이룸이앤비 숨마쿰라우데는 바로 최선을 다하는 사람 모두에게 최고의 영예를 선사합니다.

개념을 확실히 잡으면 어떤 문제도 두렵지 않다!

수학 공부 도대체 어떻게 해야 할까요? 수많은 공부법과 요령들이 난무하지만 어떤 주장에도 빠지지 않는 내용이 바로 개념 이해의 필요성입니다. 덧셈을 배우면 덧셈을 통해 뺄셈을 배우고, 곱셈을 배우면 곱셈을 통해 나눗셈을 배웁니다. 역사 이야기처럼 수학 개념도 꼬리에 꼬리를 무는 연속성이 있는 것이므로 중간에 하나라도 빠진다면 그 다음 개념을 완벽히 이해할 수 없게 됩니다. 단계적 연계 학습을 하는 숨마쿰라우데로 흔들리지 않는 개념을 잡으세요. 수학의 참 재미를 발견하고, 어떤 문제가 나와도 두렵지 않을 것입니다.

스토리텔링 수학 학습의 결정판!

스토리텔링 학습이란 다양한 예나 이야기를 접목하여 개념과 원리를 쉽고 재미있게 설명하는 학습 방법입니다. "숨마쿰라우데 중학 수학"은 스토리텔링 방식으로 수학을 재미있게 설명해 놓은 최고의 스토리텔링 수학 학습서입니다. QA를 통해 개념을 스스로 묻고 답하면서 공부해 보세요. 수학이 쉽고 재미있게 다가올 것입니다.

학습 교재의 새로운 신화! 이룸이앤비가 만듭니다!

Q&A를 통한 스토리텔링식 수학 기본서의 결정판!

튼튼한 개념! 흔들리지 않는 실력!
숨마쿰라우데 중학수학
개념기본서

새교육과정에
맞춘 최고의
개념기본서

1-상 1-하
2-상 2-하
3-상 3-하

why **왜! 수학 개념이 중요하지? 문제만 많이 풀면 되잖아**
모든 수학 문제는 수학 개념을 잘 이해하고 있는지를 측정합니다.
같은 개념이라도 다양한 형태의 문제로 출제되지요.
개념을 정확히 이해하고 있다면 이들 다양한 문제들을 쉽게 해결할 수 있습니다.
개념 하나를 제대로 공부하는 것이 열 문제를 푸는 것보다 더 중요한 이유입니다!

How **어떻게 개념 학습을 해야 재미있고, 기억에 오래 남을까?**
수학도 이야기입니다. 흐름을 이해하며 개념을 공부하면 이야기처럼
머릿속에 차근차근 기억이 됩니다.
『숨마쿰라우데 개념기본서』는 묻고 답하는 형식으로 개념을
설명하였습니다. 대화를 나누듯 공부할 수 있어 재미있고
쉽게 이해가 됩니다.

숨마쿰라우데 중학수학 「실전문제집」으로

학교시험 100점 맞자!

기출문제로 개념 잡고 내신만점 맞자!

숨마쿰라우데 중학수학
실전문제집

새교육과정에
맞춘 단기 완성
실전문제집

1-상 1-하
2-상 2-하
3-상 3-하

Part 1 **핵심개념 특강편**
핵심개념 익히기
핵심유형으로 개념정복하기
기출문제로 실력 다지기

Part 2 **내신만점 도전편**
반복학습으로 실력완성하기
서술형문제로 만점도전하기

한 개념 한 개념씩 쉬운 문제로 매일매일 꾸준히
공부하는 기초 쌓기 최적의 수학 교재!

한 개념씩 쉬운 문제로 매일매일 공부하자!
숨마쿰라우데 **중학수학**

스타트업

새교육과정에 맞춘
반복 수학 문제집
스타트업

1-상 1-하
2-상 2-하
3-상 3-하

핵심개념으로
개념 잡고

쉬운문제로
반복학습

학교시험
100점!!

THINK MORE ABOUT YOUR FUTURE

튼튼한 **개념!** 흔들리지 않는 **실력!**

숨마쿰라우데 중학수학

개념기본서

해설 BOOK

Q&A를 통한 스토리텔링
수학 학습의 결정판!

EBS 중학프리미엄 인터넷강의 교재

자기주도 학습서 베스트 1위
★ **새교육과정** ★
숨 마 쿰 라 우 데

3-상

튼튼한 개념! 흔들리지 않는 실력!

숨마쿰라우데 중학수학

개념기본서

3-상

해설 BOOK

Ⅰ 실수와 그 계산

1. 제곱근과 실수

개념 CHECK
01. 제곱근의 뜻과 성질 · 028쪽

개념 확인 (1) $\sqrt{a}$, $-\sqrt{a}$ (2) 0 (3) 음수 (4) a, $-a$

01 (1) 0 (2) $\pm\sqrt{6}$ (3) $\pm\sqrt{0.7}$ (4) $\pm\sqrt{\dfrac{3}{5}}$ (5) 없다. (6) $\pm\dfrac{2}{3}$

02 (1) ± 11, 11 (2) ± 0.5, 0.5

03 (1) -4 (2) 12.3 (3) -5

04 (1) 8 (2) 4

05 (1) $<$ (2) $>$ (3) $<$

04 (1) $(\sqrt{5})^2+(-\sqrt{3})^2=5+3=8$

(2) $\sqrt{17^2}-\sqrt{(-13)^2}=17-13=4$

05 (1) $12<15$이므로 $\sqrt{12}<\sqrt{15}$

(2) $\dfrac{1}{3}>\dfrac{1}{5}$이므로 $\sqrt{\dfrac{1}{3}}>\sqrt{\dfrac{1}{5}}$

(3) $6=\sqrt{36}$이므로 $6>\sqrt{30}$

∴ $-6<-\sqrt{30}$

개념 CHECK
02. 무리수와 실수 · 036쪽

개념 확인 (1) 무리수 (2) 음의 실수 (3) 크다

01 $\sqrt{\dfrac{3}{16}}$, $\sqrt{2}+3$, $\sqrt{5}$

02 (1) × (2) × (3) ○ (4) ○

03 (1) 7.416 (2) 7.436 (3) 7.497 (4) 7.556

04 (1) $\sqrt{10}$ (2) $2+\sqrt{10}$ (3) $\sqrt{13}$ (4) $2-\sqrt{13}$

05 (1) $>$ (2) $<$

01 $\sqrt{49}=7$, $0.3\dot{6}=\dfrac{36-3}{90}=\dfrac{33}{90}=\dfrac{11}{30}$,

$-\sqrt{\dfrac{3}{108}}=-\sqrt{\dfrac{1}{36}}=-\dfrac{1}{6}$

이므로 무리수는 $\sqrt{\dfrac{3}{16}}$, $\sqrt{2}+3$, $\sqrt{5}$이다.

---

02 (1) $\sqrt{9}=3$과 같이 근호가 있는 수가 유리수인 것도 있다.

(2) 순환하지 않는 무한소수는 무리수이다.

04 (2) $\overline{\text{AP}}=\overline{\text{AB}}=\sqrt{10}$이므로 점 P에 대응하는 수는 $2+\sqrt{10}$ 이다.

(4) $\overline{\text{AQ}}=\overline{\text{AC}}=\sqrt{13}$이므로 점 Q에 대응하는 수는 $2-\sqrt{13}$ 이다.

05 (1) $-2>-4$이므로 양변에 $\sqrt{5}$를 더하면

$\sqrt{5}-2>\sqrt{5}-4$

(2) $\sqrt{2}<\sqrt{6}$이므로 양변에서 $\sqrt{3}$을 빼면

$\sqrt{2}-\sqrt{3}<\sqrt{6}-\sqrt{3}$

유형 EXERCISES
037~040쪽

유형 ❶ ③	1-1 ②	1-2 ③	1-3 2
	1-4 $\sqrt{29}$ cm	1-5 $\sqrt{28}$ cm	1-6 ①, ⑤
유형 ❷ ③	2-1 ⑤	2-2 -6	2-3 ③
유형 ❸ a	3-1 $a-3b$	3-2 $2a-2$	3-3 -1
유형 ❹ 15	4-1 5	4-2 18	4-3 4, 12
유형 ❺ ⑤	5-1 $\dfrac{5}{2}$	5-2 31	5-3 7
유형 ❻ ②, ⑤	6-1 3개	6-2 ⑤	6-3 ②
유형 ❼ A$(2-\sqrt{10})$, B$(-2+\sqrt{5})$			
	7-1 $\sqrt{2}$, $\sqrt{5}$, $\sqrt{10}$		7-2 ⑤

유형 ❶

① 4는 16의 양의 제곱근이다.

② 0의 제곱근은 0이다.

④ 음수의 제곱근은 없다.

⑤ 제곱근 1은 1이다.

1-1 ② $\pm\sqrt{2}$

①, ③, ④, ⑤ $\sqrt{2}$

1-2 $\sqrt{9^2}=\sqrt{81}=9$이므로 9의 제곱근은 ± 3

1-3 25의 양의 제곱근은 5이므로 $A=5$
$(-3)^2=9$의 음의 제곱근은 -3이므로 $B=-3$
$\therefore A+B=5+(-3)=2$

1-4 대각선의 길이를 x cm라고 하면
$x^2=5^2+2^2=29$ $\quad\therefore x=\sqrt{29}\ (\because x>0)$
따라서 대각선의 길이는 $\sqrt{29}$ cm이다.

1-5 (삼각형의 넓이)$=\dfrac{1}{2}\times7\times8=28(\mathrm{cm}^2)$
즉, 구하는 정사각형의 한 변의 길이를 x cm라고 하면
$x^2=28$ $\quad\therefore x=\sqrt{28}\ (\because x>0)$
따라서 구하는 정사각형의 한 변의 길이는 $\sqrt{28}$ cm이다.

1-6 ① $\sqrt{169}=13$ ⑤ $\sqrt{\dfrac{25}{9}}=\dfrac{5}{3}$

유형 ❷
③ $(-\sqrt{7})^2=7$

2-1 ①, ②, ③, ④ 3
⑤ -3

2-2 $\sqrt{0.04}\times\sqrt{(-5)^2}-(-\sqrt{7})^2$
$=0.2\times5-7=1-7=-6$

2-3 ③ $-\sqrt{(-a)^2}=-a$

유형 ❸
$a>0$이므로
(주어진 식)$=-(-a)+2a-\{-(-2a)\}$
$\qquad\qquad\quad=a+2a-2a=a$

3-1 $\sqrt{a^2}=a$이므로 $a>0$ $\quad\therefore -a<0$
$\sqrt{b^2}=-b$이므로 $b<0$ $\quad\therefore 3b<0$
$\therefore \sqrt{(-a)^2}+\sqrt{9b^2}=\sqrt{(-a)^2}+\sqrt{(3b)^2}$
$\qquad\qquad\qquad\qquad\quad=-(-a)+(-3b)=a-3b$

3-2 $a+2>0$, $a-4<0$이므로
(주어진 식)$=(a+2)-\{-(a-4)\}=2a-2$

3-3 b, c의 부호가 서로 다르므로 $bc<0$이고 $1-bc>0$

$\therefore \sqrt{b^2c^2}-\sqrt{(1-bc)^2}=\sqrt{(bc)^2}-\sqrt{(1-bc)^2}$
$\qquad\qquad\qquad\qquad\quad=-bc-(1-bc)=-1$

유형 ❹
$\dfrac{240}{x}=\dfrac{2^4\times3\times5}{x}$가 제곱수가 되어야 하므로
$x=3\times5,\ 2^2\times3\times5,\ 2^4\times3\times5$
따라서 가장 작은 자연수 x의 값은 $3\times5=15$이다.

4-1 $20-n=0,\ 1,\ 4,\ 9,\ 16$이 되게 하는 자연수 n의 값은
20, 19, 16, 11, 4의 5개이다.

4-2 $24a=2^3\times3\times a$가 제곱수가 되게 하는 a의 최솟값은
$2\times3=6$
이때 b의 값은
$\sqrt{2^4\times3^2}=\sqrt{(4\times3)^2}=\sqrt{12^2}=12$
따라서 $a+b$의 최솟값은
$6+12=18$

4-3 20 이하의 자연수 x에 대하여
$2x+1$이 제곱수가 되어야 하므로
$2x+1=1$에서 $x=0$, $2x+1=4$에서 $x=\dfrac{3}{2}$,
$2x+1=9$에서 $x=4$, $2x+1=16$에서 $x=\dfrac{15}{2}$,
$2x+1=25$에서 $x=12$, $2x+1=36$에서 $x=\dfrac{35}{2}$
따라서 조건을 만족하는 자연수 x의 값은 4, 12이다.

유형 ❺
① $\sqrt{17}>\sqrt{15}$
② $4=\sqrt{16}$이므로 $4>\sqrt{12}$
③ $\sqrt{5}<\sqrt{6}$이므로 $-\sqrt{5}>-\sqrt{6}$
④ $0.1=\sqrt{0.01}$이므로 $0.1<\sqrt{0.1}$

5-1 (음수)$<0<$(양수)이므로 음수와 양수로 나누어 비교한다.
(i) 음수 : $3<\sqrt{10}$이므로 $-\sqrt{10}<-3$
(ii) 양수 : $\dfrac{1}{2}=\sqrt{\dfrac{1}{4}}$, $\sqrt{\dfrac{1}{8}}$, $\sqrt{0.2}=\sqrt{\dfrac{2}{10}}=\sqrt{\dfrac{1}{5}}$
이므로 $\sqrt{\dfrac{1}{8}}<\sqrt{0.2}<\dfrac{1}{2}$
따라서 $a=-\sqrt{10}$, $b=\dfrac{1}{2}$이므로
$a^2b^2=(-\sqrt{10})^2\times\left(\dfrac{1}{2}\right)^2=\dfrac{5}{2}$

5-2 $2<\sqrt{n}<6$에서 $\sqrt{4}<\sqrt{n}<\sqrt{36}$이므로
$4<n<36$
따라서 자연수 n의 개수는 $36-4-1=31$

5-3 $3\le\sqrt{x-2}<4$에서 $9\le x-2<16$이므로
$11\le x<18$
따라서 자연수 x의 개수는 $18-11=7$

유형 ⑥
② 순환소수는 무한소수이지만 유리수이다.
⑤ 무리수는 순환소수로 나타낼 수 없다.

6-1 $1.\dot{2}=\dfrac{12-1}{9}=\dfrac{11}{9}$,
3.14, $-\sqrt{0.16}=-\sqrt{(0.4)^2}=-0.4$는 유리수이다.
따라서 $\sqrt{6}$, $\sqrt{3}+2$, $\sqrt{0.4}$는 무리수이므로 무리수는 모두 3개이다.

6-2 ① $\sqrt{0.04}=\sqrt{(0.2)^2}=0.2$
② $\sqrt{1.69}=\sqrt{(1.3)^2}=1.3$
③ $\sqrt{\dfrac{1}{9}}=\dfrac{1}{3}=0.\dot{3}$
④ $\sqrt{0.\dot{4}}=\sqrt{\dfrac{4}{9}}=\dfrac{2}{3}=0.\dot{6}$
⑤ $\sqrt{14.4}$는 무리수이므로 순환하지 않는 무한소수로 나타내어진다.

6-3 ② 순환하지 않는 무한소수로 나타내어진다.

유형 ⑦
정사각형 ㈎, ㈏의 한 변의 길이는 각각 $\sqrt{5}$, $\sqrt{10}$이므로
$A(2-\sqrt{10})$, $B(-2+\sqrt{5})$

7-1 $\overline{OA}=\sqrt{2}$, $\overline{OB}=\sqrt{5}$, $\overline{OC}=\sqrt{10}$
따라서 P, Q, R에 대응하는 세 수는 각각 $\sqrt{2}$, $\sqrt{5}$, $\sqrt{10}$이다.

7-2 ⑤ $E(-1+\sqrt{2})$

01 ③	02 3	03 $\sqrt{7}$	04 8
05 $-a-2b$	06 $2x-1$	07 ④	08 15
09 ③, ④	10 $P(2-\sqrt{2})$, $Q(1+\sqrt{3})$		11 ⑤
12 ③	13 $b<c<a$	14 ⑤	15 7
16 -2, 3	17 $2bc$	18 75	19 70
20 6	21 $a=\sqrt{10}-3$, $b=4-\sqrt{10}$		

01 ① 16의 제곱근은 ±4이다.
② 2의 음의 제곱근은 $-\sqrt{2}$이다.
④ $\sqrt{(-5)^2}=5$
⑤ $(-6)^2=36$의 제곱근은 ±6이다.

02 $\sqrt{36}=6$의 양의 제곱근은 $\sqrt{6}$, $\sqrt{(-15)^2}=15$의 음의 제곱근은 $-\sqrt{15}$이므로 $a=\sqrt{6}$, $b=-\sqrt{15}$
$\therefore \sqrt{b^2-a^2}=\sqrt{15-6}=\sqrt{9}=3$

03 두 정사각형 A, B의 넓이가 각각 2, 5이므로 정사각형 C의 넓이는 $2+5=7$이다.
따라서 정사각형 C의 한 변의 길이는 $\sqrt{7}$이다.

04 $45=3^2\times5$이므로 가장 작은 자연수 a의 값은 5이다.
$48=2^4\times3$이므로 가장 작은 자연수 b의 값은 3이다.
$\therefore a+b=5+3=8$

05 $a>0$, $b<0$이므로 $b-a<0$
$\therefore$ (주어진 식)$=-(b-a)-2a-b=-a-2b$

06 $x+1>0$, $x-2<0$이므로
(주어진 식)$=(x+1)-\{-(x-2)\}=2x-1$

07 ④ $3=\sqrt{9}$이고 $\sqrt{8}<\sqrt{9}$이므로
$-\sqrt{8}>-\sqrt{9}$

08 $\sqrt{12}<n<\sqrt{42}$의 각 변을 제곱하면
$12<n^2<42$
따라서 자연수 n의 값은 4, 5, 6이므로 그 합은
$4+5+6=15$

09 순환하지 않는 무한소수는 무리수이다.
① $1.\dot{4}=\dfrac{13}{9}$

② (0.04의 제곱근)$=\pm\sqrt{0.04}=\pm0.2$

⑤ $\sqrt{1}+\sqrt{0.81}=1+0.9=1.9$

10 $\overline{CP}=\overline{AC}=\sqrt{2}$이므로 점 P의 좌표는 P$(2-\sqrt{2})$

$\overline{BE}=\sqrt{2}$, $\overline{BF}=\sqrt{(\sqrt{2})^2+1^2}=\sqrt{3}$이므로 점 Q의 좌표는 Q$(1+\sqrt{3})$

11 ⑤ 수직선은 실수에 대응하는 점으로 완전히 메울 수 있다.

12 화살표에 대응하는 수는 왼쪽부터 차례로

$-1-\sqrt{2}$, $-\sqrt{2}$, $-2+\sqrt{2}$, $-1+\sqrt{2}$, $2-\sqrt{2}$이다.

③ $-2+\sqrt{2}>-\sqrt{2}$

13 $3<\sqrt{12}<4$이므로 $-2<\sqrt{12}-5<-1$

$4<\sqrt{20}<5$이므로 $-3<2-\sqrt{20}<-2$

따라서 $a=-1.\times\times\times$, $b=-2.\times\times\times$, $c=-2$이므로 $b<c<a$

■ 다른 풀이 ■

$a-c=\sqrt{12}-5-(-2)=\sqrt{12}-3>0$이므로 $a>c$

$b-c=2-\sqrt{20}-(-2)=4-\sqrt{20}<0$이므로 $b<c$

$\therefore b<c<a$

14 ⑤ $\dfrac{\sqrt{5}-\sqrt{3}}{2}=0.252<\sqrt{3}$

15 $3<\sqrt{10}<4$이므로 $-2<\sqrt{10}-5<-1$

$2<\sqrt{5}<3$이므로 $5<3+\sqrt{5}<6$

따라서 두 수 사이에 있는 정수는 -1, 0, $\cdots$, 4, 5의 7개이다.

16 (i) $2a-1\geq0$, 즉 $a\geq\dfrac{1}{2}$일 때

$\sqrt{(2a-1)^2}=2a-1=5$ $\therefore a=3$

(ii) $2a-1<0$, 즉 $a<\dfrac{1}{2}$일 때

$\sqrt{(2a-1)^2}=-(2a-1)=5$ $\therefore a=-2$

(i), (ii)에서 구하는 a의 값은 -2, 3이다.

17 $ac>0$, $bc<0$이므로 a, b의 부호는 서로 다르다.

즉, $ab<0$이므로 $ab-1<0$, $ab+bc<0$, $1-bc>0$

$\therefore$ (주어진 식)$=-(ab-1)-\{-(ab+bc)\}-(1-bc)$

$=2bc$

18 $48=2^4\times3$이므로 $n=3\times$ (자연수)^2 꼴이어야 한다.

$\therefore n=3$, 12, 27, 48, 75

이 중에서 $25+n$이 제곱수가 되게 하는 자연수 n의 값은 75이다.

■ 참고 ■

$\sqrt{25+n}$이 자연수가 되려면

$25+n=36$, 49, 64, 81, 100, 121

$\therefore n=11$, 24, 39, 56, 75, 96

19 근호 안의 수를 소인수분해하면

$1\times2\times3\times\cdots\times9\times n$

$=1\times2\times3\times2^2\times5\times(2\times3)\times7\times2^3\times3^2\times n$

$=2^7\times3^4\times5\times7\times n$

따라서 $n=2\times5\times7\times$ (자연수)^2 꼴이어야 하므로 가장 작은 자연수 n의 값은

$n=2\times5\times7=70$

20 $f(1)=\sqrt{0.\dot{1}}=\sqrt{\dfrac{1}{9}}=\dfrac{1}{3}$, $f(2)=\sqrt{0.\dot{2}}=\sqrt{\dfrac{2}{9}}$,

$f(3)=\sqrt{0.\dot{3}}=\sqrt{\dfrac{3}{9}}=\sqrt{\dfrac{1}{3}}$, $f(4)=\sqrt{0.\dot{4}}=\sqrt{\dfrac{4}{9}}=\dfrac{2}{3}$,

$f(5)=\sqrt{0.\dot{5}}=\sqrt{\dfrac{5}{9}}$, $f(6)=\sqrt{0.\dot{6}}=\sqrt{\dfrac{6}{9}}=\sqrt{\dfrac{2}{3}}$,

$f(7)=\sqrt{0.\dot{7}}=\sqrt{\dfrac{7}{9}}$, $f(8)=\sqrt{0.\dot{8}}=\sqrt{\dfrac{8}{9}}$

따라서 $f(1)$, $f(4)$만 유리수이므로 무리수의 개수는

$8-2=6$

21 (i) $\sqrt{9}<\sqrt{10}<\sqrt{16}$이므로 $3<\sqrt{10}<4$

즉, $\sqrt{10}$의 정수 부분은 3이고, 소수 부분은 $\sqrt{10}-3$

$\therefore a=\sqrt{10}-3$

(ii) $-\sqrt{16}<-\sqrt{10}<-\sqrt{9}$이므로 $-4<-\sqrt{10}<-3$

$\therefore 2<6-\sqrt{10}<3$

즉, $6-\sqrt{10}$의 정수 부분은 2이고, 소수 부분은

$6-\sqrt{10}-2=4-\sqrt{10}$

$\therefore b=4-\sqrt{10}$

2. 근호를 포함한 식의 계산

051쪽

개념 CHECK 01. 제곱근의 곱셈과 나눗셈

개념 확인 (1) ① ab ② $\dfrac{b}{a}$ ③ a (2) 유리화

01 (1) $\sqrt{77}$ (2) $12\sqrt{2}$ (3) $12\sqrt{14}$

02 (1) $\sqrt{6}$ (2) $3\sqrt{3}$ (3) $\dfrac{\sqrt{2}}{3}$

03 (1) $3\sqrt{6}$ (2) $2\sqrt{30}$ (3) $12\sqrt{2}$

04 (1) $\dfrac{\sqrt{3}}{2}$ (2) $\dfrac{\sqrt{7}}{9}$ (3) $\dfrac{\sqrt{3}}{5}$

05 (1) $2\sqrt{3}$ (2) $3\sqrt{2}$ (3) $\dfrac{\sqrt{15}}{2}$

06 (1) $5\sqrt{2}$ (2) 10

---

01 (2) $2\sqrt{2}\times6=(2\times6)\sqrt{2}=12\sqrt{2}$

(3) $4\sqrt{2}\times3\sqrt{7}=(4\times3)\sqrt{2\times7}=12\sqrt{14}$

02 (1) $\sqrt{72}\div\sqrt{12}=\dfrac{\sqrt{72}}{\sqrt{12}}=\sqrt{\dfrac{72}{12}}=\sqrt{6}$

(2) $21\sqrt{6}\div7\sqrt{2}=\dfrac{21}{7}\sqrt{\dfrac{6}{2}}=3\sqrt{3}$

(3) $\sqrt{\dfrac{4}{15}}\div\sqrt{\dfrac{6}{5}}=\sqrt{\dfrac{4}{15}\times\dfrac{5}{6}}=\sqrt{\dfrac{2}{9}}=\dfrac{\sqrt{2}}{3}$

03 (1) $\sqrt{54}=\sqrt{3^2\times6}=3\sqrt{6}$

(2) $\sqrt{120}=\sqrt{2^3\times3\times5}=2\sqrt{2\times3\times5}=2\sqrt{30}$

(3) $3\sqrt{32}=3\sqrt{4^2\times2}=3\times4\sqrt{2}=12\sqrt{2}$

04 (2) $\sqrt{\dfrac{7}{81}}=\sqrt{\dfrac{7}{9^2}}=\dfrac{\sqrt{7}}{9}$

(3) $\sqrt{0.12}=\sqrt{\dfrac{12}{100}}=\sqrt{\dfrac{3}{25}}=\sqrt{\dfrac{3}{5^2}}=\dfrac{\sqrt{3}}{5}$

05 (1) $\dfrac{6}{\sqrt{3}}=\dfrac{6\times\sqrt{3}}{\sqrt{3}\times\sqrt{3}}=\dfrac{6\sqrt{3}}{3}=2\sqrt{3}$

(2) $\dfrac{12}{\sqrt{8}}=\dfrac{12}{2\sqrt{2}}=\dfrac{6}{\sqrt{2}}=\dfrac{6\times\sqrt{2}}{\sqrt{2}\times\sqrt{2}}=\dfrac{6\sqrt{2}}{2}=3\sqrt{2}$

(3) $\dfrac{3\sqrt{5}}{2\sqrt{3}}=\dfrac{3\sqrt{5}\times\sqrt{3}}{2\sqrt{3}\times\sqrt{3}}=\dfrac{3\sqrt{15}}{6}=\dfrac{\sqrt{15}}{2}$

06 (1) $\sqrt{2}\times\sqrt{75}\div\sqrt{3}=\sqrt{150}\times\dfrac{1}{\sqrt{3}}=\sqrt{50}=5\sqrt{2}$

(2) $2\sqrt{30}\div\sqrt{6}\times\sqrt{5}=2\sqrt{30}\times\dfrac{1}{\sqrt{6}}\times\sqrt{5}=2\sqrt{5}\times\sqrt{5}=10$

057쪽

개념 CHECK 02. 제곱근의 덧셈과 뺄셈

개념 확인 (1) $m+n$ (2) $m-n$ (3) 10, 13

01 (1) $5\sqrt{3}$ (2) $4\sqrt{2}$ (3) $3\sqrt{6}-\sqrt{3}$ (4) $\sqrt{7}-2\sqrt{6}$

02 (1) $3\sqrt{2}-\sqrt{6}$ (2) $4-\sqrt{3}$ (3) $2\sqrt{3}$ (4) $3\sqrt{6}$

03 $-5\sqrt{6}$

04 (1) 47.01 (2) 0.4583 (3) 0.04615 (4) 471.2

---

01 (2) $3\sqrt{8}-2\sqrt{2}=6\sqrt{2}-2\sqrt{2}=4\sqrt{2}$

(3) $\sqrt{6}-3\sqrt{3}+\sqrt{24}+\sqrt{12}$
$=\sqrt{6}-3\sqrt{3}+2\sqrt{6}+2\sqrt{3}$
$=(1+2)\sqrt{6}+(-3+2)\sqrt{3}=3\sqrt{6}-\sqrt{3}$

(4) $3\sqrt{7}-5\sqrt{6}-\sqrt{28}+\sqrt{54}=3\sqrt{7}-5\sqrt{6}-2\sqrt{7}+3\sqrt{6}$
$=\sqrt{7}-2\sqrt{6}$

02 (1) $\sqrt{3}(\sqrt{6}-\sqrt{2})=\sqrt{3}\times\sqrt{6}-\sqrt{3}\times\sqrt{2}$
$=3\sqrt{2}-\sqrt{6}$

(2) $(4\sqrt{2}-\sqrt{6})\div\sqrt{2}=4\sqrt{2}\div\sqrt{2}-\sqrt{6}\div\sqrt{2}$
$=4-\sqrt{3}$

(3) $\sqrt{27}+9\div\sqrt{3}-4\sqrt{3}=3\sqrt{3}+\dfrac{9}{\sqrt{3}}-4\sqrt{3}$
$=3\sqrt{3}+3\sqrt{3}-4\sqrt{3}=2\sqrt{3}$

(4) $\sqrt{84}\div\sqrt{14}+2\sqrt{2}\times\sqrt{3}=\sqrt{84\div14}+2\sqrt{2\times3}$
$=\sqrt{6}+2\sqrt{6}=3\sqrt{6}$

03 $4xy-12\sqrt{2}y=4\times\dfrac{3}{\sqrt{2}}\times\dfrac{5}{2\sqrt{3}}-12\sqrt{2}\times\dfrac{5}{2\sqrt{3}}$

$=\dfrac{30}{\sqrt{6}}-\dfrac{30\sqrt{2}}{\sqrt{3}}=5\sqrt{6}-10\sqrt{6}=-5\sqrt{6}$

04 (1) $\sqrt{2210}=\sqrt{22.1\times100}=10\sqrt{22.1}$
$=10\times4.701=47.01$

(2) $\sqrt{0.21}=\sqrt{21\times\dfrac{1}{100}}=\dfrac{\sqrt{21}}{10}$

$=\dfrac{1}{10}\times4.583=0.4583$

(3) $\sqrt{0.00213}=\sqrt{21.3\times\dfrac{1}{10000}}=\dfrac{1}{100}\sqrt{21.3}$

$=\dfrac{1}{100}\times4.615=0.04615$

(4) $\sqrt{222000}=\sqrt{22.2\times10000}=100\sqrt{22.2}$
$=100\times4.712=471.2$

유형 ❶ ③	1-1 2	1-2 6	1-3 ④
유형 ❷ ③	2-1 $6\sqrt{3}$	2-2 $\dfrac{\sqrt{3}}{2}, \sqrt{0.12}, \sqrt{\dfrac{3}{49}}$	
	2-3 ④		
유형 ❸ ⑤	3-1 $\dfrac{2}{3}$	3-2 $\dfrac{\sqrt{8}}{3}$	3-3 7
유형 ❹ $\sqrt{6}$	4-1 $2\sqrt{30}$	4-2 $\dfrac{\sqrt{2}}{8}$	4-3 $\dfrac{3\sqrt{2}}{4}$
유형 ❺ 4	5-1 $9\sqrt{10}$	5-2 $3\sqrt{5}\,\text{cm}$	
유형 ❻ 10	6-1 $5\sqrt{3}-2\sqrt{5}$		6-2 $\dfrac{\sqrt{6}}{6}$
	6-3 $\dfrac{7\sqrt{2}}{12}$	6-4 $A<B$	
유형 ❼ $\sqrt{6}$	7-1 9	7-2 6	7-3 -1
	7-4 -2		
유형 ❽ ④	8-1 104.14	8-2 ②	8-3 ④

유형 ❶

① $\sqrt{2}\times\sqrt{3}\times\sqrt{6}=\sqrt{2\times3\times6}=\sqrt{6^2}=6$

② $\dfrac{\sqrt{12}}{\sqrt{3}}=\sqrt{\dfrac{12}{3}}=\sqrt{4}=2$

③ $\dfrac{\sqrt{27}}{\sqrt{9}}=\sqrt{\dfrac{27}{9}}=\sqrt{3}$

④ $\sqrt{\dfrac{2}{3}}\times\sqrt{\dfrac{9}{6}}=\sqrt{\dfrac{2}{3}\times\dfrac{9}{6}}=1$

⑤ $\dfrac{\sqrt{10}}{\sqrt{7}}\div\sqrt{\dfrac{5}{14}}=\sqrt{\dfrac{10}{7}\times\dfrac{14}{5}}=\sqrt{4}=2$

1-1 $\sqrt{a}=\sqrt{\dfrac{14}{3}}\times\sqrt{\dfrac{6}{7}}=\sqrt{\dfrac{14}{3}\times\dfrac{6}{7}}=\sqrt{4}$

$\quad\therefore a=4$

$\quad\sqrt{b}=\sqrt{\dfrac{2}{5}}\div\sqrt{\dfrac{4}{5}}=\sqrt{\dfrac{2}{5}}\times\sqrt{\dfrac{5}{4}}=\sqrt{\dfrac{2}{5}\times\dfrac{5}{4}}=\sqrt{\dfrac{1}{2}}$

$\quad\therefore b=\dfrac{1}{2}$

$\quad\therefore ab=4\times\dfrac{1}{2}=2$

1-2 $\sqrt{3}\times\sqrt{4}\times\sqrt{18}\times\sqrt{x}=\sqrt{3\times4\times18\times x}=\sqrt{36\times36}$

$\quad 3\times4\times18\times x=36\times36 \qquad \therefore x=6$

1-3 ④ $4\sqrt{18}\div2\sqrt{6}=4\sqrt{18}\times\dfrac{1}{2\sqrt{6}}=2\sqrt{3}$

유형 ❷

③ $\sqrt{90}=3\sqrt{10}$

2-1 $\sqrt{72}=\sqrt{6^2\times2}=6\sqrt{2}$이므로 $a=6$

$\quad 3\sqrt{2}=\sqrt{3^2\times2}=\sqrt{18}$이므로 $b=18$

$\quad\therefore \sqrt{ab}=\sqrt{6\times18}=\sqrt{6^2\times3}=6\sqrt{3}$

2-2 $\sqrt{0.12}=\sqrt{\dfrac{12}{100}}=\sqrt{\dfrac{3}{25}}=\dfrac{\sqrt{3}}{5}$

$\quad\sqrt{\dfrac{3}{49}}=\sqrt{\dfrac{3}{7^2}}=\dfrac{\sqrt{3}}{7}$

$\quad\therefore \dfrac{\sqrt{3}}{2}>\sqrt{0.12}>\sqrt{\dfrac{3}{49}}$

2-3 $\sqrt{135}=\sqrt{3^3}\times\sqrt{5}=(\sqrt{3})^3\times\sqrt{5}=a^3b$

유형 ❸

① $\dfrac{\sqrt{2}}{\sqrt{3}}=\dfrac{\sqrt{2}\times\sqrt{3}}{\sqrt{3}\times\sqrt{3}}=\dfrac{\sqrt{6}}{3}$

② $\dfrac{2}{\sqrt{6}}=\dfrac{2\times\sqrt{6}}{\sqrt{6}\times\sqrt{6}}=\dfrac{2\sqrt{6}}{6}=\dfrac{\sqrt{6}}{3}$

③ $\dfrac{1}{2\sqrt{3}}=\dfrac{\sqrt{3}}{2\sqrt{3}\times\sqrt{3}}=\dfrac{\sqrt{3}}{6}$

④ $\dfrac{3\sqrt{2}}{\sqrt{3}}=\dfrac{3\sqrt{2}\times\sqrt{3}}{\sqrt{3}\times\sqrt{3}}=\dfrac{3\sqrt{6}}{3}=\sqrt{6}$

3-1 $\dfrac{1}{\sqrt{27}}=\dfrac{1}{\sqrt{3^2\times3}}=\dfrac{1}{3\sqrt{3}}=\dfrac{\sqrt{3}}{3\sqrt{3}\times\sqrt{3}}=\dfrac{\sqrt{3}}{9}$

$\quad\therefore a=\dfrac{1}{9}$

$\quad\dfrac{5}{\sqrt{45}}=\dfrac{5}{\sqrt{3^2\times5}}=\dfrac{5}{3\sqrt{5}}=\dfrac{5\times\sqrt{5}}{3\sqrt{5}\times\sqrt{5}}=\dfrac{5\sqrt{5}}{15}=\dfrac{\sqrt{5}}{3}$

$\quad\therefore b=\dfrac{1}{3}$

$\quad\therefore 3a+b=3\times\dfrac{1}{9}+\dfrac{1}{3}=\dfrac{2}{3}$

3-2 $\sqrt{\dfrac{2}{3}}=\dfrac{\sqrt{2}}{\sqrt{3}}=\dfrac{\sqrt{6}}{3}, \dfrac{2}{3}=\dfrac{\sqrt{4}}{3}, \dfrac{2}{\sqrt{3}}=\dfrac{2\sqrt{3}}{3}=\dfrac{\sqrt{12}}{3}$

이므로 큰 수부터 차례로 나열하면

$\dfrac{\sqrt{12}}{3}, \dfrac{\sqrt{8}}{3}, \dfrac{\sqrt{6}}{3}, \dfrac{\sqrt{4}}{3}, \dfrac{\sqrt{2}}{3}$

➡ $\dfrac{2}{\sqrt{3}}, \dfrac{\sqrt{8}}{3}, \sqrt{\dfrac{2}{3}}, \dfrac{2}{3}, \dfrac{\sqrt{2}}{3}$

따라서 두 번째에 오는 수는 $\dfrac{\sqrt{8}}{3}$이다.

3-3 $\dfrac{3\sqrt{a}}{2\sqrt{3}}=\dfrac{3\sqrt{a}\times\sqrt{3}}{2\sqrt{3}\times\sqrt{3}}=\dfrac{\sqrt{3a}}{2}=\dfrac{\sqrt{21}}{2}$

따라서 $3a=21$이므로 $a=7$

유형 ❹

$\dfrac{3\sqrt{3}}{\sqrt{2}}\div\dfrac{\sqrt{6}}{\sqrt{5}}\times\dfrac{\sqrt{8}}{\sqrt{15}}=\dfrac{3\sqrt{3}}{\sqrt{2}}\times\dfrac{\sqrt{5}}{\sqrt{6}}\times\dfrac{2\sqrt{2}}{\sqrt{15}}=\dfrac{6}{\sqrt{6}}=\sqrt{6}$

4-1 $\sqrt{32}\times\sqrt{45}\div\sqrt{12}$

$=4\sqrt{2}\times3\sqrt{5}\times\dfrac{1}{2\sqrt{3}}$

$=\dfrac{6\sqrt{10}}{\sqrt{3}}=\dfrac{6\sqrt{10}\times\sqrt{3}}{\sqrt{3}\times\sqrt{3}}=\dfrac{6\sqrt{30}}{3}=2\sqrt{30}$

4-2 $2\sqrt{\dfrac{3}{14}}\times3\sqrt{\dfrac{5}{6}}\div6\sqrt{\dfrac{40}{7}}$

$=\dfrac{2\sqrt{3}}{\sqrt{14}}\times\dfrac{3\sqrt{5}}{\sqrt{6}}\times\dfrac{\sqrt{7}}{12\sqrt{10}}=\dfrac{1}{4\sqrt{2}}=\dfrac{\sqrt{2}}{8}$

4-3 $\sqrt{\dfrac{15a}{4b}}\times\dfrac{\sqrt{a}}{\sqrt{3b}}\div\dfrac{\sqrt{10a}}{\sqrt{2b}}\times\dfrac{\sqrt{9b}}{\sqrt{2a}}$

$=\dfrac{\sqrt{15a}}{2\sqrt{b}}\times\dfrac{\sqrt{a}}{\sqrt{3b}}\times\dfrac{\sqrt{2b}}{\sqrt{10a}}\times\dfrac{3\sqrt{b}}{\sqrt{2a}}$

$=\dfrac{3}{2\sqrt{2}}=\dfrac{3\sqrt{2}}{4}$

유형 ❺

(삼각형의 넓이) $=\dfrac{1}{2}\times\sqrt{32}\times\sqrt{24}$

$=\dfrac{1}{2}\times4\sqrt{2}\times2\sqrt{6}=8\sqrt{3}$

(직사각형의 넓이) $=x\times\sqrt{12}=2\sqrt{3}x$

$8\sqrt{3}=2\sqrt{3}x$ $\therefore x=\dfrac{8\sqrt{3}}{2\sqrt{3}}=4$

5-1 $\overline{AB}$를 한 변으로 하는 정사각형의 넓이가 18이므로

$\overline{AB}=\sqrt{18}=3\sqrt{2}$

$\overline{BC}$를 한 변으로 하는 정사각형의 넓이가 45이므로

$\overline{BC}=\sqrt{45}=3\sqrt{5}$

따라서 직사각형 ABCD의 넓이는

$3\sqrt{2}\times3\sqrt{5}=9\sqrt{10}$

5-2 직육면체의 높이를 $h\,\mathrm{cm}$라고 하면

$\sqrt{3}\times\sqrt{6}\times h=9\sqrt{10}$

$\therefore h=\dfrac{9\sqrt{10}}{\sqrt{18}}=\dfrac{9\sqrt{10}}{3\sqrt{2}}=3\sqrt{5}$

유형 ❻

$2\sqrt{45}-\sqrt{48}-\sqrt{125}+3\sqrt{75}$

$=2\times3\sqrt{5}-4\sqrt{3}-5\sqrt{5}+3\times5\sqrt{3}$

$=6\sqrt{5}-5\sqrt{5}-4\sqrt{3}+15\sqrt{3}$

$=11\sqrt{3}+\sqrt{5}$

따라서 $a=11,\ b=1$이므로

$a-b=11-1=10$

6-1 $A=2\sqrt{3}+6\sqrt{3}-3\sqrt{3}=(2+6-3)\sqrt{3}=5\sqrt{3}$

$B=3\sqrt{5}-7\sqrt{5}+6\sqrt{5}=(3-7+6)\sqrt{5}=2\sqrt{5}$

$\therefore A-B=5\sqrt{3}-2\sqrt{5}$

6-2 $\dfrac{b}{a}-\dfrac{a}{b}=\dfrac{\sqrt{3}}{\sqrt{2}}-\dfrac{\sqrt{2}}{\sqrt{3}}=\dfrac{\sqrt{6}}{2}-\dfrac{\sqrt{6}}{3}=\dfrac{\sqrt{6}}{6}$

6-3 $\sqrt{2}-\dfrac{1}{\sqrt{2}}+\dfrac{1}{\sqrt{8}}-\dfrac{1}{\sqrt{18}}$

$=\sqrt{2}-\dfrac{1}{\sqrt{2}}+\dfrac{1}{2\sqrt{2}}-\dfrac{1}{3\sqrt{2}}$

$=\sqrt{2}-\dfrac{\sqrt{2}}{2}+\dfrac{\sqrt{2}}{4}-\dfrac{\sqrt{2}}{6}$

$=\dfrac{12\sqrt{2}}{12}-\dfrac{6\sqrt{2}}{12}+\dfrac{3\sqrt{2}}{12}-\dfrac{2\sqrt{2}}{12}=\dfrac{7\sqrt{2}}{12}$

6-4 $A-B=\left(\sqrt{3}+\dfrac{1}{\sqrt{2}}\right)-\left(\sqrt{2}+\dfrac{2}{\sqrt{3}}\right)$

$=\sqrt{3}+\dfrac{\sqrt{2}}{2}-\sqrt{2}-\dfrac{2\sqrt{3}}{3}$

$=\dfrac{\sqrt{3}}{3}-\dfrac{\sqrt{2}}{2}=\dfrac{2\sqrt{3}-3\sqrt{2}}{6}<0$

따라서 $A-B<0$이므로 $A<B$

유형 ❼

$\sqrt{3}(\sqrt{6}-\sqrt{2})+\sqrt{2}(\sqrt{12}-3)$

$=\sqrt{3}\sqrt{6}-\sqrt{3}\sqrt{2}+\sqrt{2}\sqrt{12}-3\sqrt{2}$

$=\sqrt{18}-\sqrt{6}+\sqrt{24}-3\sqrt{2}$

$=3\sqrt{2}-\sqrt{6}+2\sqrt{6}-3\sqrt{2}=\sqrt{6}$

7-1 $\sqrt{6}x+\sqrt{3}y=\sqrt{6}(\sqrt{3}+\sqrt{6})+\sqrt{3}(\sqrt{3}-\sqrt{6})$

$=\sqrt{6}\sqrt{3}+\sqrt{6}\sqrt{6}+\sqrt{3}\sqrt{3}-\sqrt{3}\sqrt{6}$

$=6+3=9$

7-2 $\dfrac{\sqrt{108}-4}{\sqrt{8}}=\dfrac{6\sqrt{3}-4}{2\sqrt{2}}=\dfrac{3\sqrt{3}-2}{\sqrt{2}}$

$\qquad =\dfrac{(3\sqrt{3}-2)\times\sqrt{2}}{\sqrt{2}\times\sqrt{2}}=\dfrac{3\sqrt{6}-2\sqrt{2}}{2}$

$\qquad =\dfrac{3\sqrt{6}}{2}-\sqrt{2}$

이므로

(주어진 식)$=\dfrac{3\sqrt{6}}{2}-\sqrt{2}-\sqrt{2}(\sqrt{3}-1)$

$\qquad\qquad =\dfrac{3\sqrt{6}}{2}-\sqrt{2}-\sqrt{6}+\sqrt{2}=\dfrac{\sqrt{6}}{2}$

따라서 $\dfrac{\sqrt{6}}{2}=\dfrac{\sqrt{a}}{2}$ 이므로 $a=6$

7-3 $\sqrt{12}\left(\dfrac{1}{\sqrt{2}}-\dfrac{1}{\sqrt{3}}\right)-\dfrac{3\sqrt{2}-\sqrt{3}}{\sqrt{3}}$

$=\dfrac{\sqrt{12}}{\sqrt{2}}-\dfrac{\sqrt{12}}{\sqrt{3}}-\dfrac{3\sqrt{2}}{\sqrt{3}}+\dfrac{\sqrt{3}}{\sqrt{3}}$

$=\sqrt{6}-2-\sqrt{6}+1=-1$

7-4 $4(\sqrt{5}-2a)+\sqrt{20}(a-4\sqrt{5})$

$=4(\sqrt{5}-2a)+2\sqrt{5}(a-4\sqrt{5})$

$=4\sqrt{5}-8a+2a\sqrt{5}-40$

$=(-8a-40)+(4+2a)\sqrt{5}$

유리수가 되려면 $4+2a=0$ $\qquad \therefore a=-2$

유형 ⑧

① $\sqrt{311}=\sqrt{3.11\times100}=10\sqrt{3.11}$

③ $\sqrt{0.0341}=\sqrt{3.41\times\dfrac{1}{100}}=\dfrac{\sqrt{3.41}}{10}$

④ $\sqrt{0.33}=\sqrt{\dfrac{33}{100}}=\dfrac{\sqrt{33}}{10}$ 이므로 $\sqrt{33}$의 값을 알아야 한다.

⑤ $\sqrt{33100}=\sqrt{3.31\times10000}=100\sqrt{3.31}$

8-1 $\sqrt{626}+\sqrt{6260}=\sqrt{6.26\times100}+\sqrt{62.6\times100}$

$\qquad\qquad\qquad =10\sqrt{6.26}+10\sqrt{62.6}$

$\qquad\qquad\qquad =25.02+79.12=104.14$

8-2 ① $\sqrt{0.07}=\sqrt{\dfrac{7}{100}}=\dfrac{\sqrt{7}}{10}$

② $\sqrt{0.7}=\sqrt{\dfrac{7}{10}}=\sqrt{\dfrac{70}{100}}=\dfrac{\sqrt{70}}{10}$ 이므로 $\sqrt{70}$의 값을 알아야 한다.

③ $\dfrac{1}{\sqrt{7}}=\dfrac{\sqrt{7}}{7}$

④ $\sqrt{700}=\sqrt{7\times100}=10\sqrt{7}$

⑤ $\sqrt{70000}=\sqrt{7\times10000}=100\sqrt{7}$

8-3 ① $\sqrt{300}=\sqrt{3\times100}=10\sqrt{3}=17.32$

② $\sqrt{3000}=\sqrt{30\times100}=10\sqrt{30}=54.77$

③ $\sqrt{0.3}=\sqrt{\dfrac{30}{100}}=\dfrac{\sqrt{30}}{10}=0.5477$

④ $\sqrt{0.03}=\sqrt{\dfrac{3}{100}}=\dfrac{\sqrt{3}}{10}=0.1732$

⑤ $\sqrt{0.003}=\sqrt{\dfrac{3}{1000}}=\sqrt{\dfrac{30}{10000}}=\dfrac{\sqrt{30}}{100}=0.05477$

중단원 EXERCISES

01 ④ **02** 7 **03** $4\sqrt{6}$ **04** $\dfrac{\sqrt{30}}{8}$

05 $\dfrac{3\sqrt{30}}{5}$ **06** ④ **07** 4 **08** ③

09 $\dfrac{\sqrt{6}}{12}-\dfrac{\sqrt{3}}{6}$ **10** $7-5\sqrt{2}$ **11** $4\sqrt{15}$

12 17 **13** $\dfrac{1}{6}$ **14** $-\dfrac{1}{3}$ **15** $\dfrac{\sqrt{2}}{2}$

16 $-\sqrt{3}$ **17** $-4+3\sqrt{6}$ **18** ⑤ **19** 18

20 ③ **21** 105 cm² **22** $18\sqrt{2}$ cm **23** $-\dfrac{\sqrt{2}}{3}$

24 $-\sqrt{30}-\sqrt{3}$ **25** $\dfrac{\sqrt{15}}{2}$ **26** $\dfrac{3}{4}$

27 $-5\sqrt{2}$

01 $\sqrt{300}=\sqrt{2^2\times3\times5^2}=(\sqrt{2})^2\times\sqrt{3}\times5=5a^2b$

02 $2\sqrt{25+a}=4\sqrt{6}=2\sqrt{2^2\times6}=2\sqrt{24}$에서

$25+a=24$이므로 $a=-1$

$\sqrt{20-b}=2\sqrt{3}=\sqrt{2^2\times3}=\sqrt{12}$에서

$20-b=12$이므로 $b=8$

$\therefore a+b=7$

03 $a\sqrt{\dfrac{3b}{a}}+b\sqrt{\dfrac{a}{3b}}=\sqrt{\dfrac{3a^2b}{a}}+\sqrt{\dfrac{ab^2}{3b}}=\sqrt{3ab}+\sqrt{\dfrac{ab}{3}}$

$\qquad =\sqrt{3\times18}+\sqrt{\dfrac{18}{3}}$

$\qquad =3\sqrt{6}+\sqrt{6}=4\sqrt{6}$

Ⅰ. 실수와 그 계산 **009**

04 $5\sqrt{6} \times \sqrt{\dfrac{3}{8}} \div \dfrac{4\sqrt{15}}{\sqrt{2}} = 5\sqrt{6} \times \dfrac{\sqrt{3}}{2\sqrt{2}} \times \dfrac{\sqrt{2}}{4\sqrt{15}}$

$\qquad\qquad = \dfrac{5}{2 \times 4}\sqrt{6 \times \dfrac{3}{2} \times \dfrac{2}{15}}$

$\qquad\qquad = \dfrac{5}{8}\sqrt{\dfrac{6}{5}} = \dfrac{5\sqrt{6}}{8\sqrt{5}} = \dfrac{\sqrt{30}}{8}$

05 피타고라스 정리에 의하여

$\overline{BC} = \sqrt{(\sqrt{27})^2 + (3\sqrt{2})^2} = \sqrt{27+18} = \sqrt{45} = 3\sqrt{5}$

$\triangle ABC = \dfrac{1}{2} \times \sqrt{27} \times 3\sqrt{2} = \dfrac{1}{2} \times 3\sqrt{5} \times \overline{AH}$

$\therefore \overline{AH} = \dfrac{\sqrt{27} \times 3\sqrt{2}}{3\sqrt{5}} = \dfrac{3\sqrt{3} \times 3\sqrt{2}}{3\sqrt{5}} = \dfrac{3\sqrt{6}}{\sqrt{5}} = \dfrac{3\sqrt{30}}{5}$

06 ① $3\sqrt{2} + 2\sqrt{3}$은 더이상 간단히 할 수 없다.

② $\sqrt{12} - \sqrt{9} = 2\sqrt{3} - 3$

③ $\sqrt{5}(\sqrt{2}-3) = \sqrt{10} - 3\sqrt{5}$

⑤ $-\dfrac{\sqrt{5}}{2\sqrt{3}} = -\dfrac{\sqrt{15}}{6}$

07 $\sqrt{450} - 4\sqrt{18} + \square\sqrt{2}$

$= 15\sqrt{2} - 4 \times 3\sqrt{2} + \square\sqrt{2}$

$= 15\sqrt{2} - 12\sqrt{2} + \square\sqrt{2}$

$= 3\sqrt{2} + \square\sqrt{2} = 7\sqrt{2}$

따라서 $3 + \square = 7$이므로 $\square = 4$

08 ③ $\sqrt{5} + 3$

09 $\dfrac{\sqrt{2}}{\sqrt{3}} + \dfrac{3}{\sqrt{12}} - \dfrac{\sqrt{3}}{\sqrt{8}} - \dfrac{6}{\sqrt{27}}$

$= \dfrac{\sqrt{2}}{\sqrt{3}} + \dfrac{3}{2\sqrt{3}} - \dfrac{\sqrt{3}}{2\sqrt{2}} - \dfrac{6}{3\sqrt{3}}$

$= \dfrac{\sqrt{6}}{3} + \dfrac{\sqrt{3}}{2} - \dfrac{\sqrt{6}}{4} - \dfrac{2\sqrt{3}}{3}$

$= \left(\dfrac{4\sqrt{6}}{12} - \dfrac{3\sqrt{6}}{12}\right) + \left(\dfrac{3\sqrt{3}}{6} - \dfrac{4\sqrt{3}}{6}\right)$

$= \dfrac{\sqrt{6}}{12} - \dfrac{\sqrt{3}}{6}$

10 $2\sqrt{2} = \sqrt{8}$이므로 $2\sqrt{2} < 3$, $3\sqrt{2} = \sqrt{18}$이므로 $3\sqrt{2} > 4$

$\therefore$ (주어진 식) $= -(2\sqrt{2}-3) - (3\sqrt{2}-4)$

$\qquad\qquad\qquad = -2\sqrt{2} + 3 - 3\sqrt{2} + 4 = 7 - 5\sqrt{2}$

11 $x + y = (\sqrt{5}+\sqrt{3}) + (\sqrt{5}-\sqrt{3}) = 2\sqrt{5}$

$\quad x - y = (\sqrt{5}+\sqrt{3}) - (\sqrt{5}-\sqrt{3}) = 2\sqrt{3}$

$\therefore (x+y)(x-y) = 2\sqrt{5} \times 2\sqrt{3} = 4\sqrt{15}$

12 $2\sqrt{75} + \sqrt{128} - \dfrac{\sqrt{32}}{2} + \dfrac{6}{\sqrt{12}}$

$= 10\sqrt{3} + 8\sqrt{2} - 2\sqrt{2} + \sqrt{3}$

$= 6\sqrt{2} + 11\sqrt{3}$

따라서 $a=6$, $b=11$이므로 $a+b=17$

13 $\dfrac{\sqrt{3}-\sqrt{8}}{2\sqrt{3}} = \dfrac{(\sqrt{3}-2\sqrt{2}) \times \sqrt{3}}{2\sqrt{3} \times \sqrt{3}} = \dfrac{3-2\sqrt{6}}{6} = \dfrac{1}{2} - \dfrac{1}{3}\sqrt{6}$

따라서 $x = \dfrac{1}{2}$, $y = -\dfrac{1}{3}$이므로

$x + y = \dfrac{1}{2} + \left(-\dfrac{1}{3}\right) = \dfrac{1}{6}$

14 $\dfrac{\sqrt{3}+\sqrt{6}}{\sqrt{2}} - \dfrac{2\sqrt{2}-3}{\sqrt{3}} = \dfrac{\sqrt{2}(\sqrt{3}+\sqrt{6})}{\sqrt{2} \times \sqrt{2}} - \dfrac{\sqrt{3}(2\sqrt{2}-3)}{\sqrt{3} \times \sqrt{3}}$

$\qquad\qquad\qquad = \dfrac{\sqrt{6}+\sqrt{12}}{2} - \dfrac{2\sqrt{6}-3\sqrt{3}}{3}$

$\qquad\qquad\qquad = \dfrac{\sqrt{6}}{2} + \sqrt{3} - \dfrac{2\sqrt{6}}{3} + \sqrt{3}$

$\qquad\qquad\qquad = 2\sqrt{3} - \dfrac{\sqrt{6}}{6}$

따라서 $a=2$, $b=-\dfrac{1}{6}$이므로 $ab = -\dfrac{1}{3}$

15 $\sqrt{16} = 4$이므로 $a = 2$

$\therefore \sqrt{a} - \dfrac{1}{\sqrt{a}} = \sqrt{2} - \dfrac{1}{\sqrt{2}} = \sqrt{2} - \dfrac{\sqrt{2}}{2} = \dfrac{\sqrt{2}}{2}$

16 $x = \sqrt{108} - \sqrt{147} = 6\sqrt{3} - 7\sqrt{3} = -\sqrt{3}$이므로

$x^3 - 2x = (-\sqrt{3})^3 - 2 \times (-\sqrt{3})$

$\qquad\qquad = -3\sqrt{3} + 2\sqrt{3} = -\sqrt{3}$

17 $\dfrac{\sqrt{3}}{\sqrt{2}} \div \left(\dfrac{2}{\sqrt{6}} - \sqrt{\dfrac{1}{24}}\right) + \sqrt{18}(\sqrt{3}-\sqrt{2})$

$= \dfrac{\sqrt{6}}{2} \div \left(\dfrac{2}{\sqrt{6}} - \dfrac{1}{2\sqrt{6}}\right) + 3\sqrt{2}(\sqrt{3}-\sqrt{2})$

$= \dfrac{\sqrt{6}}{2} \div \left(\dfrac{\sqrt{6}}{3} - \dfrac{\sqrt{6}}{12}\right) + 3\sqrt{6} - 6$

$= \dfrac{\sqrt{6}}{2} \div \dfrac{\sqrt{6}}{4} + 3\sqrt{6} - 6$

$= \dfrac{\sqrt{6}}{2} \times \dfrac{4}{\sqrt{6}} + 3\sqrt{6} - 6$

$= 2 + 3\sqrt{6} - 6$

$= -4 + 3\sqrt{6}$

18 (직육면체의 높이)$=(4\sqrt{45}-\sqrt{10})\div(\sqrt{5}\times2\sqrt{3})$

$\qquad\qquad\qquad\quad=(4\sqrt{45}-\sqrt{10})\div2\sqrt{15}$

$\qquad\qquad\qquad\quad=2\sqrt{3}-\dfrac{\sqrt{10}}{2\sqrt{15}}$

$\qquad\qquad\qquad\quad=2\sqrt{3}-\dfrac{\sqrt{2}}{2\sqrt{3}}$

$\qquad\qquad\qquad\quad=2\sqrt{3}-\dfrac{\sqrt{6}}{6}\ (\text{cm})$

19 $2\sqrt{7}=\sqrt{28}$이고 $5<\sqrt{28}<6$이므로 $2<2\sqrt{7}-3<3$

즉, $2\sqrt{7}-3$의 정수 부분은 2이므로 $a=2$

또, $3\sqrt{2}=\sqrt{18}$이고 $4<\sqrt{18}<5$이므로

$9<3\sqrt{2}+5<10$

즉, 정수 부분이 9이므로 소수 부분은

$3\sqrt{2}+5-9=3\sqrt{2}-4$ $\qquad\therefore b=3\sqrt{2}-4$

$\therefore (2a+b)^2=(4+3\sqrt{2}-4)^2=(3\sqrt{2})^2=18$

20 ③ $\sqrt{0.419}=\sqrt{41.9\times\dfrac{1}{100}}=\dfrac{1}{10}\sqrt{41.9}=0.6473$

21 정사각형 A의 한 변의 길이는 $\sqrt{500}=10\sqrt{5}\ (\text{cm})$

정사각형 B의 한 변의 길이는 $\sqrt{45}=3\sqrt{5}\ (\text{cm})$

따라서 직사각형 C의 가로의 길이는 $3\sqrt{5}\ \text{cm}$,

세로의 길이는 $10\sqrt{5}-3\sqrt{5}=7\sqrt{5}(\text{cm})$이므로

구하는 넓이는 $3\sqrt{5}\times7\sqrt{5}=105(\text{cm}^2)$

22 정사각형의 한 변의 길이가 각각

$\sqrt{2}\ \text{cm},\ \sqrt{8}=2\sqrt{2}\ (\text{cm}),\ \sqrt{18}=3\sqrt{2}\ (\text{cm})$이므로

주어진 도형의 둘레의 길이는

$2(\sqrt{2}+2\sqrt{2}+3\sqrt{2})+2\times3\sqrt{2}=18\sqrt{2}\ (\text{cm})$

23 $f(2)+f(4)+f(6)+\cdots+f(14)+f(16)$

$=\left(\dfrac{1}{\sqrt{2+2}}-\dfrac{1}{\sqrt{2}}\right)+\left(\dfrac{1}{\sqrt{4+2}}-\dfrac{1}{\sqrt{4}}\right)$

$\quad+\left(\dfrac{1}{\sqrt{6+2}}-\dfrac{1}{\sqrt{6}}\right)+\cdots+\left(\dfrac{1}{\sqrt{14+2}}-\dfrac{1}{\sqrt{14}}\right)$

$\quad+\left(\dfrac{1}{\sqrt{16+2}}-\dfrac{1}{\sqrt{16}}\right)$

$=\left(\dfrac{1}{\sqrt{4}}-\dfrac{1}{\sqrt{2}}\right)+\left(\dfrac{1}{\sqrt{6}}-\dfrac{1}{\sqrt{4}}\right)+\left(\dfrac{1}{\sqrt{8}}-\dfrac{1}{\sqrt{6}}\right)$

$\quad+\cdots+\left(\dfrac{1}{\sqrt{16}}-\dfrac{1}{\sqrt{14}}\right)+\left(\dfrac{1}{\sqrt{18}}-\dfrac{1}{\sqrt{16}}\right)$

$=-\dfrac{1}{\sqrt{2}}+\dfrac{1}{\sqrt{18}}=-\dfrac{1}{\sqrt{2}}+\dfrac{1}{3\sqrt{2}}$

$=-\dfrac{\sqrt{2}}{2}+\dfrac{\sqrt{2}}{6}=-\dfrac{\sqrt{2}}{3}$

24 $\overline{\text{BP}}=\sqrt{1^2+1^2}=\sqrt{2},\ \overline{\text{AP}}=\sqrt{1^2+2^2}=\sqrt{5}$이므로

$p=-1-\sqrt{5},\ q=-1+\sqrt{2}$

$\therefore \sqrt{6}p+\sqrt{3}q=\sqrt{6}(-1-\sqrt{5})+\sqrt{3}(-1+\sqrt{2})$

$\qquad\qquad\qquad=-\sqrt{6}-\sqrt{30}-\sqrt{3}+\sqrt{6}$

$\qquad\qquad\qquad=-\sqrt{30}-\sqrt{3}$

25 $\dfrac{x}{\sqrt{3}}+\dfrac{y}{\sqrt{5}}=1$의 x절편은 $\sqrt{3}$, y절편은 $\sqrt{5}$이고,

$\dfrac{x}{\sqrt{12}}+\dfrac{y}{\sqrt{5}}=1$의 x절편은 $\sqrt{12}$, y절편은 $\sqrt{5}$이다.

따라서 구하는 넓이는 다음 그림의 색칠한 부분의 넓이이다.

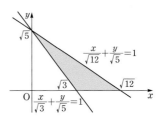

$\therefore$ (구하는 넓이)

$=\dfrac{1}{2}\times(\sqrt{12}-\sqrt{3})\times\sqrt{5}=\dfrac{1}{2}\times(2\sqrt{3}-\sqrt{3})\times\sqrt{5}$

$=\dfrac{1}{2}\times\sqrt{3}\times\sqrt{5}=\dfrac{\sqrt{15}}{2}$

26 $\dfrac{2}{\sqrt{2}+\dfrac{1}{\sqrt{2}+\dfrac{1}{\sqrt{2}}}}$

$=\dfrac{2}{\sqrt{2}+\dfrac{1}{\sqrt{2}+\dfrac{\sqrt{2}}{2}}}=\dfrac{2}{\sqrt{2}+\dfrac{1}{\dfrac{3\sqrt{2}}{2}}}$

$=\dfrac{2}{\sqrt{2}+\dfrac{2}{3\sqrt{2}}}=\dfrac{2}{\sqrt{2}+\dfrac{\sqrt{2}}{3}}$

$=\dfrac{2}{\dfrac{4\sqrt{2}}{3}}=\dfrac{3}{2\sqrt{2}}=\dfrac{3}{4}\sqrt{2}$ $\quad\therefore \square=\dfrac{3}{4}$

27 $\sqrt{\dfrac{b}{a}}-\sqrt{\dfrac{a}{b}}=\dfrac{\sqrt{ab}}{a}-\dfrac{\sqrt{ab}}{b}$

$\qquad\qquad\quad=\sqrt{ab}\left(\dfrac{1}{a}-\dfrac{1}{b}\right)$

$$=\sqrt{ab} \times \frac{b-a}{ab}$$
$$=\sqrt{2} \times \frac{-10}{2} = -5\sqrt{2}$$

대단원 EXERCISES

068~071쪽

01 ②	**02** -12	**03** 3	**04** $-b$
05 $4a$	**06** 125	**07** ⑤	**08** 3
09 18	**10** 3개	**11** ②	**12** ④, ⑤
13 ④	**14** ⑤	**15** 4	**16** 3
17 $4\sqrt{3}-4\sqrt{2}$	**18** $4+\sqrt{3}$	**19** $3\sqrt{2}+\sqrt{5}-5$	
20 $3+\sqrt{5}$	**21** $\frac{52\sqrt{2}}{3}$	**22** $\sqrt{6}-\sqrt{2}$	
23 ②	**24** ㉡	**25** $3\sqrt{2}+\sqrt{6}$	

01 ① $-\sqrt{5}$는 제곱하면 5가 되는 수이다.
③ $\sqrt{200}$은 $\sqrt{2}$의 10배이다.
④ $0.1=\sqrt{0.01}$이므로 $\sqrt{0.1}$은 0.1보다 크다.
⑤ $\sqrt{1.21}=1.1$의 제곱근은 $\pm\sqrt{1.1}$이다.

02 $1.\dot{7}=\frac{17-1}{9}=\frac{16}{9}$의 양의 제곱근은 $\sqrt{\frac{16}{9}}=\frac{4}{3}$
$(-9)^2=81$의 음의 제곱근은 $-\sqrt{81}=-9$
따라서 $a=\frac{4}{3}$, $b=-9$이므로
$$ab=\frac{4}{3} \times (-9) = -12$$

03 $\sqrt{2^2}+(-\sqrt{3})^2-\sqrt{(-5)^2} \times \sqrt{0.16}$
$$=2+3-5 \times 0.4 = 2+3-2 = 3$$

04 $\sqrt{a^2}-\sqrt{4b^2}-\sqrt{(-a)^2}+\sqrt{(-3b)^2}$
$$=a-(-2b)-\{-(-a)\}+(-3b)$$
$$=a+2b-a-3b=-b$$

05 $-\frac{1}{2}<a<0$이므로 $-1<2a<0$
$0<2a+1<1$, $-2<2a-1<-1$
∴ (주어진 식) $=(2a+1)-\{-(2a-1)\}$
$$=2a+1+2a-1=4a$$

06 $36-n$의 값이 제곱수가 되어야 하므로
$36-n=1, 4, 9, 16, 25$
따라서 n의 값은 35, 32, 27, 20, 11이므로
$35+32+27+20+11=125$

07 $a=\frac{1}{3}$이라고 하면
① $a=\frac{1}{3}$ ② $\sqrt{a}=\sqrt{\frac{1}{3}}=\frac{\sqrt{3}}{3}$
③ $\sqrt{\frac{1}{a}}=\sqrt{3}$ ④ $\frac{1}{a}=3$ ⑤ $a^2=\frac{1}{9}$
따라서 ⑤ a^2의 값이 가장 작다.

08 $81<85$, $36<47$이므로 $f(85)=9$, $f(47)=6$
∴ $f(85)-f(47)=9-6=3$

09 $3 \leq \sqrt{2x} < 5$의 각 변을 제곱하면 $9 \leq 2x < 25$이므로
$\frac{9}{2} \leq x < \frac{25}{2}$ ∴ $x=5, 6, 7, 8, 9, 10, 11, 12$
또한 $\sqrt{15}<x<\sqrt{60}$의 각 변을 제곱하면 $15<x^2<60$
∴ $x=4, 5, 6, 7$
따라서 두 부등식을 모두 만족하는 자연수 x의 값은 5, 6, 7
이므로 합은 $5+6+7=18$이다.

10 $0.3\dot{1}\dot{4}=\frac{314}{999}$, $\sqrt{0.\dot{1}}=\sqrt{\frac{1}{9}}=\frac{1}{3}$, $\sqrt{\frac{4}{25}}=\frac{2}{5}$이므로
무리수는 $\pi+1$, $\sqrt{2}-1$, $\frac{\sqrt{2}}{3}$의 3개이다.

11 ② 순환소수는 모두 유리수이다.

12 $\overline{AQ}=\overline{AC}=\sqrt{2}$, $\overline{BP}=\overline{BD}=\sqrt{2}$
④ 점 Q의 좌표는 $2+\sqrt{2}$이다.
⑤ $\overline{PA}=\overline{PB}-\overline{AB}=\sqrt{2}-1$

13 ① $\sqrt{6} \times \sqrt{8}=\sqrt{48}=\sqrt{16 \times 3}=4\sqrt{3}$
② $\sqrt{3}+\sqrt{27}=\sqrt{3}+3\sqrt{3}=4\sqrt{3}$
③ $\sqrt{3}(4-\sqrt{3})+3=4\sqrt{3}-3+3=4\sqrt{3}$
④ $\frac{6}{\sqrt{3}}+2(\sqrt{3}-1)=2\sqrt{3}+2\sqrt{3}-2=4\sqrt{3}-2$
⑤ $\sqrt{3}(\sqrt{3}+1)-\frac{1}{\sqrt{2}}(\sqrt{18}-\sqrt{54})$
$$=3+\sqrt{3}-\sqrt{9}+\sqrt{27}$$
$$=3+\sqrt{3}-3+3\sqrt{3}=4\sqrt{3}$$

14 ⑤ $\sqrt{60}=\sqrt{2^2\times3\times5}=2ab$이므로 $\sqrt{\dfrac{1}{60}}=\dfrac{1}{2ab}$

15 $\dfrac{4\sqrt{3}}{\sqrt{50}}=\dfrac{4\sqrt{3}}{5\sqrt{2}}=\dfrac{4\sqrt{6}}{10}=\dfrac{2\sqrt{6}}{5}$ 은 $\sqrt{6}$의 $\dfrac{2}{5}$배이다.

즉, $x=\dfrac{2}{5}$이므로 $10x=10\times\dfrac{2}{5}=4$

16 $\sqrt{108}+\sqrt{x}-\sqrt{75}=2\sqrt{3}$에서

$6\sqrt{3}+\sqrt{x}-5\sqrt{3}=2\sqrt{3}$

$\sqrt{x}=2\sqrt{3}-\sqrt{3}=\sqrt{3}$ $\therefore x=3$

17 $5\sqrt{2}=\sqrt{50}$, $4\sqrt{3}=\sqrt{48}$이므로 $5\sqrt{2}>4\sqrt{3}$

$\dfrac{3}{\sqrt{2}}=\dfrac{3\sqrt{2}}{2}=\dfrac{9\sqrt{2}}{6}=\dfrac{\sqrt{162}}{6}$,

$\dfrac{4}{\sqrt{3}}=\dfrac{4\sqrt{3}}{3}=\dfrac{8\sqrt{3}}{6}=\dfrac{\sqrt{192}}{6}$ 이므로

$\dfrac{3}{\sqrt{2}}<\dfrac{4}{\sqrt{3}}$

$\therefore$ (주어진 식)$=(5\sqrt{2}-4\sqrt{3})-6\left(\dfrac{3\sqrt{2}}{2}-\dfrac{4\sqrt{3}}{3}\right)$

$=5\sqrt{2}-4\sqrt{3}-9\sqrt{2}+8\sqrt{3}$

$=4\sqrt{3}-4\sqrt{2}$

18 $4\sqrt{2}=\sqrt{32}$, $5<\sqrt{32}<6$이므로 $2<4\sqrt{2}-3<3$

$3<\sqrt{12}<4$이므로 $4<\sqrt{12}+1<5$

$4<\sqrt{18}<5$이므로 $-5<-\sqrt{18}<-4$에서

$2<7-\sqrt{18}<3$

$1<\sqrt{3}<2$이므로 $-2<-\sqrt{3}<-1$에서

$1<3-\sqrt{3}<2$

따라서 가장 큰 수는 $\sqrt{12}+1$, 가장 작은 수는 $3-\sqrt{3}$이므로

$a=\sqrt{12}+1$, $b=3-\sqrt{3}$

$\therefore a+b=(\sqrt{12}+1)+(3-\sqrt{3})$

$=2\sqrt{3}+1+3-\sqrt{3}=\sqrt{3}+4$

19 두 직각삼각형의 빗변의 길이가 각각 $\sqrt{5}$, $\sqrt{10}$이므로 두 점 A, B에 대응하는 수는 각각 $-1-\sqrt{5}$, $3+\sqrt{10}$이다. 즉,

$a=-1-\sqrt{5}$, $b=3+\sqrt{10}$이므로

$\sqrt{5}a+\sqrt{2}b=\sqrt{5}(-1-\sqrt{5})+\sqrt{2}(3+\sqrt{10})$

$=-\sqrt{5}-5+3\sqrt{2}+\sqrt{20}$

$=-\sqrt{5}-5+3\sqrt{2}+2\sqrt{5}$

$=3\sqrt{2}+\sqrt{5}-5$

20 $a=2$, $b=(1+\sqrt{5})-2=\sqrt{5}-1$

$c=2-(\sqrt{5}-1)=3-\sqrt{5}$

$d=(\sqrt{5}-1)-(3-\sqrt{5})=2\sqrt{5}-4$

$\therefore 2ab+c-d=2\times2\times(\sqrt{5}-1)+3-\sqrt{5}-(2\sqrt{5}-4)$

$=4\sqrt{5}-4+3-\sqrt{5}-2\sqrt{5}+4$

$=3+\sqrt{5}$

21 (처음 사각뿔의 부피)$=\dfrac{1}{3}\times(\sqrt{18}\times\sqrt{12})\times\sqrt{27}$

$=\dfrac{1}{3}\times(3\sqrt{2}\times2\sqrt{3})\times3\sqrt{3}$

$=18\sqrt{2}$

자르기 전 사각뿔과 잘라낸 사각뿔의 높이의 비가

$3:1$이므로 부피의 비는 $3^3:1^3=27:1$이다.

$\therefore$ (잘라낸 사각뿔의 부피)$=\dfrac{1}{27}\times18\sqrt{2}=\dfrac{2\sqrt{2}}{3}$

$\therefore$ (잘라내고 남은 입체도형의 부피)

$=18\sqrt{2}-\dfrac{2\sqrt{2}}{3}=\dfrac{52\sqrt{2}}{3}$

22 $2\sqrt{3}=\sqrt{12}$이고 $3<\sqrt{12}<4$이므로

$2<2\sqrt{3}-1<3$

따라서 $a=2$, $b=2\sqrt{3}-3$이므로

$\dfrac{b+1}{\sqrt{a}}=\dfrac{2\sqrt{3}-2}{\sqrt{2}}=\sqrt{6}-\sqrt{2}$

23 ② $\sqrt{0.21}=\dfrac{\sqrt{21}}{10}$ 이므로 $\sqrt{21}$의 값을 알아야 한다.

24 $a=2-\sqrt{2}$, $b=3+\sqrt{2}$이므로   ······ ❶

$\dfrac{a+1}{b-3}=\dfrac{3-\sqrt{2}}{\sqrt{2}}=\dfrac{3\sqrt{2}-2}{2}$ ······ ❷

$3\sqrt{2}=\sqrt{18}$이고 $4<\sqrt{18}<5$이므로

$2<3\sqrt{2}-2<3$ $\therefore 1<\dfrac{3\sqrt{2}-2}{2}<\dfrac{3}{2}$

따라서 $\dfrac{a+1}{b-3}$의 값이 대응하는 구간은 ⓒ이다.   ······ ❸

채점 기준	배점
❶ a, b의 값 구하기	40 %
❷ 식의 값 구하기	30 %
❸ 수직선에서 식의 값에 대응하는 구간 말하기	30 %

25 두 정사각형의 넓이의 비가 $2:3$이므로

$\overline{AC}:\overline{BC}=\sqrt{2}:\sqrt{3}$ ······ ❶

이때 $\overline{AC}=2\sqrt{3}+2$이므로

$$\sqrt{2}:\sqrt{3}=(2\sqrt{3}+2):\overline{BC} \qquad \cdots\cdots\ \pmb{②}$$
$$\sqrt{2}\ \overline{BC}=6+2\sqrt{3}$$
$$\therefore\ \overline{BC}=\frac{6+2\sqrt{3}}{\sqrt{2}}=3\sqrt{2}+\sqrt{6} \qquad \cdots\cdots\ \pmb{③}$$

채점 기준	배점
❶ $\overline{AC}$, $\overline{BC}$의 길이의 비 구하기	30 %
❷ $\overline{BC}$를 구하는 식 세우기	40 %
❸ $\overline{BC}$의 길이 구하기	30 %

Advanced Lecture 072~073쪽

[유제] **01** 풀이 참조

01 $\sqrt{3}$이 유리수라고 가정해 보자.

그러면 서로소인 두 정수 a, $b\,(a\neq0)$에 대하여

$$\sqrt{3}=\frac{b}{a} \qquad \cdots\cdots\ \text{㉠}$$

와 같이 분수로 나타낼 수 있을 것이다.

이때 ㉠의 양변을 제곱하면

$$3=\frac{b^2}{a^2} \ \Rightarrow\ 3a^2=b^2 \qquad \cdots\cdots\ \text{㉡}$$

좌변인 $3a^2$이 3의 배수이므로 우변인 b^2도 3의 배수이다.

이로부터 b도 3의 배수임을 알 수 있다.

이제 $b=3k$라 하고, ㉡에 대입하면

$$3a^2=(3k)^2 \ \Rightarrow\ a^2=3k^2$$

즉, a^2이 3의 배수이므로 a도 3의 배수임을 알 수 있다.

그런데 a, b가 모두 3의 배수이면 a, b가 서로소여야 한다는 것에 모순이다.

결국 $\sqrt{3}$이 유리수라는 가정은 잘못된 것이다.

따라서 $\sqrt{3}$은 무리수이다.

II 다항식의 곱셈과 인수분해

1. 다항식의 곱셈과 인수분해

개념 CHECK 01. 곱셈 공식 090쪽

개념 확인 (1) 2 (2) b^2 (3) $a+b$ (4) $ad+bc$

01 (1) $4x^2+12x+9$ (2) $9x^2-24xy+16y^2$
(3) x^2-25y^2 (4) $9x^2-4y^2$

02 (1) $a^2+3a-18$ (2) $b^2-10b+24$
(3) $15x^2+26x+8$ (4) $12x^2-2x-4$

03 $a^2+2ab+b^2+3a+3b+2$

04 (1) $10+2\sqrt{3}$ (2) 2 (3) 41616 (4) 39984

05 (1) 35 (2) 45

03 $a+b=A$로 치환하면
$$(a+b+1)(a+b+2)=(A+1)(A+2)$$
$$=A^2+3A+2$$
$$=(a+b)^2+3(a+b)+2$$
$$=a^2+2ab+b^2+3a+3b+2$$

04 (1) $(2\sqrt{3}-1)(2\sqrt{3}+2)$
$$=(2\sqrt{3})^2+(-1+2)\times2\sqrt{3}+(-1)\times2$$
$$=12+2\sqrt{3}-2=10+2\sqrt{3}$$
(2) $\dfrac{\sqrt{5}+1}{\sqrt{5}-1}=\dfrac{(\sqrt{5}+1)^2}{(\sqrt{5}-1)(\sqrt{5}+1)}$
$$=\frac{6+2\sqrt{5}}{5-1}=\frac{6+2\sqrt{5}}{4}=\frac{3+\sqrt{5}}{2}$$
$$\therefore\ \frac{\sqrt{5}+1}{\sqrt{5}-1}\times(3-\sqrt{5})=\frac{3+\sqrt{5}}{2}\times(3-\sqrt{5})$$
$$=\frac{1}{2}\times\{3^2-(\sqrt{5})^2\}$$
$$=\frac{1}{2}\times4=2$$
(3) $204^2=(200+4)^2$
$$=40000+1600+16=41616$$
(4) $204\times196=(200+4)(200-4)$
$$=40000-16=39984$$

05 (1) $x^2+y^2=(x+y)^2-2xy$
$$=5^2-2\times(-5)=35$$
(2) $(x-y)^2=(x+y)^2-4xy$
$$=5^2-4\times(-5)=45$$

유형 ❶ (1) $xy-2x+3y-6$ (2) $2x^2-7xy+6y^2+6x-9y$

    1-1 ④　　**1-2** 5　　**1-3** ②

유형 ❷ $-5x^2-24x+5$

    2-1 (1) $x^2+8xy+16y^2$

        (2) $9p^2-12pq+4q^2$

    2-2 ④　　**2-3** ③

유형 ❸ ③　　**3-1** $x^2-\dfrac{1}{4}y^2$

    3-2 $-5x^2-4xy$　　**3-3** ⑤

유형 ❹ ②　　**4-1** ⑤　　**4-2** 10

    4-3 $-x^2+x+22$

유형 ❺ (1) $2x^2+x-3$ (2) $-6x^2+13x+5$

    5-1 ①　　**5-2** ④　　**5-3** ①

유형 ❻ $\dfrac{3}{2}$　　**6-1** 8　　**6-2** 7　　**6-3** -3

    6-4 1

유형 ❼ ③　　**7-1** (개) 2 (내) 196

    7-2 (1) 63.99 (2) 10815 (3) 90

유형 ❽ 11　　**8-1** (1) 8 (2) 4 (3) -4

    8-2 ④　　**8-3** (1) 7 (2) 12

유형 ❶

(2) (주어진 식)$=2x^2-3xy-4xy+6y^2+6x-9y$
$\qquad\qquad=2x^2-7xy+6y^2+6x-9y$

1-1 (주어진 식)$=-5x^2+3xy+5xy-3y^2$
$\qquad\qquad=-5x^2+8xy-3y^2$

1-2 (주어진 식)$=x^2+xy-3x-2xy-2y^2+6y$
$\qquad\qquad=x^2-xy-2y^2-3x+6y$
따라서 xy의 계수는 -1, y의 계수는 6이므로
$-1+6=5$

1-3 (주어진 식)$=8x^3-12x^2+16x-6x^2+9x-12$
$\qquad\qquad=8x^3-18x^2+25x-12$
따라서 $p=-18$, $q=25$이므로 $p+q=7$

   ■ 다른 풀이 ■
x^2 항이 나오는 부분만 전개하면
$-12x^2-6x^2=-18x^2$　　∴ $p=-18$
x항이 나오는 부분만 전개하면
$16x-9x=25x$　　∴ $q=25$　　∴ $p+q=7$

유형 ❷

$(-2x+3)^2=\{-(2x-3)\}^2=(2x-3)^2$
$(-3x-2)^2=\{-(3x+2)\}^2=(3x+2)^2$이므로
(주어진 식)$=4x^2-12x+9-(9x^2+12x+4)$
$\qquad\qquad\quad=-5x^2-24x+5$

2-2 $\left(x+\dfrac{1}{3}\right)^2=x^2+\dfrac{2}{3}x+\dfrac{1}{9}=x^2+ax+b$이므로
$\quad a=\dfrac{2}{3}, b=\dfrac{1}{9}$
$\quad ∴ 9a^2+18b=9\times\left(\dfrac{2}{3}\right)^2+18\times\dfrac{1}{9}=4+2=6$

2-3 $(4x+A)^2=16x^2+8Ax+A^2=Bx^2+Cx+9$이므로
$\quad B=16, 8A=C, A^2=9$
이때 A는 양수이므로 $A=3, C=24$
$\quad ∴ A+B+C=3+16+24=43$

유형 ❸

$(-x+1)(-x-1)=(-x)^2-1^2=x^2-1$

3-2 (주어진 식)$=-x^2+y^2-(4x^2+4xy+y^2)$
$\qquad\qquad\qquad=-5x^2-4xy$

3-3 $(a-1)(a+1)(a^2+1)(a^4+1)$
$\quad=(a^2-1)(a^2+1)(a^4+1)$
$\quad=(a^4-1)(a^4+1)=a^8-1$
$\quad ∴ \Box=8$

유형 ❹

$\left(x-\dfrac{1}{3}\right)\left(x+\dfrac{1}{4}\right)=x^2+\left(-\dfrac{1}{3}+\dfrac{1}{4}\right)x-\dfrac{1}{12}$
$\qquad\qquad\qquad\qquad=x^2-\dfrac{1}{12}x-\dfrac{1}{12}$
따라서 $a=-\dfrac{1}{12}, b=-\dfrac{1}{12}$이므로 $a+b=-\dfrac{1}{6}$

4-1 $(x+a)(x-4)=x^2+(a-4)x-4a$
$\quad x$의 계수는 $a-4=-2$　　∴ $a=2$
따라서 상수항은 $-4a=-4\times2=-8$

4-2 $(x-a)(x-3)=x^2-(a+3)x+3a=x^2-bx+6$
에서 $a+3=b, 3a=6$이므로
$\quad a=2, b=5$　　∴ $ab=10$

4-3 (주어진 식)$=x^2-x-2-2(x^2-x-12)$
$\qquad\qquad\quad=x^2-x-2-2x^2+2x+24$
$\qquad\qquad\quad=-x^2+x+22$

유형 ❺

(1) $(2x+3)(x-1)=2x^2+(-2+3)x-3$
$\qquad\qquad\qquad\quad=2x^2+x-3$
(2) $(3x+1)(-2x+5)=-6x^2+(15-2)x+5$
$\qquad\qquad\qquad\qquad=-6x^2+13x+5$

5-1 $(x-3)(2x-4)=2x^2-10x+12=ax^2+bx+12$
따라서 $a=2,\ b=-10$이므로
$ab=-20$

5-2 $(2x+5)(3x+B)=6x^2+(2B+15)x+5B$
$\qquad\qquad\qquad\qquad=6x^2+Ax-20$
따라서 $A=2B+15,\ -20=5B$이므로
$B=-4,\ A=7$ $\quad\therefore A-B=11$

5-3 (색칠한 부분의 넓이)
$\qquad=(5a-2b)(3a-b)+2b\times b$
$\qquad=15a^2-11ab+2b^2+2b^2$
$\qquad=15a^2-11ab+4b^2$

유형 ❻

$(4-2\sqrt{3})(3+a\sqrt{3})=12+(-6+4a)\sqrt{3}-6a$
$\qquad\qquad\qquad\qquad=(12-6a)+(-6+4a)\sqrt{3}$
이때 $-6+4a=0$이므로 $a=\dfrac{3}{2}$

6-1 $(\sqrt{3}+\sqrt{2})^2+(\sqrt{6}+1)(\sqrt{6}-3)$
$\qquad=(3+2\sqrt{6}+2)+(6-2\sqrt{6}-3)=8$

6-2 $(5+3\sqrt{2})(4-\sqrt{2})=20+(12-5)\sqrt{2}-6$
$\qquad\qquad\qquad\qquad=14+7\sqrt{2}$
즉, $a=14,\ b=7$이므로 $a-b=14-7=7$

6-3 $\dfrac{1}{\sqrt{2}+1}-\dfrac{\sqrt{2}}{\sqrt{2}-1}$
$\qquad=\dfrac{\sqrt{2}-1}{(\sqrt{2}+1)(\sqrt{2}-1)}-\dfrac{\sqrt{2}(\sqrt{2}+1)}{(\sqrt{2}-1)(\sqrt{2}+1)}$

$\qquad=\dfrac{\sqrt{2}-1}{2-1}-\dfrac{2+\sqrt{2}}{2-1}$
$\qquad=(\sqrt{2}-1)-(2+\sqrt{2})=-3$

6-4 $x=\dfrac{2+\sqrt{3}}{(2-\sqrt{3})(2+\sqrt{3})}=\dfrac{2+\sqrt{3}}{4-3}=2+\sqrt{3}$이므로
$x-2=\sqrt{3}$
양변을 제곱하면 $x^2-4x+4=3,\ x^2-4x=-1$
$\therefore x^2-4x+2=-1+2=1$

유형 ❼

① $101^2 \Rightarrow (100+1)^2$
② $298^2 \Rightarrow (300-2)^2$
③ $54\times46 \Rightarrow (50+4)(50-4)$
④ $997^2 \Rightarrow (1000-3)^2$
⑤ $98\times102 \Rightarrow (100-2)(100+2)$

7-1 $\dfrac{198^2-4}{200}=\dfrac{(200-\boxed{2})^2-4}{200}$
$\qquad\qquad\quad=\dfrac{(40000-800+4)-4}{200}$
$\qquad\qquad\quad=200-4=\boxed{196}$
$\therefore$ ㈎ : 2, ㈏ : 196

7-2 (1) $8.1\times7.9=(8+0.1)(8-0.1)=64-0.01=63.99$
(2) $103\times105=(100+3)(100+5)$
$\qquad\qquad\qquad=10000+800+15=10815$
(3) $\sqrt{89\times91+1}=\sqrt{(90-1)(90+1)+1}$
$\qquad\qquad\qquad=\sqrt{8100-1+1}=\sqrt{8100}=90$

유형 ❽

$x^2-3x-1=0$의 양변을 x로 나누면
$x-3-\dfrac{1}{x}=0$ $\quad\therefore x-\dfrac{1}{x}=3$
$\therefore x^2+\dfrac{1}{x^2}=\left(x-\dfrac{1}{x}\right)^2+2=9+2=11$

8-1 (1) $x^2+y^2=(x-y)^2+2xy$
$\qquad\qquad\quad=(2\sqrt{3})^2+2\times(-2)=12-4=8$
(2) $(x+y)^2=(x-y)^2+4xy$
$\qquad\qquad\quad=(2\sqrt{3})^2+4\times(-2)$
$\qquad\qquad\quad=12-8=4$
(3) $\dfrac{y}{x}+\dfrac{x}{y}=\dfrac{x^2+y^2}{xy}=\dfrac{8}{-2}=-4$

8-2 $(x-y)^2=(x+y)^2-4xy$
$=6^2-4\times(-3)=48$

8-3 $(1)\,a^2+\dfrac{1}{a^2}=\left(a+\dfrac{1}{a}\right)^2-2=3^2-2=7$

$(2)\left(x-\dfrac{1}{x}\right)^2=\left(x+\dfrac{1}{x}\right)^2-4=(-4)^2-4=12$

개념 CHECK
02. 인수분해   106쪽

개념 확인 $(1)\,3b$ $(2)\,2b$ $(3)\,2b,\,2b$ $(4)\,3$ $(5)\,3$

01 ㄱ, ㄷ, ㄹ

02 $(1)\,x(x+1)$ $(2)\,2b(ab+2)$
$(3)\,3x^2y(y-2)$ $(4)\,x^2(y^2+2x-y)$

03 $(1)\,(x+4)^2$ $(2)\,(y-7)^2$ $(3)\left(a-\dfrac{2}{3}\right)^2$ $(4)\,(3x+5y)^2$

04 $(1)\,\pm1$ $(2)\,36$ $(3)\,9$ $(4)\,\pm20$

05 $(1)\,(2x+1)(2x-1)$ $(2)\left(\dfrac{1}{6}a+b\right)\left(\dfrac{1}{6}a-b\right)$
$(3)\,(3x+7)(3x-7)$ $(4)\,3(4a+5)(4a-5)$

06 $(1)\,(x+1)(x+4)$ $(2)\,(x-4)(x+6)$
$(3)\,(a+2)(2a+1)$ $(4)\,(x-3y)(3x+2y)$

04 $(1)\,\dfrac{1}{4}=\left(\dfrac{1}{2}\right)^2$이므로 $\Box=\pm2\times\dfrac{1}{2}=\pm1$

$(2)\,\Box=\left(\dfrac{-12}{2}\right)^2=36$

$(3)\,4x^2+12x+\Box=(2x)^2+2\times2x\times3+\Box$에서
$\Box=3^2=9$

$(4)\,25x^2+\Box xy+4y^2=(5x)^2+\Box xy+(2y)^2$이므로
$\Box=\pm2\times5\times2=\pm20$

05 $(3)\,-49+9x^2=9x^2-49=(3x+7)(3x-7)$
$(4)\,48a^2-75=3(16a^2-25)=3(4a+5)(4a-5)$

06 (1) 합이 5, 곱이 4인 두 정수는 1, 4이므로
$x^2+5x+4=(x+1)(x+4)$
(2) 합이 2, 곱이 -24인 두 정수는 -4, 6이므로
$x^2+2x-24=(x-4)(x+6)$
$(3)\,2a^2+5a+2=(a+2)(2a+1)$

$(4)\,3x^2-7xy-6y^2=(x-3y)(3x+2y)$

$$\begin{array}{ccc} 1 & \searrow\nearrow & -3 \quad\; -9 \\ 3 & & 2 \quad\;\; \dfrac{2}{-7} \end{array}$$

개념 CHECK
03. 인수분해 공식의 활용   113쪽

개념 확인 $(1)\,A+2,\,3$ $(2)\,a^2-b^2=(a+b)(a-b)$

01 $(1)\,(x-1)^2$ $(2)\,(x+2y-3)(x+2y+5)$
$(3)\,x(x-6)$ $(4)\,(x+y)(x-y-6)$
$(5)\,(x+y+1)^2$ $(6)\,(x^2+5x+5)^2$

02 $(1)\,(x-y)(x+y-2)$ $(2)\,(x+2y-1)(x-2y-1)$
$(3)\,(x-2)(x+y+3)$ $(4)\,(3x-y)(3x-y-1)$

03 $(1)\,800$ $(2)\,89991$ $(3)\,4900$ $(4)\,1600$

04 $(1)\,250000$ $(2)\,1000000$

01 $(1)\,x+2=A$로 치환하면
$(주어진 식)=A^2-6A+9=(A-3)^2$
$=(x+2-3)^2=(x-1)^2$
$(2)\,x+2y=A$로 치환하면
$(주어진 식)=A^2+2A-15=(A-3)(A+5)$
$=(x+2y-3)(x+2y+5)$
$(3)\,x-3=A$로 치환하면
$(주어진 식)=A^2-9=(A+3)(A-3)$
$=(x-3+3)(x-3-3)=x(x-6)$
$(4)\,x-3=A,\ y+3=B$로 치환하면
$(주어진 식)=A^2-B^2=(A+B)(A-B)$
$=(x-3+y+3)(x-3-y-3)$
$=(x+y)(x-y-6)$
$(5)\,x+y=A$로 치환하면
$(주어진 식)=A(A+2)+1=A^2+2A+1$
$=(A+1)^2=(x+y+1)^2$
$(6)\,(주어진 식)=\{(x+1)(x+4)\}\{(x+2)(x+3)\}+1$
$=(x^2+5x+4)(x^2+5x+6)+1$
$=(A+4)(A+6)+1$
$=A^2+10A+24+1$
$=A^2+10A+25=(A+5)^2$
$=(x^2+5x+5)^2$

02 $(1)\,(주어진 식)=x^2-y^2-2x+2y$
$=(x+y)(x-y)-2(x-y)$
$=(x-y)(x+y-2)$

(2) (주어진 식)$=(x-1)^2-(2y)^2$
$$=(x+2y-1)(x-2y-1)$$
(3) 주어진 식을 y에 대하여 내림차순으로 정리하면
(주어진 식)$=xy-2y+x^2+x-6$
$$=y(x-2)+(x+3)(x-2)$$
$$=(x-2)(x+y+3)$$
(4) (주어진 식)$=(3x-y)^2-(3x-y)$
$$=(3x-y)(3x-y-1)$$

03 (1) $102^2-98^2=(102+98)(102-98)=200\times4=800$
(2) $303\times297=(300+3)(300-3)=90000-9=89991$
(3) $63^2+14\times63+7^2=(63+7)^2=70^2=4900$
(4) $43^2-6\times43+3^2=(43-3)^2=40^2=1600$

04 (1) $x^2+20x+100=(x+10)^2=(490+10)^2$
$$=500^2=250000$$
(2) $x^2-2xy+y^2=(x-y)^2=(1111-111)^2$
$$=1000^2=1000000$$

유형 EXERCISES

 114~118쪽

유형 ❶ ④	1-1 ⑤	1-2 ⑤	
유형 ❷ ⑤	2-1 3	2-2 7	2-3 4
유형 ❸ 1	3-1 ③	3-2 $(a+b)(a-b)(x-2)$	
	3-3 ③		
유형 ❹ $A=4,\,B=7$		4-1 ①, ⑤	4-2 $2x+10$
	4-3 ④		
유형 ❺ 20	5-1 $(2x+y)(2x-5y)$		
	5-2 8	5-3 -10	
유형 ❻ $4x+10$	6-1 $2x+9$	6-2 $x+3$	6-3 $2x-1$
유형 ❼ $(a+b-2)(a+b-1)$			
	7-1 $(2a+3)(3a+1)$	7-2 -2	
	7-3 $-2(x-7)(5x+9)$		
	7-4 $(x^2+x-10)(x^2+x+2)$		
유형 ❽ $(a+b)(a-2b+c)$			
	8-1 (1) $(x+2)(x+4y)$		
	(2) $(x+1)(x-1)(x-2)$		
	8-2 -4	8-3 $(x-y+6)(x-y-2)$	
유형 ❾ 875	9-1 2021	9-2 -36	9-3 6
유형 ❿ 3	10-1 2	10-2 $2\sqrt{3}$	10-3 35

유형 ❶
$-4xy^3+6y^2=-2y^2(2xy-3)$

1-1 ⑤ $3x^2y-2xy+6xy^2=xy(3x-2+6y)$

1-2 ⑤ $a(2-b)$는 $ab(2a-b)$의 인수가 아니다.

유형 ❷
⑤ $\dfrac{9}{4}x^2-12x+16=\left(\dfrac{3}{2}x-4\right)^2$

2-1 $(x+B)^2=x^2+2Bx+B^2=x^2+Ax+9$
$B^2=9$에서 $B=\pm3$ ∴ $B=3\ (\because B>0)$
$A=2B=2\times3=6$
∴ $A-B=6-3=3$

2-2 $4a+8=\left(\dfrac{-12}{2}\right)^2=36$ ∴ $a=7$

2-3 $-3<x<1$이므로 $x-1<0,\,x+3>0$
∴ (주어진 식)$=\sqrt{(x-1)^2}+\sqrt{(x+3)^2}$
$$=-(x-1)+x+3=4$$

유형 ❸
$25x^2-16=(5x+4)(5x-4)$이므로
$A=5,\,B=4$ ∴ $A-B=5-4=1$

3-1 ③ $\dfrac{1}{25}x^2-\dfrac{1}{16}y^2=\left(\dfrac{1}{5}x+\dfrac{1}{4}y\right)\left(\dfrac{1}{5}x-\dfrac{1}{4}y\right)$

3-2 $a^2(x-2)+b^2(2-x)=a^2(x-2)-b^2(x-2)$
$$=(a^2-b^2)(x-2)$$
$$=(a+b)(a-b)(x-2)$$

3-3 $x^4-16=(x^2)^2-4^2=(x^2+4)(x^2-4)$
$$=(x^2+4)(x+2)(x-2)$$
따라서 x^4-16의 인수가 아닌 것은 ③이다.

유형 ❹
$(x-3)(x-A)=x^2-(3+A)x+3A=x^2-Bx+12$이므
로 $3+A=B,\,3A=12$ ∴ $A=4,\,B=7$

4-1 $x^2+5xy-6y^2=(x-y)(x+6y)$

4-2 $x^2+10x-24=(x+12)(x-2)$에서 두 일차식은
$x+12$, $x-2$이므로
$(x+12)+(x-2)=2x+10$

4-3 곱하여 16이 되는 두 정수는 -1, -16 또는 -2, -8
또는 -4, -4 또는 4, 4 또는 2, 8 또는 1, 16이므로 A
의 값이 될 수 있는 것은 -17, -10, -8, 8, 10, 17이
다.

유형 ⑤
$ax^2-bx+7=(x-1)(3x-c)=3x^2-(3+c)x+c$
즉, $a=3$, $b=3+c$, $7=c$이므로 $b=10$
$\therefore a+b+c=3+10+7=20$

5-1 $4x^2-8xy-5y^2=(2x+y)(2x-5y)$

5-2 $6x^2+7x+2=(2x+1)(3x+2)$이므로
$a=2$, $b=1$, $c=3$, $d=2$
또는 $a=3$, $b=2$, $c=2$, $d=1$
$\therefore a+b+c+d=2+1+3+2=8$

5-3 $12x^2+ax-8=2(2x+1)(3x+\square)$
$\qquad\qquad\qquad =(4x+2)(3x+\square)$
이므로 $-8=2\times\square$ $\quad\therefore \square=-4$
$\therefore a=4\times\square+2\times3=-16+6=-10$

유형 ⑥
(넓이)$=x^2+5x+4=(x+1)(x+4)$
따라서 직사각형의 둘레의 길이는
$2\{(x+1)+(x+4)\}=4x+10$

6-1 정사각형의 한 변의 길이를 A라고 하면 정사각형의 넓이
는 $A^2=4x^2+36x+81=(2x+9)^2$
$\therefore A=2x+9$ $(\because A>0)$

6-2 주어진 사다리꼴의 넓이는 $3x^2+7x-6$이므로
$\dfrac{1}{2}\times\{(2x-3)+(4x-1)\}\times$(높이)$=3x^2+7x-6$
$(3x-2)\times$(높이)$=(x+3)(3x-2)$
$\therefore$ (높이)$=x+3$

6-3 (도형 A의 넓이)$=(2x)^2-1^2=(2x+1)(2x-1)$

(도형 B의 넓이)$=(2x+1)\times$(세로의 길이)
두 도형의 넓이가 서로 같으므로 도형 B의 세로의 길이
는 $2x-1$이다.

유형 ⑦
$a+b=A$로 치환하면
$(a+b)(a+b-3)+2=A(A-3)+2$
$\qquad\qquad\qquad\qquad =A^2-3A+2$
$\qquad\qquad\qquad\qquad =(A-2)(A-1)$
$\qquad\qquad\qquad\qquad =(a+b-2)(a+b-1)$

7-1 $a+2=A$로 치환하면
$6(a+2)^2-13(a+2)+5$
$=6A^2-13A+5$
$=(2A-1)(3A-5)$
$=(2a+4-1)(3a+6-5)$
$=(2a+3)(3a+1)$

7-2 $2x-1=A$로 치환하면
$(2x-1)^2-4=A^2-2^2=(A+2)(A-2)$
$\qquad\qquad\qquad =(2x-1+2)(2x-1-2)$
$\qquad\qquad\qquad =(2x+1)(2x-3)$
즉, $a=1$, $b=-3$ 또는 $a=-3$, $b=1$이므로
$a+b=-2$

7-3 $x+5=A$, $x-3=B$로 치환하면
$3(x+5)^2-7(x+5)(x-3)-6(x-3)^2$
$=3A^2-7AB-6B^2$
$=(A-3B)(3A+2B)$
$=(x+5-3x+9)(3x+15+2x-6)$
$=(-2x+14)(5x+9)$
$=-2(x-7)(5x+9)$

7-4 $(x-2)(x-1)(x+2)(x+3)-32$
$=(x-2)(x+3)(x-1)(x+2)-32$
$=(x^2+x-6)(x^2+x-2)-32$ $\quad\leftarrow x^2+x=A$로 치환
$=(A-6)(A-2)-32$
$=(A^2-8A+12)-32$
$=A^2-8A-20$
$=(A-10)(A+2)$
$=(x^2+x-10)(x^2+x+2)$

유형 ⑧

$a^2-ab+ac-2b^2+bc$는 a에 대한 2차식, b에 대한 2차식, c에 대한 1차식이므로 가장 낮은 차수를 가지고 있는 문자 c에 대하여 내림차순으로 정리하면

$a^2-ab+ac-2b^2+bc$
$=ac+bc+a^2-ab-2b^2$
$=c(a+b)+(a^2-ab-2b^2)$
$=c(a+b)+(a-2b)(a+b)$
$=(a+b)(c+a-2b)$
$=(a+b)(a-2b+c)$

8-1 (1) $x^2+4xy+2x+8y$
　　　$=x(x+4y)+2(x+4y)$
　　　$=(x+2)(x+4y)$
　　(2) x^3-2x^2-x+2
　　　$=x^2(x-2)-(x-2)$
　　　$=(x^2-1)(x-2)$
　　　$=(x+1)(x-1)(x-2)$

8-2 $x^2+4y^2-4xy-16$
　　$=(x^2-4xy+4y^2)-16$
　　$=(x-2y)^2-4^2$
　　$=(x-2y+4)(x-2y-4)$
　　따라서 $a=-2$, $b=4$, $c=-2$, $d=-4$ 또는
　　$a=-2$, $b=-4$, $c=-2$, $d=4$이므로
　　$a+b+c+d=-4$

8-3 $x^2-2xy+4x+y^2-4y-12$
　　$=x^2-(2y-4)x+(y-6)(y+2)$
　　$=\{x-(y-6)\}\{x-(y+2)\}$
　　$=(x-y+6)(x-y-2)$

　　■ 다른 풀이 ■
　　$x^2-2xy+4x+y^2-4y-12$
　　$=x^2-2xy+y^2+4x-4y-12$
　　$=(x-y)^2+4(x-y)-12$　┐$x-y=A$로 치환
　　$=A^2+4A-12$
　　$=(A+6)(A-2)$
　　$=(x-y+6)(x-y-2)$

유형 ⑨

$22.5^2\times1.75-2.5^2\times1.75$
$=1.75\times(22.5^2-2.5^2)$
$=1.75\times(22.5+2.5)\times(22.5-2.5)$
$=1.75\times25\times20$
$=1.75\times500$
$=875$

9-1 $\dfrac{2020^2+2\times2020+1}{2021}=\dfrac{(2020+1)^2}{2021}$
　　　　　　　　　　$=\dfrac{2021^2}{2021}=2021$

9-2 $1^2-2^2+3^2-4^2+5^2-6^2+7^2-8^2$
　　$=(1+2)(1-2)+(3+4)(3-4)$
　　　　　　　$+(5+6)(5-6)+(7+8)(7-8)$
　　$=-3-7-11-15=-36$

9-3 $3^{16}-1=(3^8+1)(3^8-1)=(3^8+1)(3^4+1)(3^4-1)$
　　$=(3^8+1)(3^4+1)(3^2+1)(3^2-1)$
　　$=(3^8+1)(3^4+1)(3^2+1)(3+1)(3-1)$
　　$=(3^8+1)\times82\times10\times4\times2$
　　따라서 $3^{16}-1$의 약수 중 10 이하인 것은 1, 2, 4, 5, 8, 10의 6개이다.

유형 ⑩

$(a-b)^2=(a+b)^2-4ab=3^2-8=1$이므로
$a^2(a-b)+b^2(b-a)=a^2(a-b)-b^2(a-b)$
　　　　　　　　　$=(a^2-b^2)(a-b)$
　　　　　　　　　$=(a+b)(a-b)(a-b)$
　　　　　　　　　$=(a+b)(a-b)^2$
　　　　　　　　　$=3\times1=3$

10-1 $x=\dfrac{2}{\sqrt{3}+1}=\sqrt{3}-1$이므로
　　$(x-1)^2+4(x-1)+3$　┐$x-1=A$로 치환
　　$=A^2+4A+3$
　　$=(A+1)(A+3)$　┐$A=x-1$을 대입
　　$=(x-1+1)(x-1+3)$
　　$=x(x+2)$　┐$x=\sqrt{3}-1$을 대입
　　$=(\sqrt{3}-1)(\sqrt{3}-1+2)$
　　$=(\sqrt{3}-1)(\sqrt{3}+1)$
　　$=3-1=2$

10-2 $x+y=2$, $x-y=\sqrt{3}$이므로

$\quad x^2-y^2=(x+y)(x-y)=2\sqrt{3}$

10-3 $x^2-y^2+4x-4y$

$\quad =(x+y)(x-y)+4(x-y)$

$\quad =(x-y)(x+y+4)$

$\quad =5\times 7=35$

중단원 EXERCISES

01 ④	**02** ④	**03** ①	**04** -1
05 2020	**06** -24	**07** $2a^2-2a-b^2+2b$	
08 ①	**09** ①	**10** ④	**11** 53
12 5	**13** ⑤	**14** ①	**15** ⑤
16 3	**17** 7	**18** $(x+7)^2$	**19** 55
20 ②	**21** $3-6\sqrt{5}$	**22** 30	**23** 4
24 (1) $x^2+4x-12$ (2) $(x-2)(x+6)$			
25 $(x^2-3)(x^2-2)$		**26** ③	**27** $\dfrac{11}{20}$
28 $-2\sqrt{3}+3$			

01 x^2항이 나오는 부분만 전개하면 $-x\times 3x=-3x^2$

$\quad \therefore a=-3$

$\quad xy$항이 나오는 부분만 전개하면

$\quad -x\times(-y)+2y\times 3x=7xy \qquad \therefore b=7$

$\quad \therefore a+b=-3+7=4$

02 $(3x+A)^2=9x^2+6Ax+A^2=Bx^2-3x+C$이므로

$\quad 9=B$, $6A=-3$, $A^2=C$

$\quad \therefore A=-\dfrac{1}{2}$, $C=\dfrac{1}{4}$

$\quad \therefore A+B+C=-\dfrac{1}{2}+9+\dfrac{1}{4}=\dfrac{35}{4}$

03 $(x-1)(x+1)(x^2+1)=(x^2-1)(x^2+1)=x^4-1$

04 (주어진 식)$=2(3x^2-x-2)-3(4-4x+x^2)$

$\qquad =6x^2-2x-4-12+12x-3x^2$

$\qquad =3x^2+10x-16$

$\quad$ 따라서 $A=3$, $B=10$, $C=-16$이므로

$\quad A-2B-C=3-20-(-16)=-1$

05 $\dfrac{2021\times 2019+1}{2020}=\dfrac{(2020+1)(2020-1)+1}{2020}$

$\qquad\qquad\qquad\quad =\dfrac{2020^2-1+1}{2020}$

$\qquad\qquad\qquad\quad =\dfrac{2020^2}{2020}=2020$

06 $\dfrac{\sqrt{3}}{7+4\sqrt{3}}-\dfrac{\sqrt{3}}{7-4\sqrt{3}}$

$\quad =\dfrac{\sqrt{3}(7-4\sqrt{3})-\sqrt{3}(7+4\sqrt{3})}{(7+4\sqrt{3})(7-4\sqrt{3})}$

$\quad =\dfrac{7\sqrt{3}-12-7\sqrt{3}-12}{49-48}=-24$

07 $(a-1)^2+(a-b+1)(a+b-1)$

$\quad =(a-1)^2+\{a-(b-1)\}\{a+(b-1)\}$ $\quad$「$b-1=A$로 치환

$\quad =(a-1)^2+(a-A)(a+A)$

$\quad =a^2-2a+1+a^2-A^2$

$\quad =2a^2-2a+1-A^2$

$\quad =2a^2-2a+1-(b-1)^2$ $\quad$「$A=b-1$을 대입

$\quad =2a^2-2a+1-(b^2-2b+1)$

$\quad =2a^2-2a+1-b^2+2b-1$

$\quad =2a^2-2a-b^2+2b$

08 $a+b=2$, $a^2+b^2=5$이므로

$\quad (a+b)^2=a^2+2ab+b^2$에서 $2^2=5+2ab$

$\quad 2ab=-1 \qquad \therefore ab=-\dfrac{1}{2}$

$\quad \therefore \dfrac{a}{b}+\dfrac{b}{a}=\dfrac{a^2+b^2}{ab}=5\div\left(-\dfrac{1}{2}\right)=5\times(-2)=-10$

09 $x^2y-y=y(x^2-1)=y(x+1)(x-1)$

10 ① $a^2+8a+16=(a+4)^2$

$\quad$ ② $\dfrac{1}{4}x^2+x+1=\left(\dfrac{1}{2}x+1\right)^2$

$\quad$ ③ $1+2y+y^2=(y+1)^2$

$\quad$ ④ $9a^2+30ab+16b^2=(3a+8b)(3a+2b)$

$\quad$ ⑤ $3x^2-12xy+12y^2=3(x-2y)^2$

11 $x^2-14xy+\square y^2=x^2-2\times x\times 7y+\square y^2$

$\quad \therefore \square=7^2=49$

$\quad 36x^2+\square x+\dfrac{1}{9}=(6x)^2+\square x+\left(\dfrac{1}{3}\right)^2$

$\quad \therefore \square=2\times 6\times\dfrac{1}{3}=4 \qquad \therefore 49+4=53$

12 $0 < x < 5$이므로 $x - 5 < 0$

$\therefore$ (주어진 식)$= \sqrt{x^2} + \sqrt{(x-5)^2}$

$\qquad\qquad\qquad = x - (x-5) = 5$

13 $x^2 - ax + 20$이 $x - 5$로 나누어 떨어지므로 $x - 5$는 $x^2 - ax + 20$의 인수이다.

$x^2 - ax + 20 = (x-5)(x+b)$로 놓으면

$x^2 - ax + 20 = x^2 - (5-b)x - 5b$에서

$a = 5 - b$, $20 = -5b$이므로 $b = -4$

$\therefore a = 5 - (-4) = 9$

14 $x^2 - 4x + 3 = (x-1)(x-3)$

$2x^2 - 3x - 9 = (x-3)(2x+3)$

즉, 두 식의 공통인수는 $x-3$이다.

15 ⑤ $2x^2 + 5x - 3 = (x+3)(2x-1)$

16 $(2x+1)^2 + (2x+1)(x-3)$

$= (2x+1)(2x+1+x-3)$

$= (2x+1)(3x-2)$

따라서 $a = 1$, $b = -2$이므로 $a - b = 1 - (-2) = 3$

17 $x^2 + kx - 8 = x^2 + (a+b)x + ab$이므로 $ab = -8$인 두 정수 a, b를 순서쌍 (a, b)로 나타내면

$(1, -8)$, $(2, -4)$, $(4, -2)$, $(8, -1)$

$(-1, 8)$, $(-2, 4)$, $(-4, 2)$, $(-8, 1)$

$k = a + b$이므로 위의 순서쌍 (a, b) 중에서 a와 b의 합이 가장 큰 $(-1, 8)$ 또는 $(8, -1)$일 때, k는 가장 큰 값을 가진다.

따라서 k가 될 수 있는 수 중에서 가장 큰 값은 7이다.

18 직사각형의 넓이를 $x^2 + 14x + a = (x+8)(x+b)$로 놓으면 $x^2 + 14x + a = x^2 + (8+b)x + 8b$에서

$8 + b = 14$ $\quad \therefore b = 6$

즉, 직사각형의 세로의 길이는 $x+6$이 된다.

직사각형의 둘레의 길이는 $2\{(x+8) + (x+6)\} = 4x + 28$이므로 정사각형의 한 변의 길이는 $\dfrac{1}{4} \times (4x+28) = x+7$

따라서 정사각형의 넓이는 $(x+7)^2$이다.

19 $x^2 - 9ax + b + (ax + 7b) = x^2 - 8ax + 8b$

이 다항식을 인수분해하였을 때 완전제곱식이 되려면

$\left(\dfrac{8a}{2}\right)^2 = 8b$이어야 한다. 즉, $b = 2a^2$이므로 (a, b)는

$(1, 2)$, $(2, 8)$, $(3, 18)$, $(4, 32)$, $(5, 50)$이다.

따라서 $a + b$의 최댓값은 $5 + 50 = 55$이다.

20 $x^2 - y^2 + 6x - 6y = (x+y)(x-y) + 6(x-y)$

$\qquad\qquad\qquad\qquad = (x-y)(x+y+6)$

따라서 두 일차식은 $x-y$, $x+y+6$이므로 두 일차식의 합은 $(x-y) + (x+y+6) = 2x + 6$

21 $x = \dfrac{1}{\sqrt{5}+2} = \sqrt{5} - 2$, $y = \dfrac{1}{\sqrt{5}-2} = \sqrt{5} + 2$이므로

$x + y = 2\sqrt{5}$, $x - y = -4$

$\therefore x^2 - y^2 + 2y - 1 = x^2 - (y^2 - 2y + 1)$

$\qquad\qquad\qquad\qquad = x^2 - (y-1)^2$

$\qquad\qquad\qquad\qquad = (x+y-1)(x-y+1)$

$\qquad\qquad\qquad\qquad = (2\sqrt{5} - 1) \times (-4+1)$

$\qquad\qquad\qquad\qquad = -6\sqrt{5} + 3 = 3 - 6\sqrt{5}$

22 $101^2 - 99^2 = (101 + 99) \times (101 - 99)$

$\qquad\qquad\qquad = 200 \times 2 = 400 = 100A$

$\therefore A = 4$

$37^2 - 2 \times 3 \times 37 + 3^2 = (37-3)^2 = 34^2 = B^2$

$\therefore B = 34$

$\therefore B - A = 34 - 4 = 30$

23 길의 한가운데를 이은 원의 반지름의 길이를 r m라고 하면

$2\pi r = 60\pi$ $\quad \therefore r = 30$

이때 길의 넓이가 480π m²이므로

$\pi(30+a)^2 - \pi(30-a)^2 = 480\pi$

$(30+a)^2 - (30-a)^2 = 480$

$\{(30+a) + (30-a)\}\{30+a - (30-a)\} = 480$

$120a = 480$ $\quad \therefore a = 4$

24 (1) $(x-4)(x+3) = x^2 - x - 12$에서 지호는 상수항을 제대로 보았으므로 상수항은 -12이다.

$(x-3)(x+7) = x^2 + 4x - 21$에서 태희는 x의 계수를 제대로 보았으므로 x의 계수는 4이다.

따라서 처음의 이차식은 $x^2 + 4x - 12$이다.

(2) $x^2 + 4x - 12 = (x-2)(x+6)$

25 $(x-2)(x-1)(x+1)(x+2)+2$

$=(x-1)(x+1)(x-2)(x+2)+2$

$=(x^2-1)(x^2-4)+2$

$=(A-1)(A-4)+2$ ← $x^2=A$로 치환

$=A^2-5A+4+2=A^2-5A+6$

$=(A-3)(A-2)=(x^2-3)(x^2-2)$

26 $x^2=A$로 치환하면

$x^4-13x^2+36=A^2-13A+36$

$=(A-4)(A-9)$

$=(x^2-4)(x^2-9)$

$=(x+2)(x-2)(x+3)(x-3)$

$\therefore (x+2)+(x-2)+(x+3)+(x-3)=4x$

27 $f(2)\times f(3)\times f(4)\times\cdots\times f(10)$

$=\left(1-\dfrac{1}{2^2}\right)\left(1-\dfrac{1}{3^2}\right)\left(1-\dfrac{1}{4^2}\right)\times\cdots\times\left(1-\dfrac{1}{10^2}\right)$

$=\left(1-\dfrac{1}{2}\right)\left(1+\dfrac{1}{2}\right)\left(1-\dfrac{1}{3}\right)\left(1+\dfrac{1}{3}\right)\left(1-\dfrac{1}{4}\right)\left(1+\dfrac{1}{4}\right)$

$\qquad\times\cdots\times\left(1-\dfrac{1}{9}\right)\left(1+\dfrac{1}{9}\right)\left(1-\dfrac{1}{10}\right)\left(1+\dfrac{1}{10}\right)$

$=\dfrac{1}{2}\times\dfrac{3}{2}\times\dfrac{2}{3}\times\dfrac{4}{3}\times\cdots\times\dfrac{8}{9}\times\dfrac{10}{9}\times\dfrac{9}{10}\times\dfrac{11}{10}$

$=\dfrac{1}{2}\times\dfrac{11}{10}=\dfrac{11}{20}$

28 $2<4-\sqrt{3}<3$이므로 $x=(4-\sqrt{3})-2=2-\sqrt{3}$

$0<\sqrt{3}-1<1$이므로 $y=\sqrt{3}-1$

즉, $x+y=1$, $x-y=-2\sqrt{3}+3$이므로

$x^3-y^3+x^2y-xy^2=x^2(x+y)-y^2(x+y)$

$=(x+y)(x^2-y^2)$

$=(x+y)^2(x-y)$

$=1\times(-2\sqrt{3}+3)=-2\sqrt{3}+3$

대단원 EXERCISES
124~127쪽

01 ③	**02** ①	**03** ⑤	**04** ⑤
05 15	**06** ⑤	**07** 31	**08** ③
09 1	**10** $2(x-2)(5x-6)$		**11** ④
12 ③, ⑤	**13** ①	**14** -8	**15** ④
16 ③	**17** 5, 7	**18** ④	**19** ①
20 4	**21** $(x+y+2)(x+y+3)$		**22** ③
23 ①	**24** ⑤	**25** 24 cm	
26 $42x^2+36x-2$		**27** $2x$	**28** 15

---

01 ③ $(x-4)(x+2)=x^2-2x-8$

02 (직사각형의 넓이)$=(2a-3)(2a+3)=4a^2-9(\text{cm}^2)$

03 $(3x-ay)(bx+y)=3bx^2+(3-ab)xy-ay^2$

$=6x^2+cxy-2y^2$

$3b=6$, $3-ab=c$, $-a=-2$이므로

$a=2$, $b=2$, $c=-1$

$\therefore a+b+c=3$

04 a를 b로 나타내면 $a=(\sqrt{b}-1)^2$

c를 b로 나타내면 $c=(\sqrt{b}+1)^2$

$\therefore a+b+c=(\sqrt{b}-1)^2+b+(\sqrt{b}+1)^2$

$=b-2\sqrt{b}+1+b+b+2\sqrt{b}+1=3b+2$

05 $2(3x+2)(x-2)-(2x-5)(2x+5)$

$=2(3x^2-4x-4)-(4x^2-25)$

$=6x^2-8x-8-4x^2+25$

$=2x^2-8x+17$

$x=\sqrt{3}+2$에서 $x-2=\sqrt{3}$이므로 양변을 제곱하면

$(x-2)^2=3$, $x^2-4x+4=3$ $\therefore x^2-4x=-1$

$\therefore 2x^2-8x+17=2(x^2-4x)+17$

$=2\times(-1)+17=15$

06 $\left(x+\dfrac{1}{x}\right)^2=x^2+\dfrac{1}{x^2}+2=23+2=25$

$x>0$이므로 $x+\dfrac{1}{x}=5$

07 $x=\dfrac{1}{3+2\sqrt{2}}=3-2\sqrt{2}$, $y=\dfrac{1}{3-2\sqrt{2}}=3+2\sqrt{2}$이므로

$x+y=6$, $xy=1$

$\therefore x^2+y^2-3xy=(x+y)^2-5xy$

$=6^2-5\times1=31$

08 ① $a^2+4a+4=(a+2)^2$

② $4x^2-9y^2=(2x+3y)(2x-3y)$

④ $4x^2+xy-3y^2=(4x-3y)(x+y)$

⑤ $18x^2y+12xy+2y=2y(3x+1)^2$

09 $(x+4)(x+6)+k=x^2+10x+24+k$

이 식이 완전제곱식이 되려면

$24+k=5^2$ $\therefore k=1$

10 (주어진 식)$=9x^2-30x+25+x^2-2x-24+23$
$$=10x^2-32x+24$$
$$=2(5x^2-16x+12)$$
$$=2(x-2)(5x-6)$$

11 $-6<x<6$이므로 $x-6<0$, $x+6>0$
$\therefore$ (주어진 식)$=\sqrt{(x-6)^2}-\sqrt{(x+6)^2}$
$$=-(x-6)-(x+6)=-2x$$

12 $3x^2+4x+1=(x+1)(3x+1)$이므로 직사각형의 가로의 길이와 세로의 길이가 될 수 있는 것은 ③, ⑤이다.

13 새로운 직사각형의 가로의 길이는 $x+a$, 세로의 길이는 $x-b$이므로 직사각형의 넓이는
$x^2+4x-12=(x+6)(x-2)=(x+a)(x-b)$
$\therefore a=6$, $b=2$ ($\because a$, b는 자연수)
따라서 직사각형의 가로의 길이는 $x+6$이다.

14 $6x^2-5x-6=(2x-3)(3x+2)$
$3x^2-19x-14=(x-7)(3x+2)$이므로 두 식의 공통인수는 $3x+2$이다.
즉, $3x^2-10x+a$의 공통인수도 $3x+2$이므로
$3x^2-10x+a=(3x+2)(x+b)$로 놓으면
$3x^2-10x+a=3x^2+(2+3b)x+2b$에서
$2+3b=-10$이므로 $b=-4$
$\therefore a=2b=-8$

15 $x^2+6x+k=(x+a)(x+b)=x^2+(a+b)x+ab$이므로
$a+b=6$, $k=ab$
즉, 자연수 a, b의 합이 6인 경우에 k의 값은 다음과 같다.
(i) $a=1$, $b=5$ 또는 $a=5$, $b=1$일 때, $k=ab=5$
(ii) $a=2$, $b=4$ 또는 $a=4$, $b=2$일 때, $k=ab=8$
(iii) $a=3$, $b=3$일 때, $k=ab=9$

16 $x^2+ax+b=(x+m)(x+n)=x^2+(m+n)x+mn$이므로 합이 a, 곱이 b인 두 정수가 존재하는 경우를 찾는다.
① 합이 2, 곱이 1인 두 정수 : 1, 1
② 합이 3, 곱이 2인 두 정수 : 1, 2
③ 합이 8, 곱이 -12가 되는 두 정수는 없다.
④ 합이 -3, 곱이 -10인 두 정수 : -5, 2
⑤ 합이 -3, 곱이 -18인 두 정수 : -6, 3

17 $n^2-2n-8=(n+2)(n-4)$가 소수가 되려면 $n-4$는 1이고 $n+2$는 소수이어야 한다.
$n-4=1$일 때, $n=5$이므로 이 소수는
$5^2-2\times5-8=7$

18 $x^4-y^4=(x^2-y^2)(x^2+y^2)=(x-y)(x+y)(x^2+y^2)$

19 $x-2=A$로 치환하면
$8(x-2)^2+6(x-2)-9$
$=8A^2+6A-9=(2A+3)(4A-3)$
$=(2x-4+3)(4x-8-3)=(2x-1)(4x-11)$
따라서 두 일차식의 합은
$(2x-1)+(4x-11)=6x-12$

20 $3xy-x-3y+1=5$에서
$x(3y-1)-(3y-1)=5$
$\therefore (x-1)(3y-1)=5$
$x-1$, $3y-1$은 자연수이고, 5는 소수이므로
(i) $x-1=1$, $3y-1=5$인 경우 : $x=2$, $y=2$
(ii) $x-1=5$, $3y-1=1$인 경우 : $x=6$, $y=\dfrac{2}{3}$
따라서 주어진 식을 만족시키는 자연수 x, y의 값은 $x=2$, $y=2$뿐이다.
$\therefore xy=4$

21 $x^2+2xy+5x+y^2+5y+6$
$=x^2+(2y+5)x+(y+2)(y+3)$
$=(x+y+2)(x+y+3)$

22 $2^{16}-1=(2^8+1)(2^8-1)$
$$=(2^8+1)(2^4+1)(2^4-1)$$
$2^4+1=17$, $2^4-1=15$이므로 $2^{16}-1$은 17과 15로 나누어 떨어진다. 따라서 그 합은 $17+15=32$이다.

23 $2x^2+2y^2+4xy=2(x^2+2xy+y^2)$
$$=2(x+y)^2$$
$$=2(1.21+2.79)^2$$
$$=2\times4^2=32$$

24 $2<\sqrt{5}<3$이므로 $a=\sqrt{5}-2$
$\therefore a^2+5a+6=(a+2)(a+3)$
$$=\sqrt{5}(\sqrt{5}+1)=5+\sqrt{5}$$

25 $4(a+b)=120$이므로 $a+b=30$

$a^2-b^2=180$이므로 $(a+b)(a-b)=180$

$\therefore a-b=6$

따라서 두 카드의 둘레의 길이의 차는

$4(a-b)=4\times6=24$ (cm)

26 (직육면체의 겉넓이)

$=2\{(2x+3)(3x-1)+(3x-1)(3x+1)$

$\quad+(2x+3)(3x+1)\}$ ...... ❶

$=2(6x^2+7x-3+9x^2-1+6x^2+11x+3)$

$=2(21x^2+18x-1)$

$=42x^2+36x-2$ ...... ❷

채점 기준	배점
❶ 겉넓이 구하는 식 세우기	40 %
❷ 겉넓이 구하기	60 %

27 $0<x<1$이므로 $x+\dfrac{1}{x}>0$, $x-\dfrac{1}{x}<0$ ...... ❶

$\therefore \sqrt{x^2+\dfrac{1}{x^2}+2}-\sqrt{x^2+\dfrac{1}{x^2}-2}$

$=\sqrt{\left(x+\dfrac{1}{x}\right)^2}-\sqrt{\left(x-\dfrac{1}{x}\right)^2}$

$=x+\dfrac{1}{x}-\left\{-\left(x-\dfrac{1}{x}\right)\right\}=2x$ ...... ❷

채점 기준	배점
❶ $x+\dfrac{1}{x}$, $x-\dfrac{1}{x}$ 의 부호 알기	50 %
❷ 주어진 식 간단히 하기	50 %

28 $6x^2+ax-3=(2x+3)(3x+k)$라고 하면

$6x^2+ax-3=6x^2+(9+2k)x+3k$이므로

$3k=-3$에서 $k=-1$

$\therefore a=9+2k=7$ ...... ❶

이때 $x^2+6x-7=(x+7)(x-1)$이므로

$b=7$, $c=1$ ...... ❷

$\therefore a+b+c=7+7+1=15$ ...... ❸

채점 기준	배점
❶ a의 값 구하기	40 %
❷ b, c의 값 구하기	30 %
❸ $a+b+c$의 값 구하기	30 %

Advanced Lecture

128~129쪽

[유제] **01** 풀이 참조

02 (1) $(a+b)^6$ (2) $(x-1)^6$

01 (1) $(a+b)^7$

$=a^7+7a^6b+21a^5b^2+35a^4b^3+35a^3b^4+21a^2b^5$

$\quad+7ab^6+b^7$

(2) $(a+b)^9$

$=a^9+9a^8b+36a^7b^2+84a^6b^3+126a^5b^4$

$\quad+126a^4b^5+84a^3b^6+36a^2b^7+9ab^8+b^9$

02 (1) 파스칼의 삼각형에서 6행을 구하면

$$1 \quad 5 \quad 10 \quad 10 \quad 5 \quad 1$$
$$1 \quad 6 \quad 15 \quad 20 \quad 15 \quad 6 \quad 1$$

로 주어진 식의 계수와 같다.

따라서 주어진 식을 인수분해하면 $(a+b)^6$이 된다.

(2) $x^6-6x^5+15x^4-20x^3+15x^2-6x+1$

$=1(-x)^6+6(-x)^5+15(-x)^4$

$\qquad\qquad +20(-x)^3+15(-x)^2+6(-x)+1$

$=(-x+1)^6=(x-1)^6$

III 이차방정식

1. 이차방정식의 뜻과 풀이

개념 CHECK
01. 이차방정식의 뜻 **139쪽**

개념 확인 (1) 이차방정식 (2) 해, 근

01 ㄱ, ㄴ, ㄹ, ㅂ　　　　**02** ③

03 ③　　　　**04** (1) $x=1$ (2) $x=0$

05 -1

---

01 등식의 우변에 있는 모든 항을 좌변으로 이항하여 정리하였을 때, (x에 대한 이차식)$=0$ 꼴로 나타내어지는 방정식을 찾는다.

ㄱ. $2x^2-x=0$ (이차방정식)

ㄴ. $6x^2+7x-20=0$ (이차방정식)

ㄷ. $-x^3+x^2-8=0$ (삼차방정식)

ㄹ. $x^2-4x+1=0$ (이차방정식)

ㅁ. $4x+2=0$ (일차방정식)

ㅂ. $x^2+2x+1=0$ (이차방정식)

따라서 이차방정식인 것은 ㄱ, ㄴ, ㄹ, ㅂ이다.

02 $ax^2+3x+1=2x^2$에서 $(a-2)x^2+3x+1=0$

이때 이차방정식이 되려면 이차항의 계수가 0이 아니어야 하므로 $a-2\neq0$, 즉 $a\neq2$이어야 한다.

03 [ ] 안의 수를 주어진 이차방정식에 대입하였을 때, 등식이 성립하면 [ ] 안의 수가 주어진 이차방정식의 해이다.

① $3^2+3\times3+2=20\neq0$

② $(1+1)(1-2)=-2\neq0$

③ $(-1)^2-5\times(-1)-6=0$

④ $4\times(-4)^2+5\times(-4)+1=45\neq0$

⑤ $0\times(0-2)=0\neq1$

04 (1)

x의 값	좌변	우변
0	$0^2-1=-1$	0
1	$1^2-1=0$	0
2	$2^2-1=3$	0
3	$3^2-1=8$	0

따라서 이차방정식 $x^2-1=0$의 해는 $x=1$이다.

(2)

x의 값	좌변	우변
0	$0\times(0-5)=0$	0
1	$1\times(1-5)=-4$	0
2	$2\times(2-5)=-6$	0
3	$3\times(3-5)=-6$	0

따라서 이차방정식 $x(x-5)=0$의 해는 $x=0$이다.

05 $(-3)^2+a\times(-3)-12=0$ ∴ $a=-1$

개념 CHECK
02. 이차방정식의 풀이 **148쪽**

개념 확인 (1) 또는 (2) 중근

01 (1) $x=-4$ 또는 $x=1$ (2) $x=-5$ 또는 $x=-1$

(3) $x=-\dfrac{3}{2}$ 또는 $x=\dfrac{1}{3}$ (4) $x=-\dfrac{1}{2}$ 또는 $x=3$

02 ㄷ

03 (1) $x=\pm3$ (2) $x=\pm\dfrac{4}{3}$ (3) $x=4\pm\sqrt{3}$ (4) $x=\dfrac{2\pm\sqrt{2}}{3}$

04 (1) $x=-2\pm\sqrt{6}$　　(2) $x=-1\pm\sqrt{7}$

(3) $x=1\pm\dfrac{\sqrt{2}}{2}$　　(4) $x=2\pm\sqrt{5}$

05 $k\leq1$

---

01 (1) $x^2+3x-4=0$에서 $(x+4)(x-1)=0$

∴ $x=-4$ 또는 $x=1$

(2) $x^2+6x+5=0$에서 $(x+5)(x+1)=0$

∴ $x=-5$ 또는 $x=-1$

(3) $6x^2+7x-3=0$에서 $(2x+3)(3x-1)=0$

∴ $x=-\dfrac{3}{2}$ 또는 $x=\dfrac{1}{3}$

(4) $2x^2-5x-3=0$에서 $(2x+1)(x-3)=0$

∴ $x=-\dfrac{1}{2}$ 또는 $x=3$

02 ㄱ. $x^2=4$에서 $x^2-4=0$, $(x+2)(x-2)=0$

∴ $x=-2$ 또는 $x=2$

ㄴ. $(x+3)(x-3)=0$에서 $x=-3$ 또는 $x=3$

ㄷ. $x^2+6x+9=0$에서 $(x-3)^2=0$ ∴ $x=3$(중근)

ㄹ. $(x+2)^2=9$에서 $x^2+4x-5=0$, $(x+5)(x-1)=0$

∴ $x=-5$ 또는 $x=1$

따라서 중근을 갖는 것은 ㄷ이다.

03 (1) $3x^2=27$에서 $x^2=9$ $\therefore x=\pm3$

(2) $9x^2-16=0$에서 $9x^2=16$

$x^2=\dfrac{16}{9}$ $\therefore x=\pm\dfrac{4}{3}$

(3) $(x-4)^2=3$에서 $x-4=\pm\sqrt{3}$ $\therefore x=4\pm\sqrt{3}$

(4) $(3x-2)^2=2$에서 $3x-2=\pm\sqrt{2}$, $3x=2\pm\sqrt{2}$

$\therefore x=\dfrac{2\pm\sqrt{2}}{3}$

04 (1) $x^2+4x-2=0$에서

$x^2+4x=2$, $x^2+4x+4=2+4$

$(x+2)^2=6$, $x+2=\pm\sqrt{6}$

$\therefore x=-2\pm\sqrt{6}$

(2) $x^2+2x-6=0$에서

$x^2+2x=6$, $x^2+2x+1=6+1$

$(x+1)^2=7$, $x+1=\pm\sqrt{7}$

$\therefore x=-1\pm\sqrt{7}$

(3) $2x^2-4x+1=0$에서

$x^2-2x+\dfrac{1}{2}=0$, $x^2-2x=-\dfrac{1}{2}$

$x^2-2x+1=-\dfrac{1}{2}+1$, $(x-1)^2=\dfrac{1}{2}$

$x-1=\pm\sqrt{\dfrac{1}{2}}$ $\therefore x=1\pm\dfrac{\sqrt{2}}{2}$

(4) $3x^2-12x-3=0$에서

$x^2-4x-1=0$, $x^2-4x=1$

$x^2-4x+4=1+4$, $(x-2)^2=5$

$x-2=\pm\sqrt{5}$ $\therefore x=2\pm\sqrt{5}$

05 $(x+4)^2=1-k$에서 $x+4=\pm\sqrt{1-k}$

$\therefore x=-4\pm\sqrt{1-k}$

따라서 주어진 이차방정식이 근을 가지려면

$1-k\geq0$ $\therefore k\leq1$

유형 EXERCISES 149~151쪽

유형 ❶ ④	1-1 2개	1-2 5	1-3 ③
유형 ❷ 4	2-1 ④	2-2 −3	2-3 4
유형 ❸ 3	3-1 ①, ③	3-2 $x=-1$ 또는 $x=\dfrac{3}{2}$	
	3-3 −13		
유형 ❹ 15	4-1 $x=2$(중근)		4-2 ⑤
	4-3 18		
유형 ❺ 3	5-1 5	5-2 1	5-3 $b\geq0$
유형 ❻ $x=\dfrac{-7\pm\sqrt{29}}{2}$	6-1 8		6-2 4
	6-3 116		

유형 ❶

등식의 우변에 있는 모든 항을 좌변으로 이항하여 정리하였을 때, (x에 대한 이차식)$=0$ 꼴로 변형되는 방정식을 찾는다.

① $x+1=0$ (일차방정식)

② $3x^3-x^2+2x=0$ (삼차방정식)

③ $12x-12=0$ (일차방정식)

④ $x^2-1=0$ (이차방정식)

⑤ $-6x+2=0$ (일차방정식)

따라서 이차방정식인 것은 ④이다.

1-1 ㄱ. $x^2+x=0$ (이차방정식)

ㄴ. $3x-1=0$ (일차방정식)

ㄷ. $x^2+4x+4=0$ (이차방정식)

ㄹ. $4x-3=0$ (일차방정식)

따라서 이차방정식인 것은 ㄱ, ㄷ의 2개이다.

1-2 $2(x-1)(x+1)=2x-x^2$에서

$2x^2-2=2x-x^2$ $\therefore 3x^2-2x-2=0$

따라서 $a=3$, $b=-2$이므로

$a-b=3-(-2)=5$

1-3 $3x^2-x-4=ax^2-2x+1$에서

$3x^2-x-4-ax^2+2x-1=0$

$(3-a)x^2+x-5=0$

이 방정식이 x에 대한 이차방정식이 되려면

$3-a\neq0$ $\therefore a\neq3$

유형 ❷

$3x^2+x-a=0$에 $x=1$을 대입하면

$3\times 1^2+1-a=0$, $4-a=0$ $\qquad \therefore a=4$

2-1 $x=-2$를 각 이차방정식에 대입하여 등식이 성립하는 것을 찾는다.

① $(-2)^2+4\times(-2)-5=-9\neq 0$

② $(-2+3)(-2-2)=-4\neq 4$

③ $(-2)^2-4\times(-2)+4=16\neq 0$

④ $(-2)^2+5\times(-2)+6=0$

⑤ $\{(-2)+6\}^2=4^2=16\neq 25$

따라서 $x=-2$를 근으로 갖는 이차방정식은 ④이다.

2-2 $x^2+ax-(a+1)=0$에 $x=2$를 대입하면

$2^2+2a-(a+1)=0$, $a+3=0$ $\qquad \therefore a=-3$

2-3 $x=p$를 $x^2+2x-4=0$에 대입하면

$p^2+2p-4=0$ $\qquad \therefore p^2+2p=4$

유형 ❸

$18+x=(x-2)^2$에서 $18+x=x^2-4x+4$

$x^2-5x-14=0$, $(x+2)(x-7)=0$

$\therefore x=-2$ 또는 $x=7$

이때 $p>q$이므로 $p=7$, $q=-2$

$\therefore p+2q=7+2\times(-2)=3$

3-1 ① $x=-\dfrac{1}{2}$ 또는 $x=4$

② $x=-4$ 또는 $x=\dfrac{1}{2}$

③ $x=-\dfrac{1}{2}$ 또는 $x=4$

④ $x=-4$ 또는 $x=\dfrac{1}{2}$

⑤ $x=\dfrac{1}{2}$ 또는 $x=4$

3-2 $2x^2-x-3=0$에서 $(x+1)(2x-3)=0$

$\therefore x=-1$ 또는 $x=\dfrac{3}{2}$

3-3 $x^2+ax+6=0$에 $x=1$을 대입하면

$1^2+a+6=0$, $a+7=0$ $\qquad \therefore a=-7$

$a=-7$을 $x^2+ax+6=0$에 대입하면

$x^2-7x+6=0$, $(x-1)(x-6)=0$

$\therefore x=1$ 또는 $x=6$

따라서 $b=6$이므로

$a-b=-7-6=-13$

유형 ❹

$x^2-8x+a+1=0$이 중근을 가지므로

$a+1=\left(\dfrac{-8}{2}\right)^2=16$ $\qquad \therefore a=15$

4-1 $(x+1)(x-4)=x-8$에서 $x^2-3x-4=x-8$

$x^2-4x+4=0$, $(x-2)^2=0$ $\qquad \therefore x=2$(중근)

4-2 ① $x^2+4x-12=0$이므로 $(x+6)(x-2)=0$

$\therefore x=-6$ 또는 $x=2$

② $x(x+7)=0$이므로 $x=-7$ 또는 $x=0$

③ $(x+4)(x-1)=0$이므로 $x=-4$ 또는 $x=1$

④ $x^2+12x+11=0$이므로 $(x+11)(x+1)=0$

$\therefore x=-11$ 또는 $x=-1$

⑤ $x^2-2x+1=0$이므로 $(x-1)^2=0$

$\therefore x=1$(중근)

따라서 중근을 갖는 것은 ⑤이다.

4-3 $x^2-kx+3k=0$이 중근을 가지므로

$3k=\left(\dfrac{-k}{2}\right)^2$, $3k=\dfrac{k^2}{4}$, $k^2-12k=0$

$k(k-12)=0$ $\qquad \therefore k=0$ 또는 $k=12$

그런데 $k\neq 0$이므로 $k=12$

즉, $k=12$를 주어진 이차방정식에 대입하면

$x^2-12x+36=0$, $(x-6)^2=0$ $\qquad \therefore x=6$(중근)

따라서 $p=6$이므로 $k+p=12+6=18$

유형 ❺

$(x+3)^2-6=0$에서 $(x+3)^2=6$

$x+3=\pm\sqrt{6}$ $\qquad \therefore x=-3\pm\sqrt{6}$

따라서 $p=-3+\sqrt{6}$, $q=-3-\sqrt{6}$ 또는 $p=-3-\sqrt{6}$, $q=-3+\sqrt{6}$이므로

$pq=(-3+\sqrt{6})\times(-3-\sqrt{6})=9-6=3$

5-1 $3(x-2)^2=9$에서 $x-2=\pm\sqrt{3}$ $\qquad \therefore x=2\pm\sqrt{3}$

따라서 $a=2$, $b=3$이므로
$a+b=2+3=5$

5-2 $2(x+5)^2=a$에서 $(x+5)^2=\dfrac{a}{2}$

$x+5=\pm\sqrt{\dfrac{a}{2}}$ $\therefore x=-5\pm\sqrt{\dfrac{a}{2}}$

따라서 $a=6$, $b=-5$이므로
$a+b=6+(-5)=1$

5-3 제곱해서 음이 되는 수는 존재하지 않으므로 b는 음수를 제외한 모든 수가 가능하다.

$(x-a)^2=b$에서 $x-a=\pm\sqrt{b}$ $\therefore x=a\pm\sqrt{b}$

따라서 해를 가질 조건은 $b\geq0$이다.

유형 ❻

$x^2+7x+5=0$에서 $x^2+7x=-5$

$x^2+7x+\dfrac{49}{4}=-5+\dfrac{49}{4}$, $\left(x+\dfrac{7}{2}\right)^2=\dfrac{29}{4}$

$x+\dfrac{7}{2}=\pm\dfrac{\sqrt{29}}{2}$ $\therefore x=\dfrac{-7\pm\sqrt{29}}{2}$

6-1 $2(x-1)^2=4x+14$에서 $(x-1)^2=2x+7$

$x^2-2x+1=2x+7$, $x^2-4x=6$

$x^2-4x+4=10$ $\therefore (x-2)^2=10$

따라서 $a=-2$, $b=10$이므로
$a+b=-2+10=8$

6-2 $x^2-6x+k=0$에서 $(x-3)^2=-k+9$

$x-3=\pm\sqrt{-k+9}$

$\therefore x=3\pm\sqrt{-k+9}=3\pm\sqrt{5}$

따라서 $-k+9=5$이므로 $k=4$

6-3 $3x^2-8x+2=0$에서 $3\left(x^2-\dfrac{8}{3}x\right)=-2$

$3\left(x^2-\dfrac{8}{3}x+\dfrac{16}{9}\right)=-2+\dfrac{16}{3}$

$3\left(x-\dfrac{4}{3}\right)^2=\dfrac{10}{3}$, $\left(x-\dfrac{4}{3}\right)^2=\dfrac{10}{9}$

$x-\dfrac{4}{3}=\pm\dfrac{\sqrt{10}}{3}$ $\therefore x=\dfrac{4\pm\sqrt{10}}{3}$

따라서 $a=4$, $b=10$이므로
$a^2+b^2=4^2+10^2=116$

152~154쪽

중단원 EXERCISES

01 ⑤	**02** ②	**03** ③	**04** ①, ③
05 ③	**06** ⑤	**07** ③	**08** 5
09 -5	**10** -8	**11** ②, ④	**12** ③
13 ①	**14** $\dfrac{4}{3}$	**15** ⑤	**16** $2\sqrt{7}$
17 -1	**18** ①, ④	**19** ⑤	**20** -2, -1, 1

01 ① $x^2-1=0$ (이차방정식)

② $x^2+4x=0$ (이차방정식)

③ $2x^2-2x+1=0$ (이차방정식)

④ $4x^2-4x+1=0$ (이차방정식)

⑤ $-5x+2=0$ (일차방정식)

따라서 이차방정식이 아닌 것은 ⑤이다.

02 $-2ax^2+4x=x^2+5$에서 $(-2a-1)x^2+4x-5=0$

이 방정식이 x에 대한 이차방정식이 되려면

$-2a-1\neq0$ $\therefore a\neq-\dfrac{1}{2}$

03 [ ] 안의 수를 주어진 이차방정식에 대입하면

① $2^2-6=-2\neq0$

② $3^2-5\times3+3=-3\neq0$

③ $2\times1^2-1-1=0$

④ $(-3)^2-6\times(-3)+9=36\neq0$

⑤ $(2\times3-4)^2=4\neq0$

따라서 [ ] 안의 수가 주어진 이차방정식의 해인 것은 ③이다.

04 각 이차방정식에 $x=-2$를 대입하면

① $(-2)^2-1=3\neq0$

② $(-2)^2-2\times(-2)-8=0$

③ $(-2)^2+2\times(-2)+1=1\neq0$

④ $4\times(-2)^2-16=0$

⑤ $(-2-1)\times(-2+2)=0$

따라서 주어진 이차방정식의 해가 $x=-2$가 아닌 것은 ①, ③이다.

05 $x^2+(a+1)x-5a=0$에 $x=-2$를 대입하면

$(-2)^2+(a+1)\times(-2)-5a=0$, $2-7a=0$

$\therefore a=\dfrac{2}{7}$

06 ① $3x^2-6x-1=0$에 $x=k$를 대입하면 $3k^2-6k-1=0$

② $3k^2-6k=1$이므로 $5-6k+3k^2=5+1=6$

③ $6k^2-12k=2(3k^2-6k)=2\times1=2$

④ $3k^2-6k=1$의 양변을 3으로 나누면 $k^2-2k=\dfrac{1}{3}$

$\quad\therefore k^2-2k+1=\dfrac{1}{3}+1=\dfrac{4}{3}$

⑤ $2k-k^2=-(k^2-2k)=-\dfrac{1}{3}$

07 $3x^2-4x-4=0$에서 $(3x+2)(x-2)=0$

$\therefore x=-\dfrac{2}{3}$ 또는 $x=2$

따라서 두 근 중 작은 근은 $x=-\dfrac{2}{3}$이다.

08 $2x^2-5x-3=0$에서 $(2x+1)(x-3)=0$

$\therefore x=-\dfrac{1}{2}$ 또는 $x=3$

따라서 $x^2-ax+6=0$의 한 근이 $x=3$이므로

$9-3a+6=0$ $\quad\therefore a=5$

09 $x^2-3x+a=0$에 $x=-2$를 대입하면

$(-2)^2-3\times(-2)+a=0$ $\quad\therefore a=-10$

$a=-10$을 주어진 이차방정식에 대입하면

$x^2-3x-10=0$, $(x+2)(x-5)=0$

$\therefore x=-2$ 또는 $x=5$

따라서 $b=5$이므로

$a+b=-10+5=-5$

10 $3x^2+mx-6=0$에 $x=-3$을 대입하면

$27-3m-6=0$ $\quad\therefore m=7$

$x^2-2x-n=0$에 $x=-3$을 대입하면

$9+6-n=0$ $\quad\therefore n=15$

$\therefore m-n=7-15=-8$

11 ② 양변을 3으로 나누면 $x^2-2x+1=0$이므로

$(x-1)^2=0$ $\quad\therefore x=1$ (중근)

④ $x^2+10x+25=0$이므로

$(x+5)^2=0$ $\quad\therefore x=-5$ (중근)

12 $2a+3=\left(\dfrac{2a}{2}\right)^2$, $a^2-2a-3=0$

$(a+1)(a-3)=0$ $\quad\therefore a=-1$ 또는 $a=3$

따라서 자연수 a의 값은 3이다.

13 $2+k$가 0 또는 양수이어야 하므로

$2+k\geq0$ $\quad\therefore k\geq-2$

14 $3x^2+6x-4=0$의 양변을 3으로 나누면

$x^2+2x-\dfrac{4}{3}=0$

$x^2+2x=\dfrac{4}{3}$, $x^2+2x+1=\dfrac{4}{3}+1$ $\quad\therefore (x+1)^2=\dfrac{7}{3}$

따라서 $a=1$, $b=\dfrac{7}{3}$이므로

$b-a=\dfrac{7}{3}-1=\dfrac{4}{3}$

15 $(x+a)^2=\dfrac{b}{2}$에서 $x+a=\pm\sqrt{\dfrac{b}{2}}$

$\therefore x=-a\pm\dfrac{\sqrt{2b}}{2}=\dfrac{-2a\pm\sqrt{2b}}{2}=\dfrac{2\pm\sqrt{14}}{2}$

따라서 $a=-1$, $b=7$이므로

$a+b=-1+7=6$

16 $(x-a)^2=7$에서

$x-a=\pm\sqrt{7}$ $\quad\therefore x=a\pm\sqrt{7}$

따라서 두 근의 차는 $(a+\sqrt{7})-(a-\sqrt{7})=2\sqrt{7}$

17 $2x^2-8x+A=0$에서

$x^2-4x+\dfrac{A}{2}=0$, $(x-2)^2=-\dfrac{A}{2}+4$ $\quad\therefore B=-2$

$-\dfrac{A}{2}+4=\dfrac{11}{2}$에서 $A=-3$

한편 $(x-2)^2=\dfrac{11}{2}$이므로

$x-2=\pm\sqrt{\dfrac{11}{2}}$ $\quad\therefore x=\dfrac{4\pm\sqrt{22}}{2}$

따라서 $C=4$이므로

$A+B+C=-3+(-2)+4=-1$

18 주어진 등식의 우변의 모든 항을 좌변으로 이항한 후 정리하면 $(a^2-a-6)x^2+2x+3+a=0$

이 방정식이 이차방정식이 되려면

$a^2-a-6\neq0$, $(a+2)(a-3)\neq0$

$\therefore a\neq-2$이고 $a\neq3$

19 두 근의 곱이 -10인 정수인 두 근이

(i) $x=-1$ 또는 $x=10$일 때, 두 근 중 한 근 $x=-1$을 이차방정식에 대입하면

$1-a-10=0$ $\quad\therefore a=-9$

(ii) $x=-2$ 또는 $x=5$일 때, 두 근 중 한 근 $x=-2$를 이차방정식에 대입하면

$4-2a-10=0$ $\therefore a=-3$

(iii) $x=-5$ 또는 $x=2$일 때, 두 근 중 한 근 $x=2$를 이차방정식에 대입하면

$4+2a-10=0$ $\therefore a=3$

(iv) $x=-10$ 또는 $x=1$일 때, 두 근 중 한 근 $x=1$을 이차방정식에 대입하면

$1+a-10=0$ $\therefore a=9$

따라서 a의 값이 될 수 없는 것은 ⑤이다.

20 $x^2+ax+2(a-2)=0$에서

$(x+2)(x+a-2)=0$ $\therefore x=-2$ 또는 $x=-a+2$

$x^2-(a+3)x+3a=0$에서

$(x-3)(x-a)=0$ $\therefore x=3$ 또는 $x=a$

두 이차방정식이 공통인 근을 가지는 경우는 다음 세 가지이다.

(i) $-2=a$일 때 ➡ $a=-2$

(ii) $-a+2=3$일 때 ➡ $a=-1$

(iii) $-a+2=a$일 때 ➡ $2a=2$ $\therefore a=1$

따라서 가능한 a의 값은 $-2, -1, 1$이다.

2. 이차방정식의 근의 공식과 활용

개념 CHECK
01. 이차방정식의 근의 공식 | 164쪽

개념 확인 (1) b^2-4ac (2) b'^2-ac (3) 2

01 (1) $x=\dfrac{1\pm\sqrt{21}}{2}$ (2) $x=\dfrac{-1\pm\sqrt{13}}{6}$

(3) $x=-3\pm\sqrt{5}$ (4) $x=\dfrac{2\pm\sqrt{6}}{2}$

02 (1) $x=3\pm\sqrt{2}$ (2) $x=\dfrac{1}{3}$ 또는 $x=3$

(3) $x=\dfrac{5\pm\sqrt{19}}{3}$ (4) $x=4$ 또는 $x=6$

03 (1) 0 (2) 2 (3) 0 (4) 1

04 (1) (두 근의 합)$=4$, (두 근의 곱)$=-1$

(2) (두 근의 합)$=-3$, (두 근의 곱)$=-5$

05 (1) $2x^2-20x+48=0$ (2) $5x^2+20x+20=0$

(3) $-3x^2+12x+15=0$

01 (1) 근의 공식에 $a=1$, $b=-1$, $c=-5$를 대입하면

$$x=\dfrac{-(-1)\pm\sqrt{(-1)^2-4\times1\times(-5)}}{2\times1}$$

$$=\dfrac{1\pm\sqrt{1+20}}{2}=\dfrac{1\pm\sqrt{21}}{2}$$

(2) 근의 공식에 $a=3$, $b=1$, $c=-1$을 대입하면

$$x=\dfrac{-1\pm\sqrt{1^2-4\times3\times(-1)}}{2\times3}$$

$$=\dfrac{-1\pm\sqrt{1+12}}{6}=\dfrac{-1\pm\sqrt{13}}{6}$$

(3) 짝수 근의 공식에 $a=1$, $b'=3$, $c=4$를 대입하면

$$x=\dfrac{-3\pm\sqrt{3^2-1\times4}}{1}$$

$$=-3\pm\sqrt{9-4}=-3\pm\sqrt{5}$$

(4) 짝수 근의 공식에 $a=2$, $b'=-2$, $c=-1$을 대입하면

$$x=\dfrac{-(-2)\pm\sqrt{(-2)^2-2\times(-1)}}{2}$$

$$=\dfrac{2\pm\sqrt{4+2}}{2}=\dfrac{2\pm\sqrt{6}}{2}$$

02 (1) 양변에 2를 곱하면 $x^2-6x+7=0$

짝수 근의 공식에 $a=1$, $b'=-3$, $c=7$을 대입하면

$$x=\dfrac{-(-3)\pm\sqrt{(-3)^2-1\times7}}{1}$$

$$=3\pm\sqrt{9-7}=3\pm\sqrt{2}$$

(2) 양변에 10을 곱하면 $3x^2-10x+3=0$

$(3x-1)(x-3)=0$

$\therefore x=\dfrac{1}{3}$ 또는 $x=3$

(3) $3x^2-10x+2=0$이므로

짝수 근의 공식에 $a=3$, $b'=-5$, $c=2$를 대입하면

$$x=\dfrac{-(-5)\pm\sqrt{(-5)^2-3\times2}}{3}$$

$$=\dfrac{5\pm\sqrt{25-6}}{3}=\dfrac{5\pm\sqrt{19}}{3}$$

(4) $x-3=A$로 치환하면

$A^2-4A+3=0$, $(A-1)(A-3)=0$

$\therefore A=1$ 또는 $A=3$

즉, $x-3=1$ 또는 $x-3=3$이므로 구하는 해는

$x=4$ 또는 $x=6$

03 $ax^2+bx+c=0$의 근의 개수는 b^2-4ac의 부호에 의해 결정된다.

(1) $a=1$, $b=-1$, $c=1$이므로

$b^2-4ac=(-1)^2-4\times1\times1=-3<0$

즉, 근이 0개이다.

(2) $a=1$, $b=1$, $c=-3$이므로

$b^2-4ac=1^2-4\times1\times(-3)=13>0$

즉, 근이 2개이다.

(3) $a=3$, $b=-5$, $c=3$이므로

$b^2-4ac=(-5)^2-4\times3\times3=-11<0$

즉, 근이 0개이다.

(4) $a=4$, $b=-4$, $c=1$이므로

$b^2-4ac=(-4)^2-4\times4\times1=16-16=0$

즉, 근이 1개이다.

04 (1) (두 근의 합)$=-\dfrac{-4}{1}=4$

(두 근의 곱)$=\dfrac{-1}{1}=-1$

(2) (두 근의 합)$=-\dfrac{9}{3}=-3$

(두 근의 곱)$=\dfrac{-15}{3}=-5$

05 (1) $2(x-4)(x-6)=0$이므로 $2x^2-20x+48=0$

(2) $5(x+2)^2=0$이므로 $5x^2+20x+20=0$

(3) $-3(x^2-4x-5)=0$이므로 $-3x^2+12x+15=0$

개념 CHECK

개념 확인 (1) 이차방정식, 이차방정식

01 702, 702, 27, 26, 26, 26, 27, 53

02 12명

03 2 cm

04 12초 후

01 연속하는 두 자연수를 x, $x+1$이라고 하면

$x(x+1)=702$, $x^2+x-702=0$

$(x+27)(x-26)=0$ ∴ $x=26$ (∵ $x>0$)

따라서 두 자연수는 26, 27이므로 $26+27=53$

02 학생 수를 x명이라고 하면 한 사람이 받는 귤의 개수는

$x-2$이므로

$x(x-2)=120$, $x^2-2x-120=0$

$(x+10)(x-12)=0$ ∴ $x=12$ (∵ $x>2$)

따라서 귤을 받은 학생 수는 12명이다.

03 늘어난 길이를 x cm라고 하면 새로 생긴 직사각형의 넓이

는 $(4+x)(6+x)=2\times24$

$x^2+10x-24=0$, $(x+12)(x-2)=0$

∴ $x=2$ (∵ $x>0$)

따라서 늘어난 길이는 2 cm이다.

04 지면에 떨어질 때의 높이가 0 m이므로

$60t-5t^2=0$, $5t^2-60t=0$, $t^2-12t=0$

$t(t-12)=0$ ∴ $t=0$ 또는 $t=12$

따라서 물체를 쏘아 올린 지 12초 후에 지면에 떨어진다.

유형 EXERCISES

유형 ❶	$-\dfrac{1}{2}$	1-1 -5	1-2 $-\dfrac{\sqrt{2}}{2}$	1-3 6
유형 ❷	15	2-1 -2	2-2 $x=\dfrac{-1\pm\sqrt{6}}{5}$	
		2-3 -1		
유형 ❸	46	3-1 $x=\dfrac{3\pm\sqrt{3}}{2}$		3-2 $2\sqrt{14}$
		3-3 $\dfrac{5}{4}$		
유형 ❹	8	4-1 $x=1$	4-2 5	4-3 40
유형 ❺	3	5-1 ②	5-2 6	5-3 -7
유형 ❻	6	6-1 -1	6-2 -22	6-3 -1
유형 ❼	십일각형	7-1 12	7-2 39	7-3 24
유형 ❽	8초	8-1 10초	8-2 7 cm 또는 17 cm	
		8-3 14 cm		

유형 ❶

$x=\dfrac{-3\pm\sqrt{3^2-4\times2\times(-1)}}{2\times2}$

$=\dfrac{-3\pm\sqrt{9+8}}{4}=\dfrac{-3\pm\sqrt{17}}{4}$

∴ $pq=\dfrac{-3+\sqrt{17}}{4}\times\dfrac{-3-\sqrt{17}}{4}=\dfrac{9-17}{16}=-\dfrac{1}{2}$

1-1 $x=\dfrac{-(-3)\pm\sqrt{(-3)^2-4\times1\times k}}{2\times1}$

$=\dfrac{3\pm\sqrt{9-4k}}{2}$

따라서 $9-4k=29$이므로

$-4k=20$ $\therefore k=-5$

1-2 $x=\dfrac{-(-2)\pm\sqrt{(-2)^2-2\times1}}{2}$

$=\dfrac{2\pm\sqrt{4-2}}{2}=\dfrac{2\pm\sqrt{2}}{2}$

따라서 $a=\dfrac{2-\sqrt{2}}{2}$ 이므로

$a-1=\dfrac{2-\sqrt{2}}{2}-1=-\dfrac{\sqrt{2}}{2}$

1-3 $x=\dfrac{-3\pm\sqrt{3^2-2\times A}}{2}$

$=\dfrac{-3\pm\sqrt{9-2A}}{2}$

따라서 $B=-3$이고 $9-2A=3$에서 $A=3$

$\therefore A-B=3-(-3)=6$

유형 ②

$0.5-x^2-2x=\dfrac{1}{5}x^2$의 양변에 10을 곱하면

$5-10x^2-20x=2x^2$

$12x^2+20x-5=0$

$\therefore x=\dfrac{-10\pm\sqrt{10^2-12\times(-5)}}{12}$

$=\dfrac{-10\pm\sqrt{160}}{12}=\dfrac{-5\pm2\sqrt{10}}{6}$

따라서 $a=-5$, $b=10$이므로

$b-a=10-(-5)=15$

2-1 $\dfrac{x^2}{2}-\dfrac{2}{3}x+a=0$의 양변에 6을 곱하면

$3x^2-4x+6a=0$

$\therefore x=\dfrac{-(-2)\pm\sqrt{(-2)^2-3\times6a}}{3}$

$=\dfrac{2\pm\sqrt{4-18a}}{3}$

즉, $b=2$, $4-18a=22$에서 $a=-1$

$\therefore \dfrac{b}{a}=\dfrac{2}{-1}=-2$

2-2 $0.5x^2+0.2x-0.1=0$의 양변에 10을 곱하면

$5x^2+2x-1=0$

$\therefore x=\dfrac{-1\pm\sqrt{1^2-5\times(-1)}}{5}=\dfrac{-1\pm\sqrt{6}}{5}$

2-3 $\dfrac{1}{2}x^2-0.3x=\dfrac{x}{5}+x^2-0.5$의 양변에 10을 곱하면

$5x^2-3x=2x+10x^2-5$

$5x^2+5x-5=0$, $x^2+x-1=0$

$\therefore x=\dfrac{-1\pm\sqrt{1^2-4\times1\times(-1)}}{2}=\dfrac{-1\pm\sqrt{5}}{2}$

따라서 두 근의 곱은

$\dfrac{-1+\sqrt{5}}{2}\times\dfrac{-1-\sqrt{5}}{2}=\dfrac{1-5}{4}=-1$

유형 ③

주어진 식의 양변에 분모의 최소공배수 6을 곱하면

$2x(x+1)-(3x+1)=3(x+2)(x-2)$

$2x^2+2x-3x-1=3x^2-12$

$x^2+x-11=0$

$\therefore x=\dfrac{-1\pm\sqrt{1^2-4\times1\times(-11)}}{2}=\dfrac{-1\pm\sqrt{45}}{2}$

따라서 $A=-1$, $B=45$이므로

$B-A=45-(-1)=46$

3-1 $(2x-1)(x-4)=-3x+1$의 좌변을 전개하면

$2x^2-9x+4=-3x+1$

$2x^2-6x+3=0$

$\therefore x=\dfrac{-(-3)\pm\sqrt{(-3)^2-2\times3}}{2}=\dfrac{3\pm\sqrt{3}}{2}$

3-2 $4x-\dfrac{x^2+1}{3}=2(x-1)$의 양변에 3을 곱하면

$12x-(x^2+1)=6(x-1)$

$12x-x^2-1=6x-6$, $x^2-6x-5=0$

$\therefore x=-(-3)\pm\sqrt{(-3)^2-1\times(-5)}=3\pm\sqrt{14}$

따라서 두 근의 차는

$(3+\sqrt{14})-(3-\sqrt{14})=2\sqrt{14}$

3-3 $(x+2)^2=(2-x)(1+x)+1$에서

$x^2+4x+4=2+x-x^2+1$

$2x^2+3x+1=0$, $(x+1)(2x+1)=0$

$$\therefore x=-1 \text{ 또는 } x=-\frac{1}{2}$$

따라서 두 근의 제곱의 합은 $(-1)^2+\left(-\frac{1}{2}\right)^2=\frac{5}{4}$

유형 ❹

$x-3=A$로 치환하면 $A^2-2A-24=0$

$(A+4)(A-6)=0$ $\quad \therefore A=-4 \text{ 또는 } A=6$

즉, $x-3=-4 \text{ 또는 } x-3=6$이므로

$x=-1 \text{ 또는 } x=9$

따라서 두 근의 합은 $(-1)+9=8$

4-1 $x-\frac{1}{3}=A$로 치환하면

$3A^2=-7A+6$, $3A^2+7A-6=0$

$(A+3)(3A-2)=0$

$\therefore A=-3 \text{ 또는 } A=\frac{2}{3}$

즉, $x-\frac{1}{3}=-3 \text{ 또는 } x-\frac{1}{3}=\frac{2}{3}$이므로

$x=-\frac{8}{3} \text{ 또는 } x=1$

따라서 구하는 큰 근은 $x=1$이다.

4-2 $a-b=A$로 치환하면

$A(A-2)-15=0$, $A^2-2A-15=0$

$(A-5)(A+3)=0$

$\therefore A=5 \text{ 또는 } A=-3$

그런데 $a>b$이므로 $A>0$

$\therefore a-b=5$

4-3 $x-y=A$로 치환하면

$A^2+A-20=0$, $(A+5)(A-4)=0$

$\therefore A=-5 \text{ 또는 } A=4$

그런데 $x>y$이므로 $A>0$ $\quad \therefore x-y=4$

$\therefore x^2+y^2=(x-y)^2+2xy=16+24=40$

유형 ❺

$x^2+4x-(4-2n)=0$이 서로 다른 두 근을 가지므로

$4^2-4\times\{-(4-2n)\}=32-8n>0$ $\quad \therefore n<4$

그런데 n은 자연수이므로 가능한 n의 값은 1, 2, 3의 3개이다.

5-1 ① $2x^2-x-2=0$이므로

$(-1)^2-4\times2\times(-2)=17>0$

즉, 근이 2개이다.

② $(-4)^2-4\times3\times4=-32<0$이므로 근이 없다.

③ $8^2-4\times2\times8=0$이므로 근이 1개이다.

④ $0^2-4\times(-5)=20>0$이므로 근이 2개이다.

⑤ $4x^2+2x-1=0$이므로

$2^2-4\times4\times(-1)=20>0$

즉, 근이 2개이다.

따라서 근이 없는 것은 ②이다.

5-2 $4x^2-12x+3+m=0$이 중근을 가지므로

$(-12)^2-4\times4\times(3+m)=96-16m=0$

$\therefore m=6$

5-3 $(x+2)(x-4)=k-1$에서

$x^2-2x-7-k=0$ $\quad \cdots\cdots \text{㉠}$

이 이차방정식이 중근을 가지므로

$(-2)^2-4(-7-k)=0$ $\quad \therefore k=-8$

$k=-8$을 ㉠에 대입하여 정리하면

$(x-1)^2=0$ $\quad \therefore x=1$ (중근)

따라서 $a=1$이므로

$a+k=1+(-8)=-7$

유형 ❻

근과 계수의 관계에 의하여

$\alpha+\beta=3$, $\alpha\beta=1$

$\therefore \alpha^2+\beta^2-\alpha\beta=(\alpha+\beta)^2-3\alpha\beta$

$\qquad\qquad =3^2-3=9-3=6$

6-1 $(x-2)^2=-2(x-3)$에서 $x^2-2x-2=0$

근과 계수의 관계에 의하여 $\alpha+\beta=2$, $\alpha\beta=-2$이므로

$\frac{1}{\alpha}+\frac{1}{\beta}=\frac{\alpha+\beta}{\alpha\beta}=\frac{2}{-2}=-1$

6-2 근과 계수의 관계에 의하여

$-\frac{p}{2}=2+3=5$이므로 $p=-10$

$\frac{q}{2}=2\times3=6$이므로 $q=12$

$\therefore p-q=-10-12=-22$

6-3 이차방정식의 계수가 모두 유리수이고 한 근이

$-2+\sqrt{5}$이므로 다른 한 근은 $-2-\sqrt{5}$이다.

따라서 근과 계수의 관계에 의하여

$a=(-2-\sqrt{5})(-2+\sqrt{5})$

$=(-2)^2-(\sqrt{5})^2=4-5=-1$

유형 ⑦

$\dfrac{n(n-3)}{2}=44$이므로 $n^2-3n-88=0$

$(n+8)(n-11)=0$ $\quad\therefore n=11\ (\because n>0)$

따라서 십일각형이다.

7-1 합이 78이므로 $\dfrac{n(n+1)}{2}=78$

$n^2+n-156=0,\ (n-12)(n+13)=0$

$\therefore n=12\ (\because n>0)$

따라서 합이 78이 되려면 1부터 12까지 더해야 한다.

7-2 연속한 세 자연수를 $x-1,\ x,\ x+1$이라고 하면

$(x-1)^2+x^2+(x+1)^2=509$

$3x^2+2=509,\ x^2=169$

$\therefore x=13\ (\because x>0)$

따라서 연속한 세 자연수는 12, 13, 14이므로 세 자연수의 합은

$12+13+14=39$

7-3 연속하는 두 홀수를 $x,\ x+2$라고 하면

$x^2+(x+2)^2=290$

$2x^2+4x-286=0,\ x^2+2x-143=0,$

$(x+13)(x-11)=0$ $\quad\therefore x=11\ (\because x>0)$

따라서 구하는 두 홀수는 11, 13이므로

$11+13=24$

■ 다른 풀이 ■

연속하는 두 홀수를 $2x-1,\ 2x+1$이라고 하면

$(2x-1)^2+(2x+1)^2=290$

$(4x^2-4x+1)+(4x^2+4x+1)=290,\ 8x^2=288$

$x^2=36$ $\quad\therefore x=6\ (\because x>0)$

따라서 구하는 두 홀수는 11, 13이므로

$11+13=24$

유형 ⑧

공이 지면에 떨어질 때의 높이가 $0\ \text{m}$이므로

$80+30t-5t^2=0$

$t^2-6t-16=0,\ (t+2)(t-8)=0$

$\therefore t=8\ (\because t>0)$

따라서 공을 똑바로 던져 올린 지 8초 후에 지면에 공이 떨어진다.

8-1 높이가 $120\ \text{m}$가 되는 시간은 $70t-5t^2=120$

$5t^2-70t+120=0$

$t^2-14t+24=0,\ (t-2)(t-12)=0$

$\therefore t=2$ 또는 $t=12$

따라서 2초 후 $120\ \text{m}$ 지점을 지나서 올라가고, 12초 후 $120\ \text{m}$ 지점을 지나서 땅에 떨어지므로 물로켓이 $120\ \text{m}$ 이상의 높이에서 머무는 시간은 $12-2=10$(초) 동안이다.

8-2 철사의 길이가 $48\ \text{cm}$이므로 직사각형의 가로의 길이를 $x\ \text{cm}$라고 하면 직사각형의 세로의 길이는

$\dfrac{48-2x}{2}=24-x\ (\text{cm})$이다.

이때, 직사각형의 넓이가 $119\ \text{cm}^2$이므로

$x(24-x)=119,\ x^2-24x+119=0$

$(x-7)(x-17)=0$ $\quad\therefore x=7$ 또는 $x=17$

따라서 직사각형의 가로의 길이는 $7\ \text{cm}$ 또는 $17\ \text{cm}$이다.

8-3 직사각형의 가로의 길이를 $x\ \text{cm}$라고 하면 세로의 길이는 $(x-3)\ \text{cm}$이므로 이 직사각형의 넓이는 $x(x-3)\ \text{cm}^2$이다.

이 직사각형의 가로의 길이를 2배 늘이고 세로의 길이를 $5\ \text{cm}$ 줄이면 가로의 길이는 $2x\ \text{cm}$, 세로의 길이는 $(x-8)\ \text{cm}$이므로 나중의 직사각형의 넓이는 $2x(x-8)\ \text{cm}^2$이다.

그런데 나중의 직사각형의 넓이가 처음 직사각형의 넓이보다 $14\ \text{cm}^2$만큼 늘었으므로

$2x(x-8)-x(x-3)=14$

$2x^2-16x-x^2+3x-14=0$

$x^2-13x-14=0,\ (x-14)(x+1)=0$

$\therefore x=14\ (\because x-3>5)$

따라서 처음 직사각형의 가로의 길이는 $14\ \text{cm}$이다.

01 ④	**02** ④	**03** ①	**04** ⑤
05 18	**06** ②	**07** ④	**08** ④
09 62	**10** $\sqrt{17}$	**11** ①	
12 10	**13** 15	**14** 6초 후	**15** $\dfrac{-3\pm\sqrt{33}}{2}$
16 ①	**17** ⑤	**18** ⑤	
19 $x=2$ 또는 $x=4$		**20** P$(2, 4)$	
21 3 cm 또는 5 cm			

01 $x^2+7x+1=0$에서

$$x=\frac{-7\pm\sqrt{7^2-4\times1\times1}}{2\times1}=\frac{-7\pm\sqrt{45}}{2}$$

$$=\frac{-7\pm3\sqrt{5}}{2}=-\frac{7}{2}\pm\frac{3}{2}\sqrt{5}$$

따라서 $A=-\dfrac{7}{2}$, $B=5$이므로

$$A+B=-\frac{7}{2}+5=\frac{3}{2}$$

02 $3x^2-4x+p=0$에서

$$x=\frac{-(-2)\pm\sqrt{(-2)^2-3p}}{3}=\frac{2\pm\sqrt{4-3p}}{3}$$

즉, $q=2$이고 $4-3p=13$에서 $p=-3$

$$\therefore p+q=-3+2=-1$$

03 $x^2+x-3=0$에서

$$x=\frac{-1\pm\sqrt{1^2-4\times1\times(-3)}}{2\times1}=\frac{-1\pm\sqrt{13}}{2}$$

이때, 음수인 근이 k이므로 $k=\dfrac{-1-\sqrt{13}}{2}$

$$\therefore 2k+1=2\times\frac{-1-\sqrt{13}}{2}+1=-\sqrt{13}$$

04 (i) $x^2-8x=3$에서 $x^2-8x-3=0$이므로

$$x=-(-4)\pm\sqrt{(-4)^2-1\times(-3)}=4\pm\sqrt{19}$$

(ii) $3x-9>6$에서 $3x>15$ $\therefore x>5$

(i), (ii)에서 이차방정식과 부등식의 공통인 해는

$x=4+\sqrt{19}$이다.

05 $\dfrac{1}{3}x^2-x-0.5=0$의 양변에 6을 곱하면

$2x^2-6x-3=0$이므로

$$x=\frac{-(-3)\pm\sqrt{(-3)^2-2\times(-3)}}{2}=\frac{3\pm\sqrt{15}}{2}$$

따라서 $A=3$, $B=15$이므로

$$A+B=3+15=18$$

06 $(0.5x-1)(4x+2)+\dfrac{1}{4}x^2=2(x-1)^2$에서

$$2x^2-3x-2+\frac{1}{4}x^2=2x^2-4x+2$$

$$\frac{1}{4}x^2+x-4=0, \ x^2+4x-16=0$$

$$\therefore x=-2\pm\sqrt{2^2-1\times(-16)}=-2\pm2\sqrt{5}$$

07 $2x^2-6x+m-1=0$이 중근을 가지므로

$$(-6)^2-4\times2\times(m-1)=0, \ 36-8m+8=0$$

$$8m=44 \quad \therefore m=\frac{11}{2}$$

08 $x^2-4x+1-k=0$이 서로 다른 두 근을 가지므로

$$(-4)^2-4\times1\times(1-k)>0, \ 16-4+4k>0$$

$$12+4k>0 \quad \therefore k>-3$$

따라서 가장 작은 정수 k의 값은 -2이다.

09 $5x^2-6x+k=0$의 두 근을 α, β라고 하면

$\alpha\beta=\dfrac{k}{5}=-2$이므로 $k=-10$

즉, $5x^2-6x-10=0$이므로

$$x=\frac{-(-3)\pm\sqrt{(-3)^2-5\times(-10)}}{5}=\frac{3\pm\sqrt{59}}{5}$$

따라서 $A=3$, $B=59$이므로

$$A+B=3+59=62$$

10 이차방정식의 근과 계수의 관계에 의하여

$\alpha+\beta=7$, $\alpha\beta=8$

$$\therefore (\alpha-\beta)^2=(\alpha+\beta)^2-4\alpha\beta$$

$$=7^2-4\times8=17$$

이때, $\alpha>\beta$에서 $\alpha-\beta>0$이므로 $\alpha-\beta=\sqrt{17}$

11 $-a=\dfrac{1}{2}+\dfrac{1}{3}=\dfrac{5}{6}$이므로 $a=-\dfrac{5}{6}$

$$b=\frac{1}{2}\times\frac{1}{3}=\frac{1}{6}$$

따라서 $bx^2+ax+1=0$은 $\dfrac{1}{6}x^2-\dfrac{5}{6}x+1=0$이므로

$$x^2-5x+6=0, \ (x-2)(x-3)=0$$

$$\therefore x=2 \text{ 또는 } x=3$$

따라서 두 근의 차는 $3-2=1$

12 큰 자연수를 x로 놓으면 작은 자연수는 $x-2$이므로 두 자연수의 곱은

$x(x-2)=24$, $x^2-2x-24=0$

$(x+4)(x-6)=0$ $\quad\therefore x=6\ (\because x$는 자연수$)$

따라서 구하는 두 자연수는 $4, 6$이므로 두 자연수의 합은 $4+6=10$이다.

13 1부터 n까지의 합이 120이므로

$\dfrac{n(n+1)}{2}=120$, $n^2+n-240=0$

$(n+16)(n-15)=0$ $\quad\therefore n=15\ (\because n>0)$

따라서 1부터 15까지의 자연수를 더해야 한다.

14 물체가 지면에 떨어질 때는 높이가 $0\,\mathrm{m}$일 때이므로

$-5x^2+25x+30=0$, $x^2-5x-6=0$

$(x+1)(x-6)=0$

$\therefore x=6\ (\because x>0)$

따라서 쏘아 올린 지 6초 후에 지면에 떨어진다.

15 이차방정식 $x^2+ax+b=0$의 한 근이 $3-\sqrt{6}$이므로 다른 한 근은 $3+\sqrt{6}$이다.

즉, $-a=(3+\sqrt{6})+(3-\sqrt{6})=6$,

$\quad b=(3+\sqrt{6})(3-\sqrt{6})=3$

이므로 $a=-6$, $b=3$

따라서 이차방정식 $x^2+bx+a=0$은 $x^2+3x-6=0$이므로 이 방정식의 근은

$x=\dfrac{-3\pm\sqrt{3^2-4\times(-6)}}{2}=\dfrac{-3\pm\sqrt{33}}{2}$

16 $(x+2y)^2-2x-4y=3$에서

$(x+2y)^2-2(x+2y)-3=0$

$x+2y=A$로 치환하면 $A^2-2A-3=0$

$(A+1)(A-3)=0$, $A=-1$ 또는 $A=3$

$\therefore A=x+2y=3\ (\because x>0, y>0)$

이때 $x+2y=3$, $x-y=\dfrac{3}{2}$을 연립하여 풀면

$x=2$, $y=\dfrac{1}{2}$ $\quad\therefore xy=1$

17 $x^2-2(k+1)x+k^2+3=0$의 해가 없으므로

$4(k+1)^2-4(k^2+3)<0$

$4k^2+8k+4-4k^2-12<0$

$8k-8<0$ $\quad\therefore k<1$

따라서 k의 값으로 적당하지 않은 것은 ⑤ 1이다.

18 두 근이 -3, 2이고, x^2의 계수가 a인 이차방정식은

$a(x+3)(x-2)=0$, $a(x^2+x-6)=0$

$ax^2+ax-6a=0$

따라서 $b=a$, $c=6a$이므로 $b:c=a:6a=1:6$

19 x^2의 계수가 1이고, 해가 $x=1$ 또는 $x=8$인 이차방정식은

$(x-1)(x-8)=0$

즉, $x^2-9x+8=0$이므로 $b=8$

x^2의 계수가 1이고, 해가 $x=-1$ 또는 $x=7$인 이차방정식은 $(x+1)(x-7)=0$

즉, $x^2-6x-7=0$이므로 $a=-6$

따라서 처음 이차방정식은 $x^2-6x+8=0$이므로

$(x-2)(x-4)=0$ $\quad\therefore x=2$ 또는 $x=4$

20 두 점 $(4,0)$, $(0,8)$을 지나는 일차함수의 그래프의 식은

$y=\dfrac{0-8}{4-0}x+8$ $\quad\therefore y=-2x+8$

따라서 점 P의 좌표를 $P(a, -2a+8)$로 놓으면

$\square BOAP=8$이므로

$\overline{OA}\times\overline{PA}=8$, $a(-2a+8)=8$

$a^2-4a+4=0$, $(a-2)^2=0$

$\therefore a=2$

따라서 점 P의 좌표는 $(2,4)$이다.

21 접은 높이를 $x\,\mathrm{cm}$라고 하면 빗금친 부분의 넓이가 $30\,\mathrm{cm}^2$이므로 $(16-2x)\times x=30$, $-2x^2+16x=30$

$x^2-8x+15=0$, $(x-3)(x-5)=0$

$\therefore x=3$ 또는 $x=5$

따라서 양쪽 높이를 $3\,\mathrm{cm}$ 또는 $5\,\mathrm{cm}$씩 접어야 한다.

대단원 EXERCISES
178~181쪽

01 ⑤	02 ⑤	03 ②, ③	04 ①
05 ②	06 ①	07 ④	08 ⑤
09 44	10 ④	11 ⑤	12 ⑤
13 2	14 ①	15 ⑤	16 $-8, 0, 8$
17 ⑤	18 ②	19 ②	20 18
21 20명	22 6초 후	23 12 m	24 -6
25 26	26 36 cm^2		

01 등식의 우변에 있는 모든 항을 좌변으로 이항하여 정리하였을 때, (x에 대한 이차식)$=0$ 꼴로 변형되는 방정식을 찾는다.

① $3x^2-x-2=0$ (이차방정식)

② $x^2-4x-4=0$ (이차방정식)

③ $x^2+7x-6=0$ (이차방정식)

④ $-3x^2+2x-6=0$ (이차방정식)

⑤ $3x+14=0$ (일차방정식)

02 $(a-2)x^2-3x=0$이 이차방정식이 되려면 $a-2\neq0$이어야 하므로 $a\neq2$

03 $x=3$을 각 이차방정식에 대입하면

① $3^2+3\times3-4=14\neq0$

② $3^2-3\times3=0$

③ $3\times3^2-27=0$

④ $(3-3)^2=0\neq1$

⑤ $(3+3)(3\times3-1)=48\neq0$

따라서 $x=3$을 근으로 갖는 이차방정식은 ②, ③이다.

04 $x^2+3x+1=0$에 $x=a$를 대입하면 $a^2+3a+1=0$

양변을 a로 나누면

$a+3+\dfrac{1}{a}=0$ $\therefore a+\dfrac{1}{a}=-3$

05 ㄱ. $4x^2-4x+1=0$이므로

$(2x-1)^2=0$ $\therefore x=\dfrac{1}{2}$ (중근)

ㄴ. $(x+2)(2x-3)=0$

$\therefore x=-2$ 또는 $x=\dfrac{3}{2}$

ㄷ. $x=-\dfrac{3}{2}$ 또는 $x=2$

ㄹ. $x=\dfrac{1}{2}$ (중근)

따라서 해가 같은 것끼리 짝지어진 것은 ㄱ, ㄹ이다.

06 $x^2-8x+15=7$이므로 $x^2-8x=-8$

$x^2-8x+16=-8+16$, $(x-4)^2=8$

따라서 $p=4$, $q=8$이므로

$p+q=4+8=12$

07 $(x+A)^2=5$의 해는 $x=-A\pm\sqrt{5}=2\pm\sqrt{B}$

따라서 $A=-2$, $B=5$이므로

$2A+B=-4+5=1$

08 ⑤ $3\pm2\sqrt{2}$

09 $2x^2-3x-4=0$이므로

$x=\dfrac{-(-3)\pm\sqrt{(-3)^2-4\times2\times(-4)}}{2\times2}=\dfrac{3\pm\sqrt{41}}{4}$

따라서 $A=3$, $B=41$이므로

$A+B=3+41=44$

10 양변에 10을 곱하면 $15x^2+20x-4=0$

$\therefore x=\dfrac{-10\pm\sqrt{10^2-15\times(-4)}}{15}=\dfrac{-10\pm4\sqrt{10}}{15}$

$\therefore k=10$

11 $x-2=A$로 치환하면

$\dfrac{1}{2}A^2=3A-\dfrac{9}{2}$, $A^2-6A+9=0$

$(A-3)^2=0$ $\therefore A=3$ (중근)

따라서 $x-2=3$이므로 $x=5$ (중근)

12 $(x+a)^2=b$에서

ㄱ. $b=0$이면 $(x+a)^2=0$

$\therefore x=-a$ (중근)

ㄴ. $b>0$이면 $x+a=\pm\sqrt{b}$

즉, $x=-a\pm\sqrt{b}$이므로 두 근의 절댓값은 같지 않다.

ㄷ. $a=0$이고 $b>0$이면 $x^2=b$

$\therefore x=\pm\sqrt{b}$

즉, 두 근의 합은 $\sqrt{b}+(-\sqrt{b})=0$

따라서 옳은 것은 ㄱ, ㄷ이다.

13 $(1-a)x^2-4x-2=0$이 서로 다른 두 근을 가지려면

$(-4)^2-4\times(1-a)\times(-2)=-8a+24>0$

$\therefore a<3$

그런데 $a\neq1$이므로 구하는 자연수 a의 값은 2이다.

14 근과 계수의 관계에 의하여

$\alpha+\beta=-\dfrac{-3}{1}=3$, $\alpha\beta=2k-1$이므로

$\alpha^2+\beta^2=(\alpha+\beta)^2-2\alpha\beta=3^2-2\alpha\beta=17$

$\therefore \alpha\beta=-4$

따라서 $2k-1=-4$이므로

$k=-\dfrac{3}{2}$

15 $2(x+5)(x-1)=0$의 두 근은 $x=-5$ 또는 $x=1$이므로 두 근의 합은 $-5+1=-4$, 두 근의 곱은 $(-5)\times1=-5$ 이다.

즉, 두 근이 -4, -5이고 x^2의 계수가 1인 이차방정식은

$(x+4)(x+5)=0$ $\therefore x^2+9x+20=0$

따라서 $p=9$, $q=20$이므로

$q-p=20-9=11$

16 곱이 -9인 두 정수근은

-9, 1 또는 -3, 3 또는 -1, 9

이때, p는 두 근의 합이므로 p가 될 수 있는 수는 -8, 0, 8 이다.

17 일차함수 $y=ax-b$의 그래프가 두 점 $(3,0)$, $(0,-5)$를 지나므로 기울기는 $\dfrac{0-(-5)}{3-0}=\dfrac{5}{3}$, y절편이 -5이다.

$\therefore a=\dfrac{5}{3}$, $b=5$

두 근이 $\dfrac{5}{3}$, 5이고, x^2의 계수가 3인 이차방정식은

$3\left(x-\dfrac{5}{3}\right)(x-5)=0$, $3\left(x^2-\dfrac{20}{3}x+\dfrac{25}{3}\right)=0$

$\therefore 3x^2-20x+25=0$

따라서 이 이차방정식의 상수항은 25이다.

18 $x^2+4px+2p^2=q$의 한 근이 $2+\sqrt{3}$이므로 다른 한 근은 $2-\sqrt{3}$이다.

$-4p=(2+\sqrt{3})+(2-\sqrt{3})=4$

$\therefore p=-1$

$2p^2-q=(2+\sqrt{3})\times(2-\sqrt{3})=1$

$2-q=1$ $\therefore q=1$

$\therefore p^2-4q=1-4=-3$

19 $[x]^2-[x]-6=0$에서 $([x]+2)([x]-3)=0$

$\therefore [x]=3$ $(\because [x]$는 자연수$)$

따라서 양의 약수가 3개인 10 이하의 자연수는 4, 9의 2개 이다.

20 연속하는 세 짝수를 $x-2$, x, $x+2$라고 하면

$(x-2)^2+x^2+(x+2)^2=116$

$3x^2=108$, $x^2=36$ $\therefore x=6$ $(\because x>0)$

따라서 세 짝수는 4, 6, 8이므로 구하는 세 짝수의 합은

$4+6+8=18$

21 학생 수를 x명이라고 하면 한 학생에게 나누어 줄 수 있는 초콜릿 수는 $(x+2)$개이므로

$x(x+2)=440$, $x^2+2x-440=0$

$(x+22)(x-20)=0$ $\therefore x=20$ $(\because x>0)$

따라서 학생 수는 20명이다.

22 폭죽을 쏘아 올리고 2초 후의 높이가 $60\,\text{m}$이므로

$60=30+k\times2-5\times2^2$

$2k=50$ $\therefore k=25$

그런데 땅에 떨어질 때의 높이는 $0\,\text{m}$이므로

$30+25x-5x^2=0$, $x^2-5x-6=0$

$(x+1)(x-6)=0$ $\therefore x=6$ $(\because x>0)$

따라서 폭죽은 쏘아 올린 지 6초 후에 땅에 떨어진다.

23 화단의 가로의 길이를 $3x\,\text{m}$, 세로의 길이를 $2x\,\text{m}$라고 하면 길을 제외한 화단의 넓이는

$(3x-3)\times2x=72$, $6x^2-6x=72$

$x^2-x-12=0$, $(x-4)(x+3)=0$

$\therefore x=4$ $(\because x>0)$

따라서 가로의 길이는 $12\,\text{m}$이다.

24 $9x^2+2ax+4=0$이 중근을 가지므로

$(2a)^2-4\times9\times4=0$, $4(a^2-36)=0$

$\therefore a=\pm6$ …… ❶

(i) $a=6$일 때, $9x^2+12x+4=0$

$(3x+2)^2=0$ $\therefore x=-\dfrac{2}{3}$ (중근)

(ii) $a=-6$일 때, $9x^2-12x+4=0$

$(3x-2)^2=0$ $\therefore x=\dfrac{2}{3}$ (중근)

따라서 양수인 중근을 갖도록 하는 상수 a의 값은 -6이 다.   …… ❷

채점 기준	배점
❶ 중근을 갖도록 하는 a의 값 구하기	60 %
❷ 조건을 만족하는 a의 값 구하기	40 %

25 $x^2+4x-5=0$의 한 근이 $x=k$이므로 $k^2+4k-5=0$

양변을 k로 나누면

$$k+4-\frac{5}{k}=0 \qquad \therefore k-\frac{5}{k}=-4 \qquad \cdots\cdots ❶$$

$$\therefore k^2+\frac{25}{k^2}=\left(k-\frac{5}{k}\right)^2+10$$

$$=16+10=26 \qquad \cdots\cdots ❷$$

채점 기준	배점
❶ $k-\dfrac{5}{k}$ 의 값 구하기	50 %
❷ $k^2+\dfrac{25}{k^2}$ 의 값 구하기	50 %

26 큰 정사각형의 한 변의 길이를 x cm라고 하면 작은 정사각형의 한 변의 길이는 $(9-x)$ cm이므로
두 정사각형의 넓이의 합은

$$x^2+(9-x)^2=45 \qquad \cdots\cdots ❶$$

$$2x^2-18x+81-45=0,\ x^2-9x+18=0$$

$$(x-3)(x-6)=0$$

$$\therefore x=6\ \left(\because \frac{9}{2}<x<9\right) \qquad \cdots\cdots ❷$$

따라서 $\overline{AP}=6$ cm이므로 큰 정사각형의 넓이는

$$6\times6=36\ (\text{cm}^2) \qquad \cdots\cdots ❸$$

채점 기준	배점
❶ 이차방정식 세우기	40 %
❷ 이차방정식의 해 구하기	40 %
❸ 큰 정사각형의 넓이 구하기	20 %

[유제] **01** $x=-1$ 또는 $x=2$ 또는 $x=3$

02 (1) $(x+2-2\sqrt{2})(x+2+2\sqrt{2})$

(2) $(x+3-\sqrt{10})(x+3+\sqrt{10})$

03 (1) 두 근이 모두 양수이다.

(2) 두 근이 모두 음수이다.

(3) 한 근은 양수, 다른 한 근은 음수이다.

01

$$\begin{array}{r}
x^2-5x+6 \\
x+1\overline{\smash{)}\,x^3-4x^2+x+6} \\
\underline{x^3+x^2} \\
-5x^2+x \\
\underline{-5x^2-5x} \\
6x+6 \\
\underline{6x+6} \\
0
\end{array}$$

$$x^3-4x^2+x+6=(x+1)(x^2-5x+6)$$

$$=(x+1)(x-2)(x-3)$$

$$\therefore x=-1 \text{ 또는 } x=2 \text{ 또는 } x=3$$

02 (1) $x^2+4x-4=0$의 근을 구하면

$$x=-2\pm\sqrt{4+4}=-2\pm2\sqrt{2}$$

따라서 x^2+4x-4를 다음과 같이 인수분해할 수 있다.

$$x^2+4x-4$$

$$=\{x-(-2+2\sqrt{2})\}\{x-(-2-2\sqrt{2})\}$$

$$=(x+2-2\sqrt{2})(x+2+2\sqrt{2})$$

(2) $x^2+6x-1=0$의 근을 구하면

$$x=-3\pm\sqrt{9+1}=-3\pm\sqrt{10}$$

따라서 x^2+6x-1을 다음과 같이 인수분해할 수 있다.

$$x^2+6x-1$$

$$=\{x-(-3+\sqrt{10})\}\{x-(-3-\sqrt{10})\}$$

$$=(x+3-\sqrt{10})(x+3+\sqrt{10})$$

03 (1) $x^2-6x+8=0$의 두 근을 α, β라고 하면

$\alpha+\beta=6>0$, $\alpha\beta=8>0$이므로 $\alpha>0$, $\beta>0$이다.

(2) $x^2+6x+5=0$의 두 근을 α, β라고 하면

$\alpha+\beta=-6<0$, $\alpha\beta=5>0$이므로

$\alpha<0$, $\beta<0$이다.

(3) $x^2+3x-4=0$의 두 근을 α, β라고 하면

$\alpha\beta=-4<0$이므로 α, β의 부호가 서로 다르다.

IV 이차함수

1. 이차함수와 그 그래프

     01. 이차함수의 뜻   194쪽

개념 확인 (1) 이차함수

01 (1) ○ (2) × (3) × (4) ×

02 (1) $y=\pi x^2$ (2) $y=60x$ (3) $y=x^2+2x$ (4) $y=\dfrac{10}{3}x^2$

이차함수인 것 : (1), (3), (4)

03 (1) 1 (2) -1 (3) 11 (4) $-\dfrac{1}{4}$

04 5

03 (3) $f(-2)=(-2)^2-3\times(-2)+1=11$

(4) $f\left(\dfrac{1}{2}\right)=\left(\dfrac{1}{2}\right)^2-3\times\dfrac{1}{2}+1=-\dfrac{1}{4}$

04 $f(1)=-1+4+a=8$ $\therefore a=5$

개념 CHECK   02. 이차함수 $y=ax^2$의 그래프   202쪽

개념 확인 (1) $(0,0)$, 0 (2) x

01 (1) 0, 0, y (2) 위 (3) 감소

02 (1) ㄱ, ㄷ, ㅂ (2) 가장 넓은 것 : ㅁ, 가장 좁은 것 : ㅂ

(3) ㄱ과 ㄹ, ㄴ과 ㄷ

03 (가) $y=3x^2$ (나) $y=x^2$ (다) $y=-\dfrac{1}{3}x^2$ (라) $y=-2x^2$

개념 CHECK   03. 이차함수 $y=a(x-p)^2+q$의 그래프   211쪽

개념 확인 (1) $(0,q)$ (2) $(p,0)$ (3) (p,q)

01 풀이 참조

02 (1) 축의 방정식 : $x=0$, 꼭짓점의 좌표 : $(0,2)$

(2) 축의 방정식 : $x=2$, 꼭짓점의 좌표 : $(2,0)$

(3) 축의 방정식 : $x=-1$, 꼭짓점의 좌표 : $(-1,-4)$

(4) 축의 방정식 : $x=3$, 꼭짓점의 좌표 : $\left(3,-\dfrac{4}{5}\right)$

03 (1) $y=2(x-1)^2-1$ (2) $y=-4(x+3)^2+3$

(3) $y=3(x-1)^2-2$ (4) $y=-\dfrac{1}{3}(x+3)^2-1$

04 $y=-3(x+4)^2+1$

01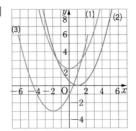

유형 EXERCISES   212~215쪽

유형 ❶	①, ③	1-1 ②	1-2 ④	
유형 ❷	-4	2-1 4	2-2 2	2-3 -2
유형 ❸	③	3-1 ⑤	3-2 4	3-3 ⑤
		3-4 4	3-5 ①	3-6 12
		3-7 $y=\dfrac{3}{2}x^2$		
유형 ❹	$y=3x^2-5$	4-1 ②	4-2 3	
		4-3 $a=1$, $q=-1$		
유형 ❺	$x=-2$, $(-2,0)$	5-1 ⑤	5-2 2	
		5-3 -4		
유형 ❻	④	6-1 ④	6-2 3	6-3 -5
		6-4 5	6-5 ①	
		6-6 $0<a<4$		

유형 ❶

$y=(x$에 대한 이차식) 꼴인 것을 찾는다.

② $y=x(x+1)-x^2=x$ (일차함수)

⑤ x^2이 분모에 있으므로 이차함수가 아니다.

1-1 ① $y=16x$ (일차함수)

② $y=x^2+\dfrac{5}{2}x$ (이차함수)

③ $y=x^3$ (삼차함수)

④ $y=\dfrac{1}{3}\pi x^3$ (삼차함수)

⑤ $y=300x$ (일차함수)

1-2 $y=2(x+3)^2-ax^2+2=(2-a)x^2+12x+20$에서

y가 x에 대한 이차함수가 되려면

$2-a\neq 0$이어야 하므로 $a\neq 2$

유형 ②

$f(2)=2^2-2-2=0$

$f(-2)=(-2)^2-(-2)-2=4$

$\therefore f(2)-f(-2)=0-4=-4$

2-1 $f(a)=a^2-3a-2=2$이므로 $a^2-3a-4=0$

$(a+1)(a-4)=0$　　$\therefore a=4 \ (\because a>0)$

2-2 $f(-3)=a\times(-3)^2+5\times(-3)-1=2$이므로

$9a=18$　　$\therefore a=2$

2-3 $f(1)=0$이므로 $3+a+b=0$

$a+b=-3$ 　　……㉠

$f(-2)=6$이므로 $12-2a+b=6$

$-2a+b=-6$ 　　……㉡

㉠$-$㉡을 하면 $3a=3$ 　　$\therefore a=1$

$a=1$을 ㉠에 대입하면

$1+b=-3$　　$\therefore b=-4$

따라서 $f(x)=3x^2+x-4$이므로

$f(-1)=3\times(-1)^2+(-1)-4=-2$

유형 ③

① 아래로 볼록한 포물선이다.

② 축의 방정식은 $x=0$이다.

④ $x>0$일 때, x의 값이 증가하면 y의 값도 증가한다.

⑤ 제1, 2사분면을 지나는 포물선이다.

3-1 ⑤ $x=4$를 $y=-\dfrac{1}{2}x^2$에 대입하면

　　$y=-\dfrac{1}{2}\times4^2=-8$이므로 점 $(4,-8)$을 지난다.

3-2 $y=-2x^2$의 그래프가 점 $(p,-8)$을 지나므로

　　$-8=-2p^2,\ p^2=4$　　$\therefore p=-2 \ (\because p<0)$

　　$y=-2x^2$의 그래프가 점 $(1,q)$를 지나므로

　　$q=-2\times1^2=-2$

　　$\therefore pq=(-2)\times(-2)=4$

3-3 위로 볼록한 그래프의 식은 $y=-\dfrac{1}{2}x^2,\ y=-4x^2,$

　　$y=-\dfrac{1}{3}x^2$이고 이 중에서 그래프의 폭이 가장 넓은 것은

　　⑤ $y=-\dfrac{1}{3}x^2$이다.

3-4 $-3<a<-\dfrac{1}{2}$ 또는 $\dfrac{1}{2}<a<3$이어야 하므로

　　정수 a의 값은 $-2,-1,1,2$의 4개이다.

3-5 $y=ax^2$의 그래프는 $y=-ax^2$의 그래프와 x축에 대칭이다.

3-6 $y=-\dfrac{1}{3}x^2$의 그래프와 x축에 대칭인 그래프의 식은

　　$y=\dfrac{1}{3}x^2$이므로 $y=\dfrac{1}{3}x^2$에 $x=-6,\ y=a$를 대입하면

　　$a=\dfrac{1}{3}\times(-6)^2=12$

3-7 이차함수의 식을 $y=ax^2$으로 놓으면 이 그래프가

　　점 $(-2,6)$을 지나므로

　　$6=a\times(-2)^2$　　$\therefore a=\dfrac{3}{2}$

　　따라서 구하는 이차함수의 식은 $y=\dfrac{3}{2}x^2$이다.

유형 ④

$y=3x^2+(-5)$ ➡ $y=3x^2-5$

4-1 $y=4x^2+2$의 그래프는

　　① 꼭짓점의 좌표는 $(0,2)$이다.

　　③ $x<0$일 때, x의 값이 증가하면 y의 값은 감소한다.

　　④ $x=-1$을 대입하면 $y=4\times(-1)^2+2=6$

　　⑤ $y=4x^2$의 그래프를 y축의 방향으로 2만큼 평행이동

　　　한 것이다.

4-2 $y=-\dfrac{1}{2}x^2$의 그래프를 y축의 방향으로 a만큼 평행이동

　　한 그래프의 식은 $y=-\dfrac{1}{2}x^2+a$

　　이 그래프가 점 $(2,1)$을 지나므로

　　$1=-\dfrac{1}{2}\times2^2+a$　　$\therefore a=3$

4-3 주어진 이차함수의 그래프의 꼭짓점의 좌표가 $(0,-1)$

　　이므로 $q=-1$

　　즉, $y=ax^2-1$의 그래프가 점 $(-2,3)$을 지나므로

　　$3=a\times(-2)^2-1,\ 4a=4$　　$\therefore a=1$

유형 ⑤

축의 방정식 : $x=-2$, 꼭짓점의 좌표 : $(-2, 0)$

5-1 ⑤ x의 값이 증가할 때 y의 값도 증가하는 x의 값의 범위는 $x<-1$이다.

5-2 $y=3x^2$의 그래프를 x축의 방향으로 p만큼 평행이동한 그래프의 식은 $y=3(x-p)^2$
이 그래프의 꼭짓점의 좌표가 $(2, 0)$이므로 $p=2$

5-3 $y=-4x^2$의 그래프를 x축의 방향으로 2만큼 평행이동한 그래프의 식은 $y=-4(x-2)^2$
이 그래프가 점 $(1, k)$를 지나므로
$k=-4(1-2)^2=-4$

유형 ⑥

④ 점 $(2, 6)$을 지난다.

6-1 $y=-2x^2+5$의 그래프를 x축의 방향으로 -1만큼, y축의 방향으로 -7만큼 평행이동하면
④ $y=-2(x+1)^2-2$의 그래프와 완전히 포개어진다.

6-2 $y=3(x-p)^2+1$의 그래프의 꼭짓점의 좌표는
$(p, 1)$이므로 $p=-2$, $q=1$
$y=3(x+2)^2+1$의 그래프가 점 $(-3, r)$를 지나므로
$r=3(-3+2)^2+1=4$
$\therefore p+q+r=-2+1+4=3$

6-3 $y=3(x-1-m)^2+4+n$의 그래프가 $y=3x^2$의 그래프와 일치하므로 $-1-m=0$, $4+n=0$
따라서 $m=-1$, $n=-4$이므로
$m+n=-1+(-4)=-5$

6-4 $y=-2(x+1)^2-4$의 그래프를 x축에 대하여 대칭이동한 그래프의 식은 $y=2(x+1)^2+4$이므로
$a=2$, $p=-1$, $q=4$
$\therefore a+p+q=2+(-1)+4=5$

6-5 $a>0$이므로 아래로 볼록하다. 또한, 꼭짓점의 좌표가 (p, q)이고, x좌표는 양수, y좌표는 음수이므로 꼭짓점의 좌표는 제4사분면에 있다.

6-6 꼭짓점의 좌표가 $(1, -4)$이므로 그래프가 모든 사분면을 지나려면 $a>0$이고, y축과 만나는 점이 원점보다 아래에 있어야 한다. 즉,
$a(0-1)^2-4<0$, $a-4<0$ $\therefore a<4$
따라서 상수 a의 값의 범위는 $0<a<4$

중단원 EXERCISES 216~219쪽

01 ②, ④	02 ⑤	03 $\frac{1}{2}$, 3	04 ②, ④
05 3	06 ①	07 $(0, -4)$	08 -4
09 ①, ②	10 ⑤	11 ③	12 ⑤
13 ⑤	14 1	15 ①	16 2
17 -16	18 6	19 -4	20 제1, 2사분면
21 $\left(\frac{2}{3}, \frac{4}{9}\right)$	22 $\frac{11}{2}$ m	23 1	24 5
25 16			

01 ① $y=3x$ (일차함수)
② $y=x^2$ (이차함수)
③ $y=2x$ (일차함수)
④ $y=\frac{1}{4}\pi x^2$ (이차함수)
⑤ $y=2\pi x^3$ (삼차함수)

02 $y=a^2x^2+3a(1+x)^2=(a^2+3a)x^2+6ax+3a$가 x에 대한 이차함수가 되려면 $a^2+3a\neq0$이어야 하므로
$a(a+3)\neq0$ $\therefore a\neq-3$이고 $a\neq0$

03 $f(a)=2a^2-6a+3=a$, $2a^2-7a+3=0$
$(2a-1)(a-3)=0$ $\therefore a=\frac{1}{2}$ 또는 $a=3$

04 ② 제3, 4사분면을 지나는 포물선이다.
④ $x<0$일 때, x의 값이 증가하면 y의 값도 증가한다.

05 $y=-3x^2$의 그래프와 x축에 대칭인 그래프의 식은
$y=3x^2$이고 이 그래프가 점 $(-1, k)$를 지나므로
$k=3\times(-1)^2=3$

06 $y=ax^2$에서 그래프의 모양은 $a>0$이면 아래로 볼록하고, $a<0$이면 위로 볼록하다. 또한, $|a|$의 값이 클수록 그래프

의 폭이 좁아지므로 a의 값이 가장 큰 것은 ㉠, a의 값이 가장 작은 것은 ㉣이다.

07 $y=2x^2-4$이므로 이 그래프의 꼭짓점의 좌표는 $(0,-4)$이다.

08 $y=3x^2$의 그래프를 x축의 방향으로 p만큼 평행이동한 그래프의 식은 $y=3(x-p)^2$이고, 이 그래프가 점 $(-2,3)$을 지나므로
$3=3(-2-p)^2$, $p^2+4p+3=0$
$(p+3)(p+1)=0$ $\therefore p=-3$ 또는 $p=-1$
따라서 모든 p의 값의 합은 $-3+(-1)=-4$

09 ③ 제1, 2사분면을 지난다.
④ $x>\dfrac{1}{2}$일 때, x의 값이 증가하면 y의 값도 증가한다.
⑤ $y=\left(x-\dfrac{1}{2}\right)^2$의 그래프와 x축에 대칭인 그래프의 식은
$y=-\left(x-\dfrac{1}{2}\right)^2$이다.

10 평행이동한 그래프의 꼭짓점의 좌표가 $(1,3)$이므로
$y=-2x^2$의 그래프를 x축의 방향으로 1만큼, y축의 방향으로 3만큼 평행이동한 그래프이다.
$\therefore y=-2(x-1)^2+3$

11 꼭짓점의 좌표가 $(-1,1)$이고 위로 볼록한 포물선은 ③이다.

12 아래로 볼록한 그래프의 식은 ①, ③, ⑤이므로 꼭짓점의 좌표를 구해 보면
① $(-3,5)$ ⇨ 제2사분면
③ $(2,1)$ ⇨ 제1사분면
⑤ $(1,-4)$ ⇨ 제4사분면

13 ① 축의 방정식은 $x=-1$이다.
② 꼭짓점의 좌표는 $(-1,-1)$이다.
③ $y=\dfrac{1}{3}x^2$의 그래프를 x축의 방향으로 -1만큼, y축의 방향으로 -1만큼 평행이동한 것이다.
④ $y=\dfrac{1}{2}x^2$의 그래프보다 폭이 넓다.

14 꼭짓점의 좌표가 $(-4,3)$이므로 $p=-4$, $q=3$

15 $x<-1$이면 x의 값이 증가할 때 y의 값도 증가한다.

$y=a(x+4)^2+3$의 그래프가 점 $(-3,5)$를 지나므로
$5=a+3$ $\therefore a=2$
$\therefore a+p+q=2+(-4)+3=1$

16 $y=\dfrac{2}{5}(x-p)^2+3p$의 그래프의 꼭짓점의 좌표는
$(p,3p)$이고, 이 점이 $y=-\dfrac{1}{2}x+7$의 그래프 위에
있으므로 $3p=-\dfrac{1}{2}p+7$, $\dfrac{7}{2}p=7$ $\therefore p=2$

17 $y=-(x-2)^2+1$의 그래프를 x축의 방향으로 m만큼, y축의 방향으로 n만큼 평행이동한 그래프의 식은
$y=-(x-2-m)^2+1+n$
이 그래프가 $y=-(x-6)^2-3$의 그래프와 일치하므로
$-2-m=-6$, $1+n=-3$
따라서 $m=4$, $n=-4$이므로
$mn=4\times(-4)=-16$

18 이차함수 $y=-2(x-1)^2+5$에 $x=0$을 대입하면
$y=-2+5=3$이므로 $A(0,3)$
이 그래프를 x축에 대하여 대칭이동한 그래프는
$y=2(x-1)^2-5$이고
$x=0$을 대입하면 $y=2-5=-3$이므로 $B(0,-3)$
따라서 $\overline{AB}$의 길이는 $3-(-3)=6$

19 $y=3(x-2)^2+1$의 그래프를 x축에 대하여 대칭이동한 그래프의 식은 $y=-3(x-2)^2-1$
이 그래프가 점 $(3,k)$를 지나므로
$k=-3(3-2)^2-1=-4$

20 그래프가 아래로 볼록하므로 $a>0$, 꼭짓점이 제4사분면에 있으므로 $p>0$, $q<0$
이때 $y=q(x-a)^2+pq$의 그래프의 꼭짓점의 좌표는
(a,pq)이고 $a>0$, $pq<0$이므로 제4사분면에 있다.
또한 $q<0$이므로 위로 볼록하다.
따라서 $y=q(x-a)^2+pq$의 그래프는 제1, 2사분면을 지나지 않는다.

21 점 A, B의 좌표를 각각 (a,a^2), $(a,4a^2)$이라 하자.
점 C의 y좌표는 점 B의 y좌표와 같으므로

$4a^2=x^2$에서 $x=2a$ $\quad\therefore$ C$(2a, 4a^2)$

□ABCD가 정사각형이므로 $\overline{\text{AB}}=\overline{\text{BC}}$, 즉 $3a^2=a$이므로

$a(3a-1)=0$ $\quad\therefore a=\dfrac{1}{3}$ $(\because a>0)$

따라서 점 C의 좌표는 $\left(\dfrac{2}{3}, \dfrac{4}{9}\right)$이다.

22 점 E를 원점, 직선 DC를 x축으로 하는 좌표평면으로 생각하면 꼭짓점의 좌표가 $(0, 2)$이므로 포물선의 식은

$y=ax^2+2$

이때 점 C의 좌표가 $(2, 0)$이므로

$4a+2=0$ $\quad\therefore a=-\dfrac{1}{2}$

따라서 문의 윗부분이 나타내는 포물선의 식은

$y=-\dfrac{1}{2}x^2+2$이고, $x=-1$일 때의 함숫값은

$y=-\dfrac{1}{2}+2=\dfrac{3}{2}$이므로

$\overline{\text{PQ}}=\dfrac{3}{2}+4=\dfrac{11}{2}$ (m)

23 직선 $y=2x-4$가 x축과 만나는 점의 좌표는 $(2, 0)$, y축과 만나는 점의 좌표는 $(0, -4)$이므로

A$(2, 0)$, B$(0, -4)$

이차함수 $y=a(x-p)^2$의 그래프의 꼭짓점의 좌표가 $(2, 0)$이므로 $p=2$

$y=a(x-2)^2$의 그래프가 점 B를 지나므로

$-4=a(0-2)^2$, $-4=4a$ $\quad\therefore a=-1$

$\therefore a+p=-1+2=1$

24 $y=-3x^2+12$의 그래프의 꼭짓점의 좌표는 $(0, 12)$, $y=a(x-p)^2$의 그래프의 꼭짓점의 좌표는 $(p, 0)$이다.

$y=-3x^2+12$의 그래프가 점 $(p, 0)$을 지나므로

$0=-3p^2+12$, $p^2=4$ $\quad\therefore p=2$ $(\because p>0)$

$y=a(x-2)^2$의 그래프가 점 $(0, 12)$를 지나므로

$12=a(0-2)^2$, $4a=12$ $\quad\therefore a=3$

$\therefore a+p=3+2=5$

25 $y=2(x-1)^2+2$에 $y=10$을 대입하면

$2(x-1)^2+2=10$, $x^2-2x-3=0$

$(x+1)(x-3)=0$ $\quad\therefore x=-1$ 또는 $x=3$

따라서 B$(-1, 10)$, A$(3, 10)$이고, 꼭짓점의 좌표는

C$(1, 2)$이므로

$\triangle$ABC$=\dfrac{1}{2}\times 4\times 8=16$

2. 이차함수 $y=ax^2+bx+c$의 그래프

02 (1) $y=0$을 대입하면 $x^2-2x-3=0$

$(x+1)(x-3)=0$ $\quad\therefore x=-1$ 또는 $x=3$

$x=0$을 대입하면 $y=-3$

따라서 x절편은 -1, 3이고, y절편은 -3이다.

(2) $y=0$을 대입하면 $x^2-8x+16=0$

$(x-4)^2=0$ $\quad\therefore x=4$ (중근)

$x=0$을 대입하면 $y=16$

따라서 x절편은 4이고, y절편은 16이다.

(3) $y=0$을 대입하면 $-x^2+4x+21=0$, $x^2-4x-21=0$

$(x+3)(x-7)=0$ $\quad\therefore x=-3$ 또는 $x=7$

$x=0$을 대입하면 $y=21$

따라서 x절편은 -3, 7이고, y절편은 21이다.

(4) $y=0$을 대입하면 $-3x^2+2x+8=0$, $3x^2-2x-8=0$

$(3x+4)(x-2)=0$ $\quad\therefore x=-\dfrac{4}{3}$ 또는 $x=2$

$x=0$을 대입하면 $y=8$

따라서 x절편은 $-\dfrac{4}{3}$, 2이고, y절편은 8이다.

03 아래로 볼록하므로 $a>0$

축이 y축의 왼쪽에 있으므로 $ab>0$ $\quad\therefore b>0$

y축과의 교점이 x축보다 아래쪽에 있으므로 $c<0$

04 (1) 구하는 이차함수의 식을 $y=a(x-2)^2-3$으로 놓으면

이 그래프가 점 $(0, 1)$을 지나므로

$x=0, y=1$을 대입하면

$1=a(0-2)^2-3, \; 1=4a-3$　　$\therefore a=1$

$\therefore y=(x-2)^2-3$

(2) 구하는 이차함수의 식을 $y=a(x+3)^2+q$로 놓으면

이 그래프가 점 $(-1, 5), (0, 15)$를 지나므로

$x=-1, y=5$를 대입하면

$5=a(-1+3)^2+q$　　$\therefore 5=4a+q$　　……㉠

$x=0, y=15$를 대입하면

$15=a(0+3)^2+q$　　$\therefore 15=9a+q$　　……㉡

㉠, ㉡을 연립하여 풀면 $a=2, q=-3$

$\therefore y=2(x+3)^2-3$

05 (1) 구하는 이차함수의 식을 $y=ax^2+bx+c$로 놓고

$x=0, y=3$을 대입하면 $c=3$

$x=1, y=2$를 대입하면 $a+b+3=2$　　……㉠

$x=-1, y=0$을 대입하면 $a-b+3=0$　　……㉡

㉠, ㉡을 연립하여 풀면 $a=-2, b=1$

$\therefore y=-2x^2+x+3$

(2) 구하는 이차함수의 식을 $y=a(x+2)(x-1)$로 놓고

$x=0, y=2$를 대입하면

$2=a(0+2)(0-1), \; 2=-2a$　　$\therefore a=-1$

$\therefore y=-(x+2)(x-1)=-x^2-x+2$

유형 EXERCISES

유형 ❶	12	1-1 -4	1-2 ①	1-3 4
		1-4 3	1-5 ③	1-6 $x>1$
		1-7 4		

유형 ❷　x절편 : $-5, 1, \; y$절편 : -5

　　　　　　　　2-1 -3　　2-2 $(-5, 0)$

　　　　　　　　2-3 8

유형 ❸　④　　3-1 ④　　3-2 $q>3$

유형 ❹　③　　4-1 ⑤

유형 ❺　15　　5-1 27　　5-2 24

유형 ❻　-2　　6-1 7　　6-2 $y=2(x-2)^2+1$

　　　　　　　6-3 -8

유형 ❼　6　　7-1 $x=\dfrac{1}{3}$　7-2 $(-3, -4)$

　　　　　　　7-3 $\dfrac{4}{3}$

유형 ❶

$y=-x^2+4x=-(x-2)^2+4$의 그래프의 꼭짓점의 좌표는 $(2, 4)$이다.

$y=2x^2+4ax+b=2(x+a)^2-2a^2+b$의 꼭짓점의 좌표는 $(-a, -2a^2+b)$이다.

즉, $-a=2, -2a^2+b=4$이므로 $a=-2, b=12$

1-1 $y=-2x^2+4x-5=-2(x-1)^2-3$이므로

$a=-2, p=1, q=-3$

$\therefore a+p+q=-2+1+(-3)=-4$

1-2 ① $y=(x+2)^2-7 \Rightarrow$ 꼭짓점 : $(-2, -7)$

　　　　　　　　　　　　　$\Rightarrow$ 제3사분면

② $y=-2(x-3)^2+3 \Rightarrow$ 꼭짓점 : $(3, 3)$

　　　　　　　　　　　　　$\Rightarrow$ 제1사분면

③ $y=\dfrac{1}{2}(x-2)^2-8 \Rightarrow$ 꼭짓점 : $(2, -8)$

　　　　　　　　　　　　　$\Rightarrow$ 제4사분면

④ $y=-4(x-1)^2+3 \Rightarrow$ 꼭짓점 : $(1, 3)$

　　　　　　　　　　　　　$\Rightarrow$ 제1사분면

⑤ $y=-3(x+2)^2+7 \Rightarrow$ 꼭짓점 : $(-2, 7)$

　　　　　　　　　　　　　$\Rightarrow$ 제2사분면

1-3 $y=2x^2-4ax+1=2(x-a)^2-2a^2+1$

이 그래프의 축의 방정식은 $x=a$이므로 $a=4$

1-4 $y=x^2-2(k-1)x+4=(x-k+1)^2-(k-1)^2+4$

이 그래프의 꼭짓점의 좌표는

$(k-1, \; -(k-1)^2+4)$이고, x축 위에 있으므로

$-(k-1)^2+4=0, \; (k-1)^2=4$

$\therefore k=3 \; (\because k>0)$

1-5 아래로 볼록하므로 x^2의 계수는 양수이다.

$\Rightarrow$ ①, ③, ④

x^2의 계수의 절댓값이 클수록 폭이 좁으므로

③ $y=2x^2-x$의 그래프의 폭이 가장 좁다.

1-6 $y=-3x^2+6x+1=-3(x-1)^2+4$

이 그래프의 축의 방정식은 $x=1$이고, 위로 볼록하다.

따라서 x의 값이 증가할 때, y의 값이 감소하는 x의 값의

범위는 $x>1$이다.

1-7 $y=x^2-6x+2=(x-3)^2-7$의 그래프를 x축의 방향으로 p만큼, y축의 방향으로 q만큼 평행이동한 그래프의 식은 $y=(x-3-p)^2-7+q$

이 그래프가 $y=x^2+2x+2=(x+1)^2+1$의 그래프와 일치하므로 $-3-p=1$, $-7+q=1$

$\therefore p=-4$, $q=8$

$\therefore p+q=-4+8=4$

유형 ❷

$y=x^2$의 그래프를 x축의 방향으로 -2만큼, y축의 방향으로 -9만큼 평행이동한 그래프의 식은

$y=(x+2)^2-9=x^2+4x-5$

(i) $y=0$을 대입하면 $x^2+4x-5=0$

$(x+5)(x-1)=0$ $\therefore x=-5$ 또는 $x=1$

(ii) $x=0$을 대입하면 $y=-5$

따라서 x절편은 -5, 1이고, y절편은 -5이다.

2-1 $y=-x^2+4x+a$에 $x=3$, $y=0$을 대입하면

$0=-3^2+4\times3+a$ $\therefore a=-3$

따라서 $y=-x^2+4x-3$에서 $x=0$일 때 $y=-3$이므로 이 그래프의 y절편은 -3이다.

2-2 $y=2x^2+ax+10$에 $x=-1$, $y=0$을 대입하면

$0=2-a+10$ $\therefore a=12$

$y=2x^2+12x+10$에 $y=0$을 대입하면

$0=2x^2+12x+10$, $x^2+6x+5=0$

$(x+5)(x+1)=0$ $\therefore x=-5$ 또는 $x=-1$

따라서 다른 한 점의 좌표는 $(-5,\ 0)$이다.

2-3 $y=x^2-4x-12$에 $y=0$을 대입하면

$x^2-4x-12=0$, $(x+2)(x-6)=0$

$\therefore x=-2$ 또는 $x=6$

따라서 x절편이 -2, 6이므로

$A(-2,\ 0)$, $B(6,\ 0)$ 또는 $A(6,\ 0)$, $B(-2,\ 0)$

$\therefore \overline{AB}=6-(-2)=8$

유형 ❸

$y=x^2+4x+1=(x+2)^2-3$

꼭짓점의 좌표가 $(-2,\ -3)$이고, 아래로 볼록하며 y절편이 1인 포물선이므로 그 그래프를 그리면 오른쪽과 같다.

따라서 제1, 2, 3사분면을 지난다.

3-1 $y=-2x^2+4x-3=-2(x-1)^2-1$

이 이차함수의 그래프의 꼭짓점의 좌표는 $(1,\ -1)$이고 위로 볼록하며 y절편이 -3이므로 그 그래프를 그리면 ④와 같다.

3-2 $y=-3(x+1)^2+q$의 그래프와 y축과의 교점이 x축보다 위에 있어야 하므로

$-3+q>0$ $\therefore q>3$

유형 ❹

그래프가 위로 볼록하므로 $a<0$

축이 y축의 왼쪽에 있으므로 $ab>0$ $\therefore b<0$

y절편이 양수이므로 $c>0$

4-1 $y=ax+b$의 그래프에서 $a>0$, $b<0$

$y=bx^2+ax+a-b$의 그래프에서

(i) $b<0$이므로 위로 볼록하다.

(ii) $ab<0$이므로 축은 y축의 오른쪽에 있다.

(iii) $a-b>0$이므로 y축과의 교점은 x축보다 위에 있다.

따라서 이차함수 $y=bx^2+ax+a-b$의 그래프로 알맞은 것은 ⑤이다.

유형 ❺

$y=x^2-x-6$에 $y=0$을 대입하면

$x^2-x-6=0$, $(x+2)(x-3)=0$

$\therefore x=-2$ 또는 $x=3$

즉, $A(-2,\ 0)$, $B(3,\ 0)$

$y=x^2-x-6$에 $x=0$을 대입하면 $y=-6$

$\therefore C(0,\ -6)$

$\therefore \triangle ABC=\dfrac{1}{2}\times5\times6=15$

5-1 $y=-x^2+4x+5=-(x-2)^2+9$이므로

$A(2,\ 9)$

$y=0$을 대입하면 $0=-x^2+4x+5$

$(x+1)(x-5)=0$ $\therefore x=-1$ 또는 $x=5$

$\therefore B(-1,\ 0)$, $C(5,\ 0)$

$\therefore \triangle ABC=\dfrac{1}{2}\times6\times9=27$

5-2 $y=-x^2+ax-4a$

$=-\left(x^2-ax+\dfrac{a^2}{4}\right)+\dfrac{a^2}{4}-4a$

$$= -\left(x - \frac{a}{2}\right)^2 + \frac{a^2}{4} - 4a$$

이 그래프의 축의 방정식은 $x = \dfrac{a}{2} = -1$이므로

$a = -2$

따라서 $y = -x^2 - 2x + 8$이므로

$x = 0$을 대입하면 $y = 8$ $\therefore A(0, 8)$

$y = 0$을 대입하면 $-x^2 - 2x + 8 = 0$

$(x + 4)(x - 2) = 0$ $\therefore x = -4$ 또는 $x = 2$

따라서 $B(-4, 0)$, $C(2, 0)$이므로

$\triangle ABC = \dfrac{1}{2} \times 6 \times 8 = 24$

유형 ⑥

꼭짓점의 좌표가 $(1, -4)$이므로 $p = 1$, $q = -4$

그래프의 식을 $y = a(x - 1)^2 - 4$로 놓으면

이 그래프가 점 $(0, -3)$을 지나므로

$-3 = a(0 - 1)^2 - 4$, $-3 = a - 4$ $\therefore a = 1$

$\therefore a + p + q = 1 + 1 + (-4) = -2$

6-1 꼭짓점의 좌표가 $(2, -1)$이므로

$y = a(x - 2)^2 - 1$

점 $(1, 1)$을 지나므로 $1 = a - 1$ $\therefore a = 2$

$\therefore y = 2(x - 2)^2 - 1 = 2x^2 - 8x + 7$

따라서 y절편은 7이다.

6-2 $y = a(x - 2)^2 + q$로 놓으면 이 그래프가 두 점 $(0, 9)$와 $(-1, 19)$를 지나므로

$4a + q = 9$, $9a + q = 19$

두 식을 연립하여 풀면 $a = 2$, $q = 1$

$\therefore y = 2(x - 2)^2 + 1$

6-3 $y = a(x + 2)^2 + q$로 놓으면 이 그래프가 두 점 $(0, 2)$, $(-1, 8)$을 지나므로

$2 = 4a + q$, $8 = a + q$

두 식을 연립하여 풀면 $a = -2$, $q = 10$

따라서 $y = -2(x + 2)^2 + 10$의 그래프가 점 $(-5, k)$를 지나므로

$k = -2(-5 + 2)^2 + 10 = -8$

유형 ⑦

$y = ax^2 + bx + c$에

$x = 0$, $y = -2$를 대입하면 $c = -2$

$x = 1$, $y = 2$를 대입하면 $a + b - 2 = 2$ ……㉠

$x = 2$, $y = 4$를 대입하면 $4a + 2b - 2 = 4$ ……㉡

㉠, ㉡을 연립하여 풀면 $a = -1$, $b = 5$

$\therefore a + b - c = -1 + 5 - (-2) = 6$

7-1 주어진 세 점을 지나는 그래프의 이차함수의 식을

$y = ax^2 + bx + c$로 놓고

$x = 0$, $y = 1$을 대입하면 $c = 1$

$x = 1$, $y = 2$를 대입하면 $a + b + 1 = 2$ ……㉠

$x = -1$, $y = 6$을 대입하면 $a - b + 1 = 6$ ……㉡

㉠, ㉡을 연립하여 풀면 $a = 3$, $b = -2$

따라서 $y = 3x^2 - 2x + 1 = 3\left(x - \dfrac{1}{3}\right)^2 + \dfrac{2}{3}$이므로

그래프의 축의 방정식은 $x = \dfrac{1}{3}$이다.

7-2 그래프의 x절편이 -5, -1이므로 이차함수의 식을 $y = a(x + 5)(x + 1)$로 놓으면 이 그래프가 점 $(0, 5)$를 지나므로 $5a = 5$ $\therefore a = 1$

$\therefore y = (x + 5)(x + 1) = x^2 + 6x + 5$

$= (x + 3)^2 - 4$

따라서 꼭짓점의 좌표는 $(-3, -4)$이다.

7-3 $y = ax^2 + bx + c$의 그래프의 x절편이 -3, 1이므로 이차함수의 식을 $y = a(x + 3)(x - 1)$로 놓으면 이 그래프가 점 $(0, -2)$를 지나므로

$-3a = -2$ $\therefore a = \dfrac{2}{3}$

따라서 $y = \dfrac{2}{3}(x + 3)(x - 1) = \dfrac{2}{3}x^2 + \dfrac{4}{3}x - 2$이므로

$a = \dfrac{2}{3}$, $b = \dfrac{4}{3}$, $c = -2$

$\therefore a - b - c = \dfrac{2}{3} - \dfrac{4}{3} - (-2) = \dfrac{4}{3}$

01 $y=-4x^2+2x+1=-4\left(x-\dfrac{1}{4}\right)^2+\dfrac{5}{4}$이므로

$p=\dfrac{1}{4}$, $q=\dfrac{5}{4}$ $\therefore p-q=-1$

02 ① $y=4x^2-8x=4(x-1)^2-4$의 꼭짓점의 좌표는 $(1,\,-4)$로 제4사분면에 위치한다.
② $y=-3x^2-6x-1=-3(x+1)^2+2$의 꼭짓점의 좌표는 $(-1,\,2)$로 제2사분면에 위치한다.
③ $y=x^2+4x+2=(x+2)^2-2$의 꼭짓점의 좌표는 $(-2,\,-2)$로 제3사분면에 위치한다.
④ $y=-2x^2+8x+1=-2(x-2)^2+9$의 꼭짓점의 좌표는 $(2,\,9)$로 제1사분면에 위치한다.
⑤ $y=-(x+1)(x-2)=-x^2+x+2=-\left(x-\dfrac{1}{2}\right)^2+\dfrac{9}{4}$
의 꼭짓점의 좌표는 $\left(\dfrac{1}{2},\,\dfrac{9}{4}\right)$로 제1사분면에 위치한다.

03 $y=x^2+ax-8=\left(x+\dfrac{a}{2}\right)^2-\dfrac{a^2}{4}-8$의 꼭짓점의 좌표가 $\left(-\dfrac{a}{2},\,-\dfrac{a^2}{4}-8\right)$이므로 $-\dfrac{a}{2}=1$, $-\dfrac{a^2}{4}-8=b$
$\therefore a=-2$, $b=-9$
$\therefore a+b=-2-9=-11$

04 $y=-2x^2+8x+3=-2(x-2)^2+11$의 그래프는 $y=-2x^2$의 그래프를 x축의 방향으로 2만큼, y축의 방향으로 11만큼 평행이동한 것이다.
따라서 $p=2$, $q=11$이므로
$p+q=2+11=13$

05 $y=-2x^2+12x+k=-2(x^2-6x+9-9)+k$
$\qquad =-2(x-3)^2+18+k$
이 그래프의 꼭짓점 $(3,\,18+k)$가 직선 $y=2x+3$ 위에 있으므로
$18+k=2\times3+3$ $\therefore k=-9$

06 $y=x^2+mx+2$에 $x=2$, $y=-2$를 대입하면
$-2=4+2m+2$ $\therefore m=-4$
즉, $y=x^2-4x+2=(x-2)^2-2$의 그래프에서 x의 값이 증가할 때 y의 값이 감소하는 x의 값의 범위는 $x<2$

07 $y=3x^2-6x+2=3(x-1)^2-1$의 그래프를 x축의 방향으로 k만큼 평행이동한 그래프의 식은 $y=3(x-1-k)^2-1$
이 그래프의 축이 직선 $x=-4$이므로
$1+k=-4$ $\therefore k=-5$

08 $y=-3x^2+6x+4=-3(x-1)^2+7$
이 이차함수의 그래프를 y축의 방향으로 n만큼 평행이동한 그래프의 식은 $y=-3(x-1)^2+7+n$
이 그래프는 위로 볼록하므로 x축과 만나지 않으려면 $7+n<0$이어야 한다.
$\therefore n<-7$

09 $y=-\dfrac{1}{2}x^2-4x-3=-\dfrac{1}{2}(x+4)^2+5$
① y절편은 -3이다.
② 꼭짓점의 좌표는 $(-4,\,5)$이다.
③ $x<-4$일 때, x의 값이 증가하면 y의 값도 증가한다.
⑤ 위로 볼록한 그래프이다.

10 $y=-2x^2-4x-1=-2(x+1)^2+1$
의 꼭짓점의 좌표는 $(-1,\,1)$이고 y축과의 교점의 좌표는 $(0,\,-1)$이므로 이 이차함수의 그래프는 오른쪽 그림과 같다. 따라서 이 그래프가 지나지 않는 사분면은 제1사분면이다.
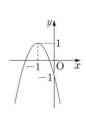

11 $y=ax+b$의 그래프에서 $a<0$, $b>0$
이차함수 $y=-x^2+ax+b$에서 x^2과 x의 계수의 부호가 같으므로 그래프의 꼭짓점은 제2사분면 또는 제3사분면에 있다. 이때 위로 볼록하며 y절편이 양수이므로 그래프의 모양은 ③이다.

12 $y=\dfrac{1}{2}(x+1)^2+4=\dfrac{1}{2}x^2+x+\dfrac{9}{2}$
따라서 $a=\dfrac{1}{2}$, $b=1$, $c=\dfrac{9}{2}$이므로
$a+b+c=\dfrac{1}{2}+1+\dfrac{9}{2}=6$

13 $y=ax^2+x+2$의 그래프가 점 $(-1,0)$을 지나므로
$0=a-1+2$ ∴ $a=-1$
즉, $y=-x^2+x+2$이므로 이 그래프의 x절편을 구하기
위하여 $y=0$을 대입하면
$0=-x^2+x+2$, $x^2-x-2=0$
$(x+1)(x-2)=0$ ∴ $x=-1$ 또는 $x=2$
따라서 $b=2$이므로 $a+b=-1+2=1$

14 $y=-(x-2)^2+5a+5$의 그래프는
위로 볼록하므로 모든 사분면을 지나려
면 오른쪽 그림과 같이 y절편>0,
즉 $5a+1>0$을 만족해야 한다.
∴ $a>-\dfrac{1}{5}$

15 $y=x^2+2x-3=(x+1)^2-4$이므로
$C(-1,-4)$, $D(0,-4)$
$y=0$을 대입하면 $0=x^2+2x-3$
$(x+3)(x-1)=0$ ∴ $x=-3$ 또는 $x=1$
∴ $A(-3,0)$
$x=0$을 대입하면 $y=-3$ ∴ $B(0,-3)$
∴ $\triangle ABC=\square ACDO-\triangle ABO-\triangle BCD$
$=\dfrac{1}{2}\times(3+1)\times4-\dfrac{1}{2}\times3\times3-\dfrac{1}{2}\times1\times1$
$=8-\dfrac{9}{2}-\dfrac{1}{2}=3$

16 $y=a(x-2)(x+3)$으로 놓으면
이 그래프가 점 $(-1,6)$을 지나므로
$6=-6a$ ∴ $a=-1$
즉, $y=-(x-2)(x+3)=-\left(x+\dfrac{1}{2}\right)^2+\dfrac{25}{4}$이므로
이 그래프의 꼭짓점의 좌표는 $\left(-\dfrac{1}{2},\dfrac{25}{4}\right)$이다.
따라서 $p=-\dfrac{1}{2}$, $q=\dfrac{25}{4}$이므로
$4(p+q)=4\times\left(-\dfrac{1}{2}+\dfrac{25}{4}\right)=23$

17 ① 범석 : 축이 y축의 오른쪽에 위치하므로 $ab<0$이야.
② 찬우 : y축과 만나는 점이 x축보다 위쪽에 있으므로 $c>0$
③ 민경 : $x=1$일 때의 함숫값이 음수이므로
$\quad f(1)=a+b+c<0$
⑤ 미소 : 그래프가 아래로 볼록하므로 $a>0$, y절편이 양수
$\quad$이므로 $c>0$ ∴ $ac>0$

18 A, B의 x좌표를 각각 α, β(단, $\alpha>\beta$)라 하면
$y=x^2-3x+a=(x-\alpha)(x-\beta)$
$\quad=x^2-(\alpha+\beta)x+\alpha\beta$
∴ $\alpha+\beta=3$ ……㉠
$\overline{AB}=5$이므로 $\alpha-\beta=5$ ……㉡
㉠, ㉡을 연립하여 풀면 $\alpha=4$, $\beta=-1$
∴ $a=\alpha\beta=-4$

19 오른쪽 그림과 같이 빗금친 부분의 넓
이가 서로 같으므로 색칠한 부분의 넓
이는 직사각형의 넓이와 같다.
$y=-x^2+4x-2=-(x-2)^2+2$의 그래프의 꼭짓점의
좌표는 $(2,2)$이고, $y=-x^2+8x-14=-(x-4)^2+2$
의 그래프의 꼭짓점의 좌표는 $(4,2)$이므로
(색칠한 부분의 넓이)$=2\times2=4$

20 $y=ax^2+bx+c$로 놓고 $x=0$, $y=5$를 대입하면 $c=5$
$x=-1$, $y=8$을 대입하면 $a-b+5=8$ ……㉠
$x=-2$, $y=13$을 대입하면 $4a-2b+5=13$ ……㉡
㉠, ㉡을 연립하여 풀면 $a=1$, $b=-2$
∴ $y=x^2-2x+5=(x-1)^2+4$
이 그래프를 x축에 대하여 대칭이동한 그래프의 식은
$y=-(x-1)^2-4$이므로 꼭짓점의 좌표는 $(1,-4)$이다.

대단원 EXERCISES 238~241쪽

01 ② **02** ①, ④ **03** -16 **04** ①, ③
05 $(4,8)$ **06** ④ **07** 6 **08** ⑤
09 $y=-2(x+4)^2-3$ **10** ④ **11** ⑤
12 1 **13** ③ **14** ③ **15** 16
16 $\dfrac{133}{2}$ **17** ⑤ **18** ① **19** ⑤
20 6 **21** ④ **22** ① **23** ③
24 $-\dfrac{1}{4}$ **25** $(0,3)$ **26** $(2,4)$

01 ② $y=x^2-(x-2)^2=4x-4$ (일차함수)

02 ② 아래로 볼록한 그래프는 ㄱ, ㄷ이다.
③ 각각의 그래프는 y축에 대칭이다.
⑤ 꼭짓점 이외의 부분이 x축보다 위쪽에 있는 것은 ㄱ, ㄷ
이다.

03 포물선 ㉠은 위로 볼록하므로 x^2의 계수는 음수이고 폭이 가장 좁으므로 $y=-4x^2$의 그래프이다.

이 그래프가 점 $(2, a)$를 지나므로

$a=-4\times2^2=-16$

04 x^2의 계수가 같으면 평행이동하여 포갤 수 있으므로 ①, ③이다.

05 점 P의 좌표를 (a, b)라고 하면

$\triangle\text{POA}=\dfrac{1}{2}\times6\times b=24$ $\quad\therefore b=8$

점 $\text{P}(a, 8)$이 $y=\dfrac{1}{2}x^2$의 그래프 위에 있으므로

$8=\dfrac{1}{2}a^2,\ a^2=16$ $\quad\therefore a=4(\because a>0)$

따라서 점 P의 좌표는 $(4, 8)$이다.

06 $y=3x^2+q$에 $x=1, y=-5$를 대입하면

$-5=3\times1^2+q$ $\quad\therefore q=-8$

따라서 이차함수 $y=3x^2-8$의 그래프의 꼭짓점의 좌표는 $(0, -8)$이다.

07 두 점 A, B의 x좌표를 a라고 하면 y좌표는 각각 a^2+4, a^2-2이다.

$\therefore \overline{\text{AB}}=a^2+4-(a^2-2)=6$

08 평행이동한 그래프의 식은 $y=a(x+3)^2$

이 그래프가 점 $(-2, 5)$를 지나므로

$5=a(-2+3)^2$ $\quad\therefore a=5$

09 $y=-2(x+1+3)^2-5+2=-2(x+4)^2-3$

10 ④ $y=(x-3)^2$

11 ① 꼭짓점의 좌표는 $(4, -3)$이다.

② $y=-x^2$의 그래프를 x축의 방향으로 4만큼, y축의 방향으로 -3만큼 평행이동한 것이다.

③ 점 $(0, -19)$를 지난다.

④ 위로 볼록한 포물선이다.

12 $y=-2(x-p)^2+4p^2$에 $x=2, y=2$를 대입하면

$2=-2(2-p)^2+4p^2,\ p^2+4p-5=0$

$(p+5)(p-1)=0$ $\quad\therefore p=-5$ 또는 $p=1$

그런데 이 그래프의 꼭짓점의 좌표는 $(p, 4p^2)$이고 제1사분면 위에 있으므로 $p>0$이어야 한다.

$\therefore p=1$

13 $y=-\dfrac{1}{2}x^2+2x+1=-\dfrac{1}{2}(x-2)^2+3$의 그래프의 꼭짓점의 좌표는 $(2, 3)$이고 y절편은 1이므로 그래프를 그리면 ③과 같다.

14 $y=2x^2+4x-3=2(x+1)^2-5$의 그래프의 꼭짓점의 좌표는 $(-1, -5)$이고, 보기의 각 이차함수의 그래프의 꼭짓점의 좌표는 다음과 같다.

① $(0, -6)$ ② $(-1, 0)$ ③ $(-1, -5)$

④ $(1, 5)$ ⑤ $(1, -5)$

15 $y=-4x^2+ax-1=-4\left(x-\dfrac{a}{8}\right)^2+\dfrac{a^2}{16}-1$의 그래프의

축의 방정식은 $x=\dfrac{a}{8}$이므로

$\dfrac{a}{8}=2$ $\quad\therefore a=16$

16 $y=x^2-6x-7=(x-3)^2-16$이므로 $\text{B}(3, -16)$

$x=0$을 대입하면 $y=-7$ $\quad\therefore \text{A}(0, -7)$

$y=0$을 대입하면 $0=x^2-6x-7$

$(x+1)(x-7)=0$

$\therefore x=-1$ 또는 $x=7$

$\therefore \text{C}(7, 0)$

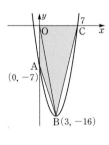

$\therefore \square\text{OABC}$

$=\triangle\text{OAB}+\triangle\text{OBC}$

$=\dfrac{1}{2}\times7\times3+\dfrac{1}{2}\times7\times16$

$=\dfrac{133}{2}$

17 $y=2x^2-4x+a-3=2(x-1)^2+a-5$

이 그래프의 꼭짓점의 좌표는 $(1, a-5)$이고, x축 위에 있으므로

$a-5=0$ $\quad\therefore a=5$

18 축이 y축의 오른쪽에 있으므로 $a<0$

y절편이 음수이므로 $b<0$

따라서 일차함수 $y=ax+b$의 그래프는 오른쪽 그림과 같으므로 제1사분면을 지나지 않는다.

19 꼭짓점의 좌표가 $(2, 1)$인 이차함수의 그래프의 식을 $y=a(x-2)^2+1$로 놓으면 이 그래프가 점 $(0, -1)$을 지나므로

$$-1=a(0-2)^2+1, \; 4a=-2 \quad \therefore a=-\frac{1}{2}$$

$$\therefore y=-\frac{1}{2}(x-2)^2+1$$

⑤ 위의 식에 $x=\frac{3}{2}$을 대입하면

$$y=-\frac{1}{2}\left(\frac{3}{2}-2\right)^2+1=\frac{7}{8}$$

즉, 점 $\left(\frac{3}{2}, \frac{7}{8}\right)$을 지난다.

20 $y=2x^2-8x+3=2(x^2-4x)+3=2(x-2)^2-5$의 그래프를 x축의 방향으로 -1만큼, y축의 방향으로 3만큼 평행이동한 그래프의 식은

$$y=2(x-2+1)^2-5+3=2(x-1)^2-2$$

이 그래프가 점 $(-1, k)$를 지나므로

$$k=2(-1-1)^2-2=8-2=6$$

21 $y=\frac{1}{2}x^2-x-4=\frac{1}{2}(x-1)^2-\frac{9}{2}$이므로

점 C의 좌표는 $\left(1, -\frac{9}{2}\right)$

$y=0$을 대입하면 $x^2-2x-8=0$

$(x-4)(x+2)=0 \quad \therefore x=-2$ 또는 $x=4$

$\therefore \mathrm{A}(-2, 0), \mathrm{E}(4, 0)$

한편 y절편이 -4이므로 점 $\mathrm{B}(0, -4)$이고, 점 D는 점 B와 축에 대하여 대칭인 점이므로 $\mathrm{D}(2, -4)$이다.

22 이차함수 $y=-x^2+ax+b$의 그래프의 축의 방정식이 $x=-2$이므로 이차함수의 식을

$y=-(x+2)^2+q$로 놓으면

$$y=-x^2-4x-4+q \quad \therefore a=-4$$

$y=-x^2-4x+b$의 그래프가 점 $(1, -3)$을 지나므로

$$-3=-1-4+b \quad \therefore b=2$$

$$\therefore ab=-4\times 2=-8$$

23 점 $(0, -5)$를 지나므로 $c=-5$

두 점 $(2, 3), (6, 1)$을 지나므로

$$4a+2b-5=3, \; 36a+6b-5=1$$

즉, $2a+b=4, \; 6a+b=1$

두 식을 연립하여 풀면 $a=-\frac{3}{4}, b=\frac{11}{2}$

$$\therefore 4a-2b-c=4\times\left(-\frac{3}{4}\right)-2\times\frac{11}{2}+5=-9$$

24 $y=ax^2+4$의 그래프의 y절편이 4이므로 $\mathrm{A}(0, 4)$ ⋯⋯ ❶

이때 $\triangle \mathrm{ABC}=\frac{1}{2}\times\overline{\mathrm{BC}}\times 4=16$이므로 $\overline{\mathrm{BC}}=8$

$$\therefore \mathrm{B}(-4, 0), \mathrm{C}(4, 0) \quad\quad ⋯⋯ ❷$$

$y=ax^2+4$의 그래프가 점 $(4, 0)$을 지나므로

$$0=16a+4 \quad \therefore a=-\frac{1}{4} \quad\quad ⋯⋯ ❸$$

채점 기준	배점
❶ 점 A의 좌표 구하기	30 %
❷ 점 B, C의 좌표 구하기	40 %
❸ a의 값 구하기	30 %

25 이차함수의 식을 세워 정리하면

$$y=a(x+1)(x-3)$$
$$=a(x^2-2x-3)$$
$$=a\{(x-1)^2-4\}$$
$$=a(x-1)^2-4a \quad\quad ⋯⋯ ❶$$

이므로 $-4a=4 \quad \therefore a=-1$ ⋯⋯ ❷

$y=-(x+1)(x-3)$에 $x=0$을 대입하면

$$y=-1\times(-3)=3$$

따라서 y축과 만나는 점의 좌표는 $(0, 3)$이다. ⋯⋯ ❸

채점 기준	배점
❶ $y=a(x+1)(x-3)$으로 식 세우기	40 %
❷ a의 값 구하기	30 %
❸ y축과 만나는 점의 좌표 구하기	30 %

26 $f(1)=f(3)=5$이므로 꼭짓점의 x좌표는 2이다. ⋯⋯ ❶

이때 이차함수의 식을 $f(x)=a(x-2)^2+q$라 하면

$f(0)=8$이므로 $4a+q=8$,

$f(1)=5$이므로 $a+q=5$

두 식을 연립하여 풀면 $a=1, q=4$ ⋯⋯ ❷

따라서 이차함수의 식은 $f(x)=(x-2)^2+4$이므로

$y=f(x)$의 그래프의 꼭짓점의 좌표는 $(2, 4)$이다. ⋯⋯ ❸

채점 기준	배점
❶ $y=a(x-2)^2+q$로 식 세우기	30 %
❷ a, q의 값 구하기	50 %
❸ 꼭짓점의 좌표 구하기	20 %

01 (1) $y=-5t^2+30t+35$

$\qquad =-5(t-3)^2+80$

이므로 그래프는 오른쪽 그림과 같다.

(2) 꼭짓점의 좌표가 $(3, 80)$이므로

3초 후에 최고 높이 80 m가 된다.

(3) 이차방정식 $-5t^2+30t+35=75$를 풀면

$5t^2-30t+40=0$, $t^2-6t+8=0$

$(t-2)(t-4)=0$ $\therefore t=2$ 또는 $t=4$

따라서 공의 높이가 처음으로 75 m가 되는 것은 공을

던진 지 2초 후이다.

(4) 이차방정식 $-5t^2+30t+35=0$을 풀면

$t^2-6t-7=0$, $(t+1)(t-7)=0$

$\therefore t=-1$ 또는 $t=7$

따라서 공은 7초 후에 지면에 떨어진다.

02 $y=-5t^2+150t+2500$

$\qquad =-5(t-15)^2+3625$

의 그래프는 오른쪽 그림과 같다.

분출물의 높이가 3500 m인 때를 구

하기 위해 이차방정식

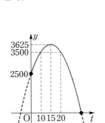

$-5t^2+150t+2500=3500$을 풀면

$t^2-30t+200=0$, $(t-10)(t-20)=0$

$\therefore t=10$ 또는 $t=20$

따라서 분출물의 높이가 3500 m 이상인 시간은 10초부터

20초까지 10초 동안이다.

I 실수와 그 계산

1. 제곱근과 실수

유형 TEST 01. 제곱근의 뜻과 성질 002~006쪽
02. 무리수와 실수

01 ④	02 41	03 ⑤	04 ⑤
05 3	06 $\sqrt{15}$ cm	07 4	08 ③, ④
09 ④	10 19	11 ㄱ, ㄴ, ㄹ	12 3
13 $a+2b$	14 3	15 ㄴ, ㄷ	16 20
17 10, 23, 38, 55		18 8	19 ④
20 1	21 3	22 6	23 2
24 290	25 $\sqrt{5}$, $\sqrt{3}-1$		26 ③, ④
27 ①, ⑤	28 ⑤	29 $2+\sqrt{5}$	30 2
31 $3-\sqrt{2}$	32 ③	33 ⑤	34 $b<a<c$
35 점 D	36 $\sqrt{3}+1$	37 13	38 34

01 $x^2=12$ 또는 $x=\pm\sqrt{12}$

02 $a=\pm\sqrt{16}=\pm4$, $b=\pm\sqrt{25}=\pm5$이므로
$a^2=16$, $b^2=25$ ∴ $a^2+b^2=16+25=41$

03 ① 4의 제곱근은 ±2이다.
② -3은 9의 음의 제곱근이다.
③ 0의 제곱근은 1개이고, 음수의 제곱근은 없다.
④ 제곱하여 5가 되는 수는 $\pm\sqrt{5}$이다.
⑤ 제곱근 0.16은 $\sqrt{0.16}=0.4$이다.

04 ①~④: $\sqrt{a}$
⑤ 제곱하여 a가 되는 수는 $\pm\sqrt{a}$이다.

05 $\sqrt{81}=9$의 양의 제곱근은 $\sqrt{9}=3$이므로 $A=3$
$(-6)^2=36$의 음의 제곱근은 $-\sqrt{36}=-6$이므로
$B=-6$
∴ $A-B=3-(-6)=9$
따라서 $A-B=9$의 양의 제곱근은 $\sqrt{9}=3$이다.

06 (직사각형의 넓이)$=3\times5=15(cm^2)$
구하는 정사각형의 한 변의 길이를 x cm라고 하면
$x^2=15$ ∴ $x=\sqrt{15}$ (∵ $x>0$)
따라서 정사각형의 한 변의 길이는 $\sqrt{15}$ cm이다.

07 $a^2=(\sqrt{5})^2+(\sqrt{11})^2=5+11=16$
∴ $a=\sqrt{16}=4$ (∵ $a>0$)

08 ③ $0.\dot{4}=\dfrac{4}{9}$의 제곱근은 $\pm\sqrt{\dfrac{4}{9}}=\pm\dfrac{2}{3}$
④ $\sqrt{16}=4$의 제곱근은 $\pm\sqrt{4}=\pm2$

09 ④ $-\sqrt{\left(-\dfrac{5}{3}\right)^2}=-\dfrac{5}{3}$

10 $\sqrt{2^4}=\sqrt{(2^2)^2}=2^2=4$이므로
(주어진 식)$=4\times5+7-8=19$

11 $a<0$이므로
ㄱ. $\sqrt{a^2}=-a$
ㄴ. $\sqrt{(-a)^2}=-a$
ㄷ. $-\sqrt{(-2a)^2}=-(-2a)=2a$
ㄹ. $-\sqrt{4a^2}=-\sqrt{(2a)^2}=-(-2a)=2a$

12 (i) $2x-3=7$일 때
$2x=10$ ∴ $x=5$
(ii) $2x-3=-7$일 때
$2x=-4$ ∴ $x=-2$
(i), (ii)에서 $x=5$, $x=-2$이므로 구하는 x의 값의 합은
$5+(-2)=3$

13 $a<b$, $ab<0$이므로 $a<0$, $b>0$
∴ (주어진 식)$=-a-b-(-2a)+3b=a+2b$

14 $a+2>0$, $a-1<0$이므로
(주어진 식)$=(a+2)-(a-1)=3$

15 ㄱ. $x \geq 1$일 때, $x-1 \geq 0$, $x+1 > 0$
$$\therefore A = \sqrt{(x-1)^2} - \sqrt{(x+1)^2}$$
$$= x-1-(x+1) = -2$$
ㄴ. $-1 \leq x < 1$일 때, $x-1 < 0$, $x+1 \geq 0$
$$\therefore A = \sqrt{(x-1)^2} - \sqrt{(x+1)^2}$$
$$= -(x-1)-(x+1) = -2x$$
ㄷ. $x < -1$일 때, $x-1 < 0$, $x+1 < 0$
$$\therefore A = \sqrt{(x-1)^2} - \sqrt{(x+1)^2}$$
$$= -(x-1) - \{-(x+1)\} = 2$$

16 $180 = 2^2 \times 3^2 \times 5$이므로 $x = 5 \times (\text{자연수})^2$ 꼴이어야 한다.
따라서 가장 작은 두 자리의 자연수는
$$x = 5 \times 2^2 = 20$$

17 $26+n$의 값이 26보다 크고 100보다 작은 자연수의 제곱이
되어야 하므로
$26+n = 36, 49, 64, 81$ $\therefore n = 10, 23, 38, 55$

18 $50-x$가 50보다 작은 제곱수 또는 0이어야 하므로
$50-x = 0, 1, 4, 9, 16, 25, 36, 49$
$\therefore x = 50, 49, 46, 41, 34, 25, 14, 1$
따라서 구하는 자연수 x의 개수는 8이다.

19 ① $3 = \sqrt{9}$이므로 $\sqrt{10} > 3$
② $1.4 = \sqrt{1.96}$이므로 $\sqrt{2} > 1.4$
③ $1 < \sqrt{2}$이므로 $-1 > -\sqrt{2}$
④ $\dfrac{1}{2} = \sqrt{\dfrac{1}{4}}$이므로 $\sqrt{\dfrac{1}{3}} > \dfrac{1}{2}$
⑤ $0.1 = \sqrt{0.01}$이므로 $0.1 < \sqrt{0.1}$

20 $\sqrt{9} < \sqrt{10} < \sqrt{16}$이므로 $3 < \sqrt{10} < 4$
$\therefore$ (주어진 식) $= (\sqrt{10}-3) - (\sqrt{10}-4) = 1$

21 $50 < n^2 < 120$이므로 $n^2 = 64, 81, 100$
따라서 자연수 n의 개수는 8, 9, 10의 3이다.

22 $3 < \sqrt{n+1} < 4$에서 $\sqrt{9} < \sqrt{n+1} < \sqrt{16}$이므로
각 변을 제곱하면 $9 < n+1 < 16$ $\therefore 8 < n < 15$
따라서 구하는 자연수 n의 개수는 6이다.

23 조건 ㈎에서 $\sqrt{13} < x < \sqrt{63}$의 각 변을 제곱하면
$13 < x^2 < 63$ $\therefore x = 4, 5, 6, 7$
조건 ㈏에서 $1.8 < \sqrt{x-2} < 2.5$의 각 변을 제곱하면

$3.24 < x-2 < 6.25$ $\therefore 5.24 < x < 8.25$
$\therefore x = 6, 7, 8$
따라서 두 조건 ㈎, ㈏를 모두 만족하는 자연수 x의 값은
6, 7의 2개이다.

24 $10 = \sqrt{10^2} = \sqrt{100}$, $20 = \sqrt{20^2} = \sqrt{400}$
100보다 크고 400보다 작은 제곱수는 $11^2, 12^2, \cdots, 19^2$의
9개이므로 $\sqrt{n}$이 유리수인 것은 9개뿐이다.
따라서 $\sqrt{101}$부터 $\sqrt{399}$까지 총 299개의 $\sqrt{n}$ 중에서 무리수
의 개수는 $299-9 = 290$이다.

25 $\sqrt{0.25} = 0.5$, $\sqrt{\dfrac{4}{9}} = \dfrac{2}{3}$, $-\sqrt{16} = -4$,
$$1.0\dot{6} = \frac{106-10}{90} = \frac{96}{90} = \frac{16}{15}$$

26 ③ $\dfrac{9}{4}$의 제곱근은 $\pm\dfrac{3}{2}$이므로 유리수이다.
④ $\sqrt{4} = 2$이므로 유리수이다.

27 ③ $\sqrt{100} = 10$
④ $\sqrt{1.44} = \sqrt{(1.2)^2} = 1.2$

28 ⑤ 순환하지 않는 무한소수는 무리수이고 실수이다.

29 $\overline{PQ} = \overline{PT} = \sqrt{1^2 + 2^2} = \sqrt{5}$
따라서 점 T에 대응하는 수는 $2+\sqrt{5}$이다.

30 $\overline{AB} = \overline{AP} = \sqrt{2}$, $\overline{CD} = \overline{CQ} = \sqrt{2}$이므로
$a = -2+\sqrt{2}$, $b = 4-\sqrt{2}$
$\therefore a+b = (-2+\sqrt{2}) + (4-\sqrt{2}) = 2$

31 $\overline{BQ} = \overline{BD} = \sqrt{2}$이고 점 Q에 대응하는 수가 $2+\sqrt{2}$이므로
점 B에 대응하는 수는 $(2+\sqrt{2}) - \sqrt{2} = 2$이다.
또한 $\overline{BC} = 1$이므로 점 C에 대응하는 수는 3이다.
따라서 $\overline{CP} = \overline{CA} = \sqrt{2}$이므로 점 P에 대응하는 수는
$3-\sqrt{2}$이다.

32 ③ 1과 1000 사이에는 998개의 자연수가 존재한다.

33 ① $\sqrt{5} = 2.\times\times\times$이므로 $\sqrt{5}-1 = 1.\times\times\times$
$\therefore \sqrt{5}-1 > 1$
② $\sqrt{2}-1 = \sqrt{2} - \sqrt{1} > 0$이고 $\sqrt{3}-2 = \sqrt{3} - \sqrt{4} < 0$이므로
$\sqrt{2}-1 > \sqrt{3}-2$

③ $3 > \sqrt{8}$이므로 $3 - \sqrt{5} > \sqrt{8} - \sqrt{5}$
④ $\sqrt{5} > 2$이므로 $\sqrt{2} + \sqrt{5} > 2 + \sqrt{2}$
⑤ $\sqrt{5} - 2 > 0$이고 $2 - \sqrt{5} < 0$이므로 $\sqrt{5} - 2 > 2 - \sqrt{5}$

34 $\sqrt{5} > 2$이므로 $\sqrt{5} + \sqrt{3} > 2 + \sqrt{3}$ $\quad \therefore a > b$
$\sqrt{3} < 2$이므로 $\sqrt{5} + \sqrt{3} < \sqrt{5} + 2$ $\quad \therefore a < c$
$\therefore b < a < c$

35 $\sqrt{9} < \sqrt{12} < \sqrt{16}$이므로 $3 < \sqrt{12} < 4$
즉, $3 - 2 < \sqrt{12} - 2 < 4 - 2$이므로 $1 < \sqrt{12} - 2 < 2$
따라서 $\sqrt{12} - 2$에 대응하는 점은 1과 2 사이에 있는 점 D 이다.

36 $1 < \sqrt{2} < 2$이므로 $-2 < -\sqrt{2} < -1$
$\therefore 3 < 5 - \sqrt{2} < 4$
$1 < \sqrt{3} < 2$이므로 $2 < \sqrt{3} + 1 < 3$
$5 < \sqrt{30} < 6$이므로 $1 < \sqrt{30} - 4 < 2$
$2 < \sqrt{6} < 3$이므로 $0 < \sqrt{6} - 2 < 1$
따라서 큰 수부터 나열하면 $5 - \sqrt{2}, \sqrt{3} + 1, \sqrt{30} - 4, \sqrt{6} - 2$
이므로 수직선 위에 나타낼 때 오른쪽에서 두 번째에 오는 수는 $\sqrt{3} + 1$이다.

37 $3 < \sqrt{10} < 4$이므로 $-7 < \sqrt{10} - 10 < -6$
또한, $-4 < -\sqrt{10} < -3$이므로 $6 < 10 - \sqrt{10} < 7$
따라서 두 수 사이에 있는 정수는 $-6, -5, \cdots, 6$의 13개이다.

38 $\sqrt{4} = 2, \sqrt{9} = 3, \sqrt{16} = 4$이므로
$1 \leq x \leq 3$이면 $N(x) = 1$,
$4 \leq x \leq 8$이면 $N(x) = 2$,
$9 \leq x \leq 15$이면 $N(x) = 3$
$\therefore$ (주어진 식) $= 1 \times 3 + 2 \times 5 + 3 \times 7 = 34$

01 2개	**02** 91	**03** 3	**04** 9
05 $\dfrac{1}{8}$	**06** 6	**07** 12	**08** 278
09 10	**10** $\sqrt{2} : 1$		

01 ㄱ. 0의 제곱근은 1개이고, 음수의 제곱근은 없다.
ㄷ. 양수 a에 대하여 a의 제곱근은 $\pm\sqrt{a}$, 제곱근 a는 $\sqrt{a}$이다.
ㅁ. $\sqrt{9} = 3$을 3배하면 9이다.
따라서 옳은 것은 ㄴ, ㄹ의 2개이다.

02 $\sqrt{a}, \sqrt{b}, \sqrt{c}$가 모두 자연수이므로 a, b, c는 제곱수이다.
그런데 $a + b = 10, a < b$이므로 $a = 1, b = 9$
즉, $\sqrt{a} = 1, \sqrt{b} = 3$이고 $a < b < c$이므로 $\sqrt{c} = 9$
따라서 $c = 81$이므로 $a + b + c = 1 + 9 + 81 = 91$

03 (i) $x < 1$일 때
$-(x - 2) - (x - 1) = 3 - 2x = 7$ $\quad \therefore x = -2$
(ii) $1 \leq x < 2$일 때
$-(x - 2) + (x - 1) = 1 \neq 7$
(iii) $x \geq 2$일 때
$(x - 2) + (x - 1) = 2x - 3 = 7$ $\quad \therefore x = 5$
(i)~(iii)에 의하여 주어진 식을 만족하는 x의 값은 $-2, 5$이므로 모든 x의 값의 합은 $-2 + 5 = 3$

04 근호 안은 연속하는 k개의 홀수의 합이고
$f(k) = \sqrt{1 + 3 + 5 + \cdots + (2k - 1)} = k$이다.
즉, $2k - 1 = 161, 2k = 162$ $\quad \therefore k = 81$
따라서 $f(k) = 81$이므로 $\sqrt{f(k)} = 9$

05 $12 \leq \sqrt{x} < 13$에서 $144 \leq x < 169$이므로 조건을 만족하는 자연수 x의 개수는 25이다. ⋯⋯ ❶
따라서 구하는 확률은 $\dfrac{25}{200} = \dfrac{1}{8}$ ⋯⋯ ❷

채점 기준	배점
❶ $\sqrt{x}$의 정수 부분이 12인 경우의 수 구하기	70 %
❷ $\sqrt{x}$의 정수 부분이 12일 확률 구하기	30 %

06 삼각형이 만들어지려면 $6 - 3 < \sqrt{3x} < 6 + 3$이므로
$3 < \sqrt{3x} < 9, 9 < 3x < 81$ $\quad \therefore 3 < x < 27$

이때 $\sqrt{3x}$가 자연수가 되도록 하는 x의 값은

$x=3n^2$ (n은 자연수) 꼴이므로

$3<3n^2<27$, $1<n^2<9$, $1<n<3$ ∴ $n=2$

즉, $x=3\times2^2=12$이므로

$\sqrt{3x}=\sqrt{3\times12}=\sqrt{36}=6$

07 $30+a$, $30-b$가 모두 자연수의 제곱수이어야 하고

$\sqrt{30+a}$는 30보다 큰 제곱수의 최솟값, $\sqrt{30-b}$는 30보다

작은 제곱수의 최댓값이어야 한다.

즉, $\sqrt{30+a}=\sqrt{36}$, $\sqrt{30-b}=\sqrt{25}$이어야 하므로

$a=6$, $b=5$

이때 $\sqrt{36}-\sqrt{25}=6-5=1$이므로 $c=1$

∴ $a+b+c=6+5+1=12$

08 (i) $\sqrt{2n}$이 유리수가 되려면 $n=2a^2$ (a는 자연수) 꼴이 되

어야 한다.

$1\le2a^2\le300$에서 $\dfrac{1}{2}\le a^2\le150$이고

$144<150$이므로 $a=1, 2, 3, \cdots, 12$

즉, n의 값은 2×1^2, 2×2^2, $\cdots$, 2×12^2의 12개이다.

...... ❶

(ii) $\sqrt{3n}$이 유리수가 되려면 $n=3b^2$ (b는 자연수) 꼴이 되

어야 한다.

$1\le3b^2\le300$에서 $\dfrac{1}{3}\le b^2\le100$이므로

$b=1, 2, 3, \cdots, 10$

즉, n의 값은 3×1^2, 3×2^2, $\cdots$, 3×10^2의 10개이다.

...... ❷

(i), (ii)에서 구한 자연수 n ($n=2a^2$, $n=3b^2$)은 서로소이

므로 $\sqrt{2n}$, $\sqrt{3n}$이 각각 유리수가 되게 하는 자연수 n의 개

수는 $12+10=22$

따라서 주어진 조건을 만족하는 n의 개수는

$300-22=278$

...... ❸

채점 기준	배점
❶ $\sqrt{2n}$이 유리수가 되는 n의 개수 구하기	40 %
❷ $\sqrt{3n}$이 유리수가 되는 n의 개수 구하기	40 %
❸ $\sqrt{2n}$과 $\sqrt{3n}$이 무리수가 되는 n의 개수 구하기	20 %

09 1과 2 사이에는 2개, 2와 3 사이에는 4개, 3과 4 사이에는

6개의 점이 찍히므로 n과 $n+1$ 사이에는 $2n$개의 점이 찍

힌다. 따라서 $2n=20$이므로 $n=10$

10 A0 ∽ A1 ∽ A2 ∽ A3 ∽ A4

A0 용지의 세로의 길이를 1, 가로의 길이를 x라고 하면 다

음 그림에서 A1 용지의 세로의 길이는 $\dfrac{x}{2}$, 가로의 길이는

1이므로

$1 : \dfrac{x}{2}=x : 1$, $x^2=2$ ∴ $x=\sqrt{2}$ ($∵ x>0$)

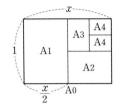

따라서 A4 용지의 가로의 길이와 세로의 길이의 비는

$\sqrt{2} : 1$이다.

2. 근호를 포함한 식의 계산

유형 TEST 　 01. 제곱근의 곱셈과 나눗셈 　 010~014쪽
　　　　　 02. 제곱근의 덧셈과 뺄셈

01 ①, ⑤	**02** 2	**03** $\sqrt{30}$	**04** ⑤
05 7	**06** ③	**07** $8\sqrt{6}$	**08** ③
09 $\dfrac{\sqrt{5}}{6}$	**10** 7	**11** 8	**12** $18\sqrt{3}$
13 24	**14** $3\sqrt{2}$ cm	**15** $2\sqrt{10}$ cm	**16** $\dfrac{\sqrt{6}}{3}$
17 $7\sqrt{3}-2\sqrt{5}$	**18** $7\sqrt{3}-\sqrt{7}$	**19** -7	**20** ④
21 $B<A<C$		**22** ⑤	
23 $-2\sqrt{2}+\dfrac{\sqrt{6}}{6}$		**24** $4+8\sqrt{3}$	**25** $\dfrac{11}{6}$
26 18	**27** $\dfrac{3-5\sqrt{6}}{6}$	**28** 14	**29** $\dfrac{5\sqrt{3}-2}{4}$
30 $(\sqrt{3}+3\sqrt{2})$ cm^2		**31** $18\sqrt{3}$ cm	**32** $5-\sqrt{2}$
33 $\dfrac{5-2\sqrt{5}}{15}$	**34** $3\sqrt{5}-\sqrt{3}-4$		**35** $\sqrt{10}+1$
36 $\sqrt{3}$	**37** 323.1738	**38** ③	**39** 2.3814

01 ① $\sqrt{15}\div\sqrt{3}=\dfrac{\sqrt{15}}{\sqrt{3}}=\sqrt{\dfrac{15}{3}}=\sqrt{5}$

⑤ $\dfrac{\sqrt{6}}{\sqrt{3}}\div\sqrt{2}=\sqrt{\dfrac{6}{3}\times\dfrac{1}{2}}=1$

02 $\sqrt{2}\times\sqrt{5}\times\sqrt{a}\times\sqrt{8}\times\sqrt{5a}$

$=\sqrt{2\times5\times a\times8\times5a}$

$=\sqrt{400\times a^2}=\sqrt{(20a)^2}=20a$ ($∵ a>0$)

즉, $20a=40$이므로 $a=2$

03 $\sqrt{a}=\dfrac{\sqrt{72}}{\sqrt{8}}=\sqrt{\dfrac{72}{8}}=\sqrt{9}$

$\sqrt{b}=\sqrt{\dfrac{35}{2}}\div\sqrt{\dfrac{21}{4}}=\dfrac{\sqrt{35}}{\sqrt{2}}\div\dfrac{\sqrt{21}}{\sqrt{4}}=\dfrac{\sqrt{35}}{\sqrt{2}}\times\dfrac{\sqrt{4}}{\sqrt{21}}$

$\quad=\sqrt{\dfrac{35}{2}\times\dfrac{4}{21}}=\sqrt{\dfrac{10}{3}}$

$\therefore \sqrt{a}\sqrt{b}=\sqrt{9}\times\sqrt{\dfrac{10}{3}}=\sqrt{9\times\dfrac{10}{3}}=\sqrt{30}$

04 ⑤ $\sqrt{0.48}=\sqrt{\dfrac{48}{100}}=\sqrt{\dfrac{12}{25}}=\dfrac{\sqrt{12}}{\sqrt{25}}=\dfrac{2\sqrt{3}}{5}$

05 $\sqrt{180}=\sqrt{2^2\times3^2\times5}=6\sqrt{5}$ $\therefore a=5$
$3\sqrt{6}=\sqrt{3^2\times6}=\sqrt{54}$ $\therefore b=54$
$\therefore \sqrt{b-a}=\sqrt{54-5}=\sqrt{49}=\sqrt{7^2}=7$

06 $\sqrt{48}-\sqrt{20}=\sqrt{4^2\times3}-\sqrt{2^2\times5}=4\sqrt{3}-2\sqrt{5}$
$\qquad\qquad\qquad=4x-2y$

07 (주어진 식)$=\sqrt{a^2\times\dfrac{2b}{a}}+\sqrt{b^2\times\dfrac{18a}{b}}$
$\qquad\qquad=\sqrt{2ab}+\sqrt{18ab}$
$\qquad\qquad=\sqrt{2\times12}+\sqrt{18\times12}$
$\qquad\qquad=2\sqrt{6}+6\sqrt{6}=8\sqrt{6}$

08 ③ $\dfrac{\sqrt{10}}{\sqrt{15}}=\sqrt{\dfrac{10}{15}}=\sqrt{\dfrac{2}{3}}=\dfrac{\sqrt{2}}{\sqrt{3}}=\dfrac{\sqrt{6}}{3}$

09 $\dfrac{5}{\sqrt{18}}=\dfrac{5}{3\sqrt{2}}=\dfrac{5\sqrt{2}}{3\sqrt{2}\times\sqrt{2}}=\dfrac{5\sqrt{2}}{6}$ 이므로 $A=\dfrac{5}{6}$

$\dfrac{\sqrt{2}}{2\sqrt{3}}=\dfrac{\sqrt{2}\times\sqrt{3}}{2\sqrt{3}\times\sqrt{3}}=\dfrac{\sqrt{6}}{6}$ 이므로 $B=\dfrac{1}{6}$

$\therefore \sqrt{AB}=\sqrt{\dfrac{5}{6}\times\dfrac{1}{6}}=\dfrac{\sqrt{5}}{6}$

10 $\dfrac{\sqrt{15-k}}{\sqrt{2}}=\dfrac{\sqrt{2}\sqrt{15-k}}{2}=\dfrac{\sqrt{30-2k}}{2}=2$ 이므로
$\sqrt{30-2k}=4,\ 30-2k=16$
$2k=14$ $\therefore k=7$

11 $2\sqrt{3}\times4\sqrt{6}\div3\sqrt{2}=2\sqrt{3}\times4\sqrt{6}\times\dfrac{1}{3\sqrt{2}}$
$\qquad\qquad=\dfrac{2\times4}{3}\sqrt{\dfrac{3\times6}{2}}=\dfrac{8}{3}\sqrt{9}=\dfrac{8}{3}\times3=8$

12 $a=\dfrac{\sqrt{15}}{\sqrt{8}}\times2\sqrt{3}\div\dfrac{\sqrt{5}}{\sqrt{96}}$
$\quad=\dfrac{\sqrt{15}}{2\sqrt{2}}\times2\sqrt{3}\times\dfrac{4\sqrt{6}}{\sqrt{5}}=12\sqrt{3}$

$b=\dfrac{\sqrt{14}}{\sqrt{3}}\div\dfrac{\sqrt{28}}{\sqrt{15}}\times\dfrac{3}{\sqrt{10}}$
$\quad=\dfrac{\sqrt{14}}{\sqrt{3}}\times\dfrac{\sqrt{15}}{2\sqrt{7}}\times\dfrac{3}{\sqrt{10}}=\dfrac{3}{2}$

$\therefore ab=12\sqrt{3}\times\dfrac{3}{2}=18\sqrt{3}$

13 $\dfrac{\sqrt{72}}{12}\div\sqrt{48}\times a\sqrt{2}=\dfrac{6\sqrt{2}}{12}\div4\sqrt{3}\times a\sqrt{2}$
$\qquad\qquad=\dfrac{\sqrt{2}}{2}\times\dfrac{1}{4\sqrt{3}}\times a\sqrt{2}$
$\qquad\qquad=\dfrac{a}{4\sqrt{3}}=\dfrac{a\sqrt{3}}{12}$

즉, $\dfrac{a\sqrt{3}}{12}=2\sqrt{3}$ 이므로

$\dfrac{a}{12}=2$ $\therefore a=24$

14 (직사각형의 넓이)$=\sqrt{27}\times\sqrt{12}=3\sqrt{3}\times2\sqrt{3}=18$
정사각형의 한 변의 길이를 x cm라고 하면
$x^2=18$ $\therefore x=\sqrt{18}=3\sqrt{2}\ (\because x>0)$

15 원뿔의 높이를 x cm라고 하면
$\dfrac{1}{3}\times\pi\times(3\sqrt{6})^2\times x=36\sqrt{10}\pi$
$18x=36\sqrt{10}$ $\therefore x=2\sqrt{10}$

16 $\dfrac{1}{2}\times a\times3\sqrt{6}=27$ 에서 $a=\dfrac{54}{3\sqrt{6}}=3\sqrt{6}$
$\dfrac{1}{2}\times b\times6\sqrt{2}=18\sqrt{2}$ 에서 $b=\dfrac{36\sqrt{2}}{6\sqrt{2}}=6$
$\therefore \dfrac{b}{a}=\dfrac{6}{3\sqrt{6}}=\dfrac{\sqrt{6}}{3}$

17 $\sqrt{20}-\sqrt{80}+\sqrt{48}+\sqrt{27}$
$=2\sqrt{5}-4\sqrt{5}+4\sqrt{3}+3\sqrt{3}=7\sqrt{3}-2\sqrt{5}$

18 $10x=5(\sqrt{7}+\sqrt{3})=5\sqrt{7}+5\sqrt{3}$
$4y=2(3\sqrt{7}-\sqrt{3})=6\sqrt{7}-2\sqrt{3}$
$10x-4y=5\sqrt{7}+5\sqrt{3}-6\sqrt{7}+2\sqrt{3}=7\sqrt{3}-\sqrt{7}$

19 $\sqrt{2}+\sqrt{75}-\dfrac{8}{\sqrt{2}}-\dfrac{6}{\sqrt{12}}$

$=\sqrt{2}+5\sqrt{3}-4\sqrt{2}-\sqrt{3}=-3\sqrt{2}+4\sqrt{3}$

즉, $a=-3$, $b=4$이므로

$a-b=-3-4=-7$

20 ① $(\sqrt{2}+2)-(3\sqrt{2}-1)=3-2\sqrt{2}=\sqrt{9}-\sqrt{8}>0$

$\quad\quad\therefore \sqrt{2}+2>3\sqrt{2}-1$

② $(2\sqrt{6}+1)-\sqrt{54}=(2\sqrt{6}+1)-3\sqrt{6}=1-\sqrt{6}<0$

$\quad\quad\therefore 2\sqrt{6}+1<\sqrt{54}$

③ $(3-\sqrt{3})-(4-2\sqrt{3})=\sqrt{3}-1>0$

$\quad\quad\therefore 3-\sqrt{3}>4-2\sqrt{3}$

⑤ $(2\sqrt{5}+\sqrt{6})-(\sqrt{5}+2\sqrt{6})=\sqrt{5}-\sqrt{6}<0$

$\quad\quad\therefore 2\sqrt{5}+\sqrt{6}<\sqrt{5}+2\sqrt{6}$

21 $A-B=(3\sqrt{5}+2)-(15-3\sqrt{5})=6\sqrt{5}-13$

$\quad\quad\quad\quad =\sqrt{180}-\sqrt{169}>0$

$\therefore A>B$

$A-C=(3\sqrt{5}+2)-(4\sqrt{3}+2)$

$\quad\quad\quad =3\sqrt{5}-4\sqrt{3}=\sqrt{45}-\sqrt{48}<0$

$\therefore A<C$

$\therefore B<A<C$

22 ⑤ $(\sqrt{72}+\sqrt{6})\div 3\sqrt{2}=(6\sqrt{2}+\sqrt{6})\times\dfrac{1}{3\sqrt{2}}$

$\quad\quad\quad\quad\quad\quad\quad\quad =\dfrac{6\sqrt{2}}{3\sqrt{2}}+\dfrac{\sqrt{6}}{3\sqrt{2}}$

$\quad\quad\quad\quad\quad\quad\quad\quad =2+\dfrac{\sqrt{3}}{3}$

23 $\dfrac{\sqrt{3}-2}{\sqrt{2}}-\dfrac{\sqrt{6}+\sqrt{2}}{\sqrt{3}}$

$=\dfrac{(\sqrt{3}-2)\times\sqrt{2}}{\sqrt{2}\times\sqrt{2}}-\dfrac{(\sqrt{6}+\sqrt{2})\times\sqrt{3}}{\sqrt{3}\times\sqrt{3}}$

$=\dfrac{\sqrt{6}-2\sqrt{2}}{2}-\dfrac{3\sqrt{2}+\sqrt{6}}{3}=\dfrac{\sqrt{6}}{2}-\sqrt{2}-\sqrt{2}-\dfrac{\sqrt{6}}{3}$

$=-2\sqrt{2}+\left(\dfrac{3\sqrt{6}}{6}-\dfrac{2\sqrt{6}}{6}\right)=-2\sqrt{2}+\dfrac{\sqrt{6}}{6}$

24 $\sqrt{54}\left(\sqrt{8}-\dfrac{4}{\sqrt{6}}\right)-2\sqrt{2}(\sqrt{6}-\sqrt{32})$

$=3\sqrt{6}\left(2\sqrt{2}-\dfrac{2\sqrt{6}}{3}\right)-2\sqrt{2}(\sqrt{6}-4\sqrt{2})$

$=12\sqrt{3}-12-4\sqrt{3}+16=4+8\sqrt{3}$

25 $\sqrt{6}\left(\dfrac{1}{\sqrt{2}}+\dfrac{1}{\sqrt{3}}\right)+\sqrt{2}\left(\sqrt{\dfrac{8}{3}}-\dfrac{3}{2}\right)$

$=\sqrt{3}+\sqrt{2}+\dfrac{4}{\sqrt{3}}-\dfrac{3}{2}\sqrt{2}=\sqrt{3}+\sqrt{2}+\dfrac{4\sqrt{3}}{3}-\dfrac{3\sqrt{2}}{2}$

$=-\dfrac{1}{2}\sqrt{2}+\dfrac{7}{3}\sqrt{3}$

따라서 $a=-\dfrac{1}{2}$, $b=\dfrac{7}{3}$이므로 $a+b=-\dfrac{1}{2}+\dfrac{7}{3}=\dfrac{11}{6}$

26 $4\sqrt{3}x+3\sqrt{2}y=4\sqrt{3}\left(\sqrt{3}-\dfrac{1}{\sqrt{2}}\right)+3\sqrt{2}\left(\sqrt{2}+\dfrac{2\sqrt{3}}{3}\right)$

$\quad\quad\quad\quad\quad\quad =12-\dfrac{4\sqrt{3}}{\sqrt{2}}+6+2\sqrt{6}$

$\quad\quad\quad\quad\quad\quad =12-2\sqrt{6}+6+2\sqrt{6}=18$

27 $x+y=\sqrt{3}-\sqrt{2}+\sqrt{3}+\sqrt{2}=2\sqrt{3}$

$3x-2y=3(\sqrt{3}-\sqrt{2})-2(\sqrt{3}+\sqrt{2})$

$\quad\quad\quad =3\sqrt{3}-3\sqrt{2}-2\sqrt{3}-2\sqrt{2}$

$\quad\quad\quad =\sqrt{3}-5\sqrt{2}$

$\therefore \dfrac{3x-2y}{x+y}=\dfrac{\sqrt{3}-5\sqrt{2}}{2\sqrt{3}}=\dfrac{3-5\sqrt{6}}{6}$

28 $x=\dfrac{2}{\sqrt{3}}$, $y=\dfrac{3}{\sqrt{5}}$ 에서

$x^2=\dfrac{4}{3}$, $xy=\dfrac{6}{\sqrt{15}}=\dfrac{2\sqrt{15}}{5}$, $y^2=\dfrac{9}{5}$이므로

$6x^2-2\sqrt{15}xy+10y^2$

$=6\times\dfrac{4}{3}-2\sqrt{15}\times\dfrac{2\sqrt{15}}{5}+10\times\dfrac{9}{5}$

$=8-12+18=14$

29 $x=\dfrac{2\sqrt{2}\times\sqrt{3}}{\sqrt{3}\times\sqrt{3}}=\dfrac{2\sqrt{6}}{3}$,

$\quad y=\dfrac{(2-\sqrt{3})\times\sqrt{2}}{\sqrt{2}\times\sqrt{2}}=\dfrac{2\sqrt{2}-\sqrt{6}}{2}$이므로

$3x+4y=2\sqrt{6}+4\sqrt{2}-2\sqrt{6}=4\sqrt{2}$,

$6x-2y=4\sqrt{6}-2\sqrt{2}+\sqrt{6}=5\sqrt{6}-2\sqrt{2}$

$\therefore \dfrac{6x-2y}{3x+4y}=\dfrac{5\sqrt{6}-2\sqrt{2}}{4\sqrt{2}}=\dfrac{10\sqrt{3}-4}{8}=\dfrac{5\sqrt{3}-2}{4}$

30 (사다리꼴의 넓이)$=\dfrac{1}{2}\times\{\sqrt{3}+(\sqrt{2}+\sqrt{3})\}\times\sqrt{6}$

$\quad\quad\quad\quad\quad\quad =\dfrac{1}{2}\times(\sqrt{2}+2\sqrt{3})\times\sqrt{6}$

$\quad\quad\quad\quad\quad\quad =\dfrac{1}{2}\times(\sqrt{12}+2\sqrt{18})$

$$=\frac{1}{2}\times(2\sqrt{3}+6\sqrt{2})$$
$$=\sqrt{3}+3\sqrt{2}\ (\text{cm}^2)$$

31 세 정사각형의 한 변의 길이는 각각 $\sqrt{3}$ cm, $2\sqrt{3}$ cm, $3\sqrt{3}$ cm이고, 이어 붙인 도형의 둘레의 길이는 다음 그림과 같이 직사각형의 둘레의 길이와 같다.

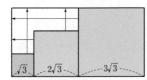

$\therefore$ (둘레의 길이)$=2\times(\sqrt{3}+2\sqrt{3}+3\sqrt{3})+2\times3\sqrt{3}$
$$=18\sqrt{3}\ (\text{cm})$$

32 점 P, Q에 대응하는 수는 각각 $-2+\sqrt{2}$, $3-\sqrt{2}$이므로
$2a+3b=2(-2+\sqrt{2})+3(3-\sqrt{2})$
$$=-4+2\sqrt{2}+9-3\sqrt{2}=5-\sqrt{2}$$

33 정사각형의 한 변의 길이는 $\sqrt{5}$이므로 점 B에 대응하는 수는 $1-\sqrt{5}$이다. 즉, 점 P, Q에 대응하는 수는 각각 $1-2\sqrt{5}$, $1+\sqrt{5}$이다.
따라서 $a=1-2\sqrt{5}$, $b=1+\sqrt{5}$이므로
$a+b=(1-2\sqrt{5})+(1+\sqrt{5})=2-\sqrt{5}$,
$a-b=(1-2\sqrt{5})-(1+\sqrt{5})=-3\sqrt{5}$
$$\therefore \frac{a+b}{a-b}=\frac{2-\sqrt{5}}{-3\sqrt{5}}=\frac{2\sqrt{5}-5}{-15}=\frac{5-2\sqrt{5}}{15}$$

34 $\sqrt{1}<\sqrt{3}<\sqrt{4}<\sqrt{5}<\sqrt{9}<\sqrt{12}<\sqrt{16}<\sqrt{20}$이므로
$<3>+<5>-<12>+<20>$
$=(\sqrt{3}-1)+(\sqrt{5}-2)-(\sqrt{12}-3)+(\sqrt{20}-4)$
$=(\sqrt{3}+\sqrt{5}-2\sqrt{3}+2\sqrt{5})-1-2+3-4$
$=3\sqrt{5}-\sqrt{3}-4$

35 $2<\sqrt{7}<3$이므로 $4<\sqrt{7}+2<5$
즉, $\sqrt{7}+2$의 정수 부분은 4이다. $\therefore a=4$
$3<\sqrt{10}<4$이므로 $1<\sqrt{10}-2<2$
즉, $\sqrt{10}-2$의 소수 부분은
$(\sqrt{10}-2)-1=\sqrt{10}-3$ $\therefore b=\sqrt{10}-3$
$\therefore a+b=4+(\sqrt{10}-3)=\sqrt{10}+1$

36 $3<2+\sqrt{3}<4$이므로
$2+\sqrt{3}$의 정수 부분은 3이고,

소수 부분은 $2+\sqrt{3}-3=\sqrt{3}-1$이다.
$\therefore a=3$, $b=\sqrt{3}-1$
$$\therefore \frac{a}{b+1}=\frac{3}{\sqrt{3}}=\sqrt{3}$$

37 $\sqrt{0.0312}=\sqrt{\frac{3.12}{100}}=\frac{\sqrt{3.12}}{10}=\frac{1.738}{10}=0.1738$
이므로 $a=0.1738$
또한, $\sqrt{3.23}=1.769$에서
$17.69=10\sqrt{3.23}=\sqrt{100\times3.23}=\sqrt{323}$이므로
$b=323$
$\therefore a+b=0.1738+323=323.1738$

38 ① $\sqrt{600}=10\sqrt{6}=24.49$ ② $\sqrt{0.06}=\frac{\sqrt{6}}{10}=0.2449$
③ $\sqrt{6000}=10\sqrt{60}=77.46$ ④ $\sqrt{24}=2\sqrt{6}=4.898$
⑤ $\sqrt{0.6}=\frac{\sqrt{60}}{10}=0.7746$

39 $\sqrt{63}-\frac{14}{\sqrt{7}}-\sqrt{0.07}=3\sqrt{7}-2\sqrt{7}-\frac{\sqrt{7}}{10}=\frac{9\sqrt{7}}{10}$
$$=\frac{9}{10}\times2.646=2.3814$$

실력 TEST   015~017쪽

01 $6-2\sqrt{3}$ **02** 2   **03** -1 **04** $\frac{5\sqrt{2}}{8}$
05 $2\sqrt{3}$ **06** $(14+7\sqrt{2},\ 0)$ **07** 4
08 4   **09** $10\sqrt{2}$ cm   **10** $14\sqrt{3}+6\sqrt{6}$

01 $x=\frac{\sqrt{3}+1}{\sqrt{2}}=\frac{\sqrt{6}+\sqrt{2}}{2}$, $y=\frac{\sqrt{3}-1}{\sqrt{2}}=\frac{\sqrt{6}-\sqrt{2}}{2}$
$\sqrt{6}x-\sqrt{18}y=\frac{\sqrt{6}(\sqrt{6}+\sqrt{2})}{2}-\frac{3\sqrt{2}(\sqrt{6}-\sqrt{2})}{2}$
$$=\frac{6+\sqrt{12}-3\sqrt{12}+3\sqrt{4}}{2}$$
$$=\frac{6+2\sqrt{3}-6\sqrt{3}+6}{2}$$
$$=\frac{12-4\sqrt{3}}{2}=6-2\sqrt{3}$$

02 조건 ㈐의 $\sqrt{3}<\frac{\sqrt{n}}{2}<4\sqrt{3}$에서 $2\sqrt{3}<\sqrt{n}<8\sqrt{3}$
$\sqrt{12}<\sqrt{n}<\sqrt{192}$ $\therefore 12<n<192$ ......㉠

조건 (개), (내)에서 $n=(6k)^2$ (k는 자연수) 꼴이어야 하는데
이중 ㉠을 만족시키는 경우는 $(6\times1)^2$, $(6\times2)^2$
따라서 주어진 조건을 모두 만족하는 자연수는 2개이다.

03 $x-\dfrac{\sqrt{8}x-1}{\sqrt{2}}=\dfrac{\sqrt{27}x+2}{\sqrt{3}}$ 에서

$x-\sqrt{4}x+\dfrac{1}{\sqrt{2}}=\sqrt{9}x+\dfrac{2}{\sqrt{3}}$

$x-2x+\dfrac{\sqrt{2}}{2}=3x+\dfrac{2\sqrt{3}}{3}$

$4x=\dfrac{\sqrt{2}}{2}-\dfrac{2\sqrt{3}}{3}$ $\quad$ $\therefore x=\dfrac{\sqrt{2}}{8}-\dfrac{\sqrt{3}}{6}$

따라서 $a=\dfrac{1}{8}$, $b=-\dfrac{1}{6}$이므로

$48ab=48\times\dfrac{1}{8}\times\left(-\dfrac{1}{6}\right)=-1$

04 $\sqrt{2}+\dfrac{1}{\sqrt{2}}=\sqrt{2}+\dfrac{\sqrt{2}}{2}=\dfrac{3\sqrt{2}}{2}$이므로

$\dfrac{1}{\sqrt{2}+\dfrac{1}{\sqrt{2}+\dfrac{1}{\sqrt{2}}}}=\dfrac{1}{\sqrt{2}+\dfrac{1}{\dfrac{3\sqrt{2}}{2}}}=\dfrac{1}{\sqrt{2}+\dfrac{2}{3\sqrt{2}}}$

$=\dfrac{1}{\sqrt{2}+\dfrac{\sqrt{2}}{3}}=\dfrac{1}{\dfrac{4\sqrt{2}}{3}}=\dfrac{3}{4\sqrt{2}}=\dfrac{3\sqrt{2}}{8}$

또한 $\sqrt{2}-\dfrac{1}{\sqrt{2}}=\sqrt{2}-\dfrac{\sqrt{2}}{2}=\dfrac{\sqrt{2}}{2}$이므로

$\dfrac{1}{\sqrt{2}+\dfrac{1}{\sqrt{2}-\dfrac{1}{\sqrt{2}}}}=\dfrac{1}{\sqrt{2}+\dfrac{1}{\dfrac{\sqrt{2}}{2}}}=\dfrac{1}{\sqrt{2}+\dfrac{2}{\sqrt{2}}}$

$=\dfrac{1}{2\sqrt{2}}=\dfrac{\sqrt{2}}{4}$

$\therefore$ (주어진 식)$=\dfrac{3\sqrt{2}}{8}+\dfrac{\sqrt{2}}{4}=\dfrac{5\sqrt{2}}{8}$

05 $\overline{OB}=\overline{OB'}=\sqrt{2^2+2^2}=\sqrt{8}=2\sqrt{2}$

$\overline{OC}=\overline{OC'}=\sqrt{(2\sqrt{2})^2+2^2}=\sqrt{12}=2\sqrt{3}$

$\therefore \triangle D'OC=\dfrac{1}{2}\times2\sqrt{3}\times2=2\sqrt{3}$

06 직각이등변삼각형의 빗변이 아닌 한 변의 길이를 차례로
a_1, a_2, a_3, $\cdots$이라고 하면 $a_1=8$이므로
직각이등변삼각형의 넓이는 차례로

$S_1=\dfrac{1}{2}\times a_1{}^2=32$, $S_2=\dfrac{1}{2}\times a_2{}^2=16$,

$S_3=\dfrac{1}{2}\times a_3{}^2=8$, $S_4=\dfrac{1}{2}\times a_4{}^2=4$, $\cdots$

이다. 즉,

$a_1{}^2=64$이므로 $a_1=8$

$a_2{}^2=32$이므로 $a_2=\sqrt{32}=4\sqrt{2}$

$a_3{}^2=16$이므로 $a_3=\sqrt{16}=4$

$a_4{}^2=8$이므로 $a_4=\sqrt{8}=2\sqrt{2}$, $\cdots$

따라서 점 A_6의 x좌표는

$8+4\sqrt{2}+4+2\sqrt{2}+2+\sqrt{2}=14+7\sqrt{2}$이므로

점 A_6의 좌표는 $(14+7\sqrt{2},\,0)$이다.

07 $3<\sqrt{15}<4$에서 $2<\sqrt{15}-1<3$ $\quad$ $\therefore [\sqrt{15}-1]=2$
$17<\sqrt{300}<18$이므로 $9<-8+\sqrt{300}<10$
$\therefore <-8+\sqrt{300}>=-8+\sqrt{300}-9$
$\qquad\qquad\qquad =-17+\sqrt{300}=-17+10\sqrt{3}$
$3<\sqrt{12}<4$에서 $6<\sqrt{12}+3<7$
$\therefore <\sqrt{12}+3>=\sqrt{12}+3-6=\sqrt{12}-3=2\sqrt{3}-3$
$2<\sqrt{5}<3$에서 $5<\sqrt{5}+3<6$
$\therefore [\sqrt{5}+3]=5$ $\qquad\qquad\qquad\qquad\qquad$ …… ❶
$\therefore$ (주어진 식)$=2-(-17+10\sqrt{3})+(2\sqrt{3}-3)\times5$
$\qquad\qquad\quad=2+17-10\sqrt{3}+10\sqrt{3}-15=4$ …… ❷

채점 기준	배점
❶ $[\sqrt{15}-1]$, $<-8+\sqrt{300}>$, $<\sqrt{12}+3>$, $[\sqrt{5}+3]$의 값 구하기	60 %
❷ 주어진 식의 값 구하기	40 %

08 $\dfrac{8x-6y}{2y-x}=3$에서 $8x-6y=6y-3x$

$12y=11x$ $\quad$ $\therefore y=\dfrac{11}{12}x$

$\therefore \sqrt{\dfrac{x+y}{x-y}}=\sqrt{\dfrac{x+\dfrac{11}{12}x}{x-\dfrac{11}{12}x}}=\sqrt{\dfrac{\dfrac{23}{12}x}{\dfrac{1}{12}x}}=\sqrt{23}$

$4<\sqrt{23}<5$이므로 $\sqrt{23}$의 정수 부분은 4이다.

09 정사각형 EFGH에서 $\overline{EG}=\sqrt{8^2+8^2}=\sqrt{128}=8\sqrt{2}\,(\text{cm})$
직각삼각형 AEG의 넓이가 $48\,\text{cm}^2$이므로

$\dfrac{1}{2}\times\overline{AE}\times\overline{EG}=48$, $\dfrac{1}{2}\times\overline{AE}\times8\sqrt{2}=48$

$\overline{AE}\times4\sqrt{2}=48$

$\therefore \overline{AE}=\dfrac{48}{4\sqrt{2}}=\dfrac{12}{\sqrt{2}}=6\sqrt{2}\,(\text{cm})$

직각삼각형 AEG에서

$$\overline{AG}=\sqrt{\overline{AE}^2+\overline{EG}^2}$$
$$=\sqrt{(6\sqrt{2})^2+(8\sqrt{2})^2}$$
$$=\sqrt{72+128}$$
$$=\sqrt{200}=10\sqrt{2}\ (cm)$$

10 각 정사각형의 한 변의 길이는 각각
$\sqrt{3},\ \sqrt{6},\ \sqrt{24}=2\sqrt{6},\ \sqrt{27}=3\sqrt{3}$이다. ...... ❶
따라서 바깥쪽 둘레의 길이는
$$4(\sqrt{3}+\sqrt{6}+2\sqrt{6}+3\sqrt{3})-4\left(\frac{\sqrt{3}}{2}+\frac{\sqrt{6}}{2}+\sqrt{6}\right)$$
$$=(16\sqrt{3}+12\sqrt{6})-(2\sqrt{3}+6\sqrt{6})$$
$$=14\sqrt{3}+6\sqrt{6}$$ ...... ❷

채점 기준	배점
❶ 각 정사각형의 한 변의 길이 구하기	50 %
❷ 전체 도형의 바깥쪽 둘레의 길이 구하기	50 %

대단원 TEST

018~020쪽

01 ③, ⑤	**02** $-2b$	**03** 11	**04** 8
05 18	**06** 15	**07** 7	**08** ③
09 ②, ⑤	**10** ⑤	**11** $\sqrt{2}-\sqrt{3}$	**12** 3
13 4	**14** $\dfrac{7\sqrt{6}}{6}$	**15** $16+8\sqrt{6}$	**16** $-2+7\sqrt{2}$
17 $-\dfrac{9\sqrt{5}}{20}$	**18** $\dfrac{\sqrt{2}}{2}$	**19** 2	**20** ③

01 ③ 음수의 제곱근은 없다.
⑤ $x<0$일 때, $\sqrt{(-x)^2}=-x$이다.

02 $\sqrt{a^2}=-a$이므로 $a<0$
$\sqrt{(a-b)^2}=a-b$이므로 $a-b>0$, 즉 $a>b$
$\therefore b<0\ (\because a<0)$
$\therefore$ (주어진 식)$=-(-a)+(-b)+\{-(a+b)\}$
$$=a-b-a-b$$
$$=-2b$$

03 조건 ㈎에서 각 변을 제곱하면 $108<n^2<160$
$\therefore n=11,\ 12$

04 $a+2<a+\sqrt{5}<a+3$, $b-3<b-\sqrt{5}<b-2$이므로
정수 n의 개수가 3이면 3개의 정수 n의 값은 각각
$a+3,\ a+4,\ a+5$ 또는 $b-5,\ b-4,\ b-3$
따라서 $a+3=b-5$이므로 $b-a=8$

05 $\sqrt{x+46}$이 자연수가 되려면 $x+46$의 값이 제곱수이어야
하므로
$x+46=49,\ 64,\ 81,\ 100,\ \cdots$ $\therefore x=3,\ 18,\ 35,\ 54,\ \cdots$
$\sqrt{99-x}$가 자연수가 되려면 $99-x$의 값이 제곱수이어야
하므로
$99-x=81,\ 64,\ 49,\ 36,\ \cdots$ $\therefore x=18,\ 35,\ 50,\ 63,\ \cdots$
따라서 $\sqrt{x+46},\ \sqrt{99-x}$가 모두 자연수가 되게 하는 가장
작은 자연수 x의 값은 18이다.

06 $1\le x<4$일 때, $f(x)=1$
$4\le x<9$일 때, $f(x)=2$
$9\le x<16$일 때, $f(x)=3$
$\therefore f(1)+f(2)+\cdots+f(15)$
$\qquad=1\times3+2\times5+3\times7=34$
$\therefore x=15$

07 $1<\sqrt{2}<2$이므로 $-4<\sqrt{2}-5<-3$
$-2<-\sqrt{2}<-1$이므로 $3<5-\sqrt{2}<4$
따라서 $\sqrt{2}-5$와 $5-\sqrt{2}$ 사이에 있는 정수는
$-3,\ -2,\ -1,\ 0,\ 1,\ 2,\ 3$의 7개이다.

08 ③ $\sqrt{2}$와 $\sqrt{3}$ 사이에는 무수히 많은 유리수가 있다.

09 ① $\sqrt{24}=2\sqrt{6}$ ② $\sqrt{36}=6$ ③ $\sqrt{38}$
④ $\sqrt{3}$ ⑤ $\sqrt{9}=3$

10 ① $3+3=6$
② $\dfrac{4}{2\sqrt{2}}+4\sqrt{2}=\sqrt{2}+4\sqrt{2}=5\sqrt{2}$
③ $20\sqrt{3}\div10\sqrt{3}=2$
④ $\sqrt{12}\times\dfrac{\sqrt{5}}{\sqrt{12}}\times\sqrt{3}=\sqrt{15}$
⑤ $\sqrt{2}-\dfrac{\sqrt{3}}{\sqrt{2}}+\sqrt{2}+\dfrac{\sqrt{3}}{\sqrt{2}}=2\sqrt{2}$

11 $4\sqrt{2}=\sqrt{32}$이므로 $4\sqrt{2}-\sqrt{27}>0$

$2\sqrt{3}=\sqrt{12}$이므로 $2\sqrt{3}-\sqrt{18}<0$

$\therefore$ (주어진 식)$=(4\sqrt{2}-\sqrt{27})-\{-(2\sqrt{3}-\sqrt{18})\}$

$\qquad\qquad\quad=(4\sqrt{2}-3\sqrt{3})+(2\sqrt{3}-3\sqrt{2})$

$\qquad\qquad\quad=\sqrt{2}-\sqrt{3}$

12 $A=a+3\sqrt{2}$이므로

$B=5-A\sqrt{2}=5-(a+3\sqrt{2})\sqrt{2}=5-a\sqrt{2}-6=-1-a\sqrt{2}$

$\therefore A+B=a+3\sqrt{2}-1-a\sqrt{2}=(a-1)+(3-a)\sqrt{2}$

따라서 $A+B$가 유리수가 되려면

$3-a=0$ $\quad\therefore a=3$

13 $\sqrt{1500}=\sqrt{2^2\times3\times5^3}=2\times\sqrt{3}\times(\sqrt{5})^3=2xy^3$

따라서 $a=1$, $b=3$이므로 $a+b=4$

14 (주어진 식)$=\sqrt{3ab}-\sqrt{\dfrac{a^2b}{3a}}+\sqrt{\dfrac{3b}{ab^2}}$

$\qquad\qquad\quad=\sqrt{3ab}-\sqrt{\dfrac{ab}{3}}+\sqrt{\dfrac{3}{ab}}$

$\qquad\qquad\quad=\sqrt{6}-\sqrt{\dfrac{2}{3}}+\sqrt{\dfrac{3}{2}}$

$\qquad\qquad\quad=\sqrt{6}-\dfrac{\sqrt{6}}{3}+\dfrac{\sqrt{6}}{2}=\dfrac{7\sqrt{6}}{6}$

15 $2\times\sqrt{3}(\sqrt{12}+\sqrt{2})+(\sqrt{12}+\sqrt{2}+\sqrt{3})\times2\times\sqrt{2}$

$=2\sqrt{36}+2\sqrt{6}+2\sqrt{24}+4+2\sqrt{6}$

$=12+2\sqrt{6}+4\sqrt{6}+4+2\sqrt{6}$

$=16+8\sqrt{6}$

16 $a=3-\sqrt{2}$, $b=3+\sqrt{2}$, $c=1-\sqrt{5}$, $d=1+\sqrt{5}$이므로

$b(a-3)+\sqrt{10}(d-c)$

$=(3+\sqrt{2})(-\sqrt{2})+\sqrt{10}(1+\sqrt{5}-1+\sqrt{5})$

$=-3\sqrt{2}-2+2\sqrt{50}$

$=-3\sqrt{2}-2+10\sqrt{2}$

$=-2+7\sqrt{2}$

17 점 P, Q에 대응하는 수가 각각 $2-\sqrt{5}$, $2+\sqrt{5}$이므로

$a=2-\sqrt{5}$, $b=2+\sqrt{5}$ $\qquad\qquad$ ……❶

$\therefore \dfrac{a}{a+b}+\dfrac{b}{a-b}=\dfrac{2-\sqrt{5}}{4}+\dfrac{2+\sqrt{5}}{-2\sqrt{5}}$

$\qquad\qquad\qquad=\dfrac{1}{2}-\dfrac{\sqrt{5}}{4}-\dfrac{\sqrt{5}}{5}-\dfrac{1}{2}$

$\qquad\qquad\qquad=-\dfrac{9\sqrt{5}}{20}$ $\qquad\qquad$ ……❷

채점 기준	배점
❶ a, b의 값 구하기	40 %
❷ 주어진 식의 값 구하기	60 %

18 $1<\sqrt{3}<2$이므로 $\sqrt{3}$의 소수 부분은 $\sqrt{3}-1$이다.

$\therefore a=\sqrt{3}-1$

$3<\sqrt{12}<4$이므로 $\sqrt{12}$의 소수 부분은 $\sqrt{12}-3$이다.

$\therefore b=\sqrt{12}-3=2\sqrt{3}-3$ $\qquad\qquad$ ……❶

$\therefore 3a-b=3(\sqrt{3}-1)-(2\sqrt{3}-3)$

$\qquad\qquad=3\sqrt{3}-3-2\sqrt{3}+3=\sqrt{3}$ $\qquad$ ……❷

따라서 $\sqrt{3}=c\times\sqrt{6}$이므로

$c=\dfrac{\sqrt{3}}{\sqrt{6}}=\dfrac{1}{\sqrt{2}}=\dfrac{\sqrt{2}}{2}$ $\qquad\qquad$ ……❸

채점 기준	배점
❶ a, b의 값 구하기	40 %
❷ $3a-b$의 값 구하기	40 %
❸ c의 값 구하기	20 %

19 주어진 조건을 만족시키는 기약분수를 $\dfrac{x}{12}$라 하면

$\dfrac{\sqrt{29}}{12}<\dfrac{x}{12}<\dfrac{\sqrt{133}}{12}$, $\sqrt{29}<x<\sqrt{133}$

$\therefore 29<x^2<133$

부등식을 만족시키는 자연수 x의 값은 6, 7, 8, 9, 10, 11인

데 $\dfrac{x}{12}$가 기약분수이므로 x가 될 수 있는 수는 7, 11이다.

따라서 구하는 기약분수의 개수는 2이다.

20 ① $\sqrt{0.2}=\sqrt{\dfrac{1}{5}}=\dfrac{\sqrt{5}}{5}$

② $\sqrt{80}=4\sqrt{5}$

③ $\sqrt{0.005}=\sqrt{\dfrac{50}{10000}}=\dfrac{\sqrt{50}}{100}$이므로 $\sqrt{50}$의 값을 알아야

　구할 수 있다.

④ $\sqrt{0.\dot{5}}=\sqrt{\dfrac{5}{9}}=\dfrac{\sqrt{5}}{3}$

⑤ $\sqrt{500}=10\sqrt{5}$

| 01 풀이 참조 | 02 ㈎ 4, 9, 16, 81 ㈏ 2, 3, 4, 9 |

01 (1) [예]

(2) 정사각형의 내부에 5개의 점을 찍으면 적어도 한 칸에는 반드시 두 점을 찍어야 한다. 그 두 점 사이의 거리가 최대가 될 때는 나누어진 네 정사각형의 대각선의 양 끝에 위치할 때가 된다.
따라서 이 경우 두 점 사이의 거리는 $\sqrt{2}$이므로 두 점 사이의 거리가 $\sqrt{2}$보다 크도록 5개의 점을 찍을 수 없다.

02 ㈏에도 A, B가 들어 있으므로 A, B는 모두 제곱수이다. 그런데 $A<B$이고, $A+B=13$이므로 $A=4$, $B=9$이다.
이때 ㈏에서 $\sqrt{A}=2$, $\sqrt{B}=3$이므로 $\sqrt{C}=4$, $\sqrt{D}=9$가 되어야 한다. $\therefore C=16$, $D=81$
따라서 상자 ㈎에 들어 있는 수는 4, 9, 16, 81이고, 상자 ㈏에 들어 있는 수는 $\sqrt{4}$, $\sqrt{9}$, $\sqrt{16}$, $\sqrt{81}$, 즉 2, 3, 4, 9이다.

Ⅱ 다항식의 곱셈과 인수분해

1. 다항식의 곱셈과 인수분해

유형 TEST
01. 곱셈 공식
022~025쪽

01 (1) $6x^2+2x-4$ (2) $2x^2-5xy+6x-3y+2y^2$
02 ② **03** ① **04** 0 **05** ⑤
06 ③ **07** ② **08** $-3x^2+38x-24$
09 (1) $9a^2-4$ (2) $25x^2-\dfrac{1}{4}$ **10** 4
11 $5x^2+4xy-5y^2$ **12** ②
13 (1) $x^2+11x+30$ (2) $x^2-xy-6y^2$ **14** ④
15 ① **16** $2x^2+2x-10$ **17** ⑤
18 ③ **19** ⑤ **20** ⑤
21 $-3-4\sqrt{6}$ **22** ② **23** ④ **24** ③
25 ⑤ **26** 4, 2, 8, 9792
27 (1) 41209 (2) 4899 (3) 10506 (4) 1029 **28** ②
29 ⑤ **30** (1) 23 (2) $2\sqrt{5}$ **31** 18

01 (1) $(3x-2)(2x+2)=6x^2+6x-4x-4$
$=6x^2+2x-4$
(2) $(2x-y)(x-2y+3)$
$=2x^2-4xy+6x-xy+2y^2-3y$
$=2x^2-5xy+6x-3y+2y^2$

02 $(x-y)(2x+y-2)=2x^2+xy-2x-2xy-y^2+2y$
$=2x^2-xy-2x+2y-y^2$
따라서 xy의 계수는 -1이다.

■ 다른 풀이 ■
xy가 나오는 항만 전개하면 $xy-2xy=-xy$
따라서 xy의 계수는 -1이다.

03 $(x+3)(Ax+B)=Ax^2+Bx+3Ax+3B$
$=Ax^2+(3A+B)x+3B$
$=3x^2+Cx-18$
따라서 $A=3$, $B=-6$, $C=3$이므로
$A+B-C=-6$

04 $(2x+y)(2x-3y-4)$
$=4x^2-6xy-8x+2xy-3y^2-4y$
$=4x^2-4xy-8x-4y-3y^2$

따라서 x^2의 계수와 xy의 계수의 합은
$4+(-4)=0$

06 $4x^2-4ax+a^2=4x^2+12x+b$이므로
$a=-3, b=9$ $\quad \therefore a+b=6$

07 $(-x+y)^2=\{-(x-y)\}^2=(x-y)^2$

08 (주어진 식)$=x^2+10x+25-(4x^2-28x+49)$
$\qquad\qquad\quad =-3x^2+38x-24$

10 $(2x+a)(a-2x)=(a+2x)(a-2x)=a^2-4x^2$
$\therefore a=4$

11 (주어진 식)$=9x^2-4y^2-(4x^2-4xy+y^2)$
$\qquad\qquad\quad =5x^2+4xy-5y^2$

12 ② $(-a+b)(a+b)=(b-a)(b+a)=b^2-a^2$
③ $(-a-b)(-a+b)=(-a)^2-b^2=a^2-b^2$
④ $(-b-a)(b-a)=(-a-b)(-a+b)$
$\qquad\qquad\qquad\quad =(-a)^2-b^2=a^2-b^2$

14 $(x+5)(x+a)=x^2+(5+a)x+5a$이고
상수항이 -10이므로 $5a=-10$ $\quad \therefore a=-2$
따라서 x의 계수는 $5-2=3$

15 $x^2+5x-14=x^2+ax+b$이므로
$a=5, b=-14$ $\quad \therefore a+b=-9$

16 (주어진 식)$=(x^2-x-6)+(x^2+3x-4)$
$\qquad\qquad\quad =2x^2+2x-10$

18 $(5x-1)(ax+b)=5ax^2+(5b-a)x-b$
$\qquad\qquad\qquad\qquad =10x^2+cx-4$
따라서 $a=2, b=4, c=18$이므로
$a-b+c=2-4+18=16$

19 $(ax+4)(5x-b)=cx^2-x-12$에서
$5ax^2+(-ab+20)x-4b=cx^2-x-12$
$-4b=-12$이므로 $b=3$
$-3a+20=-1$이므로 $a=7$
$c=5a=35$

$\therefore a+b+c=7+3+35=45$

20 $-3(2x+1)^2+(6x+5)(2x-3)$
$=-3(4x^2+4x+1)+(12x^2-8x-15)$
$=-12x^2-12x-3+12x^2-8x-15$
$=-20x-18$

21 $(5+3\sqrt{2})(5-3\sqrt{2})-(\sqrt{6}+2)^2$
$=5^2-(3\sqrt{2})^2-\{(\sqrt{6})^2+2\times\sqrt{6}\times2+2^2\}$
$=25-18-(10+4\sqrt{6})$
$=-3-4\sqrt{6}$

22 $(4\sqrt{3}-\sqrt{2})(2\sqrt{3}+2\sqrt{2})$
$=8\times(\sqrt{3})^2+(8-2)\sqrt{6}-2\times(\sqrt{2})^2$
$=24+6\sqrt{6}-4$
$=20+6\sqrt{6}$
따라서 $a=20, b=6$이므로 $a-b=20-6=14$

23 $\dfrac{4\sqrt{3}-\sqrt{6}}{\sqrt{3}}+\dfrac{3\sqrt{2}-2}{3-\sqrt{2}}$
$=\dfrac{(4\sqrt{3}-\sqrt{6})\sqrt{3}}{\sqrt{3}\times\sqrt{3}}+\dfrac{(3\sqrt{2}-2)(3+\sqrt{2})}{(3-\sqrt{2})(3+\sqrt{2})}$
$=\dfrac{12-3\sqrt{2}}{3}+\dfrac{9\sqrt{2}+6-6-2\sqrt{2}}{9-2}$
$=4-\sqrt{2}+\dfrac{7\sqrt{2}}{7}$
$=4-\sqrt{2}+\sqrt{2}=4$

24 $x=\dfrac{1}{5-2\sqrt{6}}=\dfrac{5+2\sqrt{6}}{(5-2\sqrt{6})(5+2\sqrt{6})}=5+2\sqrt{6}$
$x-5=2\sqrt{6}$이므로 양변을 제곱하면
$x^2-10x+25=24$
따라서 $x^2-10x=-1$이므로
$x^2-10x+8=-1+8=7$

25 ① $81^2 \Rightarrow (80+1)^2 \Rightarrow (a+b)^2$
② $999^2 \Rightarrow (1000-1)^2 \Rightarrow (a-b)^2$
③ $81\times82 \Rightarrow (80+1)(80+2) \Rightarrow (x+a)(x+b)$
④ $197\times203 \Rightarrow (200-3)(200+3) \Rightarrow (a+b)(a-b)$
⑤ $8.9\times9.1 \Rightarrow (9-0.1)(9+0.1) \Rightarrow (a+b)(a-b)$

27 (1) $203^2=(200+3)^2=40000+1200+9=41209$
(2) $71\times69=(70+1)(70-1)=4900-1=4899$

(3) $102 \times 103 = (100+2)(100+3)$
$\qquad = 10000 + 500 + 6 = 10506$

(4) $105^2 - 98 \times 102$
$\quad = (100+5)^2 - (100-2)(100+2)$
$\quad = 100^2 + 2 \times 100 \times 5 + 5^2 - (100^2 - 2^2)$
$\quad = 10000 + 1000 + 25 - (10000 - 4)$
$\quad = 1029$

28 $(a-b)^2 = a^2 + b^2 - 2ab$
$2ab = a^2 + b^2 - (a-b)^2$
$\therefore ab = \dfrac{1}{2}\{a^2 + b^2 - (a-b)^2\} = \dfrac{1}{2}(8-4) = 2$

29 $a^2 + b^2 = (a+b)^2 - 2ab = 16 - 4 = 12$
$\therefore \dfrac{b}{a} + \dfrac{a}{b} = \dfrac{a^2 + b^2}{ab} = \dfrac{12}{2} = 6$

30 (1) $a^2 + \dfrac{1}{a^2} = \left(a + \dfrac{1}{a}\right)^2 - 2 = 5^2 - 2 = 23$

(2) $\left(x + \dfrac{1}{x}\right)^2 = \left(x - \dfrac{1}{x}\right)^2 + 4 = 4^2 + 4 = 20$
$\therefore x + \dfrac{1}{x} = \sqrt{20} = 2\sqrt{5} \ (\because x > 0)$

31 $x^2 - 4x + 1 = 0$의 양변을 x로 나누면
$x - 4 + \dfrac{1}{x} = 0$에서 $x + \dfrac{1}{x} = 4$
$\therefore x^2 + x + \dfrac{1}{x} + \dfrac{1}{x^2} = x + \dfrac{1}{x} + x^2 + \dfrac{1}{x^2}$
$\qquad\qquad\qquad\qquad = x + \dfrac{1}{x} + \left(x + \dfrac{1}{x}\right)^2 - 2$
$\qquad\qquad\qquad\qquad = 4 + 4^2 - 2 = 18$

---

01 ②	**02** ⑤	**03** $(m+n)(x-2y)$	
04 ④	**05** ②	**06** ④	**07** ③
08 ④	**09** ⑤	**10** ④	**11** $16x$
12 $\left(3x + \dfrac{1}{2y}\right)\left(3x - \dfrac{1}{2y}\right)$		**13** ②	**14** ①
15 $(x-2)(x-3)$		**16** ⑤	
17 $(x-2)(x+9)$		**18** ④	**19** ③
20 $x-3y$	**21** $8x+4$	**22** $3x+7$	**23** $20b+12c$
24 ②	**25** $(a+b+1)(3a+3b-4)$		
26 $(3x+y)(-x+3y)$		**27** ②	**28** $x+y+2$
29 ①	**30** $(x-3)(2x+3y+1)$		
31 $2x+2y-1$	**32** 600	**33** 0.25	**34** 1
35 84	**36** ⑤	**37** ②	**38** 4
39 $36 - 18\sqrt{3}$			

01 $3x^2y - 12xy^3 = 3xy(x - 4y^2)$

02 ⑤ $(x-2) + x = 2x - 2 = 2(x-1)$

03 $m(x-2y) - n(2y-x) = m(x-2y) + n(x-2y)$
$\qquad\qquad\qquad\qquad\quad = (m+n)(x-2y)$

04 ① $ax + ay = a(x+y)$
② $2x^2 - 4xy = 2x(x - 2y)$
③ $a^3b^2 + ab^4 = ab^2(a^2 + b^2)$
⑤ $(x+2)(5-x) + (x-5) = (x+1)(5-x)$

05 $A = \pm 2 \times \dfrac{1}{2} \times 2 = \pm 2$
이때 A는 양수이므로 $A = 2$

06 ① $x^2 - 10x + 25 = (x-5)^2$
② $9x^2 + 6x + 1 = (3x+1)^2$
③ $x^2 - x + \dfrac{1}{4} = \left(x - \dfrac{1}{2}\right)^2$
⑤ $2x^2 - 16x + 32 = 2(x-4)^2$

07 $(x+3)(x-5) + k = x^2 - 2x - 15 + k$에서
$-15 + k = \left(\dfrac{-2}{2}\right)^2 \qquad \therefore k = 16$

08 $x^2+axy+49y^2=x^2+2bxy+b^2y^2$이므로
$b^2=49$에서 $b=-7$ $(\because b<0)$
$a=2b=2\times(-7)=-14$
$\therefore a-b=-14-(-7)=-7$

09 $a<b<0$에서 $a-b<0$, $a+b<0$이므로
$\sqrt{a^2-2ab+b^2}-\sqrt{a^2+2ab+b^2}$
$=\sqrt{(a-b)^2}-\sqrt{(a+b)^2}$
$=-(a-b)-\{-(a+b)\}=2b$

10 $ab^2-a=a(b^2-1)=a(b+1)(b-1)$

11 $64x^2-25=(8x)^2-5^2=(8x+5)(8x-5)$
$\therefore (8x+5)+(8x-5)=16x$

12 $9x^2-\dfrac{1}{4y^2}=(3x)^2-\left(\dfrac{1}{2y}\right)^2=\left(3x+\dfrac{1}{2y}\right)\left(3x-\dfrac{1}{2y}\right)$

13 $x^2+ax-12=x^2+(b-4)x-4b$이므로
$-4b=-12$ $\quad\therefore b=3$
$a=b-4=3-4=-1$
$\therefore a+b=-1+3=2$

14 x^2의 계수가 1이므로 x^2-8x+a의 다른 인수를 $x+b$로 놓으면
$x^2-8x+a=(x+4)(x+b)=x^2+(4+b)x+4b$이므로
$4+b=-8$ $\quad\therefore b=-12$
$\therefore a=4b=4\times(-12)=-48$

15 $(x-1)(x-4)+2=x^2-5x+4+2$
$\qquad\qquad\qquad\quad =x^2-5x+6$
$\qquad\qquad\qquad\quad =(x-2)(x-3)$

16 $x^2+8x+k=(x+a)(x+b)=x^2+(a+b)x+ab$
이때 $a+b=8$이므로 합이 8인 두 자연수를 찾으면
1, 7 또는 2, 6 또는 3, 5 또는 4, 4
따라서 $k=ab$의 값이 될 수 있는 것은
7, 12, 15, 16

17 지윤이의 풀이 : $(x-6)(x+3)=x^2-3x-18$에서 바르게 본 것은 상수항이므로 상수항은 -18이다.
동준이의 풀이 : $(x+2)(x+5)=x^2+7x+10$에서 바르게 본 것은 x의 계수이므로 x의 계수는 7이다.
따라서 처음의 이차식은 $x^2+7x-18$이므로 인수분해하면 $(x-2)(x+9)$이다.

18 $3x^2+10x+8=(x+2)(3x+4)$이므로
$a=1, b=2, c=3, d=4$ 또는
$a=3, b=4, c=1, d=2$
$\therefore ab+cd=14$

19 $3x^2+ax-18=cx^2+(9+bc)x+9b$이므로
$3=c, a=9+bc, -18=9b$
$\therefore a=3, b=-2, c=3$
$\therefore a+b+c=3+(-2)+3=4$

20 주어진 두 다항식을 인수분해하면
$2x^2-9xy+9y^2=(x-3y)(2x-3y)$
$3x^2-8xy-3y^2=(x-3y)(3x+y)$
이므로 공통인수는 $x-3y$이다.

21 (넓이)$=4x^2+4x+1=(2x+1)^2$
따라서 만들어지는 정사각형은 한 변의 길이가 $2x+1$이므로 둘레의 길이는 $4(2x+1)=8x+4$

22 (넓이)$=9x^2+27x+14=(3x+2)(3x+7)$이고
밑변의 길이가 $3x+2$이므로 이 평행사변형의 높이는 $3x+7$이다.

23 $-3a^2b+6ab^2+9abc=3ab(-a+2b+3c)$이고
(부피)$=3b\times a\times$(높이)$=3ab(-a+2b+3c)$이므로
(높이)$=-a+2b+3c$
$\therefore$ (모서리의 길이의 합)$=4\times\{3b+a+(-a+2b+3c)\}$
$\qquad\qquad\qquad\qquad =4(5b+3c)=20b+12c$

24 $x-y=A$로 치환하면
$(x-y-2)(x-y+5)-18=(A-2)(A+5)-18$
$\qquad\qquad\qquad\qquad\qquad =A^2+3A-28$
$\qquad\qquad\qquad\qquad\qquad =(A+7)(A-4)$
$\qquad\qquad\qquad\qquad\qquad =(x-y+7)(x-y-4)$

25 $a+b=A$로 치환하면
$3(a+b)^2-(a+b)-4=3A^2-A-4$
$\qquad\qquad\qquad\qquad =(A+1)(3A-4)$
$\qquad\qquad\qquad\qquad =(a+b+1)(3a+3b-4)$

26 $x+2y=A$, $2x-y=B$로 치환하면

$(x+2y)^2-(2x-y)^2$

$=A^2-B^2=(A+B)(A-B)$

$=(x+2y+2x-y)(x+2y-2x+y)$

$=(3x+y)(-x+3y)$

27 $x(x+1)(x+2)(x+3)+1$

$=\{x(x+3)\}\{(x+1)(x+2)\}+1$

$=(x^2+3x)(x^2+3x+2)+1$ ⎤ $x^2+3x=A$로 치환

$=A(A+2)+1$ ⎦

$=A^2+2A+1=(A+1)^2$

$=(x^2+3x+1)^2$

따라서 $a=3$, $b=1$이므로 $a+b=3+1=4$

28 $x^2+xy+x-y-2=xy-y+x^2+x-2$

$=y(x-1)+(x+2)(x-1)$

$=(x-1)(x+y+2)$

$x^2+4x+4-y^2=(x^2+4x+4)-y^2$

$=(x+2)^2-y^2$

$=(x+y+2)(x-y+2)$

따라서 두 다항식의 공통인수는 $x+y+2$이다.

29 $x^2-y^2+8y-16$

$=x^2-(y^2-8y+16)$

$=x^2-(y-4)^2$

$=x^2-A^2$ ← $y-4=A$로 치환

$=(x+A)(x-A)$

$=(x+y-4)(x-y+4)$

30 y에 대하여 내림차순으로 정리하면

$2x^2+3xy-5x-9y-3$

$=3xy-9y+2x^2-5x-3$

$=3y(x-3)+2x^2-5x-3$

$=3y(x-3)+(2x+1)(x-3)$

$=(x-3)(2x+3y+1)$

31 $x^2+2xy+y^2-x-y-2$

$=(x+y)^2-(x+y)-2$

$=A^2-A-2$ ⎦ $x+y=A$로 치환

$=(A-2)(A+1)=(x+y-2)(x+y+1)$

따라서 두 일차식의 합은

$(x+y-2)+(x+y+1)=2x+2y-1$

■ 다른 풀이 ■

x에 대하여 내림차순으로 정리하면

$x^2+2xy+y^2-x-y-2$

$=x^2+(2y-1)x+y^2-y-2$

$=x^2+(2y-1)x+(y-2)(y+1)$

$=(x+y-2)(x+y+1)$

32 $A=9\times153+9\times47$

$=9\times(153+47)=9\times200=1800$

$B=103^2-97^2=(103+97)(103-97)$

$=200\times6=1200$

$\therefore A-B=1800-1200=600$

33 $0.75^2-0.75\times0.5+0.25^2$

$=0.75^2-2\times0.75\times0.25+0.25^2$

$=(0.75-0.25)^2=0.5^2=0.25$

34 $\dfrac{2020\times2021-2021}{2020^2-1}=\dfrac{2021\times(2020-1)}{(2020+1)(2020-1)}=1$

35 $12^2-10^2+8^2-6^2+4^2-2^2$

$=(12^2-10^2)+(8^2-6^2)+(4^2-2^2)$

$=(12+10)(12-10)+(8+6)(8-6)+(4+2)(4-2)$

$=2\times(12+10+8+6+4+2)$

$=2\times42=84$

36 x^3y-xy^3

$=xy(x^2-y^2)=xy(x+y)(x-y)$

$=(2+\sqrt{2})(2-\sqrt{2})(2+\sqrt{2}+2-\sqrt{2})(2+\sqrt{2}-2+\sqrt{2})$

$=2\times4\times2\sqrt{2}=16\sqrt{2}$

37 $x=\dfrac{1}{\sqrt{2}+1}=\sqrt{2}-1$, $y=\dfrac{1}{\sqrt{2}-1}=\sqrt{2}+1$이므로

$x^2-2xy+y^2=(x-y)^2=\{(\sqrt{2}-1)-(\sqrt{2}+1)\}^2$

$=(-2)^2=4$

38 $a^2-2ab+b^2-2a+2b+1$

$=(a-b)^2-2(a-b)+1$ ⎤ $a-b=A$로 치환

$=A^2-2A+1$ ⎦

$=(A-1)^2=(a-b-1)^2$

$=(-1-1)^2=4$

■ 다른 풀이 ■

$a^2-2ab+b^2-2a+2b+1$

$$=a^2-2(b+1)a+(b^2+2b+1)$$
$$=a^2-2(b+1)a+(b+1)^2$$
$$=\{a-(b+1)\}^2=(a-b-1)^2$$
$$=(-1-1)^2=4$$

39 $3<\sqrt{12}<4$이므로 $x=3,\ y=\sqrt{12}-3$

$$\therefore \frac{x^3y+2x^2y^2+xy^3}{x+y}=\frac{xy(x^2+2xy+y^2)}{x+y}$$
$$=\frac{xy(x+y)^2}{x+y}=xy(x+y)$$
$$=3(\sqrt{12}-3)\times\sqrt{12}$$
$$=36-9\sqrt{12}=36-18\sqrt{3}$$

실력 TEST

01 -3	**02** 12	**03** 1	**04** 40
05 a	**06** 5	**07** 20	
08 $(a+b-c-d)^2$		**09** ④	**10** 2021
11 64	**12** 5	**13** 7, 17	

01 $\left(3x+\dfrac{a}{2}\right)\left(x+\dfrac{1}{4}\right)=3x^2+\left(\dfrac{3}{4}+\dfrac{a}{2}\right)x+\dfrac{a}{8}$에서

x의 계수가 상수항의 2배이므로

$$\dfrac{3}{4}+\dfrac{a}{2}=2\times\dfrac{a}{8},\ \dfrac{3}{4}+\dfrac{a}{2}=\dfrac{a}{4},\ 3+2a=a$$

$$\therefore a=-3$$

02 $(x+A)(x-5)=x^2-7x+B$

$x^2+(A-5)x-5A=x^2-7x+B$

이므로 $A-5=-7$에서 $A=-2$

$-5A=B$에서 $B=(-5)\times(-2)=10$ ······ ❶

$(Cx+3)(x-2)=Dx^2-x-6$

$Cx^2+(3-2C)x-6=Dx^2-x-6$

이므로 $3-2C=-1$에서 $C=2$

$C=D$에서 $D=2$ ······ ❷

$$\therefore A+B+C+D=(-2)+10+2+2=12$$ ······ ❸

채점 기준	배점
❶ A, B의 값 구하기	40 %
❷ C, D의 값 구하기	40 %
❸ $A+B+C+D$의 값 구하기	20 %

03 $364=x$라고 하면

$$364\times366-728-363\times365$$
$$=364\times366-2\times364-363\times365$$
$$=x(x+2)-2x-(x-1)(x+1)$$
$$=x^2+2x-2x-(x^2-1)=1$$

04 $x^2+\dfrac{1}{x^2}=\left(x-\dfrac{1}{x}\right)^2+2=2^2+2=6$

$x^4+\dfrac{1}{x^4}=\left(x^2+\dfrac{1}{x^2}\right)^2-2=6^2-2=34$

$$\therefore x^4+x^2+\dfrac{1}{x^2}+\dfrac{1}{x^4}=\left(x^2+\dfrac{1}{x^2}\right)+\left(x^4+\dfrac{1}{x^4}\right)=40$$

05 $0<a<1$이므로 $-a<0,\ a-\dfrac{1}{a}<0,\ a+\dfrac{1}{a}>0$

$$\therefore (주어진\ 식)=5\sqrt{(-a)^2}+2\sqrt{\left(a-\dfrac{1}{a}\right)^2}-2\sqrt{\left(a+\dfrac{1}{a}\right)^2}$$
$$=-5(-a)-2\left(a-\dfrac{1}{a}\right)-2\left(a+\dfrac{1}{a}\right)=a$$

06 $x^2+x-n=(x+a)(x-b)$ $(a,\ b$는 자연수, $a>b)$라고

하면 $a-b=1$이므로 $n=ab=a(a-1)$

그런데 n은 1과 40 사이의 수이므로 $2\times1,\ 3\times2,\ 4\times3,$

$5\times4,\ 6\times5$의 5개이다.

07 $x^2+cx-10=x^2-(a+b)x+ab$이므로

$c=-(a+b)$ ······ ㉠

$-10=ab$ ······ ㉡ ······ ❶

㉠에서 $a+b$가 최대일 때, c는 최소가 되므로

㉡에서 $a=10,\ b=-1$이어야 한다.

㉠에 $a=10,\ b=-1$을 대입하면 $c=-9$ ······ ❷

$$\therefore a-b-c=10-(-1)-(-9)=20$$ ······ ❸

채점 기준	배점
❶ a, b, c의 관계식 구하기	40 %
❷ a, b, c의 값 구하기	40 %
❸ $a-b-c$의 값 구하기	20 %

08 $(주어진\ 식)$
$$=(a+b)^2+(c+d)^2-2(ac+ad+bc+bd)$$
$$=(a+b)^2+(c+d)^2-2(a+b)(c+d)\quad\left[\substack{a+b=A,\\ c+d=B\text{로 치환}}\right.$$
$$=A^2+B^2-2AB$$
$$=(A-B)^2=(a+b-c-d)^2$$

Ⅱ. 다항식의 곱셈과 인수분해   **069**

09 연속하는 두 홀수를 각각 $2n-1$, $2n+1$(n은 자연수)이라고 하면

$(2n+1)^2-(2n-1)^2$
$=(2n+1+2n-1)(2n+1-2n+1)$
$=4n\times2=8n$

따라서 연속하는 두 홀수의 제곱의 차는 8의 배수이다.

10 $2020=a$라고 하면

$\sqrt{2020\times2022+1}=\sqrt{a(a+2)+1}=\sqrt{a^2+2a+1}$
$=\sqrt{(a+1)^2}=a+1$
$=2020+1=2021$

11 $2^{40}-1=(2^{20}+1)(2^{20}-1)$
$=(2^{20}+1)(2^{10}+1)(2^{10}-1)$
$=(2^{20}+1)(2^{10}+1)(2^5+1)(2^5-1)$

즉, $2^5+1=33$, $2^5-1=31$이므로 합은

$33+31=64$

12 $2<\sqrt5<3$이므로 $1<4-\sqrt5<2$

$\therefore x=1$, $y=3-\sqrt5$ ...... ❶

$\therefore$ (주어진 식)
$=x^2-2xy+y^2+4x-4y+4$
$=(x-y)^2+4(x-y)+4$ ⌐ $x-y=A$로 치환
$=A^2+4A+4$
$=(A+2)^2=(x-y+2)^2$ ...... ❷
$=\{1-(3-\sqrt5)+2\}^2$
$=(\sqrt5)^2=5$ ...... ❸

채점 기준	배점
❶ x, y의 값 구하기	40 %
❷ 치환하여 인수분해하기	40 %
❸ 식의 값 구하기	20 %

13 주어진 식의 양변을 제곱하면 $n^2+33=m^2$

$m^2-n^2=33$, $(m+n)(m-n)=33$

이때 m, n은 자연수이므로

$\begin{cases}m+n=33\\m-n=1\end{cases}$ 또는 $\begin{cases}m+n=11\\m-n=3\end{cases}$

$\therefore m=17$, $n=16$ 또는 $m=7$, $n=4$

034~036쪽

대단원 TEST

01 ③	**02** 5	**03** ⑤	**04** ④
05 -1	**06** $4+\sqrt6$	**07** ③	**08** ④
09 ④	**10** ④	**11** 4	**12** $x+3$
13 0	**14** $2(x-1)(x+2)$		**15** ③
16 ①	**17** ②, ④	**18** ⑤	
19 $(a+b)(a-2b+c)$		**20** $6x^2-4xy-2$	
21 960	**22** ②		

01 ① $(2x-3y)^2=4x^2-12xy+9y^2$
② $(x+3)(x-2)=x^2+x-6$
④ $(-x+5)(-x-5)=x^2-25$
⑤ $(3x+2y)^2=9x^2+12xy+4y^2$

02 $(2x+A)(4x-5)=8x^2+(4A-10)x-5A$
$\qquad\qquad\qquad\qquad=8x^2+Bx-15$

이므로 $5A=15$, $A=3$
$B=4A-10=12-10=2$
$\therefore A+B=5$

03 x의 계수에 해당하는 부분을 계산하면
① $(2+6)x=8x$
② $(15-4)x=11x$
③ $(5+9)x=14x$
④ $(-6-2)x=-8x$
⑤ $(21-4)x=17x$

따라서 x의 계수가 가장 큰 것은 ⑤이다.

04 (주어진 식)$=12x^2-5x-3-2(x^2-3x-10)$
$=12x^2-5x-3-2x^2+6x+20$
$=10x^2+x+17$

따라서 x의 계수는 1이다.

05 2를 $(3-1)$로 바꾸면
(주어진 식)$=(3-1)(3+1)(3^2+1)(3^4+1)-3^8$
$=(3^2-1)(3^2+1)(3^4+1)-3^8$
$=(3^4-1)(3^4+1)-3^8$
$=(3^8-1)-3^8=-1$

06 $(3\sqrt3-\sqrt2)(\sqrt3+\sqrt2)+\dfrac{\sqrt3}{\sqrt2-\sqrt3}$

$$=9+3\sqrt{6}-\sqrt{6}-2-\sqrt{3}(\sqrt{2}+\sqrt{3})$$
$$=7+2\sqrt{6}-\sqrt{6}-3$$
$$=4+\sqrt{6}$$

07 $103\times97=(100+3)(100-3)$
$$=100^2-3^2=9991$$
따라서 곱셈 공식 $(a+b)(a-b)=a^2-b^2$을 이용하면 가장 편리하다.

08 $(x-y)^2=x^2+y^2-2xy=20-2\times\left(-\dfrac{5}{2}\right)=25$
$$\therefore x-y=5(\because x>y)$$

09 ① $(x-3)^2$ ② $(x+11)(x-11)$
③ $\left(x-\dfrac{1}{2}\right)^2$ ⑤ $(x-1)^2$
따라서 유리수 범위 내에서 인수분해할 수 없는 것은 ④이다.

10 ① 25 ② 28 ③ 12 ④ 36 ⑤ 16

11 $a=-6, b=7, c=3$이므로
$a+b+c=-6+7+3=4$

12 $(x+2)(x-5)-8=x^2-3x-18=(x-6)(x+3)$
$(x-1)^2-3x-25=x^2-5x-24=(x-8)(x+3)$
따라서 두 식의 공통인수는 $x+3$이다.

13 $x^2+kx+6=x^2+(a+b)x+ab$이므로
$a+b=k, ab=6$
$ab=6$을 만족하는 정수 a, b를 순서쌍 (a, b)로 나타내면
$(1,6), (2,3), (3,2), (6,1),$
$(-1,-6), (-2,-3), (-3,-2), (-6,-1)$
따라서 k의 최댓값은 $1+6=7$이고, 최솟값은
$-1-6=-7$이므로 두 수의 합은 $7+(-7)=0$

14 경찬이는 상수항을 제대로 보았으므로 상수항은
$(-1)\times4=-4$ ······ ❶
윤정이는 x의 계수를 제대로 보았으므로 x의 계수는
$2\times(-2+3)=2$ ······ ❷
따라서 처음에 주어진 이차식은 $2x^2+2x-4$이므로 ······ ❸
이 식을 인수분해하면 $2(x-1)(x+2)$이다. ······ ❹

채점 기준	배점
❶ 상수항 구하기	30 %
❷ x의 계수 구하기	30 %
❸ 처음 주어진 이차식 구하기	20 %
❹ 주어진 식 인수분해하기	20 %

15 $x^2+2x-24=(x-4)(x+6)$이므로 $a=4 (\because a>0)$
즉, 직사각형 A의 세로의 길이가 $x-4$, 가로의 길이가 $x+6$이므로 둘레의 길이는
$2\times\{(x+6)+(x-4)\}=2(2x+2)=4(x+1)$
즉, 정사각형 B의 한 변의 길이는 $x+1$이므로 정사각형 B의 넓이는 $(x+1)^2=x^2+2x+1$

16 $ax^2+7x-6=(x+3)(ax+m)$으로 놓으면
$ax^2+7x-6=ax^2+(3a+m)x+3m$
$3m=-6$ $\therefore m=-2$
$3a-2=7$ $\therefore a=3$
$2x^2+bx-3=(x+3)(2x+n)$으로 놓으면
$2x^2+bx-3=2x^2+(6+n)x+3n$
$3n=-3$ $\therefore n=-1$
$b=6-1=5$
$\therefore a-b=3-5=-2$

17 $a^2-2ab+4b-2a=a(a-2b)-2(a-2b)$
$$=(a-2)(a-2b)$$

18 $a+b+2=A, a-b-2=B$로 치환하면
$(a+b+2)^2-(a-b-2)^2$
$=A^2-B^2=(A+B)(A-B)$
$=(a+b+2+a-b-2)(a+b+2-a+b+2)$
$=2a(2b+4)=4a(b+2)$

19 가장 낮은 차수를 가지고 있는 문자 c에 대하여 내림차순으로 정리하면
$a^2-ab+ac-2b^2+bc$
$=ac+bc+a^2-ab-2b^2$
$=c(a+b)+(a^2-ab-2b^2)$
$=c(a+b)+(a-2b)(a+b)$
$=(a+b)(c+a-2b)$
$=(a+b)(a-2b+c)$

20
$$x^3-x^2y-x+y=x^2(x-y)-(x-y)$$
$$=(x^2-1)(x-y)$$
$$=(x+1)(x-1)(x-y) \quad \cdots\cdots \text{❶}$$

따라서 직육면체의 높이는 $x-y$이다. $\quad \cdots\cdots$ ❷

$\therefore$ (겉넓이)

$\quad = 2 \times ($ 밑넓이$) + ($ 옆넓이$)$

$\quad = 2(x+1)(x-1)+2(x+1+x-1)(x-y)$

$\quad = 2x^2-2+4x^2-4xy$

$\quad = 6x^2-4xy-2 \quad \cdots\cdots$ ❸

채점 기준	배점
❶ x^3-x^2y-x+y를 인수분해하기	40 %
❷ 직육면체의 높이 구하기	30 %
❸ 직육면체의 겉넓이 구하기	30 %

21 $A=12\times70-12\times65=12\times(70-65)=60$

$B=54^2-46^2=(54+46)(54-46)=800$

$C=\sqrt{102^2-408+2^2}$

$\quad =\sqrt{102^2-2\times2\times102+2^2}$

$\quad =\sqrt{(102-2)^2}=\sqrt{100^2}=100 \quad \cdots\cdots$ ❶

$\therefore A+B+C=60+800+100=960 \quad \cdots\cdots$ ❷

채점 기준	배점
❶ A, B, C의 값 구하기	70 %
❷ $A+B+C$의 값 구하기	30 %

22 $\dfrac{2x+4y}{x^2+xy-2y^2}=\dfrac{2(x+2y)}{(x-y)(x+2y)}=\dfrac{2}{x-y}$

$\qquad\qquad =\dfrac{2}{7+6\sqrt{2}-3\sqrt{2}-3}$

$\qquad\qquad =\dfrac{2}{4+3\sqrt{2}}=-4+3\sqrt{2}$

01 주어진 식의 양변에 $(2-1)$을 곱하면

(좌변)$=(2-1)(2+1)(2^2+1)(2^4+1)(2^8+1)$

$\quad =(2^2-1)(2^2+1)(2^4+1)(2^8+1)$

$\quad =(2^4-1)(2^4+1)(2^8+1)$

$\quad =(2^8-1)(2^8+1)$

$\quad =2^{16}-1=2^{16}-\square$

$\therefore \square=1$

02 $(x+1)(x+3)(x+5)(x+7)+a$

$=(x+1)(x+7)(x+3)(x+5)+a$

$=(x^2+8x+7)(x^2+8x+15)+a \quad \rceil \; x^2+8x=A$로 치환

$=(A+7)(A+15)+a$

$=A^2+22A+105+a$

이때 이 식이 완전제곱식이 되려면

$105+a=\left(\dfrac{22}{2}\right)^2$이어야 하므로 $a=16$

03 A, B, C가 가지고 있는 구슬의 개수를 각각 x, y, z라고 하면

㈎에서 $x=y+z+6 \quad \cdots\cdots$ ㉠

㈏에서 $x^2=(y+z)^2+144 \quad \cdots\cdots$ ㉡

㉡에서 $x^2-(y+z)^2=144$

$(x+y+z)(x-y-z)=144$

그런데 ㉠에서 $x-y-z=6$이므로

$(x+y+z)\times6=144$

$\therefore x+y+z=24$

III 이차방정식

1. 이차방정식의 뜻과 풀이

01 ①, ⑤   **02** 0   **03** ②   **04** $x=1$

05 ③   **06** 3   **07** 4   **08** 14

09 (1) $x=\dfrac{1}{2}$ 또는 $x=2$ (2) $x=-4$ 또는 $x=2$

10 ④   **11** $x=4$ **12** $x=6$ **13** ②

14 $-6, 2$ **15** -3 **16** 3

17 (1) $x=\pm\sqrt{3}$ (2) $x=\pm\dfrac{\sqrt{30}}{5}$ (3) $x=1$ 또는 $x=11$

     (4) $x=-1\pm\sqrt{3}$ **18** -10

19 ④   **20** $a>5$

21 (1) $x=-3\pm\sqrt{11}$ (2) $x=-1\pm\sqrt{3}$ (3) $x=\dfrac{7\pm\sqrt{17}}{4}$

22 15   **23** ③   **24** -1

01 등식의 우변에 있는 모든 항을 좌변으로 이항하여 정리하였을 때, $(x$에 대한 이차식$)=0$ 꼴로 나타내어지는 방정식을 찾는다.
   ① $-x+1=0$ (일차방정식)
   ② $-x^2+1=0$ (이차방정식)
   ③ $x^2-3x+3=0$ (이차방정식)
   ④ $x^2+x+5=0$ (이차방정식)
   ⑤ $16x-16=0$ (일차방정식)
   따라서 이차방정식이 아닌 것은 ①, ⑤이다.

02 $(x-1)^2=3-x^2$에서 $x^2-2x+1=3-x^2$
$2x^2-2x-2=0$, $x^2-x-1=0$
따라서 $a=-1$, $b=-1$이므로
$a-b=-1-(-1)=0$

03 $(a+1)x^2+3ax+6=0$이 이차방정식이 되려면
$a+1\neq0$ $\therefore a\neq-1$

04 x는 $-3<x<2$인 정수이므로 $x=-2, -1, 0, 1$
$x=-2$일 때, $(-2)^2-3\times(-2)+2=12\neq0$
$x=-1$일 때, $(-1)^2-3\times(-1)+2=6\neq0$

$x=0$일 때, $2\neq0$
$x=1$일 때, $1^2-3\times1+2=0$
따라서 주어진 이차방정식의 해는 $x=1$이다.

05 $x^2-5x+a=0$에 $x=2$를 대입하면
$2^2-5\times2+a=0$, $4-10+a=0$ $\therefore a=6$

06 $x^2-(a+1)x+2=0$에 $x=-1$을 대입하면
$(-1)^2-(a+1)\times(-1)+2=0$ $\therefore a=-4$
$x^2-6x=b$에 $x=-1$을 대입하면
$(-1)^2-6\times(-1)=b$ $\therefore b=7$
$\therefore a+b=-4+7=3$

07 $x^2+4x-3=0$에 $x=k$를 대입하면
$k^2+4k-3=0$, $k^2+4k=3$
$\therefore k^2+4k+1=3+1=4$

08 $x^2-4x+1=0$의 한 근이 a이므로
$a^2-4a+1=0$
$a\neq0$이므로 양변을 a로 나누면
$a-4+\dfrac{1}{a}=0$ $\therefore a+\dfrac{1}{a}=4$
$\therefore a^2+\dfrac{1}{a^2}=\left(a+\dfrac{1}{a}\right)^2-2=4^2-2=14$

09 (1) $2x^2-5x+2=0$에서 $(2x-1)(x-2)=0$
     $\therefore x=\dfrac{1}{2}$ 또는 $x=2$
   (2) $(x+2)^2=2(x+6)$에서
     $x^2+4x+4=2x+12$
     $x^2+2x-8=0$, $(x+4)(x-2)=0$
     $\therefore x=-4$ 또는 $x=2$

10 $2(x-3)(x+5)=x^2-6x-46$에서
$2x^2+4x-30=x^2-6x-46$
$x^2+10x+16=0$, $(x+8)(x+2)=0$
$\therefore x=-8$ 또는 $x=-2$
따라서 $p=-8$, $q=-2$ 또는 $p=-2$, $q=-8$이므로
$p^2+q^2=(-8)^2+(-2)^2=68$

11 $x^2-ax+a+2=0$에 $x=2$를 대입하면
$2^2-2a+a+2=0$, $-a+6=0$ $\therefore a=6$
즉, 주어진 이차방정식은 $x^2-6x+8=0$이므로

$(x-2)(x-4)=0$ $\therefore x=2$ 또는 $x=4$
따라서 다른 한 근은 $x=4$이다.

12 $x^2-7x+6=0$에서 $(x-1)(x-6)=0$
$\therefore x=1$ 또는 $x=6$
$3x^2-16x-12=0$에서 $(3x+2)(x-6)=0$
$\therefore x=-\dfrac{2}{3}$ 또는 $x=6$
따라서 두 이차방정식의 공통인 근은 $x=6$이다.

13 $2k-3=\left(\dfrac{6}{2}\right)^2$, $2k=12$ $\therefore k=6$

14 이차방정식이 중근을 가지므로
$-m+3=\left(\dfrac{m}{2}\right)^2$, $m^2+4m-12=0$
$(m+6)(m-2)=0$
$\therefore m=-6$ 또는 $m=2$

15 중근 $x=-3$을 갖고, x^2의 계수가 1인 이차방정식은
$(x+3)^2=0$, $x^2+6x+9=0$
따라서 $a=6$, $b=9$이므로
$a-b=6-9=-3$

16 $(x+6)(x+a)=b$에서
$x^2+(6+a)x+6a-b=0$
이때, 중근 $x=-5$를 해로 갖고 x^2의 계수가 1인 이차방정식은
$(x+5)^2=0$, 즉 $x^2+10x+25=0$
이므로 $6+a=10$, $6a-b=25$
$\therefore a=4$, $b=-1$
$\therefore a+b=4+(-1)=3$

17 (1) $3x^2=9$에서 $x^2=3$ $\therefore x=\pm\sqrt{3}$
(2) $-5x^2+6=0$에서 $5x^2=6$, $x^2=\dfrac{6}{5}$
$\therefore x=\pm\dfrac{\sqrt{30}}{5}$
(3) $(x-6)^2=25$에서 $x-6=\pm5$
$\therefore x=1$ 또는 $x=11$

(4) $(x+1)^2=3$에서 $x+1=\pm\sqrt{3}$
$\therefore x=-1\pm\sqrt{3}$

18 $2(x+a)^2=b$에서 $(x+a)^2=\dfrac{b}{2}$
$x+a=\pm\sqrt{\dfrac{b}{2}}$ $\therefore x=-a\pm\sqrt{\dfrac{b}{2}}$
따라서 $-a=1$, $\dfrac{b}{2}=5$이므로 $a=-1$, $b=10$
$\therefore ab=(-1)\times10=-10$

19 $(x+2)^2=p$에서 $x+2=\pm\sqrt{p}$
$\therefore x=-2\pm\sqrt{p}$
따라서 $p=2$, $q=-2$이므로
$p-q=2-(-2)=4$

20 $(x+3)^2=\dfrac{a-5}{4}$ 가 서로 다른 두 근을 가지려면
$\dfrac{a-5}{4}>0$이어야 하므로 $a>5$

21 (1) $x^2+6x-2=0$에서 $x^2+6x=2$
$x^2+6x+9=2+9$, $(x+3)^2=11$
$x+3=\pm\sqrt{11}$
$\therefore x=-3\pm\sqrt{11}$
(2) $(x+3)^2=4x+11$에서
$x^2+6x+9=4x+11$, $x^2+2x=2$
$x^2+2x+1=2+1$, $(x+1)^2=3$
$x+1=\pm\sqrt{3}$
$\therefore x=-1\pm\sqrt{3}$
(3) $2x^2-7x+4=0$에서 $x^2-\dfrac{7}{2}x+2=0$
$x^2-\dfrac{7}{2}x=-2$, $x^2-\dfrac{7}{2}x+\left(\dfrac{7}{4}\right)^2=-2+\left(\dfrac{7}{4}\right)^2$
$\left(x-\dfrac{7}{4}\right)^2=-2+\dfrac{49}{16}$, $\left(x-\dfrac{7}{4}\right)^2=\dfrac{17}{16}$
$x-\dfrac{7}{4}=\pm\dfrac{\sqrt{17}}{4}$
$\therefore x=\dfrac{7\pm\sqrt{17}}{4}$

22 $x^2-8x-3=0$에서 $x^2-8x=3$
$x^2-8x+16=3+16$, $(x-4)^2=19$
따라서 $p=-4$, $q=19$이므로
$p+q=-4+19=15$

23 $x^2-8x+a=0$에서 $x^2-8x=-a$

$x^2-8x+16=-a+16$

$(x-4)^2=-a+16$

따라서 $b=-4$이고 $-a+16=8$에서 $a=8$이므로

$a-b=8-(-4)=12$

24 $x^2-x+k=0$에서 $x^2-x=-k$

$x^2-x+\dfrac{1}{4}=-k+\dfrac{1}{4}, \left(x-\dfrac{1}{2}\right)^2=-k+\dfrac{1}{4}$

$x-\dfrac{1}{2}=\pm\sqrt{-k+\dfrac{1}{4}}$

$\therefore x=\dfrac{1}{2}\pm\sqrt{-k+\dfrac{1}{4}}=\dfrac{1\pm\sqrt{5}}{2}=\dfrac{1}{2}\pm\sqrt{\dfrac{5}{4}}$

따라서 $-k+\dfrac{1}{4}=\dfrac{5}{4}$이므로 $k=-1$

실력 TEST

041~043쪽

01 5	**02** $x=b$ 또는 $x=a-2b$
03 $x=-3$ 또는 $x=3$	**04** -2
05 $\dfrac{1}{9}$	**06** -6 **07** $x=-7$ (중근)
08 $a=-1, b=-2$	**09** 3
10 $x=\dfrac{1}{2}$ 또는 $x=1$	

01 $2a^2-a-3=0$이므로 $2a^2-a=3$

$b^2-6b+4=0$이므로 $b^2-6b=-4$

$\therefore (2a^2-a+2)(b^2-6b+5)$

$\quad =(3+2)(-4+5)=5\times1=5$

02 $x^2-(a-b)x+ab=2b^2$에서

$x^2-(a-b)x+ab-2b^2=0$

$x^2-(a-b)x+b(a-2b)=0$

$(x-b)(x-a+2b)=0$

$\therefore x=b$ 또는 $x=a-2b$

03 (i) $x\ge0$일 때

$x^2-2x-3=0, (x+1)(x-3)=0$

$\therefore x=-1$ 또는 $x=3$

그런데 $x\ge0$이므로 $x=3$

(ii) $x<0$일 때

$x^2+2x-3=0, (x+3)(x-1)=0$

$\therefore x=-3$ 또는 $x=1$

그런데 $x<0$이므로 $x=-3$

따라서 구하는 해는 $x=-3$ 또는 $x=3$이다.

04 $y=mx+2$에 $x=m-1, y=2m^2$을 대입하면

$2m^2=m(m-1)+2, 2m^2=m^2-m+2$

$m^2+m-2=0, (m+2)(m-1)=0$

$\therefore m=-2$ 또는 $m=1$

(i) $m=-2$일 때

$y=-2x+2$이므로 제1, 2, 4사분면을 지난다.

(ii) $m=1$일 때

$y=x+2$이므로 제1, 2, 3사분면을 지난다.

따라서 구하는 m의 값은 -2이다.

05 $x^2=6x-8$에서 $x^2-6x+8=0$

$(x-2)(x-4)=0$ $\therefore x=2$ 또는 $x=4$

즉, 서로 다른 두 개의 주사위를 던져서 나온 눈의 수의 합이

2 또는 4가 되는 순서쌍은 $(1,1), (1,3), (2,2), (3,1)$이

므로 구하는 확률은 $\dfrac{4}{36}=\dfrac{1}{9}$이다.

06 $x^2-(3k+1)x+16=0$이 중근을 가지므로

$\left(-\dfrac{3k+1}{2}\right)^2=16, \dfrac{9k^2+6k+1}{4}=16$

$9k^2+6k+1=64, 9k^2+6k-63=0$

$3k^2+2k-21=0, (k+3)(3k-7)=0$

$\therefore k=-3$ 또는 $k=\dfrac{7}{3}$

$x^2+2px+q=0$의 두 근이 $-3, \dfrac{7}{3}$이므로

$x=-3$을 $x^2+2px+q=0$에 대입하면

$9-6p+q=0$ ······㉠

$x=\dfrac{7}{3}$을 $x^2+2px+q=0$에 대입하면

$\dfrac{49}{9}+\dfrac{14}{3}p+q=0$ $\therefore 49+42p+9q=0$ ······㉡

㉠, ㉡을 연립하여 풀면

$p=\dfrac{1}{3}, q=-7$

$\therefore 3p+q=3\times\dfrac{1}{3}+(-7)=-6$

07 $x^2-14x+b=0$의 한 근이 $x=7$이므로

$7^2-98+b=0 \qquad \therefore b=49$ ...... ❶

$x^2+ax+49=0$이 중근을 가지므로

$\left(\dfrac{a}{2}\right)^2=49=7^2,\ a^2=7^2\times 2^2$

$\therefore a=14\ (\because a>0)$ ...... ❷

따라서 처음에 주어진 이차방정식은 $x^2+14x+49=0$이므로 $(x+7)^2=0$을 바르게 풀었을 때의 근은

$x=-7$ (중근)이다. ...... ❸

채점 기준	배점
❶ b의 값 구하기	30 %
❷ a의 값 구하기	40 %
❸ 바르게 풀었을 때의 근 구하기	30 %

08 $x^2-3x+2=0$에서 $(x-1)(x-2)=0$

$\therefore x=1$ 또는 $x=2$

(i) $x=1$이 공통인 근일 때

$x=1$을 $x^2+ax+b=0$에 대입하면

$1+a+b=0 \qquad \therefore b=-a-1$

a	0	-1	-2	-3	$\cdots$
b	-1	0	1	2	$\cdots$

즉, a, b가 모두 음수인 정수는 존재하지 않는다.

(ii) $x=2$가 공통인 근일 때

$x=2$를 $x^2+ax+b=0$에 대입하면

$4+2a+b=0 \qquad \therefore b=-2a-4$

a	0	-1	-2	-3	$\cdots$
b	-4	-2	0	2	$\cdots$

$\therefore a=-1,\ b=-2$

따라서 구하는 a, b의 값은 $a=-1,\ b=-2$이다.

09 주어진 연립방정식의 해가 없으므로

$\dfrac{a^2-5a+5}{1}=\dfrac{2}{-2}\neq\dfrac{a+4}{-6}$ ...... ❶

$\dfrac{a^2-5a+5}{1}=\dfrac{2}{-2}$에서

$a^2-5a+5=-1,\ a^2-5a+6=0$

$(a-2)(a-3)=0 \qquad \therefore a=2$ 또는 $a=3$

그런데 $\dfrac{2}{-2}\neq\dfrac{a+4}{-6}$이므로

$a+4\neq 6 \qquad \therefore a\neq 2$

$\therefore a=3$ ...... ❷

채점 기준	배점
❶ 연립방정식이 해가 없을 조건 알기	50 %
❷ a의 값 구하기	50 %

10 x에 대한 이차식 $f(x)$가 $f(0)=1$을 만족시키므로

$f(x)=ax^2+bx+1$이라고 하면

$f(x+1)=a(x+1)^2+b(x+1)+1$

$\therefore f(x+1)-f(x)$

$=a(x+1)^2+b(x+1)-ax^2-bx$

$=ax^2+2ax+a+bx+b-ax^2-bx$

$=2ax+a+b$

즉, $2a=4,\ a+b=1$이므로 $a=2,\ b=-1$

따라서 $f(x)=2x^2-x+1$이므로 이차방정식 $f(x)=2x$를 풀면

$2x^2-x+1=2x,\ 2x^2-3x+1=0$

$(2x-1)(x-1)=0$

$\therefore x=\dfrac{1}{2}$ 또는 $x=1$

2. 이차방정식의 근의 공식과 활용

유형 TEST 01. 이차방정식의 근의 공식 02. 이차방정식의 활용 044~048쪽

01 12   **02** ②   **03** ③   **04** $2\sqrt{3}$

05 (1) $x=\dfrac{5\pm\sqrt{11}}{2}$ (2) $x=\dfrac{-4\pm\sqrt{13}}{3}$ **06** ①

07 $x=-1$ 또는 $x=5$ **08** $x=\dfrac{-5\pm\sqrt{61}}{6}$

09 $-\dfrac{1}{3}$ **10** $x=-\dfrac{3}{2}$ 또는 $x=1$ **11** $a=1,\ b=3$

12 ②   **13** ②   **14** 1   **15** $x=\dfrac{1}{5}$

16 3   **17** $-\dfrac{6}{5}$ **18** ④   **19** -1

20 4   **21** $\dfrac{19}{3}$ **22** $\dfrac{14}{3}$ **23** ②

24 $x=\dfrac{1\pm\sqrt{3}}{2}$ **25** ⑤   **26** $x^2-144=0$

27 $2x^2-2x-8=0$ **28** $2x^2+3x-2=0$

29 ③   **30** 25   **31** 7살   **32** 8일

33 ④   **34** 12 cm   **35** 10초 후   **36** 4 m

37 6초 후   **38** 3초 후

01 $2x^2+6x-3=0$이므로

$$x=\frac{-3\pm\sqrt{3^2-2\times(-3)}}{2}=\frac{-3\pm\sqrt{15}}{2}$$

따라서 $A=-3$, $B=15$이므로

$A+B=-3+15=12$

02 $x=-(-4)\pm\sqrt{(-4)^2-k}=4\pm\sqrt{16-k}$

따라서 $16-k=7$이므로 $k=9$

03 $x=\frac{-5\pm\sqrt{5^2-4\times4\times A}}{2\times4}=\frac{-5\pm\sqrt{25-16A}}{8}$

따라서 $B=-5$, $41=25-16A$에서 $A=-1$이므로

$AB=(-1)\times(-5)=5$

04 $x=-(-2)\pm\sqrt{(-2)^2-1}=2\pm\sqrt{3}$

따라서 $a=2+\sqrt{3}$이므로

$$a-\frac{1}{a}=2+\sqrt{3}-\frac{1}{2+\sqrt{3}}$$
$$=2+\sqrt{3}-(2-\sqrt{3})=2\sqrt{3}$$

05 (1) 양변에 10을 곱하면 $2x^2-10x+7=0$

$$\therefore x=\frac{-(-5)\pm\sqrt{(-5)^2-2\times7}}{2}$$
$$=\frac{5\pm\sqrt{11}}{2}$$

(2) 양변에 6을 곱하면 $3x^2+8x=-1$

$3x^2+8x+1=0$

$$\therefore x=\frac{-4\pm\sqrt{4^2-3\times1}}{3}=\frac{-4\pm\sqrt{13}}{3}$$

06 양변에 20을 곱하면 $4x^2+2x-15=0$

$$\therefore x=\frac{-1\pm\sqrt{1^2-4\times(-15)}}{4}=\frac{-1\pm\sqrt{61}}{4}$$

따라서 $A=-1$, $B=61$이므로

$A+B=-1+61=60$

07 양변에 10을 곱하면

$3(x+1)^2=2(x+1)(x+4)$

$3x^2+6x+3=2x^2+10x+8$

$x^2-4x-5=0$, $(x+1)(x-5)=0$

$\therefore x=-1$ 또는 $x=5$

08 양변에 10을 곱하면

$2x(x+1)+10x^2=5(3x^2-1)$

$3x^2-2x-5=0$, $(x+1)(3x-5)=0$

$\therefore x=-1$ 또는 $x=\frac{5}{3}$

따라서 $a=\frac{5}{3}$, $b=-1$이므로 $x^2+\frac{5}{3}x-1=0$의

양변에 3을 곱하면

$3x^2+5x-3=0$

$$\therefore x=\frac{-5\pm\sqrt{5^2-4\times3\times(-3)}}{2\times3}$$
$$=\frac{-5\pm\sqrt{25+36}}{6}=\frac{-5\pm\sqrt{61}}{6}$$

09 $3x-2=A$로 치환하면

$A^2+6A+5=0$, $(A+5)(A+1)=0$

$\therefore A=-5$ 또는 $A=-1$

즉, $3x-2=-5$ 또는 $3x-2=-1$이므로

$x=-1$ 또는 $x=\frac{1}{3}$

따라서 두 근의 곱은 $(-1)\times\frac{1}{3}=-\frac{1}{3}$

10 $1-2x=A$로 치환하면

$A^2-2A-4=A$, $A^2-3A-4=0$

$(A+1)(A-4)=0$

$\therefore A=-1$ 또는 $A=4$

즉, $1-2x=-1$ 또는 $1-2x=4$이므로

$x=-\frac{3}{2}$ 또는 $x=1$

11 조건 ㈐에서 $a-b=A$로 치환하면

$A(A-2)-8=0$, $A^2-2A-8=0$

$(A+2)(A-4)=0$ $\therefore A=-2$ 또는 $A=4$

조건 ㈎에서 $A<0$이므로 $A=-2$

($\because a<b$이므로 $a-b=A<0$)

$\therefore a-b=-2$ $\cdots\cdots$ ㉠

조건 ㈏에서 $a+2b=7$ $\cdots\cdots$ ㉡

㉠$-$㉡을 하면 $-3b=-9$ $\therefore b=3$

$b=3$을 ㉠에 대입하면

$a-3=-2$ $\therefore a=1$

12 $2(x+2y)^2-11(x+2y)+5=0$에서

$x+2y=A$로 치환하면

$2A^2-11A+5=0$, $(2A-1)(A-5)=0$

$\therefore A=\dfrac{1}{2}$ 또는 $A=5$

$\therefore x+2y=\dfrac{1}{2}$ 또는 $x+2y=5$

그런데 $x,\,y$는 자연수이므로 $x+2y$도 자연수이다.

$\therefore x+2y=5$

따라서 $x+2y=5$를 만족시키는 자연수 $x,\,y$의 순서쌍 $(x,\,y)$는 $(1,\,2),\,(3,\,1)$의 2개이다.

13 ① $x^2-3=0$에서 $0^2-4\times1\times(-3)=12>0$이므로 근이 2개이다.

② $0^2-4\times1\times4=-16<0$이므로 근이 0개이다.

③ $2^2-4\times1\times0=4>0$이므로 근이 2개이다.

④ $4^2-4\times2\times(-6)=64>0$이므로 근이 2개이다.

⑤ $(-8)^2-4\times7\times1=36>0$이므로 근이 2개이다.

14 $x^2-6x-3p=0$이 중근을 가지려면

$(-6)^2-4\times1\times(-3p)=0 \quad \therefore p=-3$

$x^2-2(p+1)x+q=0$이 중근을 가지려면

$4(p+1)^2-4q=0,\ 16-4q=0 \quad \therefore q=4$

$\therefore p+q=(-3)+4=1$

15 $x^2-6x+m-1=0$이 중근을 가지므로

$(-6)^2-4(m-1)=0 \quad \therefore m=10$

$m=10$을 $(m-5)x^2-6x+1=0$에 대입하면

$(10-5)x^2-6x+1=0$

$5x^2-6x+1=0,\ (5x-1)(x-1)=0$

$\therefore x=\dfrac{1}{5}$ 또는 $x=1$

따라서 두 근 중 작은 근은 $x=\dfrac{1}{5}$이다.

16 $2x^2+3x+k-2=0$이 서로 다른 두 근을 가지므로

$3^2-4\times2\times(k-2)>0$

$9-8k+16>0,\ 25>8k \quad \therefore k<\dfrac{25}{8}$

따라서 자연수 k의 값은 $1,\,2,\,3$의 3개이다.

17 양변에 10을 곱하면 $5x^2-3x-10=0$

근과 계수의 관계에 의하여

$m=-\dfrac{-3}{5}=\dfrac{3}{5},\ n=\dfrac{-10}{5}=-2$

$\therefore mn=\dfrac{3}{5}\times(-2)=-\dfrac{6}{5}$

18 근과 계수의 관계에 의하여

$\alpha+\beta=\dfrac{2}{3},\ \alpha\beta=-\dfrac{1}{2}$

$\therefore 3(\alpha+\beta)-4\alpha\beta=3\times\dfrac{2}{3}-4\times\left(-\dfrac{1}{2}\right)=4$

19 $6x^2+ax+b=0$에서 근과 계수의 관계에 의하여

$-\dfrac{a}{6}=-\dfrac{1}{2}+\dfrac{1}{3}=-\dfrac{1}{6} \quad \therefore a=1$

$\dfrac{b}{6}=\left(-\dfrac{1}{2}\right)\times\dfrac{1}{3}=-\dfrac{1}{6} \quad \therefore b=-1$

$\therefore ab=-1$

20 두 근의 곱이 $-\dfrac{1}{2}$이므로 $\dfrac{k}{2}=-\dfrac{1}{2} \quad \therefore k=-1$

따라서 이차방정식 $2x^2+4x-1=0$의 두 근은

$x=\dfrac{-2\pm\sqrt{2^2-2\times(-1)}}{2}=\dfrac{-2\pm\sqrt{6}}{2}$

따라서 $A=-2,\,B=6$이므로

$A+B=-2+6=4$

21 근과 계수의 관계에 의하여

$\alpha+\beta=5,\ \alpha\beta=3$

$\therefore \dfrac{\beta}{\alpha}+\dfrac{\alpha}{\beta}=\dfrac{\alpha^2+\beta^2}{\alpha\beta}=\dfrac{(\alpha+\beta)^2-2\alpha\beta}{\alpha\beta}$

$\qquad =\dfrac{5^2-6}{3}=\dfrac{19}{3}$

22 $(x-1)^2=x+2$에서 $x^2-3x-1=0$

근과 계수의 관계에 의하여

$\alpha+\beta=3,\ \alpha\beta=-1$

$\therefore \dfrac{\alpha}{\beta+1}+\dfrac{\beta}{\alpha+1}=\dfrac{\alpha(\alpha+1)+\beta(\beta+1)}{(\alpha+1)(\beta+1)}$

$\qquad =\dfrac{\alpha^2+\beta^2+\alpha+\beta}{\alpha\beta+\alpha+\beta+1}$

$\qquad =\dfrac{(\alpha+\beta)^2-2\alpha\beta+\alpha+\beta}{\alpha\beta+\alpha+\beta+1}$

$\qquad =\dfrac{9+2+3}{-1+3+1}=\dfrac{14}{3}$

23 $x^2+5kx+8k=0$의 두 근을 $\alpha,\,4\alpha$라고 하면

$\alpha+4\alpha=-5k,\ 4\alpha^2=8k$에서

$\alpha=-k,\ \alpha^2=2k$이므로 $k^2-2k=0$

$\therefore k=2\ (\because k\neq0)$

24 다른 한 근은 $x=3-\sqrt{3}$이므로

$a=(3+\sqrt{3})+(3-\sqrt{3})=6$

$b=(3+\sqrt{3})(3-\sqrt{3})=6$

따라서 $6x^2-6x-3=0$, 즉 $2x^2-2x-1=0$의 해는

$x=\dfrac{-(-1)\pm\sqrt{(-1)^2-2\times(-1)}}{2}=\dfrac{1\pm\sqrt{3}}{2}$

25 두 근이 $-\dfrac{2}{3}$, 3이고 x^2의 계수가 3인 이차방정식은

$3\left(x+\dfrac{2}{3}\right)(x-3)=0$ $\quad\therefore 3x^2-7x-6=0$

따라서 $m=-7$, $n=-6$이므로 $mn=42$

26 x의 계수가 3이고 중근 $x=2$를 갖는 이차방정식은

$3(x-2)^2=0$ $\quad\therefore 3x^2-12x+12=0$

즉, $A=-12$, $B=12$이므로 두 근이 -12, 12이고

x^2의 계수가 1인 이차방정식은

$(x+12)(x-12)=0$

$\therefore x^2-144=0$

27 $\alpha+\beta=3$, $\alpha\beta=-2$이므로

$(\alpha-1)+(\beta-1)=\alpha+\beta-2=1$

$(\alpha-1)(\beta-1)=\alpha\beta-(\alpha+\beta)+1=-4$

따라서 구하는 이차방정식은

$2(x^2-x-4)=0$ $\quad\therefore 2x^2-2x-8=0$

28 $y=ax+b$의 그래프는 기울기가 $\dfrac{2}{4}=\dfrac{1}{2}$이고,

y절편이 -2이므로

$y=\dfrac{1}{2}x-2$ $\quad\therefore a=\dfrac{1}{2}$, $b=-2$

따라서 x^2의 계수가 2이고, $\dfrac{1}{2}$, -2를 두 근으로 하는

이차방정식은

$2\left(x-\dfrac{1}{2}\right)(x+2)=0$, $2\left(x^2+\dfrac{3}{2}x-1\right)=0$

$\therefore 2x^2+3x-2=0$

29 연속하는 두 짝수를 x, $x+2$라고 하면

$x(x+2)=224$, $x^2+2x-224=0$

$(x+16)(x-14)=0$

$\therefore x=14$ $(\because x>0)$

따라서 두 짝수는 14, 16이므로 그 합은 $14+16=30$

30 십의 자리의 숫자를 x라고 하면 일의 자리의 숫자는

$7-x$이므로 두 자리의 자연수는 $10x+(7-x)$이고

각 자리의 숫자의 곱이 원래의 자연수보다 15만큼 작으므로

$x(7-x)=10x+(7-x)-15$

$7x-x^2=9x+7-15$, $x^2+2x-8=0$

$(x-2)(x+4)=0$

$\therefore x=2$ $(\because x>0)$

따라서 두 자리의 자연수는 25이다.

31 동생의 나이를 x살이라고 하면 언니의 나이는 $(x+3)$살

이므로

$5(x+3)=x^2+1$, $x^2-5x-14=0$

$(x-7)(x+2)=0$ $\quad\therefore x=7$ $(\because x>0)$

따라서 동생의 나이는 7살이다.

32 둘째 주 화요일의 날짜를 x일이라고 하면 넷째 주 목요일

의 날짜는 $(x+16)$일이므로

$x(x+16)=192$, $x^2+16x-192=0$

$(x-8)(x+24)=0$ $\quad\therefore x=8$ $(\because x>0)$

따라서 이 달력에서 둘째 주 화요일은 8일이다.

33 직사각형의 가로의 길이를 x cm라고 하면 세로의 길이는

$(22-x)$ cm이므로

$x(22-x)=96$, $x^2-22x+96=0$

$(x-6)(x-16)=0$

$\therefore x=16$ $(\because 11<x<22)$

따라서 직사각형의 가로의 길이는 16 cm이다.

34 $\overline{AC}=x$ cm라고 하면 $\overline{BC}=(20-x)$ cm이므로

$\dfrac{1}{2}\pi\times10^2-\dfrac{1}{2}\pi\times\left(\dfrac{x}{2}\right)^2-\dfrac{1}{2}\pi\times\left(\dfrac{20-x}{2}\right)^2=24\pi$

$50\pi-\dfrac{x^2}{8}\pi-50\pi+5x\pi-\dfrac{x^2}{8}\pi=24\pi$

$-\dfrac{x^2}{4}+5x-24=0$, $x^2-20x+96=0$

$(x-8)(x-12)=0$ $\quad\therefore x=12$ $(\because 10<x<20)$

$\therefore \overline{AC}=12$ cm

35 변화되는 직사각형의 넓이와 처음 직사각형의 넓이가 같아

지는 때를 x초 후라고 하면 이때의 가로의 길이는

$(15-x)$ cm, 세로의 길이는 $(10+2x)$ cm이므로

$(15-x)(10+2x)=15\times10$

$-2x^2+20x=0$, $x(x-10)=0$

$\therefore x=10$ $(\because 0<x<15)$

따라서 10초 후에 처음 직사각형의 넓이와 같아진다.

36 산책로의 폭을 x m라고 하면

$18 \times 16 - (18x + 16x) + x^2 = 168$

$x^2 - 34x + 120 = 0$, $(x-4)(x-30) = 0$

$\therefore x = 4$ ($\because 0 < x < 16$)

따라서 산책로의 폭은 4 m이다.

■ 다른 풀이 ■

산책로의 폭을 x m라고 하면 산책로를 제외한 나머지 부분의 넓이는 가로의 길이가 $(18-x)$ m, 세로의 길이가 $(16-x)$ m인 직사각형의 넓이와 같으므로

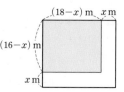

$(18-x)(16-x) = 168$

$18 \times 16 - (18x + 16x) + x^2 = 168$

$x^2 - 34x + 120 = 0$, $(x-4)(x-30) = 0$

$\therefore x = 4$ ($\because 0 < x < 16$)

따라서 산책로의 폭은 4 m이다.

37 $60t - 5t^2 = 180$에서

$5t^2 - 60t + 180 = 0$, $t^2 - 12t + 36 = 0$

$(t-6)^2 = 0$ $\therefore t = 6$

따라서 물체를 쏘아 올린 지 6초 후이다.

38 물체가 지면에 떨어질 때의 높이가 0 m이므로

$15 + 10t - 5t^2 = 0$

$t^2 - 2t - 3 = 0$, $(t+1)(t-3) = 0$

$\therefore t = 3$ ($\because t > 0$)

따라서 공을 똑바로 던져 올린 지 3초 후에 지면에 공이 떨어진다.

실력 TEST

049~051쪽

01 $x = -5 \pm 3\sqrt{3}$ **02** $\dfrac{1}{18}$ **03** 4

04 $-140\sqrt{2}$ **05** $x = \dfrac{3 \pm \sqrt{33}}{2}$

06 $x = \pm \dfrac{\sqrt{15}}{3}$ **07** $x^2 - 3x + 2 = 0$

08 30 **09** 6 **10** $(20\sqrt{3} - 20)$ cm

11 $\dfrac{14 - 7\sqrt{2}}{4}$ m

---

01 $1 < \sqrt{2} < 2$에서 $-2 < -\sqrt{2} < -1$이므로

$3 < 5 - \sqrt{2} < 4$ $\therefore a = 3$, $b = 5 - \sqrt{2} - 3 = 2 - \sqrt{2}$

a, b의 값을 주어진 이차방정식에 대입하면

$x^2 + \{4 \times 3 - (2 - \sqrt{2}) - \sqrt{2}\}x - (2 + \sqrt{2})(2 - \sqrt{2}) = 0$

따라서 $x^2 + 10x - 2 = 0$이므로 $x = -5 \pm 3\sqrt{3}$

02 $x^2 + 2ax + b = 0$이 중근을 가지려면

$(2a)^2 - 4b = 0$ $\therefore a^2 = b$

즉, (a, b)가 $(1, 1)$, $(2, 4)$일 때 중근을 갖는다.

따라서 중근을 가질 확률은 $\dfrac{2}{36} = \dfrac{1}{18}$

03 $x^2 + (k-2)x + 1 = 0$의 두 근이 α, β이므로

$\alpha^2 + (k-2)\alpha + 1 = 0$, $\alpha^2 + k\alpha + 1 = 2\alpha$

$\beta^2 + (k-2)\beta + 1 = 0$, $\beta^2 + k\beta + 1 = 2\beta$

근과 계수의 관계에 의하여

$\alpha\beta = 1$

$\therefore (1 + k\alpha + \alpha^2)(1 + k\beta + \beta^2) = 4\alpha\beta = 4$

04 근과 계수의 관계에 의하여

$a + b = 14$, $ab = -1$

또, $(a-b)^2 = (a+b)^2 - 4ab = 14^2 - 4 \times (-1) = 200$

즉, $a - b = -10\sqrt{2}$ ($\because a < b$)이므로

$a^{2019}b^{2021} + a^{2022}b^{2020} = a^{2019}b^{2019}b^2 + a^{2020}b^{2020}a^2$

$= (ab)^{2019}b^2 + (ab)^{2020}a^2$

$= -b^2 + a^2 = (a+b)(a-b)$

$= 14 \times (-10\sqrt{2}) = -140\sqrt{2}$

05 x^2의 계수가 a이고 두 근이 -2, $\dfrac{3}{2}$인 이차방정식은

$a(x+2)\left(x - \dfrac{3}{2}\right) = 0$ $\therefore ax^2 + \dfrac{1}{2}ax - 3a = 0$

즉, $b = \dfrac{1}{2}a$, $c = -3a$이므로 $abx^2 + bcx + ca = 0$에 대입하면

$a \times \dfrac{1}{2}ax^2 + \dfrac{1}{2}a \times (-3a) \times x + (-3a) \times a = 0$

$\dfrac{1}{2}a^2x^2 - \dfrac{3}{2}a^2x - 3a^2 = 0$, $x^2 - 3x - 6 = 0$

$\therefore x = \dfrac{3 \pm \sqrt{33}}{2}$

06 근과 계수의 관계에 의하여

$\alpha + \beta = -\dfrac{-6}{3} = 2$, $\alpha\beta = \dfrac{-2}{3} = -\dfrac{2}{3}$ ......❶

이때, $\alpha+k$, $\beta+k$를 두 근으로 하고 x^2의 계수가 1인 이차방정식은

$x^2-(\alpha+\beta+2k)x+(\alpha+k)(\beta+k)=0$

$x^2-(2+2k)x-\dfrac{2}{3}+2k+k^2=0$ ...... ㉠

그런데 이 방정식은 일차항이 없으므로

$2+2k=0$ ∴ $k=-1$ ...... ❷

$k=-1$을 ㉠에 대입하면

$x^2-\dfrac{5}{3}=0$ ∴ $x=\pm\dfrac{\sqrt{15}}{3}$ ...... ❸

채점 기준	배점
❶ $\alpha+\beta$, $\alpha\beta$의 값 구하기	30 %
❷ k의 값 구하기	40 %
❸ 이차방정식의 해 구하기	30 %

07 $x^2+ax+b=0$의 두 근이 -3, α이므로

$-3+\alpha=-a$, $-3\alpha=b$

$x^2+bx+a=0$의 두 근이 1, β이므로

$1+\beta=-b$, $\beta=a$

따라서 α, β에 대한 식으로 나타내면

$-3+\alpha=-\beta$에서 $\alpha+\beta=3$ ...... ㉠

$1+\beta=3\alpha$에서 $3\alpha-\beta=1$ ...... ㉡

㉠+㉡을 하면 $4\alpha=4$ ∴ $\alpha=1$

$\alpha=1$을 ㉠에 대입하면 $1+\beta=3$ ∴ $\beta=2$

따라서 1, 2를 두 근으로 하고 x^2의 계수가 1인 이차방정식은

$(x-1)(x-2)=0$ ∴ $x^2-3x+2=0$

08 주머니 A에는 구슬이 x개, 주머니 B에는 구슬이 $(x+10)$개 들어 있으므로

$x\times\dfrac{x}{100}+(x+10)\times\dfrac{x}{100}=21$ ...... ❶

$x^2+5x-1050=0$, $(x+35)(x-30)=0$

∴ $x=30$ ($\because x>0$) ...... ❷

따라서 처음에 주머니 A에 들어 있던 구슬의 개수는 30이다. ...... ❸

채점 기준	배점
❶ 이차방정식 세우기	50 %
❷ 이차방정식의 해 구하기	40 %
❸ 주머니 A에 들어 있던 구슬의 개수 구하기	10 %

09 두 점 A, B를 지나는 직선의 방정식은 $y=-\dfrac{4}{3}x+8$

이므로 $P\left(a, -\dfrac{4}{3}a+8\right)$이라고 하면

$\triangle OQP=\dfrac{1}{2}\times a\times\left(-\dfrac{4}{3}a+8\right)=6$

$a^2-6a+9=0$, $(a-3)^2=0$ ∴ $a=3$

따라서 $P(3, 4)$이므로 $\triangle BRP=\dfrac{1}{2}\times 3\times 4=6$

10 $\overline{BC}=2r$ cm라고 하면 $\overline{AC}=(40-2r)$ cm이므로 지름이 $\overline{AC}$인 반원과 $\overline{BC}$인 반원의 넓이는 각각

$\dfrac{\pi(20-r)^2}{2}$ cm², $\dfrac{\pi r^2}{2}$ cm²이다.

이때, $\dfrac{\pi(20-r)^2}{2} : \dfrac{\pi r^2}{2}=3 : 1$이므로

$3r^2=(20-r)^2$, $r^2+20r-200=0$

∴ $r=-10\pm10\sqrt{3}$

그런데 $0<r<20$이므로 $r=-10+10\sqrt{3}$

∴ $\overline{BC}=(-20+20\sqrt{3})$ cm

11 큰 정사각형의 둘레의 길이를 x m라고 하면 작은 정사각형의 둘레의 길이는 $(7-x)$ m이다.

즉, 큰 정사각형의 한 변의 길이는 $\dfrac{x}{4}$ m이고, 작은 정사각형의 한 변의 길이는 $\dfrac{7-x}{4}$ m이다. 이때, 큰 정사각형과 작은 정사각형의 넓이의 비가 $2 : 1$이므로

$\left(\dfrac{x}{4}\right)^2 : \left(\dfrac{7-x}{4}\right)^2=2 : 1$

$\dfrac{x^2}{16}=2\times\dfrac{49-14x+x^2}{16}$

$x^2=2x^2-28x+98$, $x^2-28x+98=0$

∴ $x=14-7\sqrt{2}\left(\because \dfrac{7}{2}<x<7\right)$

따라서 큰 정사각형의 한 변의 길이는 $\dfrac{14-7\sqrt{2}}{4}$ m이다.

052~054쪽

대단원 TEST

01 ⑤	**02** ③	**03** ③	**04** ④
05 ③	**06** ③	**07** ⑤	**08** ①
09 -4	**10** $x=1$	**11** 3	**12** ②
13 12	**14** 30	**15** $\dfrac{21}{4}$	**16** ③
17 $4x^2-24x+9=0$	**18** 8명	**19** 2초 후	
20 10 cm	**21** 92 cm		

01 ⑤ $x^2+3x=(x+2)(x-3)$

$x^2+3x=x^2-x-6$

$\therefore 4x+6=0$ (일차방정식)

02 주어진 이차방정식에 [ ] 안의 수를 각각 대입하여 등식이
성립하는 것을 찾는다.

① $(2+2)(2+4)=24\neq0$

② $5^2-3\times5-40=-30\neq0$

③ $2\times(-1)^2+3\times(-1)+1=0$

④ $(-3)^2+(-3)-12=-6\neq0$

⑤ $2\times2\times(2-1)=4\neq6$

03 $x=k$를 $3x^2-ax-4=0$에 대입하면

$3k^2-ak-4=0,\ 3k^2-ak=4$

$\therefore 3k^2-ak+3=4+3=7$

04 $x=2$를 $x^2-ax+3a=0$에 대입하면

$4-2a+3a=0\quad\therefore a=-4$

$a=-4$를 $x^2-ax+3a=0$에 대입하면

$x^2+4x-12=0,\ (x+6)(x-2)=0$

$\therefore x=-6$ 또는 $x=2$

즉, 주어진 이차방정식의 다른 한 근은 $x=-6$이다.

따라서 a의 값과 다른 한 근의 곱은

$(-4)\times(-6)=24$

05 ① $x^2-2x+1=0$이므로 $(x-1)^2=0$

$\quad\therefore x=1$ (중근)

② $(x-5)^2=0$에서 $x=5$ (중근)

③ $x^2-9=0$에서 $(x+3)(x-3)=0$

$\quad\therefore x=-3$ 또는 $x=3$

④ $x^2+10x+25=0$이므로 $(x+5)^2=0$

$\quad\therefore x=-5$ (중근)

⑤ $2(x^2-2x+1)=0$이므로 $(x-1)^2=0$

$\quad\therefore x=1$ (중근)

06 $2(x+1)^2=12$에서 $(x+1)^2=6$

$x+1=\pm\sqrt{6}\quad\therefore x=-1\pm\sqrt{6}$

07 $(x+1)^2=4$에서 $x+1=\pm2$

$\therefore x=-3$ 또는 $x=1$

따라서 $x=-3$이 $x^2+2mx+3m=0$의 근이므로

$(-3)^2+2m\times(-3)+3m=0$

$9-6m+3m=0\quad\therefore m=3$

08 A는 x의 계수의 $\dfrac{1}{2}$의 제곱이므로

$A=\left(\dfrac{3}{2}\times\dfrac{1}{2}\right)^2=\left(\dfrac{3}{4}\right)^2=\dfrac{9}{16}$

$B=\dfrac{1}{2}+\dfrac{9}{16}=\dfrac{17}{16}$

09 $x=\dfrac{-5\pm\sqrt{5^2-4\times2\times a}}{2\times2}$

$\quad=\dfrac{-5\pm\sqrt{25-8a}}{4}$

따라서 $b=-5$이고

$25-8a=17$에서 $a=1$이므로 ······ ❶

$a+b=1+(-5)=-4$ ······ ❷

채점 기준	배점
❶ a, b의 값 구하기	70 %
❷ $a+b$의 값 구하기	30 %

10 $\dfrac{1}{6}x^2-\dfrac{2}{3}x+\dfrac{1}{2}=0$의 양변에 6을 곱하면

$x^2-4x+3=0,\ (x-1)(x-3)=0$

$\therefore x=1$ 또는 $x=3$

$0.2x^2-0.3x+0.1=0$의 양변에 10을 곱하면

$2x^2-3x+1=0,\ (2x-1)(x-1)=0$

$\therefore x=\dfrac{1}{2}$ 또는 $x=1$

따라서 두 이차방정식의 공통인 근은 $x=1$이다.

11 $x^2+2xy+y^2+x+y=12$에서

$(x+y)^2+(x+y)-12=0$

$x+y=A$로 치환하면

$A^2+A-12=0,\ (A+4)(A-3)=0$

$\therefore A=-4$ 또는 $A=3$

그런데 $x>0,\ y>0$이므로 $A>0$

$\therefore x+y=3$

12 ㄱ. $(-2)^2-4\times1\times1=0$이므로 중근을 갖는다.

ㄴ. $(-12)^2-4\times4\times9=0$이므로 중근을 갖는다.

ㄷ. $(-6)^2-4\times1\times8=4>0$이므로 서로 다른 두 근을 갖
는다.

ㄹ. $(-4)^2-4\times3\times2=-8<0$이므로 해가 없다.

ㅁ. $1^2-4\times1\times1=-3<0$이므로 해가 없다.

따라서 해가 없는 것은 ㄹ, ㅁ의 2개이다.

13 x^2의 계수가 2이고, 중근 $x=3$을 갖는 이차방정식은

$2(x-3)^2=0$　　$\therefore 2x^2-12x+18=0$

즉, $2a=-12$에서 $a=-6$이고 $b=18$이므로

$a+b=-6+18=12$

14 $x^2-6x+a-2=0$의 해는 $x=3\pm\sqrt{11-a}$이고, 해가 모두 유리수가 되려면 $11-a$가 0 또는 제곱수이어야 한다.

즉, $11-a=0, 1, 4, 9$ ($\because a$는 자연수)이므로

$a=11, 10, 7, 2$

따라서 해가 모두 유리수가 되도록 하는 자연수 a의 값의 합은 $11+10+7+2=30$

15 근과 계수의 관계에 의하여

$\alpha+\beta=-\dfrac{-8}{4}=2,\ \alpha\beta=\dfrac{-1}{4}=-\dfrac{1}{4}$　　‥‥‥ ❶

$\therefore \alpha^2+\beta^2-3\alpha\beta=(\alpha+\beta)^2-5\alpha\beta$

$\qquad\qquad\qquad=2^2-5\times\left(-\dfrac{1}{4}\right)=\dfrac{21}{4}$　‥‥‥ ❷

채점 기준	배점
❶ $\alpha+\beta$, $\alpha\beta$의 값 구하기	50 %
❷ $\alpha^2+\beta^2-3\alpha\beta$의 값 구하기	50 %

16 두 근의 비가 1 : 3이므로 두 근을 α, 3α로 놓으면 x^2의 계수가 3이고 두 근이 α, 3α인 이차방정식은

$3(x-\alpha)(x-3\alpha)=0,\ 3x^2-12\alpha x+9\alpha^2=0$

즉, $-12\alpha=-12$이므로 $\alpha=1$

$\therefore k=9\alpha^2=9\times1^2=9$

17 $\alpha+\beta=-\dfrac{6}{2}=-3,\ \alpha\beta=\dfrac{3}{2}$이므로

$\alpha^2+\beta^2=(\alpha+\beta)^2-2\alpha\beta=6$

$\alpha^2\beta^2=(\alpha\beta)^2=\dfrac{9}{4}$

따라서 구하는 이차방정식은

$4\left(x^2-6x+\dfrac{9}{4}\right)=0$　　$\therefore 4x^2-24x+9=0$

18 회원 수를 x명이라고 하면 대표 2명을 뽑는 경우의 수는

$\dfrac{x(x-1)}{2}$ 이므로 $\dfrac{x(x-1)}{2}=28$　　‥‥‥ ❶

$x(x-1)=56,\ x^2-x-56=0$

$(x+7)(x-8)=0$

$\therefore x=8$ ($\because x>0$)　　　　‥‥‥ ❷

따라서 회원 수는 8명이다.　　　　‥‥‥ ❸

채점 기준	배점
❶ 이차방정식 세우기	50 %
❷ 이차방정식의 해 구하기	40 %
❸ 회원 수 구하기	10 %

19 물체가 지면으로부터의 높이가 20 m인 지점을 지나는 것을 x초 후라고 하면 $-5x^2+20x=20$이므로

$5x^2-20x+20=0,\ x^2-4x+4=0$

$(x-2)^2=0$　　$\therefore x=2$ (중근)

따라서 높이가 20 m인 지점에 도달할 때는 물체를 쏘아 올린 지 2초 후이다.

20 골판지의 세로의 길이를 x cm라고 하면 가로의 길이는 $(x+4)$ cm이므로

$(x+4-6)(x-6)\times3=96,\ x^2-8x-20=0$

$(x-10)(x+2)=0$　　$\therefore x=10$ ($\because x>6$)

따라서 골판지의 세로의 길이는 10 cm이다.

21 직사각형 모양의 카드 한 장에서 짧은 변의 길이를 x cm라고 하면 짧은 변 4개의 길이는 긴 변 3개의 길이와 같으므로 긴 변의 길이는 $\dfrac{4}{3}x$ cm이다.

즉, $\overline{AD}=x\times4=4x$ (cm)

$\overline{AB}=\dfrac{4}{3}x+x+\dfrac{4}{3}x=\dfrac{11}{3}x$ (cm)

이때 $\square$ABCD의 넓이가 528 cm²이므로

$4x\times\dfrac{11}{3}x=528,\ \dfrac{44}{3}x^2=528$　　‥‥‥ ❶

$x^2=36$　　$\therefore x=\pm6$

그런데 $x>0$이므로 $x=6$　　　　‥‥‥ ❷

따라서 $\square$ABCD에서 $\overline{AD}=24$ (cm), $\overline{AB}=22$ (cm)이므로

($\square$ABCD의 둘레의 길이)$=2(24+22)=92$ (cm)

　　　　　　　　　　　　　　　　‥‥‥ ❸

채점 기준	배점
❶ 이차방정식 세우기	40 %
❷ 이차방정식의 해 구하기	40 %
❸ $\square$ABCD의 둘레의 길이 구하기	20 %

01 $<x>^2-3<x>+2=0$에서

$(<x>-1)(<x>-2)=0$

$\therefore <x>=1$ 또는 $<x>=2$

$<x>=1$일 때, $x=105, 113, 121, \cdots$

$<x>=2$일 때, $x=106, 114, 122, \cdots$

따라서 작은 수부터 21번째 수는 105부터 시작하여

$8m+1$의 11번째 수이므로 $105+8\times10=185$

02 $a^2+b=10$에서 $a^2=10-b$이고 $0\le b<1$이므로

$9<a^2\le10$

즉, $3<a\le\sqrt{10}$이므로 a의 정수 부분은 3이다.

따라서 $b=a-3$이므로 $a^2+b=10$에 대입하면

$a^2+a-3=10$, $a^2+a-13=0$

$\therefore a=\dfrac{-1+\sqrt{53}}{2}$ $(\because 3<a\le\sqrt{10})$

IV 이차함수

1. 이차함수와 그 그래프

01 ⑤	**02** ③, ⑤	**03** $k\ne-2$	**04** -4
05 6	**06** 14	**07** $-1, 3$	**08** ④
09 ③	**10** 9	**11** $y=-x^2$	**12** ③
13 ㄷ, ㄹ, ㄱ, ㄴ		**14** $-4<a<-\dfrac{1}{3}$	
15 $(0, 5)$	**16** ⑤	**17** 5	**18** 4
19 ②	**20** ①	**21** $x=4, (4, 0)$	
22 $y=4(x-3)^2$		**23** ⑤	**24** ④
25 ④	**26** -27	**27** ④	**28** ④
29 ⑤	**30** ⑤	**31** ②	**32** 6
33 4	**34** $y=-5(x-4)^2+1$		**35** -1
36 -1	**37** -5	**38** ①	**39** ②
40 12	**41** 16	**42** $P(-2, -16)$	

01 ⑤ $y=(1+x)(1-x)=1-x^2$ (이차함수)

02 ① $y=-x^2+12x$ (이차함수)

② $y=2x^2+16x$ (이차함수)

③ $y=3x$ (일차함수)

④ $y=4\pi x^2$ (이차함수)

⑤ $y=\dfrac{60}{x}$ (이차함수가 아니다.)

03 $y=k(1-x^2)+4x-2x^2=(-k-2)x^2+4x+k$가 x에
대한 이차함수가 되려면 $-k-2\ne0$이어야 하므로
$k\ne-2$

04 $f(1)=-1^2+2\times1-1=0$

$f(-1)=-(-1)^2+2\times(-1)-1=-4$

$\therefore f(1)+f(-1)=0-4=-4$

05 $f(-1)=14$이므로

$14=3\times(-1)^2-a\times(-1)+5$, $14=3+a+5$

$\therefore a=6$

06 $f(a)=6a^2-a-1=1$이므로 $6a^2-a-2=0$

$(3a-2)(2a+1)=0$　　$\therefore a=\dfrac{2}{3}\ (\because a>0)$

$b=f(2)=6\times 2^2-2-1=21$

$\therefore ab=\dfrac{2}{3}\times 21=14$

07 $f(a)=-a^2+3a+3=a$이므로

$a^2-2a-3=0,\ (a-3)(a+1)=0$

$\therefore a=-1$ 또는 $a=3$

08 ① 원점을 지나는 포물선이다.

② 축의 방정식은 $x=0$이다.

③ 꼭짓점이 원점이고, 아래로 볼록한 포물선이다.

⑤ 두 이차함수의 그래프는 서로 x축에 대칭이 아니다.

09 이차함수 $y=ax^2(a>0)$의 그래프는 원점을 제외한 모든 부분이 x축보다 위쪽에 있으므로 y좌표가 음수가 될 수 없다. 따라서 그래프 위의 점이 될 수 없는 것은 ③이다.

10 $y=-2x^2$의 그래프와 x축에 대칭인 그래프의 식은 $y=2x^2$이다. 이 식에 $x=a-4,\ y=2a-1$을 대입하면

$2a-1=2(a-4)^2,\ 2a^2-18a+33=0$

$\therefore a=\dfrac{9\pm\sqrt{15}}{2}$

따라서 모든 a의 값의 합은

$\dfrac{9+\sqrt{15}}{2}+\dfrac{9-\sqrt{15}}{2}=\dfrac{18}{2}=9$

■ 다른 풀이 ■

$2a^2-18a+33=0$에서 이차방정식의 근과 계수의 관계를 이용하면 모든 a의 값의 합은 $-\dfrac{-18}{2}=9$

11 꼭짓점이 원점이므로 $y=ax^2$에 $x=2,\ y=-4$를 대입하면

$-4=a\times 2^2$　　$\therefore a=-1$

따라서 구하는 이차함수의 식은 $y=-x^2$이다.

12 ㈎에 의하여 이차함수의 그래프의 식은 $y=ax^2$ 꼴이고,

㈏에 의하여 $a>0$, ㈐에 의하여 $|a|<\left|-\dfrac{1}{2}\right|$

따라서 조건을 모두 만족하는 이차함수의 식은 ③이다.

13 x^2의 계수의 절댓값이 작을수록 폭이 넓어지므로 이차함수의 그래프의 폭이 넓은 것부터 차례대로 나열하면

ㄷ, ㄹ, ㄱ, ㄴ이다.

14 $y=ax^2$의 그래프는 $y=-4x^2$의 그래프보다 폭이 넓고

$y=-\dfrac{1}{3}x^2$의 그래프보다 폭이 좁으므로

$\left|-\dfrac{1}{3}\right|<|a|<|-4|$

그런데 a는 음수이므로 $-4<a<-\dfrac{1}{3}$

15 $y=2x^2$의 그래프를 y축의 방향으로 5만큼 평행이동한 그래프의 식은 $y=2x^2+5$이므로 이 함수의 그래프의 꼭짓점의 좌표는 $(0,\,5)$이다.

16 ⑤ $x>0$일 때, x의 값이 증가하면 y의 값은 감소한다.

17 $y=2x^2+p$의 그래프가 점 $(-1,\,7)$을 지나므로

$7=2\times(-1)^2+p$　　$\therefore p=5$

18 $y=2x^2-4$의 그래프가 점 $(2,\,a)$를 지나므로

$a=2\times 2^2-4=4$

19 이차함수 $y=ax^2+q$의 그래프를 y축의 방향으로 2만큼 평행이동한 그래프의 식은 $y=ax^2+q+2$

이 식이 이차함수 $y=ax^2-1$과 일치하므로 $q=-3$

한편, 이차함수 $y=ax^2-3$의 그래프가 점 $(2,\,5)$를 지나므로 $5=4a-3$　　$\therefore a=2$

$\therefore a+q=2-3=-1$

20 이차함수 $y=-ax^2+3$의 그래프와 x축에 대칭인 그래프의 식은 $y=ax^2-3$

이 그래프가 점 $(-2,\,-1)$을 지나므로

$-1=4a-3,\ 4a=2$　　$\therefore a=\dfrac{1}{2}$

21 축의 방정식은 $x=4$이고, 꼭짓점의 좌표는 $(4,\,0)$이다.

22 $y=4x^2$의 그래프를 x축의 방향으로 p만큼 평행이동한 그래프의 식을 $y=4(x-p)^2$이라고 하면 이 함수의 그래프의 꼭짓점의 좌표가 $(3,\,0)$이므로 $p=3$

따라서 구하는 이차함수의 식은 $y=4(x-3)^2$

23 ① $y=4x^2-2$와 $y=4(x-2)^2$의 그래프의 꼭짓점의 좌표는 각각 $(0,\,-2),\ (2,\,0)$이므로 서로 다르다.

② $y=4x^2-2$와 $y=4(x-2)^2$의 그래프의 축의 방정식은 각각 $x=0,\ x=2$이므로 서로 다르다.

③ $y=4(x-2)^2$의 그래프는 점 $(1, 4)$를 지난다.
④ 두 그래프 모두 아래로 볼록하다.

24 $x>-3$일 때, x의 값이 증가하면 y의 값은 감소한다.

25 이차함수 $y=a(x-m)^2$의 그래프는 이차함수 $y=ax^2$의 그래프를 x축의 방향으로 m만큼 평행이동한 것이므로
$\overline{AB}=|m|=4$ ∴ $m=4$ ($\because m>0$)

26 $y=-3x^2$의 그래프를 x축의 방향으로 2만큼 평행이동한 그래프의 식은 $y=-3(x-2)^2$
이 그래프가 점 $(-1, a)$를 지나므로
$a=-3(-1-2)^2=-27$

27 주어진 이차함수의 그래프를 평행이동하였을 때 완전히 포개어지려면 x^2의 계수가 서로 같아야 한다. 따라서 완전히 포개어지지 않는 것은 ④이다.

28 ① $x>-2$, ② $x<0$, ③ $x<-3$, ⑤ $x>2$일 때, x의 값이 증가하면 y의 값도 증가한다.

29 ⑤ 점 $(-2, 1)$을 지난다.

30 주어진 이차함수의 그래프의 꼭짓점의 좌표가 $(3, 2)$이고 아래로 볼록한 그래프이므로 제3, 4사분면은 지나지 않는다.

31 ② $y=-x^2+1$의 그래프는 꼭짓점의 좌표가 $(0, 1)$이고 위로 볼록하므로 오른쪽 그림과 같다.
따라서 그래프가 모든 사분면을 지난다.

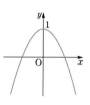

32 평행이동한 그래프의 식은
$y=-\dfrac{1}{2}(x-3)^2+1$
이 그래프가 점 $(a, -1)$을 지나므로
$-1=-\dfrac{1}{2}(a-3)^2+1$
$(a-3)^2=4$, $a-3=\pm 2$
∴ $a=1$ 또는 $a=5$
따라서 모든 a의 값의 합은
$1+5=6$

33 꼭짓점의 좌표가 $(-2, 4)$이므로
$p=-2, q=4$
$y=a(x+2)^2+4$의 그래프가 점 $(0, 2)$를 지나므로
$2=4a+4$ ∴ $a=-\dfrac{1}{2}$
∴ $apq=\left(-\dfrac{1}{2}\right)\times(-2)\times 4=4$

34 $y=-5(x-1)^2+2$의 그래프를 x축의 방향으로 3만큼, y축의 방향으로 -1만큼 평행이동한 그래프의 식은
$y=-5(x-1-3)^2+2-1$
∴ $y=-5(x-4)^2+1$

35 평행이동한 그래프의 식은 $y=3(x-1-m)^2+2+n$
따라서 $-1-m=4, 2+n=-2$이므로
$m=-5, n=-4$
∴ $m-n=-5-(-4)=-1$

36 평행이동한 그래프의 식이
$y=\dfrac{1}{4}(x-p)^2+p^2+p^2=\dfrac{1}{4}(x-p)^2+2p^2$이므로
꼭짓점의 좌표는 $(p, 2p^2)$이다. 이 점이 일차함수 $y=-x+1$의 그래프 위에 있으므로
$2p^2=-p+1, 2p^2+p-1=0$
$(p+1)(2p-1)=0$ ∴ $p=-1$ ($\because p<0$)

37 $y=2(x-2)^2+3$의 그래프를 x축에 대하여 대칭이동한 그래프의 식은 $y=-2(x-2)^2-3$
이 그래프가 점 $(3, k)$를 지나므로
$k=-2(3-2)^2-3=-5$

38 그래프가 위로 볼록하므로 $a<0$
꼭짓점 (p, q)가 제1사분면에 있으므로 $p>0, q>0$

39 $y=ax+b$의 그래프에서 $a<0, b<0$
따라서 $-b>0, a<0$이므로 $y=-bx^2+a$의 그래프는 아래로 볼록하다. 또한, 꼭짓점의 좌표는 $(0, a)$이므로 꼭짓점의 y좌표는 음수이다.

40 $y=-(x-3)^2+8$의 그래프의 꼭짓점의 좌표가 $(3, 8)$이므로 $\overline{AC}=8$
또, 점 B에서 $\overline{AC}$에 내린 수선의 발을 H라고 하면 $\overline{BH}=\overline{OC}=3$
∴ $\triangle ABC=\dfrac{1}{2}\times 8\times 3=12$

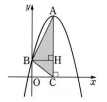

41 점 D의 좌표를 $(a, 8-a^2)$이라고 하면

점 A의 좌표는 $(-a, 8-a^2)$

$\overline{AD}=2a$, $\overline{AB}=8-a^2$

이때 □ABCD는 정사각형이므로

$2a=8-a^2$, $a^2+2a-8=0$

$(a+4)(a-2)=0$ ∴ $a=2$ ($\because a>0$)

따라서 정사각형의 한 변의 길이는 $2\times2=4$이므로

정사각형의 넓이는 $4\times4=16$

42 $y=-(x-2)^2$의 그래프의 꼭짓점의 좌표가 $(2, 0)$이므로

$\overline{OA}=2$

점 P의 좌표를 $(a, -(a-2)^2)$이라고 하면

△OPA의 높이가 $(a-2)^2$이므로

$\triangle OPA=\dfrac{1}{2}\times2\times(a-2)^2=16$

$(a-2)^2=16$, $a-2=\pm4$

∴ $a=-2$ ($\because a<0$)

∴ P$(-2, -16)$

실력 TEST

062~064쪽

01 -2	**02** $\dfrac{2}{3}$	**03** 32	**04** 2
05 -36	**06** ③	**07** -5	**08** 64
09 $9\sqrt{6}$	**10** 64		

01 $y=ax^2$의 그래프가 점 $\left(\dfrac{1}{2}, -a^2\right)$을 지나므로

$-a^2=\dfrac{1}{4}a$, $a^2+\dfrac{1}{4}a=0$, $a\left(a+\dfrac{1}{4}\right)=0$

∴ $a=-\dfrac{1}{4}$ ($\because a\neq0$)

즉, $y=-\dfrac{1}{4}x^2$의 그래프가 점 $(-2, b)$를 지나므로

$b=-\dfrac{1}{4}\times(-2)^2=-1$

∴ $4a+b=4\times\left(-\dfrac{1}{4}\right)-1=-2$

02 A$(2, 8)$, B$(2, 4a)$, C$(2, 0)$이므로 ‥‥‥ ❶

$\overline{AB}=8-4a$, $\overline{BC}=4a$ ‥‥‥ ❷

따라서 $\overline{AB}=2\overline{BC}$이므로

$8-4a=2\times4a$ ∴ $a=\dfrac{2}{3}$ ‥‥‥ ❸

채점 기준	배점
❶ 세 점 A, B, C의 좌표 구하기	30 %
❷ $\overline{AB}$, $\overline{BC}$의 길이를 a를 사용하여 나타내기	30 %
❸ a의 값 구하기	40 %

03 두 점 A, B가 y축에 대칭이므로 점 A의 좌표를 $\left(a, \dfrac{1}{4}a^2\right)$

이라고 하면 점 B의 좌표는 $\left(-a, \dfrac{1}{4}a^2\right)$이 된다.

이때 $\overline{AB}=2a$, $\overline{AD}=\dfrac{1}{4}a^2$이고, $\overline{AB}:\overline{BC}=2:1$이므로

$2a:\dfrac{1}{4}a^2=2:1$, $\dfrac{1}{2}a^2=2a$

$a^2-4a=0$, $a(a-4)=0$ ∴ $a=4$ ($\because a>0$)

따라서 $\overline{AB}=8$, $\overline{AD}=4$이므로

□ABCD의 넓이는 $8\times4=32$

04 평행이동한 그래프의 식은

$y=-\dfrac{2}{9}(x-2+3)^2-1+4$

∴ $y=-\dfrac{2}{9}(x+1)^2+3$ ‥‥‥ ❶

이 그래프가 점 $(-a, -21)$을 지나므로

$-\dfrac{2}{9}(-a+1)^2+3=-21$, $-\dfrac{2}{9}(a-1)^2=-24$

$(a-1)^2=108$, $a-1=\pm\sqrt{108}=\pm6\sqrt{3}$

∴ $a=1\pm6\sqrt{3}$ ‥‥‥ ❷

따라서 모든 a의 값의 합은

$1+6\sqrt{3}+1-6\sqrt{3}=2$ ‥‥‥ ❸

채점 기준	배점
❶ 평행이동한 그래프의 식 구하기	20 %
❷ a의 값 구하기	60 %
❸ 모든 a의 값의 합 구하기	20 %

05 $y=2(x-3)^2+4$의 그래프를 x축에 대하여 대칭이동한

그래프의 식은 $y=-2(x-3)^2-4$이고,

다시 y축에 대하여 대칭이동한 그래프의 식은

$y=-2(x+3)^2-4$이다.

이 그래프가 점 $(1, k)$를 지나므로

$k=-2(1+3)^2-4=-36$

06 그래프가 아래로 볼록하므로 $a>0$

꼭짓점 (p, q)가 제3사분면에 있으므로 $p<0$, $q<0$

즉, $y=apx+q$에서 $ap<0$, $q<0$
따라서 기울기와 y절편이 모두 음수인 일차함수의 그래프
는 ③이다.

07 세 이차함수 $y=(x+4)^2$, $y=(x-1)^2$, $y=(x-1)^2+q$
의 그래프는 평행이동하면 서로 포개어진다.
이 세 그래프의 꼭짓점을 각각 P, Q, R라고 하면
$P(-4, 0)$, $Q(1, 0)$, $R(1, q)$
이때 $\overline{AB}$는 x축에 평행하므로
$\overline{AB}=\overline{PQ}=1-(-4)=5$
또, $\overline{BC}$는 y축에 평행하므로
$\overline{BC}=\overline{QR}=0-q=-q$
즉, $\overline{AB}=\overline{BC}$이므로 $5=-q$
$\therefore q=-5$

08 점 A가 $y=ax^2$의 그래프 위에 있으므로
$-1=a\times(-2)^2$ $\therefore a=-\dfrac{1}{4}$
이때 $\overline{BC}=12$이므로 점 C의 x좌표는 6이고,
$y=-\dfrac{1}{4}x^2$의 그래프 위의 점이므로
점 C의 y좌표는 $\left(-\dfrac{1}{4}\right)\times6^2=-9$
따라서 사다리꼴 ABCD의 넓이는
$\dfrac{1}{2}\times(4+12)\times(9-1)=64$

09 $y=x^2-6$에 $y=0$을 대입하면
$0=x^2-6$ $\therefore x=\pm\sqrt{6}$
$\therefore B(-\sqrt{6}, 0)$, $D(\sqrt{6}, 0)$
$y=-\dfrac{1}{2}x^2+a$에 $x=\sqrt{6}$, $y=0$을 대입하면
$0=-\dfrac{1}{2}\times6+a$ $\therefore a=3$
$\therefore \square ABCD=\triangle ABD+\triangle BCD$
$=\dfrac{1}{2}\times2\sqrt{6}\times3+\dfrac{1}{2}\times2\sqrt{6}\times6$
$=3\sqrt{6}+6\sqrt{6}=9\sqrt{6}$

10 $y=(x-4)^2$의 그래프는 $y=x^2$의 그래프를 x축의 방향으
로 4만큼 평행이동한 것이므로 꼭짓점 C의 좌표는 $(4, 0)$
$y=(x-4)^2$에 $x=0$을 대입하면 $y=16$이므로
$B(0, 16)$, $A(-4, 16)$

이때 그래프의 평행이동에 의해
$S_1=S_3$이다.
따라서 색칠한 부분의 넓이는
직사각형 BOCD의 넓이와 같다.
$\therefore S_1+S_2=S_2+S_3$
$\qquad=4\times16=64$

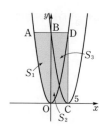

2. 이차함수 $y=ax^2+bx+c$의 그래프

01 $\dfrac{3}{2}$	**02** -3	**03** ②	**04** $\dfrac{1}{3}$
05 ④	**06** $-\dfrac{1}{2}$	**07** ③	**08** 3
09 3	**10** $-\dfrac{1}{2}$	**11** $(2, 0)$	**12** 3
13 ③	**14** ③	**15** ④	**16** ③
17 ㄷ, ㄹ	**18** $k>-5$	**19** ①	**20** ⑤
21 6	**22** ④	**23** 4	**24** 6
25 ⑤	**26** -2	**27** 8	**28** -6
29 -12	**30** -6	**31** 34	**32** -16

01 $y=\dfrac{1}{2}x^2-4x+3=\dfrac{1}{2}(x-4)^2-5$이므로
$a=\dfrac{1}{2}$, $p=4$, $q=-5$
$\therefore a-p-q=\dfrac{1}{2}-4-(-5)=\dfrac{3}{2}$

02 $y=2x^2+px+3=2\left(x+\dfrac{p}{4}\right)^2-\dfrac{p^2}{8}+3$이므로
꼭짓점의 좌표는 $\left(-\dfrac{p}{4}, -\dfrac{p^2}{8}+3\right)$
따라서 $-\dfrac{p}{4}=2$, $-\dfrac{p^2}{8}+3=q$이므로
$p=-8$, $q=-5$
$\therefore p-q=-8-(-5)=-3$

■ 다른 풀이 ■
꼭짓점의 좌표가 $(2, q)$이므로
$y=2(x-2)^2+q$로 놓으면
$y=2(x^2-4x+4)+q=2x^2-8x+8+q$

이 식이 $y=2x^2+px+3$과 일치하므로

$-8=p, 8+q=3$ $\therefore p=-8, q=-5$

$\therefore p-q=-8-(-5)=-3$

03 $y=-\dfrac{1}{2}x^2+3x-\dfrac{5}{2}=-\dfrac{1}{2}(x-3)^2+2$

⇨ 꼭짓점의 좌표 : $(3, 2)$

① $y=2x^2+6x+4=2\left(x+\dfrac{3}{2}\right)^2-\dfrac{1}{2}$

⇨ 꼭짓점의 좌표 : $\left(-\dfrac{3}{2}, -\dfrac{1}{2}\right)$

② $y=-x^2+6x-7=-(x-3)^2+2$

⇨ 꼭짓점의 좌표 : $(3, 2)$

③ $y=2x^2+12x+10=2(x+3)^2-8$

⇨ 꼭짓점의 좌표 : $(-3, -8)$

④ $y=-3x^2+18x-17=-3(x-3)^2+10$

⇨ 꼭짓점의 좌표 : $(3, 10)$

⑤ $y=3x^2+6x+2=3(x+1)^2-1$

⇨ 꼭짓점의 좌표 : $(-1, -1)$

04 $y=-\dfrac{1}{2}x^2+2x+m-3=-\dfrac{1}{2}(x-2)^2+m-1$

이 그래프의 꼭짓점의 좌표는 $(2, m-1)$이고, 이 꼭짓점이 직선 $2x+3y=2$ 위에 있으려면

$4+3m-3=2$ $\therefore m=\dfrac{1}{3}$

05 위로 볼록하면 x^2의 계수는 음수이다. ⇨ ①, ②, ④

x^2의 계수의 절댓값이 작을수록 폭이 넓다. ⇨ ④

06 $y=\dfrac{1}{4}x^2+ax-3$

$=\dfrac{1}{4}(x^2+4ax+4a^2-4a^2)-3$

$=\dfrac{1}{4}(x+2a)^2-3-a^2$

x^2의 계수가 양수이므로 x의 값이 증가할 때, y의 값이 증가하는 x의 값의 범위는 $x>-2a$

즉, $-2a=1$이므로

$a=-\dfrac{1}{2}$

07 x축에 접하는 이차함수의 그래프의 꼭짓점의 y좌표는 0이어야 한다. 각 이차함수의 그래프의 꼭짓점의 좌표는 다음과 같다.

① $(0, 5)$

② $(0, 2)$

③ $y=\left(x-\dfrac{1}{2}\right)^2 \Rightarrow \left(\dfrac{1}{2}, 0\right)$

④ $y=(x+2)^2+1 \Rightarrow (-2, 1)$

⑤ $y=x^2-2x-15=(x-1)^2-16 \Rightarrow (1, -16)$

따라서 x축에 접하는 것은 ③이다.

■ **다른 풀이** ■

완전제곱식으로 나타내어지면 꼭짓점의 y좌표는 0이 되므로 x축에 접하게 된다. 따라서 완전제곱식이 되는 식을 찾으면 ③이다.

08 $y=-2x^2+8x+1=-2(x-2)^2+9$

이 그래프를 x축의 방향으로 -1만큼, y축의 방향으로 -4만큼 평행이동하면

$y=-2(x-2+1)^2+9-4=-2(x-1)^2+5$

이 그래프가 점 $(2, k)$를 지나므로

$k=-2(2-1)^2+5=3$

09 $y=(x+2)^2-6$의 그래프를 x축의 방향으로 m만큼, y축의 방향으로 n만큼 평행이동한 그래프의 식은

$y=(x+2-m)^2-6+n$

이 식이 $y=x^2-4x-3=(x-2)^2-7$과 일치하므로

$2-m=-2, -6+n=-7$

따라서 $m=4, n=-1$이므로 $m+n=3$

■ **다른 풀이** ■

$y=x^2-4x-3=(x-2)^2-7$의 그래프의 꼭짓점의 좌표는 $(2, -7)$

이차함수 $y=(x+2)^2-6$의 그래프의 꼭짓점의 좌표는 $(-2, -6)$

꼭짓점의 좌표가 $(-2, -6)$에서 $(2, -7)$로 평행이동되었으므로

$m=4, n=-1$ $\therefore m+n=3$

10 $y=-2x^2+5x+3$에 $y=0$을 대입하면

$0=-2x^2+5x+3, 2x^2-5x-3=0$

$(2x+1)(x-3)=0$ $\therefore x=-\dfrac{1}{2}$ 또는 $x=3$

$\therefore p=-\dfrac{1}{2}, q=3$ 또는 $p=3, q=-\dfrac{1}{2}$

$y=-2x^2+5x+3$에 $x=0$을 대입하면

$y=3$ $\therefore r=3$

$$\therefore p+q-r=-\frac{1}{2}+3-3=-\frac{1}{2}$$

11 $y=ax^2-3x+7$에 $x=-14$, $y=0$을 대입하면

$0=196a+42+7$, $196a=-49$ $\quad\therefore a=-\frac{1}{4}$

$y=-\frac{1}{4}x^2-3x+7$에 $y=0$을 대입하면

$0=-\frac{1}{4}x^2-3x+7$, $x^2+12x-28=0$

$(x+14)(x-2)=0$ $\quad\therefore x=-14$ 또는 $x=2$

따라서 다른 한 점의 좌표는 $(2,0)$이다.

12 $y=-x^2+2x+a$에 $y=0$을 대입하면

$0=-x^2+2x+a$, $x^2-2x-a=0$

$\therefore x=1\pm\sqrt{1+a}$

따라서 x축과 만나는 두 점의 좌표가

$(1-\sqrt{1+a},0)$, $(1+\sqrt{1+a},0)$이므로

두 점 사이의 거리는

$1+\sqrt{1+a}-(1-\sqrt{1+a})=2\sqrt{1+a}$

이때 $2\sqrt{1+a}=4$이므로 $\sqrt{1+a}=2$

$1+a=4$ $\quad\therefore a=3$

13 ③ $y=(x-3)(x-1)=x^2-4x+3=(x-2)^2-1$

이 이차함수의 그래프는 꼭짓점의 좌표가 $(2,-1)$이고 y절편이 3이며 아래로 볼록한 포물선이므로 그 그래프를 그리면 오른쪽 그림과 같다.

14 $y=x^2-6x+3=(x-3)^2-6$

이 이차함수의 그래프는 꼭짓점의 좌표가 $(3,-6)$이고 아래로 볼록하며 y절편이 3인 포물선이므로 그 그래프를 그리면 오른쪽 그림과 같다. 따라서 제3사분면을 지나지 않는다.

15 ① $y=x^2+4x+3=(x+2)^2-1$

⇨ 제4사분면을 지나지 않는다.

② $y=2x^2-7x+3=2\left(x-\frac{7}{4}\right)^2-\frac{25}{8}$

⇨ 제3사분면을 지나지 않는다.

③ $y=-2x^2+3x=-2\left(x-\frac{3}{4}\right)^2+\frac{9}{8}$

⇨ 제2사분면을 지나지 않는다.

④ $y=-\frac{3}{4}x^2-3x+1=-\frac{3}{4}(x+2)^2+4$

⇨ 꼭짓점의 좌표는 $(-2,4)$이고, y절편은 1이므로 모든 사분면을 지난다.

⑤ $y=-2x^2+4x-1=-2(x-1)^2+1$

⇨ 제2사분면을 지나지 않는다.

16 $y=-2x^2+4x+2=-2(x-1)^2+4$

③ 꼭짓점의 좌표가 $(1,4)$이고 위로 볼록하므로 x축과 만난다.

17 $y=3x^2+12x+7=3(x+2)^2-5$

ㄱ. 꼭짓점의 좌표는 $(-2,-5)$이다.

ㄴ. 제4사분면을 지나지 않는다.

따라서 옳은 것은 ㄷ, ㄹ이다.

18 $y=x^2+6x-k+4=(x+3)^2-k-5$의 그래프는 아래로 볼록한 포물선이므로 x축과 서로 다른 두 점에서 만나려면 $-k-5<0$이어야 한다.

$\therefore k>-5$

19 그래프가 아래로 볼록하므로 $a>0$

축이 y축의 오른쪽에 있으므로 $ab<0$, 즉 $b<0$

y절편이 음수이므로 $c<0$

$y=bx^2-ax-c$의 그래프는 $b<0$이므로 위로 볼록하고, $-a<0$이므로 축이 y축의 왼쪽에 있다.

또한 $-c>0$이므로 y절편이 양수이다.

따라서 $y=bx^2-ax-c$의 그래프로 알맞은 것은 ①이다.

20 ① 그래프가 위로 볼록하므로 $a<0$

② 축이 y축의 왼쪽에 있으므로 $ab>0$, 즉 $b<0$

③ y절편이 양수이므로 $c>0$

④ $x=-2$일 때, $y>0$이므로 $4a-2b+c>0$

⑤ $x=1$일 때, $y=0$이므로 $a+b+c=0$

21 $y=x^2+2x-3$에 $y=0$을 대입하면 $0=x^2+2x-3$

$(x+3)(x-1)=0$ $\quad\therefore x=-3$ 또는 $x=1$

$\therefore A(-3,0)$, $B(1,0)$

$x=0$을 대입하면 $y=-3$ $\quad\therefore C(0,-3)$

$\therefore \triangle ACB=\frac{1}{2}\times4\times3=6$

22 $y=-\dfrac{1}{2}x^2-2x+\dfrac{5}{2}=-\dfrac{1}{2}(x+2)^2+\dfrac{9}{2}$이므로

꼭짓점의 좌표는 $C\left(-2,\ \dfrac{9}{2}\right)$

y축과의 교점의 좌표는 $D\left(0,\ \dfrac{5}{2}\right)$

두 삼각형 ABC와 ABD는 밑변의 길이가 같으므로

두 삼각형의 넓이의 비는 높이의 비, 즉 점 C, D의 y좌표의

비와 같다.

$\therefore \triangle\text{ABC} : \triangle\text{ABD}=\dfrac{9}{2} : \dfrac{5}{2}=9 : 5$

23 $y=-\dfrac{1}{4}x^2+2x+2=-\dfrac{1}{4}(x-4)^2+6$이므로

꼭짓점의 좌표는 $A(4,\ 6)$, y축과의 교점의 좌표는 $B(0,\ 2)$

$\therefore \triangle\text{ABO}=\dfrac{1}{2}\times 4\times 2=4$

24 꼭짓점의 좌표가 $(2,\ -3)$이므로 이차함수의 식을

$y=a(x-2)^2-3$으로 놓으면

이 그래프가 점 $(0,\ 3)$을 지나므로

$3=a(0-2)^2-3$, $4a=6$　$\therefore a=\dfrac{3}{2}$

따라서 구하는 이차함수의 식은 $y=\dfrac{3}{2}(x-2)^2-3$이므로

$a=\dfrac{3}{2},\ p=2,\ q=-3$

$\therefore ap-q=\dfrac{3}{2}\times 2-(-3)=6$

25 꼭짓점의 좌표가 $(2,\ 4)$이므로 이차함수의 식을

$y=a(x-2)^2+4$로 놓으면

이 그래프가 점 $(4,\ 6)$을 지나므로

$6=a(4-2)^2+4$, $4a=2$　$\therefore a=\dfrac{1}{2}$

따라서 $y=\dfrac{1}{2}(x-2)^2+4$에 $x=0$을 대입하면

$y=\dfrac{1}{2}\times 2^2+4=6$이므로

y축과 만나는 점의 좌표는 $(0,\ 6)$이다.

26 $y=-x^2+4x+1=-(x-2)^2+5$의 그래프를 x축의 방

향으로 a만큼, y축의 방향으로 b만큼 평행이동한 그래프의

식은 $y=-(x-2-a)^2+5+b$

이 식이 그래프가 나타내는 이차함수의 식

$y=-(x+2)^2+7$과 일치하므로

$-2-a=2,\ 5+b=7$

$\therefore a=-4,\ b=2$　　$\therefore a+b=-4+2=-2$

27 축의 방정식이 $x=-3$이므로 이차함수의 식을

$y=a(x+3)^2+q$로 놓자.

이 그래프가 두 점 $(-2,\ -8),\ (-1,\ -2)$를 지나므로

$-8=a+q$, $-2=4a+q$

두 식을 연립하여 풀면 $a=2,\ q=-10$

따라서 구하는 이차함수의 식은

$y=2(x+3)^2-10=2x^2+12x+8$이므로 이 그래프의

y절편은 8이다.

28 축의 방정식이 $x=-1$이므로 이차함수의 식을

$y=a(x+1)^2+q$로 놓자.

이 그래프가 두 점 $(0,\ -3),\ (1,\ 0)$을 지나므로

$a+q=-3$, $4a+q=0$

두 식을 연립하여 풀면 $a=1,\ q=-4$

따라서 구하는 이차함수의 식은

$y=(x+1)^2-4=x^2+2x-3$이므로

$a=1,\ b=2,\ c=-3$　　$\therefore abc=-6$

29 축의 방정식이 $x=1$이고, x축에 접하므로 이차함수의 식을

$y=a(x-1)^2$으로 놓자.

이 그래프가 점 $(0,\ -3)$을 지나므로

$-3=a(0-1)^2$　　$\therefore a=-3$

따라서 $y=-3(x-1)^2$에 $x=3,\ y=k$를 대입하면

$k=-3(3-1)^2=-12$

30 $y=ax^2+bx+c$에

$x=0,\ y=1$을 대입하면 $c=1$

$x=1,\ y=2$를 대입하면 $a+b+1=2$　　$\cdots\cdots\ \ominus$

$x=-1,\ y=6$을 대입하면 $a-b+1=6$　　$\cdots\cdots\ \ominus$

$\ominus$, $\ominus$을 연립하여 풀면

$a=3,\ b=-2$

$\therefore abc=3\times(-2)\times 1=-6$

31 이차함수의 그래프의 x절편이 -3, 5이고, x^2의 계수가

-2인 이차함수의 식은

$y=-2(x+3)(x-5)=-2x^2+4x+30$

따라서 $a=4,\ b=30$이므로

$a+b=34$

32 y축을 축으로 하고, x축과의 두 교점 사이의 거리가 8이므

로 그래프는 x축과 두 점 $(4, 0)$, $(-4, 0)$에서 만난다.

따라서 $y=(x+4)(x-4)=x^2-16$이므로

$a=0, b=-16$ $\therefore a+b=-16$

070~073쪽

실력 TEST

01 -6 **02** $y=-2x+5$ **03** ③

04 $(1, 8), (2, 9), (3, 8), (4, 5)$

05 $(-1, -12), (3, -12)$ **06** -6 **07** -25

08 $(2, 3)$ **09** -1 **10** -1 **11** 3

12 (1) $f(k)=-\dfrac{3}{2}k^2+9k$ (2) 0

01 $y=2x^2-4ax+2a^2+3b-1=2(x-a)^2+3b-1$의

그래프의 꼭짓점의 좌표는 $(a, 3b-1)$

$y=3x^2-12bx+12b^2+a-3=3(x-2b)^2+a-3$의

그래프의 꼭짓점의 좌표는 $(2b, a-3)$

이때 두 이차함수의 그래프의 꼭짓점의 좌표가 서로 같으므로

$a=2b, 3b-1=a-3$

두 식을 연립하여 풀면

$a=-4, b=-2$

$\therefore a+b=-4+(-2)=-6$

02 $y=x^2-4x+5=(x-2)^2+1$이므로 그래프의 꼭짓점의

좌표는 $(2, 1)$ ⋯⋯ ❶

$y=x^2-4x+5$에 $x=0$을 대입하면 $y=5$이므로 y축과의

교점의 좌표는 $(0, 5)$ ⋯⋯ ❷

따라서 구하는 일차함수의 식을 $y=ax+b$로 놓으면 두 점

$(2, 1)$, $(0, 5)$를 지나므로

$1=2a+b, 5=b$

$\therefore a=-2, b=5$

따라서 구하는 일차함수의 식은 $y=-2x+5$이다. ⋯⋯ ❸

채점 기준	배점
❶ 꼭짓점의 좌표 구하기	30 %
❷ y축과의 교점의 좌표 구하기	30 %
❸ 일차함수의 식 구하기	40 %

03 $y=ax^2+bx+c$의 그래프가 위로 볼록하므로 $a<0$

축이 y축보다 오른쪽에 있으므로 $ab<0$, 즉 $b>0$

y절편이 양수이므로 $c>0$

① $x=1$일 때, $y>0$이므로 $y=a+b+c>0$

② $x=-1$일 때, $y<0$이므로 $y=a-b+c<0$

③ $y=ax^2+bx+c$의 그래프의 축의 방정식은 $x=-\dfrac{b}{2a}$

$-\dfrac{b}{2a}>1$이므로 $b>-2a$ $\therefore 2a+b>0$

④ $a<0, b>0, c>0$이므로 $abc<0$

⑤ $x=-2$일 때, $y<0$이므로 $4a-2b+c<0$

04 돌이 움직인 포물선을 그래프로 하는 이차함수의 식을

$y=ax^2+bx+c$로 놓으면

세 점 $(0, 5)$, $(-1, 0)$, $(1, 8)$을 지나므로

$x=0, y=5$를 대입하면 $c=5$

$x=-1, y=0$을 대입하면 $a-b+5=0$ ⋯⋯ ㉠

$x=1, y=8$을 대입하면 $a+b+5=8$ ⋯⋯ ㉡

㉠, ㉡을 연립하여 풀면 $a=-1, b=4$

따라서 이차함수의 식은 $y=-x^2+4x+5$이므로 좌표가

모두 자연수인 그래프 위의 점을 모두 구하면

$(1, 8), (2, 9), (3, 8), (4, 5)$이다.

05 $y=x^2+ax+b$의 그래프가 두 점 $(0, -15)$, $(-3, 0)$을

지나므로 $x=0, y=-15$를 대입하면 $b=-15$

$x=-3, y=0$을 대입하면

$0=9-3a-15$ $\therefore a=-2$

$\therefore y=x^2-2x-15$

$x^2-2x-15=0$에서 $(x-5)(x+3)=0$

$\therefore x=-3$ 또는 $x=5$

즉, $B(5, 0)$이므로 $\overline{AB}=8$ ⋯⋯ ❶

점 C의 y좌표를 k라고 하면

$\triangle ABC=\dfrac{1}{2}\times 8\times |k|=48, |k|=12$

$\therefore k=-12 \ (\because k<0)$ ⋯⋯ ❷

따라서 $y=-12$를 $y=x^2-2x-15$에 대입하면

$-12=x^2-2x-15, x^2-2x-3=0$

$(x+1)(x-3)=0$ $\therefore x=-1$ 또는 $x=3$

따라서 점 C의 좌표는 $(-1, -12)$ 또는 $(3, -12)$이다.

     ⋯⋯ ❸

채점 기준	배점
❶ a, b의 값을 구하고 점 B의 좌표 구하기	30 %
❷ 점 C의 y좌표 구하기	40 %
❸ 점 C의 좌표 구하기	30 %

06 축의 방정식이 $x=-1$이므로 이차함수의 식은
$y=(x+1)^2+q$이다.
x축과 만나는 두 점 사이의 거리가 6이므로 두 점은 축으로부터 3만큼씩 떨어져 있다.
따라서 두 점의 좌표는 $(-4, 0)$, $(2, 0)$이다.
$x=2$, $y=0$을 $y=(x+1)^2+q$에 대입하면
$0=9+q$ $\therefore q=-9$
따라서 이차함수의 식은 $y=(x+1)^2-9=x^2+2x-8$이므로 $a=2$, $b=-8$
$\therefore a+b=2+(-8)=-6$

■ 다른 풀이 ■
x축과 만나는 두 점의 좌표가 $(-4, 0)$, $(2, 0)$이므로
$y=(x+4)(x-2)$로 놓으면
$y=x^2+2x-8$ $\therefore a=2$, $b=-8$
$\therefore a+b=2+(-8)=-6$

07 $y=-\dfrac{1}{2}x^2+5x=-\dfrac{1}{2}(x^2-10x)=-\dfrac{1}{2}(x-5)^2+\dfrac{25}{2}$
이므로 $\mathrm{A}\left(5, \dfrac{25}{2}\right)$
두 점 P, Q의 x좌표를 구하면
$0=-\dfrac{1}{2}x^2+5x$에서 $x^2-10x=0$, $x(x-10)=0$
$\therefore x=0$ 또는 $x=10$
$\therefore \mathrm{P}(0, 0)$, $\mathrm{Q}(10, 0)$
한편 선분 PQ를 $2:3$으로 나누는 점을 R라고 하면
점 R의 x좌표는 $\dfrac{2}{5}\times10=4$이다.
따라서 두 점 $\mathrm{A}\left(5, \dfrac{25}{2}\right)$, $\mathrm{R}(4, 0)$을 지나는 직선의 방정식
은 $y=\dfrac{25}{2}x-50$이므로
$a=\dfrac{25}{2}$, $b=-50$ $\therefore 2a+b=-25$

08 점 P는 $y=x^2-1$의 그래프 위의 점이므로 $\mathrm{P}(a, a^2-1)$이라고 하면 점 Q는 점 P와 y좌표가 같고 직선 $y=x-3$ 위의 점이므로 $\mathrm{Q}(a^2+2, a^2-1)$이다.
이때 $\overline{\mathrm{PQ}}=4$이므로 $a^2+2-a=4$
$a^2-a-2=0$, $(a-2)(a+1)=0$
$\therefore a=2$ $(\because a>0)$
따라서 점 P의 좌표는 $(2, 3)$이다.

09 $y=3x^2-6x+2a$의 그래프가 점 (a, a^2+6)을 지나므로

$a^2+6=3a^2-6a+2a$
$2a^2-4a-6=0$, $a^2-2a-3=0$
$(a-3)(a+1)=0$
$\therefore a=-1$ 또는 $a=3$ …… ㉠ …… ❶
$y=3x^2-6x+2a=3(x-1)^2+2a-3$의 그래프가 x축과 두 점에서 만나려면
$2a-3<0$ $\therefore a<\dfrac{3}{2}$ …… ㉡ …… ❷
㉠, ㉡을 모두 만족해야 하므로 $a=-1$ …… ❸

채점 기준	배점
❶ 주어진 점을 이용하여 a의 값 구하기	40 %
❷ x축과 두 점에서 만나도록 하는 a의 값의 범위 구하기	40 %
❸ a의 값 구하기	20 %

10 이차함수의 그래프가 x축과 만나는 두 점의 좌표가 $(1, 0)$, $(3, 0)$이므로
이차함수의 식을 $f(x)=a(x-1)(x-3)$으로 놓으면
$f(x)=a(x^2-4x+3)=ax^2-4ax+3a$
이 식이 $f(x)=ax^2+bx+c$와 같으므로
$b=-4a$, $c=3a$
$\therefore \dfrac{b+c}{a}=\dfrac{-4a+3a}{a}=\dfrac{-a}{a}=-1$

11 $y=x^2-2x-3$에 $y=0$을 대입하면
$x^2-2x-3=0$, $(x+1)(x-3)=0$
$\therefore x=-1$ 또는 $x=3$
따라서 이 그래프가 x축과 만나는 두 점 사이의 거리는
$3-(-1)=4$
$y=x^2-2x-3=(x-1)^2-4$의 그래프를 y축의 방향으로 k만큼 평행이동한 그래프의 식은 $y=(x-1)^2-4+k$
이 그래프가 x축과 만나는 두 점 사이의 거리가 처음의 $\dfrac{1}{2}$배
인 $4\times\dfrac{1}{2}=2$이고 축의 방정식이 $x=1$이므로
두 점의 좌표는 $(0, 0)$, $(2, 0)$이다.
따라서 $y=(x-1)^2-4+k$에 $x=0$, $y=0$을 대입하면
$0=-3+k$ $\therefore k=3$

12 (1) 두 점 A, D의 y좌표가 k이므로
$\mathrm{A}\left(\dfrac{1}{2}k-3, k\right)$, $\mathrm{D}(-k+6, k)$
$\overline{\mathrm{AD}}=-k+6-\left(\dfrac{1}{2}k-3\right)=-\dfrac{3}{2}k+9$이고,
$\overline{\mathrm{AB}}=k$이므로

$$\square ABCD = f(k) = \left(-\frac{3}{2}k+9\right) \times k = -\frac{3}{2}k^2+9k$$

(2) $f(4) = -\frac{3}{2} \times 4^2 + 9 \times 4 = -24 + 36 = 12$

$f(2) = -\frac{3}{2} \times 2^2 + 9 \times 2 = -6 + 18 = 12$

$\therefore f(4) - f(2) = 0$

대단원 TEST
074~076쪽

01 ④	**02** ①, ④	**03** ②	**04** $\frac{1}{2}$
05 -4	**06** ②	**07** ①	**08** ③
09 3	**10** $-\frac{3}{2}$	**11** ②	**12** 5
13 ⑤	**14** ②	**15** $-3 < k < 0$	
16 ②	**17** ③	**18** 9초	
19 $y = 3x^2 + 6x + 2$		**20** 6	

01 ① $y = 80x$ ② $y = x^3$ ③ $y = 3x$
④ $y = 4\pi x^2$ ⑤ $y = 5 - x$
따라서 이차함수인 것은 ④이다.

02 $y = (a^2-2)x^2 - 4x - 2x^2 = (a^2-4)x^2 - 4x$가 x에 대한
이차함수이므로 $a^2 - 4 \neq 0$이어야 한다.
$\therefore a \neq -2$ 또는 $a \neq 2$

03 x^2의 계수의 절댓값이 작을수록 폭이 넓어진다.
따라서 폭이 가장 넓은 것은 ②이다.

04 점 Q의 y좌표는 8이므로 $y = 2x^2$에 $y = 8$을 대입하면
$8 = 2x^2$ $\therefore x = -2$ 또는 $x = 2$
그런데 점 Q는 제1사분면 위의 점이므로 Q(2, 8)
이때 $\overline{PQ} = \overline{QR}$이므로 점 R의 좌표는 (4, 8)이다.
즉, $y = ax^2$의 그래프가 점 R(4, 8)을 지나므로
$8 = a \times 4^2$ $\therefore a = \frac{1}{2}$

05 $y = 4x^2$의 그래프와 x축에 대칭인 이차함수의 그래프는
$y = -4x^2$
이 그래프가 점 $(-1, k)$를 지나므로
$k = -4 \times (-1)^2 = -4$

06 ① ㄱ과 ㄴ의 y절편은 각각 3, -1이므로 다르다.
③ ㄹ은 ㄴ을 x축의 방향으로 2만큼 평행이동한 것이다.
④ ㄱ을 x축에 대하여 대칭이동한 것은 ㄷ이다.
⑤ ㄴ을 y축에 대하여 대칭이동한 것은 ㄹ이다.

07 평행이동한 그래프의 식은 $y = \frac{3}{2}x^2 + a$이고 이 그래프가
점 $(2, -3)$을 지나므로
$-3 = \frac{3}{2} \times 2^2 + a$ $\therefore a = -9$

08 그래프에서 꼭짓점의 좌표가 $(-1, 0)$이므로 $a = -1$
$y = -\frac{2}{3}(x+1)^2$에 $x = 0$을 대입하면
$y = -\frac{2}{3}(0+1)^2 = -\frac{2}{3}$ $\therefore b = -\frac{2}{3}$
$\therefore a - 3b = -1 + 2 = 1$

09 $y = a(x-p)^2 - 2$의 그래프의 축의 방정식이 $x = p$이므로
$p = -3$
또, $y = a(x+3)^2 - 2$의 그래프가 점 $(-2, 1)$을 지나므로
$1 = a(-2+3)^2 - 2$ $\therefore a = 3$

10 $y = \frac{1}{3}(x-p)^2 + 2p^2$의 그래프의 꼭짓점의 좌표는 $(p, 2p^2)$
이 점이 $y = -x + 3$의 그래프 위에 있으므로
$2p^2 = -p + 3$, $2p^2 + p - 3 = 0$
$(2p+3)(p-1) = 0$ $\therefore p = -\frac{3}{2}$ 또는 $p = 1$
그런데 $p < 0$이므로 $p = -\frac{3}{2}$

11 이차함수 $y = a(x-1)^2 + 2$의 그래프를 y축에 대하여 대칭
이동한 그래프의 식은
$y = a(-x-1)^2 + 2 = a(x+1)^2 + 2$
이 함수의 그래프가 점 $(-3, -6)$을 지나므로
$-6 = a(-3+1)^2 + 2$
$-6 = 4a + 2$ $\therefore a = -2$

12 $y = -(x-2)^2 + 5$의 그래프의 꼭짓점의 좌표는
$(2, 5)$이므로 점 A의 좌표는 $(2, 5)$이다.   ······ ❶
이때 축의 방정식은 $x = 2$이므로 점 C의 좌표는
$(2, 0)$이다.   ······ ❷

점 B에서 $\overline{AC}$에 내린 수선의 발을
H라고 하면 $\overline{BH}=\overline{OC}=2$이므로
$\triangle ABC=\dfrac{1}{2}\times\overline{AC}\times\overline{BH}$
$\qquad\qquad=\dfrac{1}{2}\times 5\times 2$
$\qquad\qquad=5$ ...... ❸

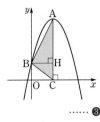

채점 기준	배점
❶ 점 A의 좌표 구하기	30 %
❷ 점 C의 좌표 구하기	30 %
❸ $\triangle ABC$의 넓이 구하기	40 %

13 $y=3x^2-6x-2=3(x-1)^2-5$

① 아래로 볼록하고, 축은 직선 $x=1$이므로 y축의 오른쪽에 위치한다.

② 꼭짓점의 좌표는 $(1,\ -5)$이다.

③ $y=3x^2$의 그래프를 x축의 방향으로 1만큼, y축의 방향으로 -5만큼 평행이동한 것이다.

④ $x<1$일 때, x의 값이 증가하면 y의 값은 감소한다.

14 $y=ax^2-2abx=a(x^2-2bx+b^2-b^2)$
$\qquad=a(x-b)^2-ab^2$

이므로 그래프의 꼭짓점의 좌표는 $(b,\ -ab^2)$

이때 꼭짓점이 제 3사분면 위에 있으므로

$b<0,\ -ab^2<0$ $\quad\therefore a>0,\ b<0$

15 $y=kx^2-2kx+k+3=k(x-1)^2+3$

꼭짓점의 좌표가 $(1,\ 3)$이므로 그래프가 모든 사분면을 지나려면 위로 볼록한 모양이어야 한다.

$\therefore k<0$ ...... ㉠

또한, y절편이 양수이어야 하므로

$k+3>0$ $\quad\therefore k>-3$ ...... ㉡

㉠, ㉡에서 $-3<k<0$

16 그래프가 아래로 볼록하므로 $a>0$

축이 y축의 왼쪽에 위치하므로 $ab>0$, 즉 $b>0$

y절편이 음수이므로 $c<0$

일차함수 $y=-\dfrac{b}{a}x+\dfrac{c}{a}$에서 $-\dfrac{b}{a}<0$, $\dfrac{c}{a}<0$이므로

기울기는 음수, y절편도 음수이다.

따라서 일차함수 $y=-\dfrac{b}{a}x+\dfrac{c}{a}$의 그래프로 알맞은 것은 ②이다.

17 $\dfrac{1}{2}x^2+4x-\dfrac{9}{2}=0$에서 $x^2+8x-9=0$

$(x-1)(x+9)=0$ $\quad\therefore x=-9$ 또는 $x=1$

따라서 두 점 A, B의 좌표는 $(-9,\ 0)$, $(1,\ 0)$이므로

선분 AB의 길이는 $1-(-9)=10$

18 그래프의 꼭짓점의 좌표가 $(4,\ 50)$이므로 이차함수의 식을
$h=a(t-4)^2+50$으로 놓으면

이 그래프가 점 $(0,\ 18)$을 지나므로

$18=16a+50$ $\quad\therefore a=-2$

$\therefore h=-2(t-4)^2+50$

위 식에 $h=0$을 대입하여 풀면

$-2(t-4)^2+50=0$, $(t-4)^2=25$

$t-4=\pm5$ $\quad\therefore t=9\ (\because t>0)$

따라서 물체를 던진 후 지면에 떨어질 때까지 걸리는 시간은 9초이다.

19 조건 ㈏에 따라 이차함수의 식을 $y=3(x-p)^2+q$로 놓으면 조건 ㈐에 의해 $p=-1$이므로 $y=3(x+1)^2+q$

이때 조건 ㈎에 의해

$2=3(-2+1)^2+q$이므로

$2=3+q$ $\quad\therefore q=-1$

따라서 구하는 이차함수의 식은

$y=3(x+1)^2-1=3x^2+6x+2$

20 $y=ax^2+bx+c$에

$x=0,\ y=-3$을 대입하면 $c=-3$

$x=-2,\ y=5$를 대입하면 $5=4a-2b-3$ ...... ㉠

$x=1,\ y=-4$를 대입하면 $-4=a+b-3$ ...... ㉡

㉠, ㉡을 연립하여 풀면 $a=1,\ b=-2$

$\therefore a-b-c=1-(-2)-(-3)=6$

01 362	02 $y=x+4$	03 16

01 $f(x)=x^2-2x+2=(x-1)^2+1$,

$g(x)=x^2+2x+2=(x+1)^2+1$이므로

이차함수 $f(x)$의 그래프는 이차함수 $g(x)$의 그래프를 x축의 방향으로 2만큼 평행이동한 그래프이다.

즉, $f(2)=g(0), f(3)=g(1), f(4)=g(2), \cdots$

$\therefore \dfrac{g(0)\times g(1)\times g(2)\times\cdots\times g(18)}{f(1)\times f(2)\times f(3)\times\cdots\times f(19)}$

$\quad=\dfrac{g(18)}{f(1)}=362$

02 $y=-x^2-2x+8=-(x+1)^2+9$이므로

꼭짓점의 좌표는 $A(-1, 9)$

$y=-x^2-2x+8$에 $y=0$을 대입하면

$-x^2-2x+8=0, (x+4)(x-2)=0$

$\therefore x=-4$ 또는 $x=2$

$\therefore B(-4, 0), C(2, 0)$

점 A에서 $\overline{BC}$에 내린 수선의 발을 D 라고 하면 $D(-1, 0)$

이때 $\triangle ABC$의 넓이를 이등분하는 직선은 꼭짓점 B와 $\triangle ABC$의 무게중심을 지나야 한다. 이때 $\triangle ABC$의 무게중심은 $\overline{AD}$의 길이를 $2 : 1$로 나누므로 무게중심의 좌표는 $(-1, 3)$이고 직선은 점 $(-1, 3)$을 지나야 한다.

따라서 두 점 $(-4, 0), (-1, 3)$을 지나는 직선의 방정식을 $y=ax+b$로 놓으면

$a=\dfrac{0-3}{-4-(-1)}=1$이므로 $y=x+b$

직선 $y=x+b$가 점 $(-4, 0)$을 지나므로 $b=4$

$\therefore y=x+4$

03 $y=-x^2+4x+5=-(x-2)^2+9$

점 $B(a, 0)$이라고 하면 축이 직선 $x=2$이므로

$C(4-a, 0)$

따라서 직사각형의 가로의 길이는 $4-2a$이고, 점 $A(a, -a^2+4a+5)$이므로 세로의 길이는 $-a^2+4a+5$이다.

따라서 □ABCD의 둘레의 길이를 l이라 하면

$l=2(4-2a)+2(-a^2+4a+5)$

$\quad=-2a^2+4a+18$

$\quad=-2(a-1)^2+20$

$a=1$일 때 $l=20$이므로 이때의 각 점의 좌표는

$B(1, 0), C(3, 0), A(1, 8)$

$\therefore$ □ABCD$=\overline{BC}\times\overline{AB}=2\times8=16$

■ **다른 풀이** ■

$y=-x^2+4x+5=-(x-2)^2+9$

$y=-(x-2)^2+9$의 그래프를 x축의 방향으로 -2만큼 평행이동한 그래프의 식은 $y=-x^2+9$이다.

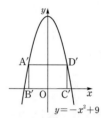

$y=-x^2+9$

평행이동에 의해 □ABCD의 둘레의 길이는 위의 그림에서 □A'B'C'D'의 둘레의 길이와 같다.

점 D'의 좌표를 $(a, -a^2+9)$라고 하면

$\overline{A'D'}=2a, \overline{D'C'}=-a^2+9$이므로

(□A'B'C'D'의 둘레의 길이)

$=2\times2a+2(-a^2+9)$

$=-2a^2+4a+18$

$=-2(a-1)^2+20$

$a=1$일 때 둘레의 길이가 20이므로 이때의 각 점의 좌표는

$B'(-1, 0), C'(1, 0), A'(-1, 8)$

$\therefore$ □A'B'C'D'$=\overline{B'C'}\times\overline{A'B'}=2\times8=16$

튼튼한 **개념!** 흔들리지 않는 **실력!**
숨마쿰라우데 중학수학 3-상 개념기본서

숨마쿰라우데란 최고의 영예를 뜻하는 말입니다

숨마쿰라우데라는 말은 라틴어로 SUMMA CUM LAUDE라고 씁니다. 이는 최고의 영예를 뜻하는 말인데요. 보통 미국 아이비리그 명문 대학들의 최우수 졸업자에게 부여되는 칭호입니다. 우리나라로 치면 '수석 졸업'이라는 뜻이지요. 그러나 모든 일에 있어서 그렇듯 공부에 있어서도 결과 뿐 아니라 과정이 중요합니다. 최선을 다하는 과정이 있으면 좋은 결과가 따라올 뿐 아니라, 그 과정을 통해 얻어진 깨달음이 평생을 함께하기 때문입니다. 이룸이앤비 숨마쿰라우데는 바로 최선을 다하는 사람 모두에게 최고의 영예를 선사합니다.

개념을 확실히 잡으면 어떤 문제도 두렵지 않다!

수학 공부 도대체 어떻게 해야 할까요? 수많은 공부법과 요령들이 난무하지만 어떤 주장에도 빠지지 않는 내용이 바로 개념 이해의 필요성입니다. 덧셈을 배우면 덧셈을 통해 뺄셈을 배우고, 곱셈을 배우면 곱셈을 통해 나눗셈을 배웁니다. 역사 이야기처럼 수학 개념도 꼬리에 꼬리를 무는 연속성이 있는 것이므로 중간에 하나라도 빠진다면 그 다음 개념을 완벽히 이해할 수 없게 됩니다. 단계적 연계 학습을 하는 숨마쿰라우데로 흔들리지 않는 개념을 잡으세요. 수학의 참 재미를 발견하고, 어떤 문제가 나와도 두렵지 않을 것입니다.

스토리텔링 수학 학습의 결정판!

스토리텔링 학습이란 다양한 예나 이야기를 접목하여 개념과 원리를 쉽고 재미있게 설명하는 학습 방법입니다. "숨마쿰라우데 중학 수학"은 스토리텔링 방식으로 수학을 재미있게 설명해 놓은 최고의 스토리텔링 수학 학습서입니다. QA를 통해 개념을 스스로 묻고 답하면서 공부해 보세요. 수학이 쉽고 재미있게 다가올 것입니다.

학습 교재의 새로운 신화! 이룸이앤비가 만듭니다!

미래를 생각하는

(주)이룸이앤비

이룸이앤비는 항상 꿈을 갖고 무한한 가능성에 도전하는 수험생 여러분과 함께 할 것을 약속드립니다.
수험생 여러분의 미래를 생각하는 이룸이앤비는 항상 새롭고 특별합니다.

내신·수능 1등급으로 가는 길
이룸이앤비가 함께합니다.

| 이룸이앤비 | 🔍 |

인터넷 서비스

이룸이앤비의 모든 교재에 대한 자세한 정보
각 교재에 필요한 듣기 MP3 파일
교재 관련 내용 문의 및 오류에 대한 수정 파일

숨마 주니어®

미래로

라이트수학

굿비
좋은 시작, 좋은 기초

숨마쿰라우데®

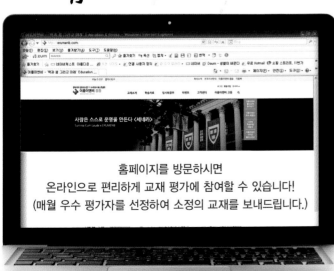

홈페이지를 방문하시면
온라인으로 편리하게 교재 평가에 참여할 수 있습니다!
(매월 우수 평가자를 선정하여 소정의 교재를 보내드립니다.)